MESURER LE MONDE

1792-1799 : l'incroyable histoire de l'invention du mètre

KEN ALDER

MESURER LE MONDE

1792-1799 : l'incroyable histoire de l'invention du mètre

*Traduit de l'anglais
par Martine Devillers-Argouarc'h*

*Ouvrage traduit avec le
concours du Centre national du Livre*

Flammarion

Titre original : *The Measure of All Things. The seven-year odyssey and hidden error that transformed the world*, The Free Press, © 2002 by Ken Alder.

© Éditions Flammarion, 2005, pour la traduction française
ISBN : 2-08-210328-5

Avertissement

Dès leur plus tendre enfance, les jeunes Français apprennent à manier les unités métriques comme Monsieur Jourdain faisait de la prose, en ignorant tout de l'expédition héroïque des astronomes Delambre et Méchain, partis déterminer la longueur du mètre dans le chaos de la Révolution. Pour ma part, j'ai dû attendre d'entrer au lycée, à Berkeley, en Californie, pour être initié au système métrique. Comme le professeur nous l'expliqua en cette lointaine année 1972, nous devions nous mettre à l'usage des mesures décimales parce que, inévitablement, les États-Unis allaient les adopter dans un avenir très proche, suivant en cela l'exemple de tous les autres pays du monde. Un an plus tard, je me trouvais à Paris et me préparais à devenir bilingue, dans le langage des mesures autant que dans la langue de Molière. Et aujourd'hui, les Américains attendent encore que se produise l'« inévitable » passage.

Les États-Unis, le Liberia et l'Union du Myanmar (ex-Birmanie) sont à l'heure actuelle les trois seuls pays au monde à n'avoir pas adopté le mètre comme étalon officiel, et pourtant des millions d'Américains l'utilisent pour les besoins de leur travail, dans le milieu médical ou scientifique comme dans celui des grandes industries mondiales, telles l'automobile ou Coca-Cola. Peut-être est-ce précisément ce bilinguisme auquel je suis parvenu qui a suscité chez moi certaines interrogations, à savoir si les étalons de mesure sont l'expression de vérités éternelles tirées de la nature ou s'ils résultent de conventions sociales reflétant des valeurs distinctes. Avec l'âge, j'en suis venu à me demander pourquoi les États-Unis, contrairement à la France, sont toujours restés en marge du système métrique. Et j'ai cherché à savoir ce qui rendait sa progression « inévitable », dans le monde entier. En somme, j'ai commencé à m'intéresser au passé du futur, et cela m'a renvoyé à l'époque de la Révolution française.

Les sept années que Delambre et Méchain ont passé à mesurer le méridien de France sont depuis longtemps présentées comme une véritable épopée scientifique au cours de laquelle deux astronomes courageux ont risqué leur vie pour servir le bien public et rapporter un mètre parfait à une nation reconnaissante, pressée d'être enfin libérée de l'iniquité des usages locaux. Ce n'est pas un hasard si l'histoire du système métrique a servi à montrer comment, au milieu du chaos et de la violence qui ont marqué la dernière décennie du siècle des Lumières, la Révolution française a su donner à la science la capacité de produire quelque chose de permanent : une mondialisation salutaire, nécessaire à l'équité du commerce et de la communication dans le monde entier. Car c'est ce discours-là qu'ont tenu les deux savants.

Or, en rassemblant les lettres, les carnets et autres registres scientifiques de Delambre, de Méchain et de leurs éminents confrères, j'ai découvert une autre histoire, une autre forme d'héroïsme. Non celui dont il avait fallu faire preuve pour arracher la perfection au chaos, mais celui que l'on se devait de montrer pour accepter l'incertitude et l'erreur qui affligent toutes les entreprises humaines, y compris dans le domaine des sciences. En effet, au cours de mes recherches, je me suis rendu compte que l'un des deux astronomes avait commis une erreur capitale dans ses calculs et, bien pis encore, qu'il avait supprimé les résultats suspects et que cela même l'avait amené au bord de la folie. Son confrère n'apprit la vérité qu'après sa mort et il se trouva confronté à un cruel dilemme : fallait-il ou non contester l'exactitude de la règle métrique que l'on venait de forger ? J'ai alors pris conscience que la grande réussite, inattendue, de l'aventure du mètre avait été d'obliger les scientifiques à reconnaître l'existence de l'incertitude et à mettre au point de nouveaux outils pour se mesurer à l'erreur, créant du même coup la science moderne telle qu'on la connaît aujourd'hui dans le monde. Cet héroïsme-là est d'une tout autre nature.

Il en est de même pour l'accueil réservé aux nouvelles unités métriques. En effet, la France ne fut pas seulement le premier pays à *adopter* le nouveau système, elle eut également l'honneur d'être la première nation à le *rejeter*. Au cours des décennies qui suivirent la Révolution, des millions de citoyens français ordinaires dénigrèrent les nouvelles mesures et se cramponnèrent à leurs anciennes unités locales – pour des raisons qui leur paraissaient tout à fait logiques, d'ailleurs. Ainsi l'époque postrévolutionnaire fut-elle marquée par une division des esprits sur ce qui, des valeurs locales ou des règles internationales, devait déterminer la vie des citoyens. Le présent ouvrage montre en quoi le débat sur le système métrique a été, en fait, le tout premier débat sur la question de la mondialisation.

Il ne s'agit pas ici de prendre position pour ou contre le système métrique. La preuve en est que lorsque cette histoire fut publiée aux États-Unis et en Grande-Bretagne, elle déclencha quatre types de réactions. Chez les partisans du système métrique, certains virent dans l'ouvrage une forme de soutien, tandis que d'autres, au contraire, le trouvèrent « anti-métrique ». Parmi les détracteurs du système, on compta ceux qui y virent effectivement une critique négative, et inversement, ceux qui lui trouvèrent un caractère apologétique. De toute évidence, la question n'est pas là, même si je suis le premier à reconnaître que le bilinguisme « métrologique » a aussi ses inconvénients. En 1999, alors que je sillonnais les routes de France à bicyclette, suivant l'itinéraire de Delambre et de Méchain, la NASA révéla que la sonde américaine Mars Climate Orbiter avait disparu à l'approche de la planète rouge. La raison de ce crash était que l'une des deux équipes d'ingénieurs avait utilisé le système métrique tandis que l'autre s'était servie des unités de mesures anglo-saxonnes. De cet échec, nous pouvons tirer un enseignement d'une tout autre nature lui aussi : les mesures ont effectivement leur importance. Nous avons l'habitude de les considérer comme allant de soi, alors qu'elles sont l'expression de nos propres valeurs. En procédant à la transformation du système de mesure, les savants de la Révolution française ont cherché à transformer ces valeurs. C'est ce travail et leur voyage qui constituent la trame de ce récit.

Ken Alder,
novembre 2004.

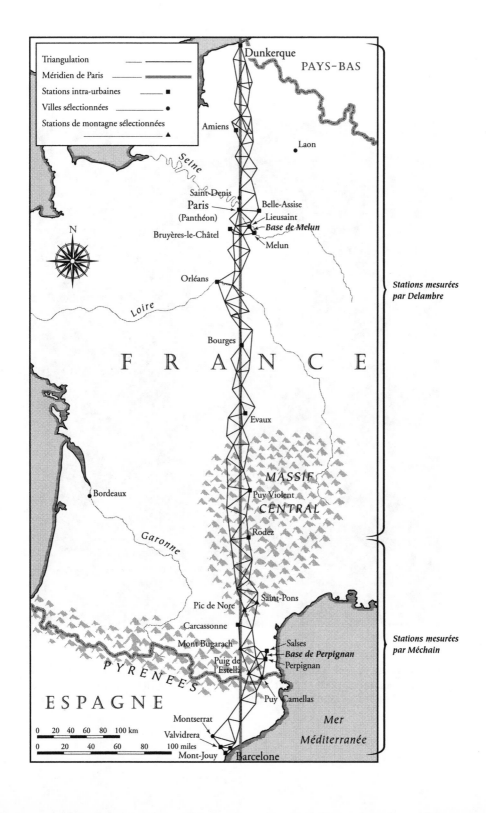

PAYS-BAS

Dunkerque

Amiens

Laon

Seine

Saint-Denis

Paris
(Panthéon)

Belle-Assise

Lieusaint
Base de Melun

Bruyères-le-Châtel

Melun

Orléans

Loire

F R A N C E

Bourges

N

Evaux

MASSIF

Bordeaux

Puy Violent

CENTRAL

Garonne

Rodez

*Stations mesurées
par Delambre*

Saint-Pons

Pic de Nore

Carcassonne

Mont Bugarach

Salses
Base de Perpignan
Perpignan

Puig de
l'Estella

P Y R E N E E S

Puy Camellas

E S P A G N E

*Stations mesurées
par Méchain*

Montserrat

0 20 40 60 80 100 km
0   20   40   60   80 100 miles

Valvidrera

Mont-Jouy

Barcelone

Mer
Méditerranée

Jean-Baptiste Joseph Delambre, à l'âge de 52 ans, par Per Ebberhard Gogell
(1803). Delambre porte l'habit de l'Académie des sciences (Swedish Royal
Academy of Sciences, ph. G. Athanasiadis).

Pierre-François-André Méchain, en habit de l'Académie des sciences. Peinture posthume (1824) de Narcisse Garnier, d'après des esquisses réalisées du vivant de Méchain (musée de Laon).

À Bronwyn et à Madeleine.

C'est l'étoile de toutes les barques perdues
Nul ne sait sa valeur, sa hauteur seule est connue.

(It is the star to every wandering bark,
Whose worth's unknown, although his height be taken.)
W. Shakespeare, *Sonnet* 116.

Dramatis Personæ

Les personnages principaux

JEAN-BAPTISTE JOSEPH DELAMBRE (1749-1822). Astronome chargé de la partie nord de l'opération de la méridienne, qui se déroula entre 1792 et 1799. Delambre termina sa carrière au poste de secrétaire perpétuel de l'Académie des sciences.

PIERRE FRANÇOIS ANDRÉ MÉCHAIN (1744-1804). Astronome qui s'occupa de la section sud de l'opération de la méridienne, avec l'aide de JEAN-JOSEPH TRANCHOT, ingénieur géographe. Méchain épousa BARBE THÉRÈSE MARJOU en 1777. Leur fils aîné, JÉRÔME ISAAC, participa à l'expédition d'Égypte, et le cadet, AUGUSTIN, assista Méchain lors de sa seconde mission en Espagne, d'où il ne revint jamais.

JOSEPH JÉRÔME LALANDE (1732-1807). Astronome et philosophe dans la grande tradition des Lumières. Athée déclaré, ami de Voltaire, celui qui se disait le « plus célèbre astronome de l'univers » fut à la fois le maître de Delambre et celui de Méchain.

Les seconds rôles

JEAN CHARLES DE BORDA (1733-99). Vétéran de la marine et l'un des plus importants physiciens français de physique expérimentale. Il inventa le cercle répétiteur (ou cercle de réflexion) utilisé par Delambre et Méchain.

JEAN DOMINIQUE DE CASSINI, dit Cassini IV (1748-1845). Quatrième d'une lignée d'astronomes qui dirigèrent l'Observatoire royal de Paris sous l'Ancien Régime. Nommé responsable de l'opération de la méridienne, il démissionna en signe de protestation contre la Révolution.

MARIE JEAN ANTOINE NICOLAS CARITAT DE CONDORCET (1743-1794). Le grand optimiste de l'Histoire en matière de progrès de l'esprit humain. Il fut secrétaire perpétuel de l'Académie des sciences sous l'Ancien Régime. Fervent révolutionnaire, il défendit les vertus égalitaires du système métrique. Il se suicida en 1794 pour ne pas être exécuté par la police révolutionnaire.

PIERRE SIMON LAPLACE (1749-1827). Le spécialiste de physique mathématique le plus important de son époque. Sa célèbre *Exposition du système du monde* marqua l'apogée de la physique newtonienne du XVIIIᵉ siècle. Une part essentielle de la théorie de Laplace est consacrée à la forme de la Terre. Il fut l'un des principaux partisans du système métrique.

ANTOINE LAURENT LAVOISIER (1743-1794). L'un des pères de la chimie moderne et, grâce à sa position de fermier général, l'un des hommes les plus riches de la France de l'Ancien Régime. Malgré son enthousiasme pour la Révolution et son engagement en coulisses en faveur de la réforme du système des poids et mesures, il sera exécuté en 1794 pour avoir fait partie des fermiers généraux de l'Ancien Régime.

ADRIEN MARIE LEGENDRE (1752-1833). Grand mathématicien français. Il a contribué à poser les bases des statistiques modernes grâce à l'utilisation qu'il a faite des résultats de Delambre et de Méchain.

CLAUDE ANTOINE PRIEUR-DUVERNOIS, dit PRIEUR DE LA CÔTE-D'OR (1763-1832). Jeune officier du génie militaire, qui participa à la dictature révolutionnaire en devenant membre du Comité de salut public. Il contribua pour une grande part à l'adoption du système métrique.

ÉTIENNE LENOIR (1744-1822). Le meilleur fabricant d'instruments scientifiques de France. Il réalisa le cercle répétiteur de Borda ainsi que l'étalon définitif du mètre, la règle en platine de 1799.

Note sur les mesures

Il va sans dire que les équivalents donnés ci-dessous ne sauraient être considérés comme absolument exacts, du fait que, sous l'Ancien Régime, des mesures portant le même nom variaient souvent d'un lieu à un autre, avec des différences qui pouvaient passer du simple au double. La meilleure table de correspondances est celle de Ronald Zupko, *French Weights and Measures Before the Revolution : A Dictionary of Provincial and Local Units* (Indiana University Press, Bloomington, 1978). Ce dictionnaire de deux cent vingt-quatre pages est nécessairement incomplet et il faudrait y ajouter la centaine de tables de comparaisons établies par les divers départements français entre 1793 et 1812, qui sont d'ailleurs tout aussi incomplètes. La métrologie historique est un domaine à part entière, consacré à la recherche des documents et autres traces archéologiques permettant de déterminer les anciennes valeurs des poids et mesures. De temps à autre, ces éléments sont exploités pour reconstituer la vie quotidienne au temps passé.

Mesures linéaires [1]

Lieue = env. 4 km.
Toise = env. 1,500 m.
Aune = un petit quart plus longue que le mètre (à Paris).
Pied = sensiblement le même que son équivalent anglo-saxon (env. 0,3 m).
Pouce = env. 2,7 cm (l'unité de longueur correspondante dans les pays anglo-saxons est l'*inch*, qui vaut 2,54 cm).
Ligne = la douzième partie du pouce.

Autres mesures

La *livre* valait entre 380 et 550 grammes.
Le *boisseau* valait environ 12,5 litres.
La *pinte* de Paris valait 0,93 l. La pinte était l'équivalent du *quart* anglo-saxon, soit 0,95 litre aux États-Unis, et 1,14 l. en Grande-Bretagne. À titre de comparaison, la pinte anglo-saxonne vaut un peu moins de 0,5 l. aux États-Unis, et un peu plus en Grande-Bretagne, alors qu'elle vaut 1,14 l. au Canada.

Degrés

Entre 1793 et 1798, le cercle de 360 degrés a parfois été divisé en 400 degrés. Toutes les mesures d'angles figurant dans le texte, ainsi que toutes les mesures de latitude et de longitude, ont été données suivant la base du système à 360 degrés, chaque degré (°) étant divisé en 60 minutes (') de 60 secondes ('') chacune. Ainsi pour une latitude de 36°44'61,26'', il faut lire : trente-six degrés, quarante-quatre minutes, et soixante et une secondes vingt-six de latitude nord (toutes les latitudes données dans ce livre sont celles de l'hémisphère nord).

---

1. Dans l'édition originale de ce livre, l'auteur a utilisé les unités de mesures anglo-saxonnes. Dans la traduction française, il a paru nécessaire, afin d'éviter tout anachronisme, d'employer les mesures de l'Ancien Régime, comme l'ont fait les deux astronomes. En revanche, chaque fois que l'auteur s'est placé en observateur, avec un regard actuel sur un lieu ou sur un événement, les unités métriques, plus familières aux lecteurs francophones, ont été utilisées. Afin de ne pas alourdir le texte par d'innombrables conversions, nous présentons ici un certain nombre d'équivalences qui permettront au lecteur d'avoir une idée approximative des mesures de longueur et de capacité auxquelles il est fait référence tout au long du présent ouvrage. [N.d.T.]

Dates

Les dates figurant dans le texte sont celles du calendrier grégorien, et non celles du calendrier révolutionnaire, même si, dans les notes de fin de volume, les deux types de dates apparaissent parfois.

Unité monétaire

Sous l'Ancien Régime, la devise en circulation était la *livre*, divisée en vingt *sous*, qui valaient chacun douze *deniers*. Le gouvernement républicain ressuscita le vieux franc (pour le diviser en cent centimes, suivant la division décimale), et après discussion, il fut décidé qu'un franc serait sensiblement équivalent à une *livre*. En fait, à l'origine, la valeur du franc décimal dépassait celle de l'ancienne livre d'un quatre-vingtième, de façon que celui-ci titrât 4,5 grammes d'argent, un chiffre rond, au lieu des 4,419 grammes de l'ancienne monnaie. Toutefois, pendant la période révolutionnaire, « franc » et « livre » devinrent des termes pratiquement interchangeables, au fur et à mesure de l'évolution de la législation. La réforme monétaire de 1803 fit du *franc* une unité fixe dont la quantité constitutive d'argent fut portée à cinq grammes.

L'*assignat* était un papier-monnaie créé aux premiers temps de la Révolution, avec une valeur nominale de un franc. Malheureusement, il se déprécia très vite, le gouvernement se mit à publier des tables de dévaluation, et le taux d'inflation fut porté à vingt mille pour cent en quatre ans. Un autre papier-monnaie, le mandat territorial, fut introduit provisoirement en remplacement de l'assignat. La meilleure analyse des aspects financiers et économiques de la Révolution française est celle de François Crouzet, dans *La Grande Inflation : la monnaie en France de Louis XVI à Napoléon* (Fayard, Paris, 1993).

Prologue

En juin 1792, alors que la monarchie française vivait ses derniers jours et que la Terre commençait à tourner autour du nouvel axe de l'égalité révolutionnaire, deux astronomes partaient dans des directions opposées, dans une quête extraordinaire. L'érudit et cosmopolite Jean-Baptiste Joseph Delambre se dirigeait vers le nord, tandis que le très consciencieux Pierre François André Méchain se mettait en route pour le sud. Les deux hommes quittaient la capitale dans une berline conçue spécialement pour eux, où se trouvaient les instruments scientifiques les plus perfectionnés de l'époque, et tous deux étaient accompagnés d'un assistant chevronné. Leur mission : mesurer la Terre, ou du moins cette partie de l'arc du méridien qui allait de Dunkerque à Barcelone en passant par Paris. Leur espoir : voir tous les hommes du monde entier utiliser désormais le globe comme étalon de mesure commun. Leur but : définir la nouvelle unité de mesure, le mètre, comme la dix millionième partie de la distance qui sépare le pôle Nord de l'équateur.

Le mètre serait éternel parce qu'il serait tiré de la Terre, elle-même éternelle. Et il appartiendrait de manière égale à tous les hommes de la Terre, comme la Terre leur appartenait à tous également. Pour reprendre les mots de leur confrère révolutionnaire Condorcet, fondateur de la science sociale mathématique et grand optimiste de l'Histoire, le système métrique devait être « pour tous les hommes, pour tous les temps ».

On entend souvent dire que la science est une force révolutionnaire qui façonne l'histoire de l'homme en lui imposant ses idées radicales ; mais c'est aussi de l'histoire humaine que la science tire son existence, en remodelant des actions ordinaires dont certaines sont si habituelles que nous les remarquons à peine. Prendre des mesures est un acte des plus courants ; nous utilisons le langage des mesures chaque fois que nous avons besoin d'être précis, que ce soit pour l'échange d'informations ou pour le commerce. Cependant cette omniprésence, justement, finit par occulter l'acte lui-même. Pour jouer leur rôle, les étalons doivent fonctionner comme un ensemble d'hypothèses partagées, constituant la référence de base qui nous permet de conclure un accord ou de faire des distinctions. Il n'est donc pas surprenant que nous considérions le fait de mesurer comme allant de soi, comme une banalité. Or, l'usage que fait une société de ses mesures reflète son sens de l'équité. C'est la raison pour laquelle la balance est devenue le symbole de la justice. L'avertissement se trouvait déjà dans l'Ancien Testament : « Vous ne commettrez point d'injustice en jugeant, qu'il s'agisse de mesures de longueur, de poids ou de capacité. Vous aurez des balances justes, des poids justes, une mesure juste, un setier juste[1]. » Notre façon de mesurer révèle ce que nous sommes en même temps que nos valeurs.

Les hommes qui ont pris part à la création du système métrique avaient compris cela. Il s'agissait des grands penseurs scientifiques du siècle des Lumières, une époque où la raison avait été élevée au rang de « seul et unique despote de l'Univers ». Ces savants, comme on appelait en ce temps-là les hommes de science qui étudiaient la nature, avaient un visage moderne tourné vers le présent et un autre plus ancien qui regardait du côté du passé. Eux, bien sûr, ne se voyaient pas avec deux visages ; c'était le monde dans lequel ils vivaient qui était à deux faces, avec un passé écrasant qui faisait obstacle au progrès, et un futur utopique qui attendait de naître.

Ces savants étaient scandalisés par la multiplicité des poids et mesures qu'ils constataient autour d'eux. Au XVIIIe siècle, les mesures ne variaient pas seulement d'un pays à l'autre, elles différaient également au sein même des nations. Cette diversité entravait la communication et le commerce et constituait un obstacle à l'administration rationnelle de l'État. Il était en outre difficile aux savants de comparer leurs résultats avec ceux de leurs confrères. Un Anglais qui voyageait en France à la veille de la Révolution rapporta avoir beaucoup souffert de cette diversité : « [En] France, l'infinie complexité des mesures dépasse tout entendement. Celles-ci ne diffèrent pas seulement d'une province à l'autre, mais aussi d'un district à l'autre et presque d'une ville à l'autre[2]. » Des contemporains estimaient que derrière quelque huit cents appellations, la France de l'Ancien Régime cachait la quantité prodigieuse de deux cent cinquante mille unités de poids et mesures différentes.

Pour remplacer cette tour de Babel des poids et mesures, les savants imaginèrent un langage universel qui devait mettre de l'ordre et de la raison dans les échanges de biens et d'informations. Il s'agissait d'un système rationnel et cohérent qui inciterait ses utilisateurs à penser le monde d'une façon rationnelle et cohérente. Tous les grands projets des savants seraient toutefois restés à l'état de simple produit de leur imagination si la Révolution française, cette grande rupture utopique de l'Histoire, ne leur avait fourni une occasion inespérée de briser la chaîne des usages et de bâtir un nouveau monde en se fondant sur des principes. De la même façon que la Révolution avait proclamé l'universalité des droits pour tous les peuples, elle devait aussi, disaient les savants, proclamer l'universalité des poids et mesures. Et pour s'assurer que le produit de leur création ne serait pas considéré comme l'œuvre d'un seul groupe ou d'une seule nation, ils décidèrent de déterminer l'unité de mesure fondamentale à partir de la Terre elle-même.

Pendant sept ans, Delambre et Méchain parcoururent le méridien pour tirer ce chiffre unique de la surface arrondie de notre planète. Ils commencèrent leur périple en partant dans des directions opposées, et ensuite, lorsqu'ils eurent atteint chacun leur extrémité de l'arc, ils mesurèrent le chemin à parcourir pour se rejoindre, dans un pays ébranlé par la Révolution. Leur mission les amena tout en haut des flèches des cathédrales, au sommet des volcans et très près de la guillotine. L'opération était d'une précision extrême pour une époque si violente. À chaque coin de rue, ils étaient soupçonnés et se heurtaient à des manœuvres d'obstruction. Comment mesurer la Terre quand le monde chavire sous vos pieds ? Comment établir un nouvel ordre quand les campagnes se trouvent en plein chaos ? Comment fixer des normes quand tout est jeté en pâture au plus offrant ? À moins que, justement, ce ne soit là le meilleur moment...

Enfin, au terme de leurs sept années de voyage, les deux astronomes se rejoignirent à Carcassonne, et, de là, retournèrent à Paris afin de présenter leurs calculs devant une Commission internationale, le tout premier congrès scientifique mondial. Le produit de leurs travaux fut ensuite matérialisé sous la forme d'une règle en platine pur. Ce fut un moment de triomphe, la preuve qu'au milieu de bouleversements sociaux et politiques la science pouvait produire quelque chose de permanent. Devant le fruit de leur labeur, le nouveau chef suprême de la France, Napoléon Bonaparte, fit une déclaration prophétique : « Les conquêtes passent et ces opérations restent [3]. »

Au cours des deux derniers siècles, en effet, les conquêtes ont passé et le mètre a dépassé l'homme comme mesure de toute chose. Aujourd'hui, le système métrique sert de langage commun pour les communications de pointe, la science avant-gardiste, la production industrielle et le commerce international. Il a rendu possible une coordination commerciale et économique à l'échelle du monde entier et, de ce fait, les anciennes unités de mesure ont disparu. Fait paradoxal, la première grande puissance économique mondiale reste la seule exception à la règle. En effet, Thomas Jefferson n'a pas réussi à convaincre le Congrès de faire des États-Unis la deuxième nation à adopter le système métrique, et aucun autre partisan de la réforme n'y est parvenu depuis. Interrogé sur le bien-fondé d'un passage au système métrique, John Quincy Adams [4] a déclaré par la suite qu'il s'agissait de la plus grande invention depuis l'imprimerie et que les progrès accomplis en matière d'allègement du travail seraient plus importants encore qu'avec l'apparition de la locomotive à vapeur. Or, il s'est prononcé contre l'adoption du système. Il a fallu attendre la fin du XXᵉ siècle pour que les constructeurs américains commencent à utiliser le système métrique. Les Américains sont peu nombreux à avoir compris qu'une révolution silencieuse est en cours et qu'elle provoquera une transformation de leur système de mesure sous la pression de la nouvelle économie mondiale.

En l'état actuel des choses, bien évidemment, cette conversion est incomplète, et cela est fort gênant. Les Américains en ont pris douloureusement conscience en 1999, lorsqu'ils ont perdu la sonde Mars Climate Orbiter. L'enquête de la NASA a révélé que l'une des équipes d'ingénieurs avait utilisé les mesures anglaises, tandis que l'autre avait eu recours aux unités métriques. Il en est résulté une erreur de trajectoire de 96 kilomètres et la perte de l'engin, soit 125 millions de dollars.

Lorsque les savants de la Révolution créèrent le système métrique, il y a deux cents ans, ce fut précisément pour éviter ce genre de fiasco. L'un de leurs objectifs était de faciliter la communication entre les hommes de science, les ingénieurs et les administrateurs de la République. Ils avaient la grande ambition de faire de la France, et en fin de compte du monde entier, un vaste marché ouvert aux échanges de biens et d'informations. Aujourd'hui, leur but n'est pas loin d'être atteint. Plus de 95 % de la population mondiale utilise désormais le système métrique de manière officielle, et cet aboutissement est présenté comme l'un des effets bénéfiques de la mondialisation.

Néanmoins, derrière le succès triomphal du système métrique se cache une longue histoire teintée d'amertume. L'erreur fondamentale des utopistes est de supposer que tout le monde partage la même utopie. Si la France fut la première nation à inventer le système métrique, elle fut aussi la première à le rejeter. Au cours des décennies qui suivirent l'introduction du nouveau système, les gens simples le refusèrent, préférant se cramponner aux unités de mesures locales et aux systèmes économiques locaux que celles-ci étayaient. Devant cette révolte d'en bas, Napoléon, à la veille de sa désastreuse invasion de la Russie, renvoya la France aux mesures de l'Ancien Régime. Il railla alors, parce qu'ils aspiraient à une réforme universelle, des hommes qu'il avait autrefois admirés : « Les géomètres, les algébristes... crurent qu'il n'était pas suffisant de faire le bien de quarante millions d'hommes, ils voulurent y faire participer l'univers [5]. » Il fallut attendre le milieu du XIXᵉ siècle pour voir la France revenir au système métrique, et même alors on continua d'utiliser les anciens poids et mesures, jusqu'au XXᵉ siècle. Il faudrait encore un effort considérable de la part des scientifiques et des années d'âpres conflits pour banaliser les unités métriques, tout comme il avait fallu une révolution pour créer le nouveau système. Les choses auraient pu très facilement prendre une autre tournure.

Ce que ni les partisans ni les détracteurs du système métrique ne pouvaient savoir, c'est qu'une erreur se cachait au cœur même du système, erreur qui a été reprise dans toutes les définitions ultérieures du mètre. En fait, comme j'ai été amené à le découvrir au cours de mon travail de recherche, les seules personnes qui auraient pu connaître toute la portée de cette erreur étaient Delambre et Méchain eux-mêmes.

*

Pour ceux qui souhaiteraient connaître les origines du système métrique, il est un document incontournable. Il s'agit du compte rendu officiel rédigé par l'un des responsables de l'opération de la méridienne, Jean-Baptiste Joseph Delambre, l'astronome chargé de la partie nord. En composant sa *Base du système métrique décimal*, Delambre avait pour ambition de présenter les résultats de l'opération « sans la moindre omission, sans la moindre réticence [6] ». Cette œuvre magistrale de plus de deux mille pages paraît assez complète en effet, mais si volumineuse soit-elle, et sans contester qu'elle fasse autorité, la *Base* n'en est pas moins un livre étrange, avec des contradictions qui laissent perplexes. En le lisant, j'ai eu le sentiment que l'histoire du mètre n'y était pas intégralement retracée, et que Delambre avait lui-même disséminé dans tout le texte des indices qui venaient conforter cette idée. Dans le troisième volume par exemple, l'astronome précise avoir déposé aux archives de l'Observatoire de

Paris tous les comptes rendus relatifs aux calculs métriques, de peur que les futures générations ne mettent en doute la rigueur des procédures utilisées.

Les comptes rendus sont toujours là. L'Observatoire de Paris est une imposante construction en pierre située juste au sud du jardin du Luxembourg, en plein cœur de Paris. Dans les années 1660, lorsque Louis XIV fonda l'Observatoire royal et l'Académie royale des sciences, il avait pour but d'associer la nouvelle science céleste à la gloire de son règne, et de donner aux savants les outils nécessaires à l'élaboration d'une carte précise de son royaume ici-bas. L'édifice se trouve très exactement sur le tracé nord-sud du méridien de Paris. Comme la France, il a deux visages. Côté nord, on pourrait le prendre pour une forteresse royale, avec ses murs de pierre austères, remparts contre la grisaille d'une plaine de brume et de gravier qui s'étend jusqu'à la mer du Nord. Côté sud, il ressemble à un élégant palais résidentiel, avec ses pavillons de forme octogonale donnant sur un parc en terrasses qui semble descendre, le long d'une allée de platanes, vers les lointaines eaux de la Méditerranée. Sous l'Ancien Régime, la plupart des plus grands astronomes de France résidaient dans son enceinte de verdure. Aujourd'hui, le site reste le lieu de travail privilégié d'éminents astrophysiciens. Les archives de l'Observatoire se trouvent dans la tour octogonale est, et les documents relatifs à l'opération de la méridienne occupent vingt cartons. Il s'agit de milliers de pages de calculs figurant sur des carnets de route et sur des bouts de papier, avec des cartes, des protocoles, des diagrammes et des formules. Sept années de mesures pour arriver à faire un seul chiffre : la longueur du mètre. En feuilletant l'un des registres de Méchain, j'ai trouvé cette note, écrite et signée de la main de Delambre :

> Je dépose ici ces notes pour justifier le choix que j'ai fait entre les différentes copies pour l'impression. Car je n'ai dit au public que ce qu'il lui importe de savoir ; j'ai supprimé tout détail qui n'aurait été bon qu'à diminuer la confiance due à une opération importante et qu'on n'aura pas l'occasion de vérifier ; j'ai tu soigneusement tout ce qui aurait pu altérer le moins du monde la bonne opinion que l'on avait justement conçue de la précision que M. Méchain mettait dans tous ses calculs et dans toutes ses observations [7].

Je me souviens encore du choc que j'ai ressenti en lisant ces lignes. Pourquoi y avait-il plus d'une seule version des résultats de Méchain ? Qu'avait-on dissimulé au public ? Une partie de la réponse se trouvait dans le seul carton qui n'avait pas été mis avec les autres,

mais que Delambre avait conservé à part et scellé, par mesure de précaution. À l'intérieur ne se trouvait aucun registre, aucun calcul. En
revanche, il y avait des lettres, des dizaines de lettres : la correspondance de Delambre avec Méchain, ainsi que des lettres échangées avec
Mme Méchain. Étais-je tombé, parmi tous ces calculs poussiéreux, sur
une histoire à scandale, faite d'intrigues et de duperies ? En lisant ces
lettres d'un bout à l'autre, j'ai pris conscience que j'avais mis au jour
quelque chose de beaucoup plus intéressant : l'histoire d'une erreur
scientifique et les choix déchirants qu'à cause d'elle des hommes et des
femmes intègres ont été contraints de faire. En marge de la dernière
lettre de Méchain à Delambre, postée du monastère abandonné de
Saint-Pons dans la lointaine Montagne Noire du sud-ouest de la France,
Delambre avait griffonné une dernière note explicative :

> Quoiqu'il m'ait prié plus d'une fois de brûler quelques-unes de ses
> lettres, l'état où je le voyais, la crainte qu'il ne prît aussi contre moi
> quelque travers, m'a porté à les garder toutes pour en faire dans l'occa-
> sion l'usage qui serait devenu nécessaire. Les latitudes de Barcelone et
> Mont-Jouy, me forcent d'en faire le dépôt à l'Observatoire, mais il me
> semble qu'il est prudent de les y tenir cachetées et de ne les ouvrir que
> dans le cas où l'on voudrait vérifier les extraits que j'en ai insérés dans
> la *Base du système métrique*[8].

Les autres indices qui devaient me permettre d'élucider le mystère se
trouvaient ailleurs. Ils n'étaient pas seulement éparpillés dans toute la
France ainsi que dans les sources conservées par Delambre, ils étaient
aussi disséminés dans les rapports faits par les nombreux correspondants
des deux savants, en Espagne, en Hollande, en Italie, en Allemagne, au
Danemark, en Angleterre et aux États-Unis, sans compter la cachette où
Delambre avait gardé des papiers et qui avait mystérieusement disparu
d'un bureau – jetée à la poubelle, selon les archivistes – pour se
retrouver, après avoir été vendue aux enchères à Londres, à la bibliothèque de la BYU (Brigham Young University), à Provo, dans l'Utah. Et
enfin, je suis parvenu à retrouver un document que l'on croyait perdu
depuis longtemps : un exemplaire de la *Base du système métrique décimal*, l'œuvre magistrale de Delambre, qui lui avait appartenu en propre.
Les trois volumes de la *Base* se trouvent aujourd'hui chez un col-
lectionneur de manuscrits et de livres rares, David Karpeles, à Santa
Barbara, en Californie. Sur la page de titre, Delambre avait inscrit, de
son écriture anguleuse, le mot fameux de Napoléon : « Les conquêtes
passent et ces opérations restent, paroles de Nap. Bonaparte à l'auteur
de la *Base*[9]. » Et cette page n'est pas la seule qu'il ait annotée...

Mis bout à bout, ces documents révèlent une histoire remarquable. Ils montrent que malgré son extrême prudence et son sens de la précision, Méchain a commis une erreur aux premiers temps de l'opération et, pis encore, quand il a découvert son erreur, il l'a dissimulée. Ce secret l'a rongé au point de l'amener au bord de la folie. Finalement, il est mort en essayant de la corriger. Le mètre est donc marqué du sceau de l'erreur et cette erreur a été répercutée à chaque nouvelle définition de sa longueur, y compris dans sa définition actuelle : le trajet parcouru par la lumière en une fraction de seconde.

D'après les mesures prises par satellite aujourd'hui, la longueur du méridien entre le pôle et l'équateur est de 10 002 290 mètres. Autrement dit, le mètre qu'ont calculé Delambre et Méchain est trop court de 0,2 millimètre environ. Cela paraît peu, mais c'est assez pour être perceptible au toucher, assez pour avoir de l'importance dans le domaine de la haute technologie, et dans cet écart si mince tient l'histoire de deux hommes que l'on a envoyés dans des directions opposées pour réaliser un travail herculéen – la mesure de la Terre – et qui ont découvert que l'intégrité pouvait leur faire prendre des directions aussi contraires que celles de leurs berlines. Les deux hommes étaient âgés de quarante-cinq ans environ et tous deux étaient des provinciaux d'origine modeste qui s'étaient fait remarquer grâce à leur talent et à leur capacité de travail. Tous deux avaient été formés par le même astronome, Jérôme Lalande, et ils avaient été élus à l'Académie des sciences juste à temps pour que la Révolution leur fournît l'opportunité de carrière de leur vie : la chance de voir leur nom associé à la mesure de la Terre. Malheureusement, au cours de ces sept années de voyage, les deux hommes en vinrent à avoir une interprétation différente de leur mission et de l'allégeance qu'ils lui devaient. Cette différence allait décider de leur destin.

Le présent récit est donc celui d'une erreur et de ses implications. Il montre comment des hommes à la recherche d'une perfection utopique, dans leur travail et dans leur vie, en sont venus à accepter d'inévitables imperfections. Que peut-on bien ressentir lorsque l'on fait une erreur, et qui plus est, dans une affaire de si haute importance ? Pourtant, malgré cet échec, Delambre et Méchain ont réussi, car par leur travail ils ont modifié non seulement l'idée que nous nous faisions de la forme de la Terre, mais aussi celle que nous nous faisions de l'erreur. En chemin, l'erreur scientifique est passée de l'état de défaillance morale à celui de problème social, et au travers de cette expédition, les savants de l'Ancien régime ont cédé le pas aux scientifiques des temps modernes. Quant aux retombées de leur travail, elles ont largement dépassé les frontières du royaume de la

BASE

DU SYSTÈME MÈTRIQUE DÉCIMAL,

OU

MESURE DE L'ARC DU MÉRIDIEN

COMPRIS ENTRE LES PARALLÈLES

DE DUNKERQUE ET BARCELONE,

EXÉCUTÉE EN 1792 ET ANNÉES SUIVANTES,

PAR MM. MÉCHAIN ET DELAMBRE.

Rédigée par M. Delambre, secrétaire perpétuel de l'Institut pour les sciences mathématiques, membre du bureau des longitudes, des sociétés royales de Londres, d'Upsal et de Copenhague, des académies de Berlin et de Suède, de la société Italienne et de celle de Gottingue, et membre de la Légion d'honneur.

SUITE DES MÉMOIRES DE L'INSTITUT.

Les conquêtes passent et ces opérations restent.

TOME PREMIER.   *Paroles de Nap. Bonaparte à l'auteur de la Base.*

PARIS.

BAUDOUIN, IMPRIMEUR DE L'INSTITUT NATIONAL.

JANVIER 1806.

1. LA *BASE* DE DELAMBRE, ÉDITION DE KARPELES

Sur la page de titre de son exemplaire personnel de la *Base du système métrique décimal*, Delambre a écrit : « "Les conquêtes passent et ces opérations restent." Paroles de Nap. Bonaparte à l'auteur de la *Base* » (Santa Barbara, Californie, musée Karpeles, ph. David Karpeles).

science. On en retrouve la trace dans la mondialisation des échanges économiques et dans la façon dont les gens simples en sont venus à comprendre où était leur propre intérêt. En fin de compte, même la campagne française qu'ils ont traversée s'en est trouvée transformée.

Pour comprendre ce qui s'est passé, je suis parti sur leurs traces. En l'an 2000, au moment où la France célébrait le nouveau millénaire le long de la Méridienne verte, une ligne végétale d'un millier de kilomètres constituée d'arbres de toutes essences, qui devait matérialiser le tracé du méridien de Paris mais n'a en fait jamais été achevée, j'ai suivi l'itinéraire en zigzag emprunté par Delambre et Méchain. J'ai grimpé en haut des tours des cathédrales et jusqu'au sommet des pics montagneux d'où ils ont mené leurs travaux, et j'ai passé au peigne fin les archives des petites villes de province, à la recherche de traces de leur passage. Ce fut mon Tour de France à moi. Delambre et Méchain ont prouvé qu'une utilisation judicieuse des connaissances scientifiques permettait de soulever la Terre, pour reprendre le mot d'Archimède *. Les deux astronomes ont voyagé en voiture et à pied, et moi à bicyclette. Après tout, qu'est-ce qu'une bicyclette, sinon un levier avec des roues ? Un levier qui permet au cycliste de se déplacer sur la surface de la Terre. De là à la soulever...

---

* N.d.T. : « Donnez-moi un point fixe et un levier, et je soulèverai la Terre » (Archimède).

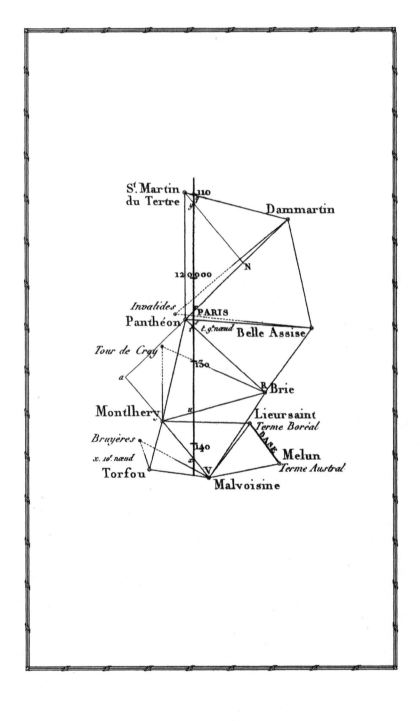

1

L'astronome de la partie nord

> « Fabrice montra son passeport qui le qualifiait mar-
> chand de baromètres portant sa marchandise. – Sont-ils
> bêtes, s'écria l'officier, c'est aussi trop fort[1] ! »
>
> STENDHAL, *La Chartreuse de Parme*

La campagne était étrangement silencieuse, et les routes désertes. Les gardes nationaux avaient reçu l'ordre « d'arrêter indistinctement tous inconnus voyageant à pied, à cheval ou en voiture, avec l'aménité que prescrivent l'Égalité et la Liberté, et de s'assurer de l'identité des passeports avec ceux qui en sont porteurs et, en cas de faux, conduire à la municipalité ceux qui en seront munis, pour être statué ainsi que de droit[2] ». Cet après-midi-là, un gendarme avait conseillé à un homme qui voyageait en berline avec sa femme et sa fille de rentrer chez lui. La forteresse de Verdun était tombée. Quatre-vingt mille soldats prussiens traversaient la Champagne et marchaient vers Paris pour réinstaller le roi de France sur son trône. Tout était prêt pour répondre à l'offensive. Depuis la capitale, un avis avait été communiqué à tous les habitants des hameaux environnants : ceux-ci devaient se préparer à « partager avec [leurs] concitoyens l'honneur de sauver [leur] pays ou de mourir en le défendant[3] ». Le gendarme avait rapporté au voyageur que, dans Paris même, les patriotes avaient commencé à massacrer tous les prisonniers de peur qu'ils ne vinssent en aide aux aristocrates.

Ce même jour, le 4 septembre 1792, dans la partie la plus haute d'un château construit sur le point culminant de la région, un homme penché sur un étrange appareil était occupé à observer l'horizon. L'homme, un savant d'après son apparence, avait installé un laboratoire dans une tour pyramidale de vingt-deux pieds de haut qui servait normalement de belvédère et d'où les convives du château pouvaient admirer le magnifique panorama. De temps à autre, il se redressait pour manipuler deux lunettes fixées à des cercles de cuivre entre-croisés. Il les faisait pivoter dans un sens d'abord, puis dans l'autre, comme s'il cherchait à résoudre un puzzle mécanique. Ensuite, il regardait dans l'oculaire et effectuait une nouvelle visée pendant qu'un assistant vérifiait l'écart angulaire et qu'un autre notait la valeur trouvée. L'opération était délicate car l'appareil était sensible à la moindre vibration. Les trois hommes n'osaient changer de position de peur que le plancher ne répercutât leur mouvement sur l'instrument et ne modifiât du même coup les fameuses valeurs destinées à servir d'unique et permanente mesure de toutes choses.

Le château de Belle-Assise portait bien son nom. Construit sur une hauteur au XIIIᵉ siècle, il était en effet « merveilleusement bien situé » et réputé pour la vue qu'il offrait sur la vallée fertile de la Brie. Le propriétaire actuel, le comte de Vissec, avait autorisé l'équipe à travailler dans le pavillon des fêtes. À l'ouest, notre savant pouvait repérer les dômes jumeaux qui émergeaient du gris fatras des toits parisiens : le dôme plombé du tout nouveau Panthéon, et celui, doré, du vieil hôtel des Invalides. Au sud, il pouvait distinguer l'église gothique de Brie-Comte-Robert, et au nord reconnaître le clocher de la collégiale de Dammartin, voué à la démolition. Plus près de lui, il apercevait la tour médiévale de Montjay, d'où il espérait au départ effectuer ses mesures. Son travail consistait à mesurer l'angle horizontal qui séparait ces différents sites avec une précision inconnue jusqu'alors.

Ce soir-là, alors que notre savant terminait sa quatrième et dernière journée d'observations au château de Belle-Assise (la nuit était tombée et ses assistants étaient occupés à ranger leurs instruments dans les voitures, en attendant les chevaux de poste demandés à Lagny), un détachement de gardes nationaux se présenta. Ils avaient avec eux la force des armes et la hardiesse du vin. Le conseil municipal de la ville leur avait donné l'autorisation de procéder à une perquisition de tous les châteaux des environs. Des rumeurs de trahison circulaient dans le pays. Nombreux étaient ceux qui soupçonnaient les quatre visiteurs de Belle-Assise d'être des espions à la solde des Prussiens. N'avaient-ils pas payé Petit-Jean, le charpentier du coin, pour construire une plate-forme sur la tour en ruine de Montjay, que tout le monde savait hantée par le spectre d'un prêtre assassiné ? Et pourquoi donc avaient-ils scruté la vallée du côté de l'avance prussienne ? On leur demande-rait de montrer leurs papiers [4].

Le savant présenta son passeport[5]. Celui-ci était au nom de Jean-Baptiste Joseph Delambre, « chargé par l'Assemblée Nationale de s'occuper, avec monsieur Méchain, de la mesure géométrique de l'arc de méridien, depuis Dunkerque jusqu'à Barcelone ». Delambre était un homme de quarante-deux ans, bien bâti, de taille moyenne pour l'époque – cinq pieds quatre pouces (1,60 m). Il avait un visage plein et rond, un gros nez, des yeux bleus, des cheveux bruns ramenés en arrière, un air franc et ouvert quoique étrangement observateur, et une bouche à l'expression plutôt ironique. Ses yeux étaient d'une nudité désarmante, et, en regardant bien, on comprenait pourquoi : Delambre n'avait pas de cils. Il était plus homme à observer lui-même qu'à se laisser observer.

Ses assistants présentèrent leurs papiers eux aussi. Le premier était un apprenti astronome de vingt-six ans, Michel Lefrançais, neveu de l'illustre Jérôme Lalande. Le second était Benjamin Bellet[6], un ingénieur de trente-deux ans, élève d'Étienne Lenoir, l'homme qui avait réalisé le tout nouveau cercle répétiteur de Borda, cet appareil qui allait leur permettre d'obtenir un degré de précision encore jamais atteint. Le troisième était un domestique prénommé Michel.

Le commandant de la troupe parut satisfait de ces pièces, mais les autres protestèrent, affirmant que les passeports étaient périmés – ou plus exactement que l'autorité politique qui les avait délivrés était elle-même passée de date. Au cours des quatre mois qui avaient suivi la délivrance de ces papiers, le peuple s'était soulevé, Louis XVI avait été destitué et la France était devenue une république.

Delambre s'efforça d'expliquer qu'il avait été envoyé en mission pour mesurer le globe terrestre. Il était spécialiste en géodésie, science qui avait pour objet de déterminer la forme de la Terre et de la mesurer. Aussi improbable que cela pût paraître en ces temps d'urgence nationale, le gouvernement avait donné à sa mission un caractère ultra-prioritaire. Et celle-ci consistait à voyager tout le long du méridien de Paris. L'Académie des sciences voulait… « Il n'y a plus de *Cadémie*, interrompit l'un des sans-culottes, plus de *Cadémie*. Tout le monde est égal. Vous viendrez avec nous[7]. »

Ce n'était pas vrai, pas encore : l'Académie était toujours là, pour autant qu'il sût. Au début de la semaine, Antoine Laurent Lavoisier, grand chimiste et trésorier de l'Académie, lui avait vivement conseillé de ne pas interrompre sa mission avant d'avoir « épuisé tous les moyens qui étaient en [lui]…[8] ». Tout délai ou tout échec devrait être justifié devant l'Assemblée nationale elle-même. Mais dans le cas présent, il était vain de chercher à résister. Comme Delambre l'écrivit

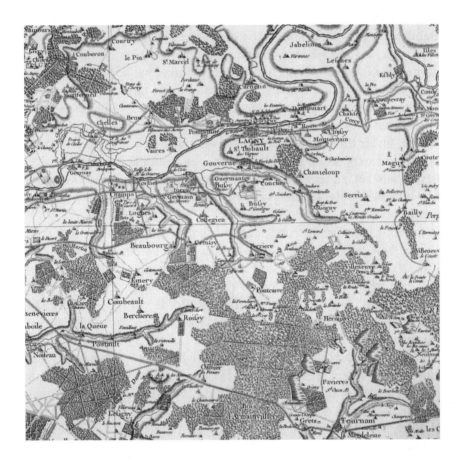

2. Carte de Cassini : la région est de Paris

Cette partie de la carte de France de Cassini (levée entre 1740 et 1795) montre les environs du château de Belle-Assise. Le château y est désigné sous la forme de Belleassise, au sud de Lagny sur la route de Villeneuve. Après la Révolution, il devint la propriété du baron de Rothschild, et fut démoli à la fin du XIXe siècle. À l'emplacement des jardins du château (représentés sur la carte) se trouvent aujourd'hui des friches boueuses où s'enchevêtrent les arbres. Il ne subsiste plus que le moulin (indiqué également sur la carte). La ville de Lagny fait maintenant partie de la banlieue parisienne, et l'est de la ville est occupé aujourd'hui par le parc Euro Disneyland (Bibliothèque des sciences de la terre, Université de Californie, Berkeley).

plus tard à une amie, « ils étaient en armes, et nous n'avions que des raisons : la partie n'était pas égale [9] ».

C'est ainsi que Delambre et son équipe acceptèrent l'« invitation » qui leur était faite de suivre la troupe à travers champs, à la nuit tombée. La boue était épaisse, et le ciel chargé de nuages noirs. Il se

mit à pleuvoir à verse. Delambre écrivit encore : « J'avais heureusement eu le temps de passer ma redingote par-dessus mon habit...
Nous nous trouvâmes escortés seulement de quinze hommes, avec qui
l'on pouvait causer et qui entendaient raison. Ils eurent pour nous
toutes sortes d'attentions, nous avertissaient des mauvais pas et nous
donnaient la main pour nous en tirer [10]. » Quatre heures durant, ils
accompagnèrent la petite troupe en service, fouillant les maisons pour
trouver des armes et réquisitionnant les chevaux. Après avoir parcouru péniblement plus de deux lieues dans la nuit, ils finirent par
atteindre Lagny peu avant minuit, et là une bourrasque acheva de les
tremper jusqu'aux os.

Le conseil municipal s'était réuni pour une session de nuit. La ville
était sur le pied de guerre. Aublan, le maire, ex-procureur fiscal du dernier abbé de Lagny, avait récemment félicité ses électeurs d'avoir renversé « l'odieux roi » et dénoncé « les proclamations perfides faites
jusqu'à ce jour par le pouvoir exécutif, chefs-d'œuvre de ministres cor-
rompus et autres vampires de la liste civile [11] ». Delambre présenta ses
papiers à l'assemblée. Un municipal reconnut la signature du procureur-syndic et se prononça en faveur de sa libération. Malheureusement Aublan était plus méfiant. Il donna l'ordre de conduire les
quatre membres de l'expédition, sous escorte, à l'hôtellerie de l'Ours,
où ceux-ci devraient se considérer « non pas incarcérés, mais seulement consignés [12] ». Dans le même temps, Delambre devrait leur
remettre une lettre ouverte adressée au district en vue d'obtenir une
garantie officielle de la légitimité de sa mission.

« En arrivant hier, nous n'avions rien pour [nous] changer, point de
bonnet de nuit, etc. Quelques fagots et quelques bons verres de mauvais vin nous séchèrent... [13]. » Pour les deux sentinelles, la nuit fut
plus mauvaise encore : ils la passèrent tout entière dans un couloir
plein de courants d'air, obligés de garder quatre hommes qui
n'avaient nulle intention de fuir. Delambre nota dans son registre :
« [C]onsignés à l'hôtellerie de l'Ours, avec deux sentinelles gardant
les issues. Le 4 septembre 1792, l'an II de la liberté et la première
[année] de l'égalité [14]. »

Le lendemain matin, quand le district eut confirmé qu'il s'agissait
bien d'une mission officielle autorisée par les plus hautes instances de
l'État, Delambre jugea bon, avant de partir, d'aller remercier en personne le corps municipal pour son hospitalité de la nuit. À son arrivée,
le maire sortit précipitamment de son bureau pour s'excuser du « petit
désagrément [15] » de la veille, tandis que le garde impatient qui
n'aimait pas les académies restait planté là, la mine renfrognée, ayant
apparemment cuvé son vin pendant la nuit. D'après les rapports muni-

cipaux, Delambre « [fit] ses remerciements à la municipalité de sa prompte expédition [16] ».

« Ainsi finit l'histoire véritable et tragi-comique de la grande arrestation du ci-devant *Cadémicien* [17] », écrivit Delambre à son amie le même soir – comme si ses ennuis allaient s'arrêter là.

*

La sérénité goguenarde de Delambre semble provenir en partie de ses débuts tardifs dans le domaine des sciences. En effet, il ne s'intéressa guère à l'astronomie avant ses trente-cinq ans, âge où la plupart des hommes de science sont soit à l'apogée de leur carrière, soit déjà sur le déclin. Fils aîné d'un modeste drapier, il était né à Amiens le 16 septembre 1749 [18]. Son nom de famille, Delambre, est probablement dérivé de *lambeau*. Tout petit, à l'âge de quinze mois, il contracta la petite vérole, qui manqua de lui faire perdre la vue et le laissa à jamais dépourvu de cils. Si cette particularité lui fut finalement utile dans le maniement des lunettes astronomiques (les débutants ont tendance à être gênés par leurs cils), sa mauvaise vue ne lui permettait guère d'espérer une carrière prometteuse dans le domaine de l'astronomie d'observation. Jusqu'à l'âge de vingt ans, il garda une extrême sensibilité à la lumière et pouvait à peine se relire. Il grandit dans la certitude qu'un jour il deviendrait aveugle. À cause de cela, il se mit à dévorer tous les livres qui lui tombaient entre les mains. Il apprit l'anglais et l'allemand, et étudia chez les jésuites jusqu'à leur expulsion du royaume. Afin de les remplacer, la ville fit venir trois professeurs de Paris.

Les aspirations de Delambre auraient pu se limiter à devenir curé de paroisse si l'un de ces trois professeurs ne l'avait aidé à obtenir une bourse pour entrer au collège du Plessis, célèbre institution parisienne où les adolescents ingurgitaient les vertus romaines à grand renfort d'auteurs classiques latins. Parmi les diplômés du collège, on comptait des théologiens fervents, des physiciens athées, des militaires républicains et des savants illustres. Mais les grands espoirs du jeune Delambre retombèrent au moment des examens. Incapable de lire ce qu'il écrivait, il échoua. Et faute de pouvoir compter sur une bourse pour lui permettre de poursuivre ses études à l'université, les parents du jeune homme le pressèrent de revenir à Amiens et d'entrer dans les ordres.

Au lieu de rentrer chez lui, Delambre resta dans la capitale, se nourrissant de pain et d'eau, passant ses journées à étudier le grec ancien et ses nuits à fréquenter hommes de lettres et gens du monde. Le siècle des Lumières battait son plein. Pendant que Voltaire était occupé à envoyer ses pamphlets depuis son château de Ferney et que Rousseau, le sauvage, écrivait ses diatribes dans sa campagne, ceux qui plus tard prendraient leur place brassaient les utopies dans les cafés et se livraient à des écrits subversifs dans leurs mansardes. Delambre et ses amis créèrent leur propre club littéraire. Pour subvenir à ses besoins, le jeune homme accepta provisoirement un poste de précepteur chez un noble des environs de Compiègne. Pour instruire son élève, il fut obligé d'apprendre les mathématiques. Il lut *Le Paradis perdu* de Milton dans le texte et publia un manuel d'anglais dans lequel on pouvait lire : « l'amour des richesses est la caractéristique des âmes basses et serviles ; au regard de la vertu, la pauvreté est celle des esprits nobles et généreux [19] ».

Pauvre, il l'était certainement assez. À vingt-deux ans, il revint à Paris pour être le précepteur du fils de Jean-Claude Geoffroy d'Assy [20], receveur général des finances. Pendant les trente années qui suivirent, Delambre resta chez les d'Assy. Les parents reconnaissants lui offrirent même une sinécure, mais il préféra une rente plus modeste qui lui permettrait de consacrer le reste de sa vie à l'étude. Sous l'Ancien Régime, de nombreux jeunes gens aux talents prometteurs quittaient ainsi leur province pour venir s'établir comme prêtres séculiers, érudits célibataires qui vivaient d'une petite pension. À cette époque, Delambre se donnait même le titre d'« abbé de Lambre [21] ». Il réalisait son rêve. C'était un humaniste cosmopolite, rigoureux dans ses apprentissages, tolérant dans sa pauvreté et fin connaisseur de l'absurdité humaine. Il avait de petits yeux, des sourcils interrogateurs et une bouche aux contours sceptiques. À trente-cinq ans, il n'avait toujours pas fait carrière.

Depuis plusieurs années déjà, Delambre étudiait les sciences des Grecs anciens. Pour compléter ses études, il s'intéressa à l'astronomie moderne, ce qui l'amena à lire l'ouvrage de référence en la matière, l'*Astronomie* de Jérôme Lalande. Parallèlement, il décida de suivre les cours de Lalande au Collège de France. Un jour, il entendit le maître affirmer que la Voie lactée avait un diamètre égal à celui de la sphère céleste. Après le cours, il fit remarquer au professeur que cette observation avait déjà été faite par les Grecs. À dater de ce moment, à chaque fois que Lalande voulait vérifier que ses étudiants avaient bien compris son cours, il s'adressait à Delambre, qui donnait toujours la bonne réponse – ce qui n'était guère surprenant à vrai dire, puisqu'il tirait toutes ses informations du manuel de Lalande – il y a deux siècles, on avait donc déjà recours à ce vieux stratagème éculé. Un jour, Lalande finit par lui dire : « Vous perdez votre temps, que venez-vous faire ici [22] ? » Et Delambre avoua qu'il venait uniquement pour faire connaissance avec lui.

Tout le monde connaissait Lalande. C'était le plus grand spécialiste français des sciences, l'ennemi de tous les préjugés. Un athée déclaré qui mangeait des araignées pour montrer que la phobie des arachnides avait un caractère irrationnel. Peu de temps auparavant, il avait calculé la probabilité selon laquelle une comète risquait de dévaster la Terre, semant ainsi la panique dans tout Paris. Il était petit et laid, et d'une vanité impossible. Il se vantait d'être aussi laid que Socrate. S'il ne fut pas le plus grand astronome du monde, comme il semblait parfois le croire, il fut certainement le plus célèbre, puisque bien des éminents spécialistes avaient été formés par lui ; et le dernier en date était Pierre François André Méchain. En 1783, alors qu'il cherchait une nouvelle recrue parmi les dizaines de disciples qui suivaient son cours d'astronomie, Lalande jugea l'abbé de Lambre « déjà très habile ».

Le célèbre astronome prêta à Delambre un sextant de trois pieds et demi, et utilisa les observations de son élève pour la troisième édition de son *Astronomie*. Au fil des années, la vue de Delambre s'était améliorée de manière constante. Malgré ses débuts tardifs en sciences, il était devenu un calculateur hors pair. Lorsqu'il revint demander une autre tâche à son maître, Lalande refusa. « Vous seriez bien dupe, lui dit-il, travaillez pour votre compte et pour arriver à l'Académie [23]. » Delambre devint rapidement l'un des astronomes les plus éminents du pays. Quand, en 1787, la famille d'Assy élut domicile dans le Marais, au n° 1 de la rue du Paradis, le receveur général lui fit élever un observatoire sur le toit pour son usage personnel.

Pendant les vingt années qui suivirent, Delambre vécut dans la résidence des d'Assy. L'élégante construction de style néo-classique est toujours là, mais l'adresse a changé contre celle, plus prosaïque, du 53*bis*, rue des Francs-Bourgeois, et le bâtiment abrite désormais les Archives nationales. Pour Delambre, le paradis était sur le toit. Quand il avait grimpé les quatre-vingt-treize marches qui le conduisaient à sa chambre, il ne lui restait plus qu'un petit escalier à gravir pour pénétrer dans un observatoire construit selon les spécifications les plus contraignantes de l'époque et équipé d'instruments ultramodernes [24]. En 1789, quand fut achevé cet observatoire, Delambre avait toutes les raisons de penser qu'il avait gagné le paradis des astronomes.

*

La Révolution française qui ébranla Paris cette année-là bouleversa le confort des hiérarchies de l'Ancien Régime, exposant à la lumière crue de la raison des codes de conduite et de déférence qui n'avaient jamais fait l'objet d'une attention particulière, notamment ceux qui avaient régi la vie économique de la nation. La richesse de la famille d'Assy, par exemple, provenait du monopole qu'elle exerçait sur le marché du quartier du Temple, un quartier plein d'avenir. À l'époque, un boucher ou un boulanger qui souhaitait s'installer dans le voisinage du Marais était obligé de s'adresser à Geoffroy d'Assy pour obtenir une licence [25]. Ce monopole était désormais aboli, comme les autres privilèges de la noblesse. Dorénavant, les citoyens français étaient libres de faire du commerce sans avoir à subir le contrôle de certains. Parmi les autres normes établies par l'Ancien Régime et qui se trouvaient sur la sellette figuraient les mesures étalons – et là, ce furent les savants qui menèrent la révolution. En 1790, la toute nouvelle Assemblée nationale autorisa l'Académie des sciences à uniformiser les poids et mesures. Les membres de l'Académie eurent le courage d'aller voir plus loin que le contexte historique du moment pour donner aux nouveaux étalons des bases définitives. Ils firent le serment de choisir une unité de mesure qui, « dans sa détermination, ne renferm[erait] rien ni d'arbitraire, ni de particulier à la situation d'aucun peuple sur le globe [26] ». Ils décidèrent de créer la nouvelle unité à partir de la mesure même de la Terre.

En avril 1791, l'Académie des sciences confia l'opération de la méridienne à trois de ses membres : Pierre François André Méchain, Adrien Marie Legendre et Jean Dominique Cassini [27]. Le choix de ces trois éminents savants était le fruit d'une logique comparable à celle dont s'enorgueillissait la célèbre institution. Méchain était une bête de travail : il avait publié la *Connaissance des Temps*, table annuelle des éphémérides utilisée par les marins français pour la navigation au large. Legendre était un mathématicien doué qui avait mis au point les calculs nécessaires à la mesure du globe. Quant à Cassini, dit Cassini IV, il avait toutes les raisons de considérer sa participation à l'opération de la méridienne comme un droit héréditaire. Il était né à l'Observatoire, que son arrière-grand-père, son grand-père et son père avaient tour à tour dirigé. Dans l'histoire des sciences, les Cassini offraient l'un des plus illustres exemples de réussite familiale transmise de père en fils. Chacun d'eux avait étudié le tracé du méridien de Paris à l'aide des instruments les plus perfectionnés de son temps. Tout jeune, Cassini IV avait travaillé avec son père à la confection de la grande carte de France, dite carte de Cassini, et il avait recherché les stations susceptibles de former le canevas des triangles de la future opération de la méridienne. Personne n'était plus à même de marcher sur les traces de Cassini III que Cassini IV.

Si l'ascendance, l'ancienneté et le sens de la hiérarchie importaient tant au sein de l'Académie, c'était pour des raisons aussi logiques que celles-là. Or Cassini rechignait à mettre en route l'opération de la méridienne. Tout d'abord, le décès récent de son épouse l'avait laissé seul avec cinq jeunes enfants à charge. Ensuite se posait le problème de ses sympathies royalistes. Il avait obtenu du roi d'être reçu en audience, le 19 juin 1791, avec les membres de la Commission des poids et mesures. À six heures du soir, la Commission se présenta au palais des Tuileries. Il y avait là Cassini, Méchain, Legendre et un quatrième savant, le chevalier Jean Charles de Borda, inventeur du cercle répétiteur, le nouvel instrument qui leur permettrait d'atteindre un nouveau degré de précision. Si l'histoire a bâti à Louis XVI une réputation de nigaud en matière de politique, le roi n'en possédait pas moins certains talents : il était doué pour l'horlogerie et, à l'instar de Louis XV, son grand-père, et de Louis XIV, son arrière-arrière-arrière-grand-père, il s'y connaissait en cartographie. Après tout, si les Cassini possédaient la carte de France, la France, elle, appartenait aux Bourbons. Assez curieusement, le roi s'intéressait aussi de très près aux dépenses du royaume. Il interpella le savant : « Comment ! M. de Cassini, vous allez recommencer encore la mesure du méridien que votre père et votre aïeul ont déjà faite avant vous ; est-ce que vous croyez la faire mieux qu'eux ? »

Cassini parvint à concilier le respect filial et la promesse de progrès futurs : « Sire, je ne me flatterais certainement pas de mieux faire, si je n'avais sur eux un grand avantage. Les instruments dont mon père et mon aïeul se sont servis ne donnaient la mesure des angles qu'à quinze secondes près. Monsieur le chevalier de Borda, que voici, en a inventé un qui me donnera cette mesure des angles à la précision d'une seconde ; ce sera là tout mon mérite [28]. »

Le flegme affiché par le roi paraît aujourd'hui d'autant plus remarquable que, le même soir, la famille royale était occupée à préparer son départ dans le plus grand secret. Le lendemain, ce fut la déshonorante « fuite à Varennes », qui prit fin lorsqu'un aubergiste de province reconnut le roi déguisé en marchand mais affligé du dandinement bien connu des Bourbons. Louis fut ramené de force dans une capitale en furie et enfermé dans son palais des Tuileries, sous l'étroite surveillance du peuple de Paris. À partir de ce moment, Cassini se considéra comme dégagé de toute obligation envers un gouvernement d'assassins « illicite, usurpateur et séditieux ». Si Louis XVI refusait de servir la France, comment Cassini IV y parviendrait-il [29] ?

Pendant que Cassini tergiversait, le gouvernement s'impatientait. Le ministre de l'Intérieur, Jean-Marie Roland, était un spécialiste du nouveau système économique qui transformait la Grande-Bretagne, et il voulait donner à la France tous les avantages de l'uniformisation des poids et mesures. La réforme rendrait plus facile la libre circulation des grains et contribuerait par là même à régler la question de la pénurie alimentaire, qui était au cœur des problèmes du pays. Une nation moderne devait avoir une mesure étalon, quelle qu'elle fût, et le moyen d'action le plus sûr pour y parvenir consistait à prendre les unités de mesure en vigueur à Paris comme unités nationales. C'est précisément ce que Roland menaça de faire, le 3 avril 1792 [30].

Les propos de Roland jetèrent la consternation parmi les membres de l'Académie, qui virent tout à coup leur rêve d'une unité de mesure universelle menacer de s'effondrer. Lors de la séance suivante, ils partagèrent le méridien en deux sections possibles et pressèrent Cassini de se mettre en route. L'un des commissaires serait chargé de la partie nord, qui allait de Dunkerque à Rodez, l'autre s'occuperait de la partie sud, de Rodez à Barcelone. Si la section nord était deux fois plus longue que la section sud, c'était parce que le Nord avait déjà été triangulé – la dernière opération avait été la Méridienne vérifiée, réalisée par le père de Cassini en 1740. En revanche, la section sud était plus montagneuse et comprenait la partie espagnole, qui, elle, n'avait jamais été triangulée. Cette répartition du travail n'était bien sûr que provisoire ; les deux équipes étaient censées progresser l'une vers l'autre le plus rapidement possible et se rejoindre où elles le pourraient.

Or, si Cassini refusait de se mettre en route, il n'en revendiquait pas moins le droit de commander l'opération de la méridienne. La Révolution avait peut-être renversé la monarchie, mais l'Académie, elle, tenait encore à certains de ses formalismes. Cassini proposa de rester à Paris et d'envoyer un assistant sur le terrain, mais l'Académie rejeta sa proposition. Un savant devait être en contact direct avec la nature, voyager et prendre les mesures lui-même, de façon à pouvoir se porter personnellement garant de la fiabilité de ses résultats.

C'est à ce moment que Delambre entra en scène. Le 15 février 1792, il avait été élu à l'Académie, à l'unanimité, en partie, lui rapporta Lalande, parce que les autres membres pensaient qu'ils auraient peut-être besoin de lui pour l'opération de la méridienne. Après un ultime refus de Cassini, Delambre fut désigné, le 5 mai, pour mener

les opérations concernant la partie nord [31]. Méchain serait chargé de la
partie sud. Quelques dizaines d'années plus tard, Delambre se rappela
avoir supplié Cassini de revenir sur sa décision. Les deux hommes
étaient sortis de la même école à une année d'intervalle. Delambre
avait averti son confrère : en cette période révolutionnaire, un citoyen
devait montrer son profond attachement au bien de la nation, ne serait-
ce que pour être à l'abri des reproches ; mais Cassini refusa de se
mettre au service d'un pouvoir qu'il considérait comme illégitime.
Pour Delambre, c'était le genre d'opportunité de carrière que la Révolution rendait possible.

*

Aussitôt en possession de l'autorisation du roi, le 24 juin,
Delambre partit en reconnaissance dans les environs de Paris [32]. Il
avait décidé de réutiliser les stations adoptées par Cassini lors de la
Méridienne vérifiée de 1740, d'améliorer l'exactitude des mesures
grâce aux nouveaux instruments dont il disposait et de boucler sa mission pour la fin de l'année, en mettant au service de la géodésie la
même précision absolue dont il avait tout récemment fait preuve en
astrométrie.

Delambre apprenait vite – en une seule décennie, cet humaniste de
trente-cinq ans était devenu l'un des plus grands astronomes de la
nation – et la méthode utilisée était en principe assez simple ; ce
n'était guère autre chose que la géométrie euclidienne appliquée à une
courbe. Cette méthode, c'était la triangulation : depuis deux cents ans,
les cartographes l'utilisaient pour faire le relevé des terrains – les
choses allaient continuer ainsi jusqu'à l'arrivée des satellites artifi-
ciels. La triangulation reposait sur un théorème de géométrie élémentaire : avec la valeur des trois angles d'un triangle et la longueur
d'un seul de ses côtés, il est possible de calculer la longueur des deux
autres côtés. Donc, si l'on connaît tous les angles d'une chaîne de
triangles ayant chacun un côté commun avec un autre, ainsi que la
longueur d'un seul côté, on peut calculer la longueur de tous les côtés
(puisque deux triangles adjacents ont un côté commun). Le travail du
géodésien consistait simplement à appliquer ce principe. Il commençait par rechercher des stations d'observation susceptibles d'être les
sommets de ses triangles – clochers, tours, éminences ou échafaudages – chaque sommet devait être visible depuis au moins trois
autres stations, de façon à obtenir une chaîne de triangles chevauchant
le méridien. Puis le géodésien se déplaçait d'une station à l'autre et
mesurait les angles horizontaux séparant les stations adjacentes.

Ensuite, à l'aide de règles placées bout à bout sur plusieurs milliers de toises, il mesurait, sur le terrain même, la longueur réelle d'un seul côté de l'un des triangles, la *base*, et il prenait cette valeur pour calculer la longueur de tous les côtés de tous les triangles contigus. À partir de là, il pouvait trouver la longueur de l'arc de méridien depuis la station la plus au nord jusqu'à la station la plus au sud. Enfin, il calculait les latitudes respectives des deux extrémités nord et sud en utilisant les résultats de ses observations astronomiques, de façon à déterminer la longueur du quart de méridien à partir de la longueur de l'arc. Et il obtenait ainsi les dimensions de la Terre.

Cela, c'était le principe. Mais, comme dans toute science où l'on cherche à obtenir une précision extrême, on se heurtait dans la pratique à des difficultés considérables. Premièrement, le fait que le géodésien mesurait les angles à partir de stations en hauteur nécessitait de corriger les valeurs obtenues en ramenant le triangle à l'horizontale. Deuxièmement, comme il n'était pas toujours possible de placer l'instrument au sommet même du triangle, il fallait procéder à une autre correction. Troisièmement, la réfraction atmosphérique altérant les visées, il fallait tenir compte de la déviation du rayon lumineux. Quatrièmemement enfin, comme la somme des angles d'un triangle sur une surface courbe n'atteint pas tout à fait 180°, une nouvelle correction était encore nécessaire. Tous ces ajustements compliquaient les calculs, mais ils ne modifiaient pas les principes de base.

En retournant sur les lieux des stations utilisées par Cassini lors de la Méridienne vérifiée, en 1740, Delambre espérait faire l'impasse sur l'une des étapes les plus pénibles de la triangulation, à savoir le repérage de stations exploitables. Il lui fallait toutefois vérifier au préalable que les sites choisis par Cassini étaient toujours utilisables. Pour la sélection de leurs stations dans Paris même, les géodésiens de 1740 avaient retenu le clocher de l'église Saint-Pierre, sur les hauteurs de Montmartre – une abbaye bénédictine qui existe toujours et se trouve à deux pas de la basilique du Sacré-Cœur. Le 24 juin, Delambre et ses deux assistants entreprirent de grimper en haut de la butte, parmi les vignes, les carrières et les moulins à vent. À cette époque déjà, Montmartre était célèbre pour la vue panoramique qu'elle offrait sur tout Paris. Du haut de la butte, les trois hommes n'avaient qu'à se retourner pour apercevoir le fatras de constructions grises et basses qui grouillaient comme des insectes en colère tout autour des grands édifices royaux et religieux de la ville.

Toutefois, en montant encore plus haut, jusqu'à la plate-forme du clocher de l'église Saint-Pierre, afin d'y installer son instrument, Delambre éprouva une vive déception. La vue y était déplorable. On n'apercevait plus aucun des sites repérés en 1740. En fait, la tour dépassait à peine le toit de l'église, et quelle que fût la direction dans laquelle on se tournait, on se heurtait aux constructions environnantes.

Le mystère ne fut élucidé que plus tard, au retour de Delambre dans la capitale, grâce à une vieille gravure. Cinquante ans auparavant, l'église avait été coiffée d'un clocher en bois assez haut, qui avait été détruit depuis. Un demi-siècle de constructions et de démolitions urbaines avaient transformé le paysage parisien : on avait rasé les flèches des clochers, édifié des hôtels particuliers et rempli les espaces vides. L'église Saint-Pierre n'était plus d'aucune utilité, et Delambre se voyait contraint de rechercher une autre station dans la capitale. Il décida que le meilleur moyen de la trouver était d'observer Paris de l'extérieur. Aussi résolut-il de faire le tour de la capitale dans le sens inverse des aiguilles d'une montre en se rendant sur les stations périphériques, d'où il effectuerait un balayage de la ville pour trouver le meilleur point de repère au centre de Paris [33].

Les semaines qui suivirent lui montrèrent à quel point le demi-siècle écoulé avait également transformé la campagne française. Au sud de la capitale, les observateurs de 1740 avaient retenu la tour de Montlhéry, forteresse médiévale abandonnée qui défendait la route menant à Paris. La tour était encore en place, comme elle l'est aujourd'hui, avec ses pigeons voletant dans les ruines, mais Delambre s'aperçut que les dix premières marches de l'escalier s'étaient effritées, et s'il envoya un ouvrier tout en haut pour vérifier la vue, il ne souhaitait guère se hisser lui-même avec ses instruments jusqu'au sommet de cette tour de quinze toises de haut. Finalement, il décida de dresser un signal sur le mur de fortification qui se trouvait en contrebas, envahi par la végétation.

Puis l'astronome se rendit à la ferme de la Malvoisine. Perchée sur une corniche peu élevée, à huit lieues au sud-est de Paris, cette bâtisse avait déjà été utilisée par Cassini III en 1740. Le site se trouve être encore aujourd'hui une exploitation agricole, avec une cour boueuse où l'on peut voir s'empiler des machines et circuler des chiens en vadrouille.

Malheureusement, même en se plaçant sur le toit de la ferme, Delambre pouvait à peine distinguer la station voisine de Montlhéry. Au cours des cinquante années qui venaient de s'écouler, les arbres avaient beaucoup poussé tout autour de la propriété. L'astronome obtint des propriétaires l'autorisation de rehausser d'une toise la cheminée de la ferme de façon à en faire un signal exploitable, puis il continua son périple autour de la capitale.

Le clocher gothique de Brie-Comte-Robert convenait toujours. En revanche, à Montjay, Delambre se heurta à de nouveaux obstacles. En 1740, Cassini III avait déjà hésité à grimper en haut de la tour médiévale qui faisait le pendant de celle de Montlhéry, à l'est – non par peur des esprits que l'on disait hanter les ruines, mais parce qu'on l'avait averti que la tour risquait de s'effondrer. Courageux mais non téméraire, Delambre décida d'engager un charpentier du pays, un nommé Petit-Jean, pour construire un échafaudage adossé à un pan de mur. Delambre laissa le charpentier commencer son chantier et continua sur Dammartin, petite ville située en haut d'un coteau abrupt, juste après ce qui est aujourd'hui l'aéroport Charles-de-Gaulle. Une fois là-bas, il apprit que la collégiale qui avait servi à Cassini III était sur le point d'être vendue dans le cadre de la liquidation des biens de l'Église par les révolutionnaires [34]. Le futur propriétaire avait l'intention de la démolir pour en récupérer les matériaux. Delambre décida sur-le-champ d'accorder la priorité à ce site ; mais d'abord il fallait vérifier que Dammartin était bien visible depuis Saint-Martin-du-Tertre, la station voisine au nord. Là encore, ses observations préliminaires ne coïncidèrent pas avec celles de 1740 : apparemment, au cours des cinquante années passées, le clocher avait été déplacé de plusieurs centaines de pieds.

La géodésie est une science naturelle. Elle a pour objet la détermination de la forme du globe terrestre et la mesure de ses dimensions. La Terre est une planète formée grâce aux mêmes forces gravitationnelles qui ont propulsé le système solaire hors d'une sphère nébuleuse et lumineuse en rotation (d'après la nouvelle théorie de Pierre Simon Laplace). Que dire de sa forme ? Et, plus précisément, qu'entend-on par « forme » ? La surface de notre planète n'est pas lisse : elle est balafrée de montagnes et de vallées, ébranlée par des phénomènes géologiques. La forme que revêtirait notre planète si sa surface était partout au niveau de la mer, ce que les scientifiques d'aujourd'hui appellent « géoïde », était désignée au XVIIIe siècle par l'expression « figure de la Terre ». Pour les savants de l'époque, un méridien était la surface d'un canal imaginaire qui traversait la Terre du nord au sud sans faire de détours, c'est-à-dire, dans le cas présent, de la mer du Nord à la Méditerranée. Toutefois, pour mesurer la longueur de ce canal, et donc dimensionner la figure de cette Terre imaginaire, les géodésiens s'appuyaient précisément sur les processus géologiques qui ont distendu la surface de notre planète et donné naissance aux montagnes et aux collines à partir desquelles ils faisaient leurs observations.

Certes, la géodésie est une science naturelle, mais c'est aussi une science qui dépend de l'histoire de l'homme et de son labeur. Lorsque la surface de la Terre est trop plate, sans collines ni montagnes à la disposition du géodésien pour ses opérations de triangulation, celui-ci se trouve dans l'obligation de réquisitionner des édifices construits de la main de l'homme : clochers, tours fortifiées, échafaudages et autres sites élevés. Or, comme Delambre l'apprit en réalisant son circuit autour de Paris, si la volonté de l'homme permettait d'élever des églises, des tours et des plates-formes, elle pouvait aussi les détruire. Le monde ne se tiendrait pas tranquille pendant le temps que Delambre serait occupé à le mesurer. À une époque marquée par le choc violent de la convergence des révolutions industrielle et politique, le passé était un guide prêt à toutes les traîtrises.

Le 10 août 1792, Delambre était enfin prêt à relever ses premières mesures définitives. Il installa son fragile instrument dans le clocher de la collégiale de Dammartin et renvoya le jeune Lefrançais à Montmartre, avec pour consigne d'aller allumer un réverbère sur un poste d'observation, de façon à lui permettre de repérer la station dans le salmigondis des constructions de la butte. À dix heures du soir, Delambre n'avait toujours pas aperçu de signal sur Montmartre. En revanche, il avait remarqué des flammes là où il ne s'attendait pas du tout à en voir : le palais des Tuileries était en feu. Le savant ne se doutait pas que, ce jour-là, quelques dizaines de milliers de Parisiens avaient pris d'assaut le palais royal où le roi était pratiquement prisonnier, puis l'avaient incendié avec le concours d'une garde nationale qui avait changé de camp, avant de massacrer six cents suisses de la garde du roi, en défenestrant certains et en égorgeant d'autres. Parce qu'elle dominait le nord de la ville et possédait sa propre batterie de canons, la butte de Montmartre avait une valeur stratégique aux yeux de ceux qui se bousculaient pour obtenir le contrôle de la capitale. Plus tard dans la nuit, trois gardes furent tués sur une barricade à Montmartre, alors qu'ils tentaient d'arrêter les suisses. Il eût été suicidaire d'allumer un signal sur la butte cette nuit-là, comme Lefrançais en avait eu l'intention. La nuit suivante, avec l'aide de son oncle Lalande, l'assistant parvint cette fois à ses fins, mais la flamme ne brûla pas assez longtemps pour permettre à Delambre une lecture correcte. Le soulèvement du 10 août avait mis fin à la monarchie. Delambre ne prendrait plus jamais le risque d'allumer des signaux la nuit [35].

En clair, cela revenait à abandonner le site de Montmartre et à choisir une autre station pour Paris. Delambre venait de se décider pour le dôme des Invalides et il avait commencé à mesurer ses angles en prenant le dôme doré comme cible d'observation, lorsqu'il apprit que les habitants de Montjay, armés de mousquets, avaient forcé Petit-Jean le charpentier à démolir l'échafaud qu'il avait commencé de construire contre le mur de la tour en ruine. L'astronome se précipita à Montjay et demanda au conseil municipal de la ville d'enjoindre ses administrés de cesser de harceler le charpentier. En république, lui rétorqua le conseil, on pouvait exhorter le peuple, mais non lui donner des ordres. Si Delambre voulait que le charpentier construisît l'échafaud, il lui faudrait convaincre lui-même les citoyens de le laisser faire. Delambre fit l'effort, mais les explications qu'il fournit ne réussirent qu'à déclencher l'hostilité de tous les villages alentour. Il fallut abandonner Montjay. En cherchant une station de remplacement, il remarqua le château de Belle-Assise, sur une éminence voisine. Il obtint de son propriétaire, le comte de Vissec, l'autorisation de se servir du joli belvédère comme station d'observation. Quatre jours plus tard, les gardes nationaux se présentèrent et l'emmenèrent sous escorte, du château à la mairie de Lagny, puis à l'hôtellerie de l'Ours où il ne fut pas incarcéré, « mais seulement consigné [36] ».

*

Au matin du 6 septembre 1792, lorsqu'ils purent enfin quitter Lagny, Delambre et Bellet reprirent leur circuit autour de Paris, toujours dans le même sens, en direction de Saint-Martin-du-Tertre, petite ville perchée au sommet d'une colline. En chemin, pour se prémunir contre d'éventuels ennuis avec les gardes nationaux, ils s'arrêtèrent dans le district de Saint-Denis afin d'obtenir un laissez-passer. L'administration du district avait été récemment transférée dans l'ancienne abbaye, qui se trouve être maintenant l'un des plus hauts lieux de pèlerinage français.

Pendant presque mille deux cents ans, la basilique de Saint-Denis avait été le tombeau des rois de France. De monarque en monarque, de dynastie en dynastie, la dépouille mortelle des rois de France avait été placée dans la crypte pour que « vive le roi ». Le roi Dagobert, premier à y être enterré, reposait au côté de la reine Nanthilde. Henri IV, assassiné dans la force de l'âge, se trouvait entre ses deux épouses, Marguerite de Valois et Marie de Médicis. Louis XIV, le Roi-Soleil, était à côté de Marie-Thérèse. Au-dessus des tombeaux, on fit exécuter des sculptures à leur effigie, gisant sur un lit de marbre, certains vêtus de robes de pierre, d'autres nus, représentés au moment de leur agonie. Des anges et des évêques de bronze étaient agenouillés à leurs pieds. Le mois précédent avait vu s'achever douze siècles de successions royales.

La municipalité de Saint-Denis avait ordonné la suppression des fleurs de lys, symbole de la royauté, au motif qu'elles représentaient un féodalisme méprisable. On avait installé des fourneaux dans les chapelles de la basilique, de façon à pouvoir couler le bronze des statues de Charles VIII, Henri II et Catherine de Médicis pour en faire des canons, et cette semaine-là justement, le conseil avait examiné la possibilité d'ouvrir les sépultures et d'extraire le plomb des cercueils royaux, afin de transformer l'enveloppe des rois en boulets de canon, pour tirer sur les ennemis de la nouvelle République [37].

Le procureur-syndic du district, Denis Nicolas Noël, remit un laissez-passer à Delambre, mais en l'avertissant que ce morceau de papier ne le protégerait pas beaucoup. Saint-Denis était situé sur la route qui partait de Paris vers le nord, et, jusqu'à la frontière, chaque petit village avait dressé des barricades pour empêcher les aristocrates de fuir la capitale. Les paysans construisaient des fortifications. On attendait les Prussiens à tout moment.

Le savant refusa néanmoins de repousser son départ. Les deux voitures prirent la route de Poissy qui filait au nord-ouest en suivant le méandre de la Seine. Quinze minutes après être sortis de la ville, l'astronome et son assistant furent arrêtés à un barrage situé à proximité d'Épinay-sur-Seine. Les gardes nationaux demandèrent à voir leurs papiers.

Leurs passeports ne faisaient pas état des étranges instruments qu'ils transportaient avec eux. À quoi servait donc cet équipement ? Et pourquoi se dirigeaient-ils avec de tels instruments vers la frontière ? Ces objets paraissaient avoir été conçus pour faire de l'espionnage à distance. Ne seraient-ils pas destinés à un usage militaire ?

Delambre expliqua qu'il s'agissait des instruments d'astronomie qui allaient lui permettre de mesurer la Terre.

Et pourquoi voulait-il mesurer la Terre ?

Alors, sur le bas-côté de la route, tout près des rives de la Seine tapissées de roseaux, le savant se mit à déballer ses instruments et à expliquer sa mission. C'était par une belle après-midi de fin d'été – le temps idéal pour un séminaire à ciel ouvert –, et la foule grossissait à mesure que se répandait le bruit qu'une attraction scientifique avait lieu aux abords de la ville. La garde nationale du district avait arrêté, disait-on, des voitures à l'allure prétentieuse, qui transportaient des instruments mystérieux jusqu'à la frontière. Lorsque de nouveaux venus rejoignaient la foule, ils insistaient pour savoir de quoi il s'agissait. Delambre fut obligé de recommencer son cours plusieurs fois. Le maire, Louis Beaudoin, un vigneron du coin, se joignit au public avec deux arpenteurs. Delambre sollicita leur aide. Il montra au maire ses papiers officiels, notamment le laissez-passer qu'il avait obtenu du procureur-syndic le matin même. L'astronome implora les arpenteurs de bien vouloir se porter garants de lui. L'arpentage et la géodésie étaient comme deux sciences jumelles, après tout. Toutes deux servaient à mesurer la Terre : les arpenteurs s'occupaient des surfaces planes, les géodésiens mesuraient le globe.

Les deux arpenteurs refusèrent de confirmer ses dires, et Delambre comprit très bien pourquoi. « Ils voient trop à la disposition des esprits qu'ils tâcheraient inutilement de parler en notre faveur ; ils n'osent donner de conclusion [38]. » Quant au maire, il préféra se montrer prudent lui aussi. Il ordonna de ramener Delambre et ses voitures sous escorte à Saint-Denis, pour interrogatoire.

Sur la grand-place de Saint-Denis, qui le matin même était déserte, se trouvaient maintenant rassemblés des milliers d'hommes et de femmes en délire, devant les tours dépareillées de la basilique [39]. Sur la plus haute des deux tours, celle de gauche, avait été tendu le drapeau tricolore ; la tour de droite avait été coiffée d'un gigantesque bonnet phrygien, symbole de la liberté. Dans la foule, plusieurs centaines de jeunes gens portaient l'insigne de la première division de la garde nationale de Paris. C'étaient des volontaires qui partaient vers le nord pour aider leurs camarades à repousser les envahisseurs prussiens. Ils s'étaient arrêtés à Saint-Denis juste le temps nécessaire pour convaincre les gars du coin de venir avec eux. La patrie était en danger ! L'armée prussienne était en route pour rétablir la monarchie. Afin de sauver la République, le tout nouveau gouvernement avait sollicité l'aide de trois cent mille volontaires. Des volontaires ! L'idée même était révolutionnaire. Pendant des siècles, les soldats s'étaient fait tuer pour leur solde, pour la gloire, pour un butin ou pour leurs camarades et leurs chefs. Le fait qu'à présent ces hommes étaient prêts à mourir pour une abstraction nommée nation montrait bien que, pour la première fois, ils se voyaient comme les citoyens d'un pays, plutôt que comme les serfs d'un seigneur féodal ou les sujets d'un roi. Environ huit cents jeunes gens de Saint-Denis et des hameaux environnants avaient répondu à l'appel. Ils avaient quitté boulangerie, atelier, ferme et famille pour aller défendre une révolution qui leur promettait la liberté et l'égalité. Ils s'étaient rassemblés sur la grand-place de Saint-Denis pour réclamer au conseil municipal, en échange de leur sacrifice, des armes, mille livres de pain et des voitures pour transporter leurs provisions jusqu'au front.

3. La basilique de Saint-Denis

Le tableau peint par Giuseppe Canella au début du XIXᵉ siècle montre, vue de la grand-rue de Saint-Denis, la façade de la basilique telle qu'on pouvait la voir à l'époque de la Révolution. L'éclairage de rue date des années 1770. Plus tard, la tour gauche de la basilique a été amputée de sa flèche (musée d'Art et d'Histoire, Saint-Denis. Ph. Irène Andréani).

Et puis, comme par miracle, deux voitures étaient apparues, escortées par la garde nationale de la commune voisine d'Épinay. En écartant la foule sur leur passage, les gardes se vantaient devant leurs camarades d'avoir capturé deux suspects qui se dirigeaient vers la frontière avec du matériel d'espionnage. Toute la place résonna de leurs cris de joie : « Vive la nation ! Voici des aristocrates [40] ! » Sous un torrent d'injures, on fit entrer précipitamment Delambre dans la mairie contiguë à la cathédrale, puis dans les bureaux du district au fond de la cour de l'abbaye, en forme de demi-lune. Tapis dans leurs bureaux, les administrateurs du district houspillèrent le maire d'Épinay, l'accusant d'être à l'origine de cette situation explosive.

Dehors, sur la place, les habitants de Saint-Denis croyaient leurs soupçons fondés. La France était pleine de traîtres. Deux semaines auparavant, le général Lafayette, héros de la révolution américaine, avait tenté de soumettre la capitale par la force et, quand ses troupes avaient refusé d'obéir, il avait fui aux Pays-Bas. Les généraux et les aristocrates étaient passés à l'ennemi. À présent que Verdun était tombé, il ne restait plus que le menu peuple pour empêcher les Prussiens de marcher sur la capitale.

La foule commençait à s'impatienter. Tandis que Delambre parlementait avec les officiels à l'intérieur de l'abbaye, un groupe de volontaires en colère prit d'assaut les voitures et en descendit les malles en cuir qui renfermaient les instruments. Ils les ouvrirent et découvrirent également quatorze lettres, portant toutes le sceau royal. Bien étrange découverte en vérité ! Peut-être ces lettres contenaient-elles un message du roi, écrit depuis sa prison à ses amis du front nord ? Avec bien des difficultés, la garde nationale réussit à convaincre ces hommes de remettre les malles sur la voiture. En échange, on promit à la foule de faire toute la lumière sur les lettres du roi. Le nom de Delambre fusa. La foule le réclamait.

Pour Noël et pour les autres administrateurs du district, cette injonction résonnait comme un glas. Dans les premiers temps de la Révolution, l'adjoint au maire de Saint-Denis avait reçu quatorze coups de poignard dans la tour de l'église parce qu'il avait refusé de baisser le prix du pain de deux sous. Dans Paris, durant toute la semaine, le peuple s'était livré aux pires actes de violence que l'on eût connus depuis les débuts de la Révolution. Des prisonniers ordinaires avaient été traînés hors de leur cellule, accusés de participer aux conspirations des aristocrates et massacrés par des hordes de gens, des membres de la garde nationale notamment, dont certains se trouvaient peut-être là, dans la foule agglutinée devant la basilique. Avant de s'aventurer dehors pour voir ce que voulait le peuple, le procureur-syndic conseilla à Delambre de se cacher dans un placard. Quand il fut certain que le savant ne serait pas taillé en pièces, il l'amena devant la foule pour lui permettre d'expliquer sa mission, l'usage de ses instruments et, par-dessus tout, le contenu des lettres royales. Delambre prit place sur les marches de la mairie. Il décacheta la première lettre.

PROCLAMATION DU ROI,
concernant les observations et expériences à faire
par les Commissaires de l'Académie des Sciences,
pour l'exécution de la loi du 22 août 1790,
qui ordonna l'uniformisation des poids et mesures,
10 juin 1792... [41]

Etc. Trois pages remplies d'un jargon juridique, écrites au nom du roi qui ordonnait aux administrateurs des districts situés le long de la méridienne de faciliter la tâche des commissaires désignés en leur procurant chevaux, nourriture et logement, et en leur permettant d'ériger signaux, échafauds et réverbères, « même sur le faîte et à l'extérieur des clochers, tours et châteaux ».

Même en allant très vite, il aurait fallu quinze minutes pour lire cette lettre. Or, la foule insistait pour entendre chaque mot. Qui savait si tout ce verbiage ne cachait pas quelque complot malveillant ? À la fin, apparemment satisfait du caractère inoffensif de la lettre – encore que ce fût une proclamation du roi –, le peuple dirigea son attention vers les treize autres, marquées elles aussi du sceau royal. Delambre fut obligé de décacheter une deuxième missive afin de la lire à la foule. Il en fut comme pour la première. Mais qu'en était-il des autres ? Peut-être parmi toutes ces lettres inoffensives s'en trouvait-il une seule qui portât la marque de la trahison ? C'est ainsi que Delambre accepta d'en lire une troisième, puis une quatrième, puis une cinquième. Plus d'une heure s'écoula. La voix du lecteur montrait des signes de fatigue. La lecture des quatorze lettres allait lui prendre toute la nuit. Le jour commençait à décliner. En outre, une fois déca-chetées, les missives devenaient nulles et non avenues. Alors Delambre proposa un marché à son public. Il accepterait de lire une lettre de plus, prise au hasard, et si cette lettre ne correspondait pas dans les moindres détails aux précédentes, il en répondrait sur sa tête. Le marché fut conclu. On choisit une lettre, on la décacheta et on la lut. Elle correspondait.

Cependant la foule n'était toujours pas satisfaite (apparemment, les volontaires avaient encore des vues sur les deux voitures, idéales pour transporter leurs provisions jusqu'au front). On voulut savoir à quoi servaient ses instruments. À lui de s'expliquer.

Le savant fit de son mieux. En tant qu'hommes et femmes libres, ils avaient le droit de savoir pourquoi on réalisait ce travail en leur nom, et comment on allait s'y prendre. Peut-être sa mission leur avait-elle paru obscure et bien loin de leurs préoccupations du moment ; mais s'il réussissait à la mener à bien, elle aurait plus de retentissement sur leur vie que n'importe quelle grande victoire sur un champ de bataille.

Une nation unique ne se devait-elle pas d'avoir une seule unité de mesure, tout comme le soldat se battait pour une seule patrie ? La Révolution n'avait-elle pas promis l'égalité et la fraternité pour tous les peuples du monde, et non juste pour la France ? Et donc tous les peuples du monde ne devaient-ils pas utiliser un système uniforme de poids et mesures, afin d'encourager le commerce pacifique, la compréhension mutuelle et l'échange des savoirs ? Voilà à quoi allait servir la mesure du globe.

Les gens qui composaient la foule ce jour-là n'étaient pas sans savoir qu'en France les poids et mesures variaient d'une province à l'autre, d'une ville à l'autre et d'une paroisse à l'autre. Malgré la similitude des dénominations, on constatait des variantes d'un commerce à l'autre et selon la nature des marchandises. Quand un volontaire de Saint-Denis se rendait à Paris pour lever sa pinte de bière à la santé de ses camarades parisiens, il découvrait que dans la capitale la pinte contenait un tiers de moins que chez lui [42]. La livre des boulangers était plus légère que celle des quincailliers. Dans de nombreuses régions de France, la livre de pain pesait effectivement moins lourd qu'une livre de plomb. Les mesures étalons de Saint-Denis, par exemple, étaient enchâssées dans un socle en maçonnerie, à l'intérieur de la basilique, juste derrière Delambre : deux récipients différents pour deux types de grain différents, deux pour le sel, et une *aune*, scellée dans le mur. On ne se servait de l'aune que pour mesurer les étoffes, et Paris avait trois aunes différentes pour trois sortes de tissus différents. À Amiens, ville natale de Delambre, on utilisait deux aunes dans la boutique paternelle, une pour le commerce de gros, et une autre, plus courte, pour le commerce de détail. Dans les villages voisins, on se servait de treize aunes différentes. Dans toute la France, ces divergences provoquaient une confusion extrême, perturbant le commerce, déconcertant les administrateurs, incitant à la fraude.

Pendant des siècles, les commissaires du roi avaient tenté de ravir aux seigneurs, aux corporations et aux échevins le contrôle des poids et mesures. En effet, sans la maîtrise des poids et mesures locaux, il était impossible à l'État de tirer des revenus du commerce, de faire appliquer en toute équité la levée d'un impôt sur la propriété, d'évaluer les importations et de réguler les réserves de grain et le prix du pain. L'armée aussi aspirait à l'uniformisation des mesures, afin de mieux harmoniser la production de matériel de guerre, la construction de fortifications et la cartographie. Au cours des dernières décennies, la partie instruite de la population avait changé d'état d'esprit, basculant sans hésiter dans le camp des opposants à la diversité des poids et mesures. Le plus grand spécialiste en métrologie ancienne et moderne de l'époque, Alexis Paucton, insistait sur la nécessité d'une réforme car, disait-il, les mesures « sont la règle de la justice qui ne doit point varier, et la sauvegarde de la propriété qui doit être sacrée [43] ». Les rédacteurs de la célèbre *Encyclopédie* de Diderot et d'Alembert avaient déploré l'aspect « embarrassant » de la diversité des poids et mesures, mais, comme tant d'autres à l'époque, ils avaient estimé que cet inconvénient était « irrémédiable ». Même Necker, le ministre le plus compétent du roi, avait décrété que l'uniformisation du système métrique dépassait le cadre des pouvoirs de la monarchie [44].

Or, là où les rois, trop pusillanimes, avaient échoué, la Révolution était résolue à réussir. Il fallait obtenir de la nation, si elle voulait mériter ce nom, l'uniformité des poids et mesures. Dans les cahiers de doléances [45], ces fameuses listes de revendications demandées par le roi pour la convocation des états généraux en 1788, le peuple lui-même avait appelé à une réforme des poids et mesures. Cent vingt-huit cahiers des paroisses et bailliages réclamaient l'uniformisation. Parmi les cahiers de la noblesse, on en comptait trente-deux, et pour le clergé, dix-huit. À l'échelon local, on retrouvait sur des milliers de cahiers primitifs, ceux des villages, le même cri repris en écho : « Une seule loi, un seul roi, un seul poids et une seule mesure. » Les habitants de la ville de Saint-Denis l'avaient réclamé eux aussi, et le maire d'Épinay avait signé lui-même le cahier de sa commune, qui demandait un seul système de poids et mesures pour toute la France. C'était désormais à la Révolution de répondre à cette exigence.

Nous ignorons ce que la foule a fait des explications de Delambre. La seule chose que nous savons, c'est que tous ces gens s'étaient préparés à se battre et non à écouter un cours improvisé sur les poids et mesures et la géodésie. Delambre lui-même décela une certaine impatience :

> On étale [les instruments] sur la place, et me voilà forcé de recommencer le cours de géodésie dont j'avais donné les premières leçons à Épinay. On ne m'écoute pas plus favorablement. Le jour commençait à tomber ; on n'y voyait presque plus. L'auditoire était très nombreux : les premiers rangs entendaient sans comprendre ; les autres, plus éloignés, entendaient moins et ne voyaient rien. L'impatience et les murmures commençaient ; quelques voix proposaient un de ces moyens expéditifs si fort en usage dans ces temps, et qui tranchaient toutes les difficultés, mettaient fin à tous les doutes [46].

Avant que les agitateurs ne missent leurs menaces à exécution, le procureur-syndic intervint [47]. Affectant la sévérité, il ordonna de mettre les scellés sur les voitures suspectes et de les amener en lieu sûr, dans la cour de l'abbaye. Ensuite il força Delambre à rentrer dans la salle de la commune, sous prétexte de lui demander un exposé plus convaincant de sa mission. Une fois à l'intérieur, il obligea Delambre, pour sa propre sécurité, à passer le reste de la nuit en compagnie du

4. EXHUMATION DE HENRI IV

Le corps de Henri IV, le plus populaire de tous les rois de France, fut brièvement exposé à la basilique de Saint-Denis après son exhumation en 1793 (ph. Roman Stansberry).

conseil municipal. Delambre et Bellet dormirent cette nuit-là dans un fauteuil, dans la salle communale de Saint-Denis. À l'aube seulement, ils furent autorisés à se rendre aux Trois-Maillets, l'auberge toute proche.

Plus tard, dans la soirée du 7 septembre 1792, l'Assemblée législative adopta un décret qui faisait de Delambre et de Méchain les envoyés officiels du gouvernement du peuple et qui ordonnait aux autorités locales de les aider au cours de leur périple [48]. L'expédition autorisée par le roi était devenue la mission du peuple. Dès que le décret fut publié, Lefrançais l'apporta à Delambre, et, ensemble, ils l'apportèrent à la séance du conseil municipal du dimanche matin pour faire lever les scellés apposés sur leurs voitures et continuer leur mission. Le même soir, les moines bénédictins dirent leur dernière messe, après plus de mille ans de prières ininterrompues dans la plus prestigieuse abbaye du royaume.

*

Entre-temps, les volontaires de Saint-Denis avaient été emmenés dans une caserne des environs de Paris pour y subir un entraînement intensif, et, de là, ils étaient partis à la rencontre de l'envahisseur prussien, qui eut lieu à Châlons-sur-Marne [49]. Si les volontaires de Saint-Denis avaient contribué à sauver la Révolution, la Révolution, elle, n'en avait pas fini avec Saint-Denis. En décembre, la foule envahit la basilique, non pour massacrer les vivants, mais pour déterrer les morts. La garde nationale protégea les tombeaux des rois, mais après que Louis XVI eut été guillotiné en janvier 1793, le peuple multiplia ses appels à une exhumation collective. Le corps du roi avait été jeté dans une tombe anonyme ; ses ancêtres ne méritaient guère mieux.

À son tour, la Convention nationale se démena pour mener la charge populiste. En l'honneur du premier anniversaire du soulèvement du 10 août, elle ordonna la destruction des tombeaux de Saint-Denis et la réinhumation des corps royaux dans une fosse commune du cimetière des Valois, afin de couler le plomb des cercueils – neuf tonnes en tout – et d'en faire des boulets de canon ou des balles de mousquet. Seules les statues de François Ier et d'autres sculptures de la grande époque de la Renaissance furent sauvées, en raison de l'excellence de leur art. Noël, le procureur-syndic, donna le premier coup de bêche. Le premier cadavre royal à être exhumé fut celui d'Henri IV, le roi le plus populaire de la nation. Il était en parfait état de conservation, et son visage était aussi noir qu'une nuit sans lune.

Un jeune soldat coupa une boucle de sa barbe devant une assistance hilare, puis il se la mit au menton et déclara : « Et moi aussi, je suis soldat français ! Désormais... je suis sûr de vaincre ces b... de gueux d'Anglais[50]. » Lorsqu'on exhuma le Roi-Soleil, un ouvrier éventra son cadavre sous les applaudissements de la foule. Pour masquer la puanteur, les officiers municipaux brûlèrent un mélange de vinaigre et de poudre à fusil, puis ils fermèrent la basilique.

Peu après, alors que la municipalité se demandait si elle n'allait pas autoriser les patriotes de la ville à abattre le clocher de la basilique à coups de boulets de canon, la Commission des poids et mesures intervint. La tour, déclara-t-elle, était d'une importance capitale pour la mesure de l'arc de méridien sur son axe Dunkerque-Barcelone. En considération de cette « grande utilité[51] » pour la détermination des nouvelles unités de mesures de la République et pour la triangulation du territoire, comme pour la réalisation d'autres objectifs cartographiques et scientifiques, le conseil serait avisé de laisser la tour intacte et de se contenter de faire disparaître les crucifix et les fleurs de lys qui offensaient les bons patriotes de Saint-Denis. Ainsi la science vint-elle au secours de la basilique, alors qu'elle-même était la cible d'attaques.

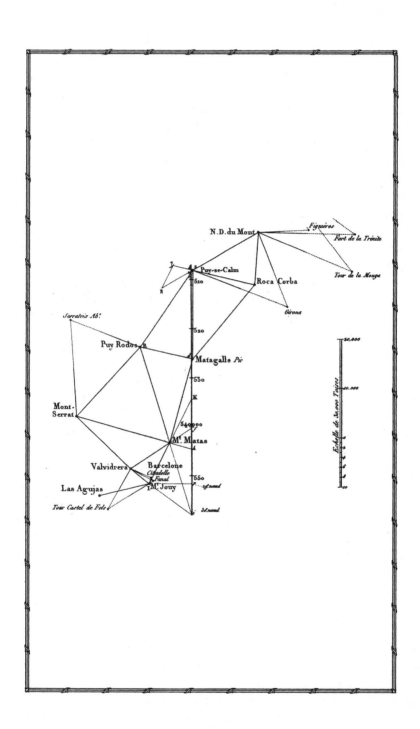

N.D. du Mont

Figuières

Fort de la Trinité

Tour de la Mouga

J

A S Puy-se-Calm

510

Roca Corba

N

Girona

520

Serrateix Ab.

Puy Rodos R

Matagalls Pic

530

K

Mont-
Serrat

540.000

M. Matas

Valvidrera

Barcelone
Citadelle
Fanal

550

2.d næud

Las Agujas

M. Jouy

Tour Castel de Fels

3.e næud

Echelle de 30,000 Toises

20,000

10,000

2

L'astronome de la partie sud

« Bienvenue [à Barcelone] à celui dont j'atteste sur
l'honneur qu'il est le miroir, le phare, l'étoile, le guide
de la chevalerie errante ! Bienvenue au chevalier Don
Quichotte de la Manche, non pas le faux, le fictif, l'apo-
cryphe qu'on nous a dépeint récemment dans une histoire mensongère, mais le seul, le vrai, le légitime... [1]. »

MIGUEL DE CERVANTES, *L'ingénieux hidalgo*
Don Quichotte de la Manche

D'après la *Base du système métrique*, œuvre magistrale de Delambre
et compte rendu officiel de l'opération de la méridienne, Méchain
quitta Paris pour Barcelone le 25 juin 1792, accompagné de trois
assistants avec, à bord d'une voiture spécialement conçue, tous les
instruments scientifiques qu'il avait si longtemps attendus. Après
avoir été différée pendant des années, l'expédition allait enfin commencer. À l'origine, l'Académie espérait lancer l'opération dès la
désignation des commissaires, au printemps 1791, mais leur départ
avait été retardé pour laisser à Lenoir le temps de terminer les instruments de mesure et à Cassini celui de tergiverser. En janvier 1792, les
instruments étant prêts, Méchain envisagea de partir au printemps suivant. En avril, le ministère français des Affaires étrangères obtint la
coopération pleine et entière du gouvernement espagnol, et en mai
Méchain informa l'équipe catalane qu'il quitterait Paris le 10 juin [2].
Toutefois le savant ne paraissait pas pressé de partir. Le 9 juin, il
annonça son intention de quitter la capitale le 21, et le 23 il se déclara
prêt à partir dès le lendemain, soit le 24 juin. Chaque jour comptait, le
ministre de l'Intérieur menaçait d'annuler l'expédition. Le gouvernement commençait à avoir des doutes sur la nécessité d'une opération

coûteuse, pour un méridien qui avait déjà été mesuré à plusieurs reprises.

Or, trois jours après le 25 juin, date à laquelle, selon Delambre, Méchain quitta Paris, l'astronome de la partie sud se trouvait toujours dans la capitale. En effet, le 28 juin, un notaire se présenta chez les Méchain, à leur résidence de l'Observatoire, afin de faire signer une procuration pour son épouse au citoyen Méchain, « sur le point de partir pour Barcelone en Espagne, comme l'un des commissaires nommés par l'Académie des sciences en vertu d'un décret particulier de l'Assemblée nationale sanctionné par le roi, pour procéder aux opérations nécessaires à l'effet de déterminer la grandeur de l'arc du méridien compris entre Barcelone et Dunkerque, et d'établir, sur cette base, un modèle invariable et uniforme de poids et mesures pour toute la France [3] ». Cette formalité permettait à l'épouse de Méchain de toucher son salaire pendant son absence, d'effectuer toute transaction financière en leur nom, et de disposer de leurs biens comme elle le jugerait bon.

Barbe Thérèse Méchain, née Marjou, était une femme instruite et capable qui assistait son mari dans ses travaux d'astronomie. Le couple était marié depuis quinze ans et vivait avec ses trois enfants, deux garçons et une fille, dans une petite maison située dans l'enceinte de l'Observatoire, où ils menaient une vie confortable. La famille Méchain avait le droit de planter des légumes sur le terrain derrière la maison, et les fenêtres de la façade donnaient sur la rue du Faubourg-Saint-Jacques. Un logement comme cette coquette demeure était un privilège parmi d'autres, grâce auquel un savant qui avait la chance d'être employé par le roi pouvait compléter ses maigres revenus [4].

La famille Marjou avait également fait carrière au service du roi. Le père de Thérèse avait été valet de Monsieur, frère du roi, à Versailles. Son frère aîné recevait une pension généreuse, comme chef de cuisine chez la duchesse d'Aiguillon. Thérèse avait apporté en dot une somme substantielle en même temps que son sens des affaires. Mais la Révolution était passée par là, causant la ruine de la famille. Les parents de Thérèse étaient morts de leur belle mort en 1789, au moment où les princes du sang qui employaient son frère quittaient le pays. Versailles était déserté. Désormais la famille Méchain dépendait des maigres revenus du chef de famille. Il n'était pas prévu de lui donner un traitement pour sa participation à l'expédition. En tant que membre de l'Académie, Méchain était censé s'acquitter de sa mission pour l'honneur – et il ne pouvait se permettre le luxe d'abandonner ses travaux à Paris. Aussi Mme Méchain accepta-t-elle de poursuivre les travaux d'astronomie de son époux en l'absence de celui-ci, notamment l'étude des éclipses de lune[5]. Puisqu'elle accomplissait les devoirs officiels de son mari à l'Observatoire, il n'est guère étonnant que celui-ci lui ait donné procuration, et peu importe la date exacte.

Or, justement, cette précision des dates est importante. Pour les astronomes, le temps est sacré. Le moment précis de l'occurrence d'un phénomène céleste est la base sur laquelle reposent toutes les connaissances dans ce domaine. Alors pourquoi Delambre a-t-il menti sur un point aussi dépourvu d'originalité et par ailleurs si facilement vérifiable ? Car, la plupart des grands astronomes de la nation vivant sur les lieux, la présence de Méchain à l'Observatoire ne pouvait guère passer inaperçue. Assez curieusement, la clé de l'énigme se trouve peut-être dans une autre contradiction inscrite elle aussi dans la *Base*. Delambre y laisse entendre que sa mission à lui avait commencé le 26 juin, soit une journée après le départ supposé de Méchain[6]. Or, dans ses notes personnelles, qu'il a consultées pour la rédaction de la *Base*, il dit être parti dès le 24 juin en reconnaissance de sites exploitables pour ses stations.

Deux mensonges ne font pas une vérité, mais peut-être livrent-ils la clé d'une énigme[7]. En transformant par deux fois la réalité, Delambre reconnaissait la supériorité hiérarchique de Méchain dans cette expédition. Si anodine fût-elle, cette priorité d'un jour en faisait le chef de leur binôme. Méchain était âgé de quarante-sept ans et Delambre en avait quarante-deux, mais l'astronome de la partie sud avait derrière lui dix ans d'ancienneté à l'Académie des sciences, et sa désignation pour la mesure du méridien avait précédé de deux ans celle de Delambre. Dans la France de l'Ancien Régime, la vie scientifique était réglée par ce genre de petites politesses. Encore aujourd'hui, la carrière d'un chercheur scientifique dépend de la présence de son nom dans des services de référence, que ses collègues lisent avec un sens de la nuance digne d'une exégèse de la Bible.

Mentir sur une question de temps peut s'avérer très risqué. Une expédition qui avait pour but de mesurer la nature avec une précision inégalée ne devait pas se placer dès le départ dans l'ombre de la dissimulation, surtout quand son principal objectif était de définir les attributs du temps et de la distance pour tous les peuples, pour tous les temps. Méchain quitta Paris en espérant être de retour sept mois plus tard[8]. Sept ans allaient passer avant qu'il posât à nouveau le pied dans la capitale.

Certes, rien de tout cela n'explique *pourquoi* Méchain a si longtemps différé son départ. Peut-être s'est-il demandé s'il était bien raisonnable de partir, ou si lui-même était capable de remplir sa mission dans une période aussi troublée ? En 1789, déjà, il avait eu du mal à garder son calme au milieu des « vives alarmes, [de] tant d'inquiétudes et même des risques assez sérieux [9] » qui ébranlèrent son quartier. Deux jours après la prise de la Bastille, trois cents citoyens en armes avaient envahi l'Observatoire en espérant y trouver de la poudre, des armes et de la nourriture. Ils s'étaient introduits chez lui par la force, avaient terrorisé sa femme et obligé Cassini à les conduire dans les immenses caves, où la seule arme meurtrière qu'ils trouvèrent fut un tourne-broche. Ces « Don Quichotte [10] », comme les avait appelés Cassini, avaient aussi enlevé le plomb qui recouvrait les cabinets d'observation pour en faire des balles de mousquet. Peu de temps après, Méchain fut incorporé dans la garde bourgeoise pour maintenir l'ordre dans sa section. « Vous sentez, avait-il alors écrit à un confrère, qu'en pareilles circonstances on n'a pas l'esprit à s'occuper d'objets scientifiques [11]. » Ce fut pourtant ce qu'il fit, car sur plusieurs pages de sa lettre s'étale ensuite, de sa petite écriture fine et dense, une analyse des dimensions exactes des anneaux de Saturne.

Sa concentration d'esprit et sa ténacité faisaient de Méchain le candidat idéal pour l'opération de la méridienne. L'exactitude était une religion pour lui. Il était né le 16 août 1744, d'un père entrepreneur-plâtrier à Laon, ville médiévale perchée sur une butte en arc de cercle et qui domine les terres riches et compactes de la Picardie, pays à la végétation luxuriante et ponctué de villes fortifiées. Instruit chez les jésuites, Méchain fut admis à l'École des ponts et chaussées grâce à ses talents en mathématiques. Mais, son père n'étant pas à même de subvenir à ses besoins, il se vit dans l'obligation d'interrompre ses études et d'accepter un poste de précepteur. Avec l'argent ainsi économisé, il s'acheta une lunette et s'adonna à sa passion de jeunesse, l'astronomie [12]. Puis le mauvais sort frappa. Son père fut engagé dans un procès ruineux et l'on raconte que Méchain, dans un élan de piété filiale, accepta de vendre son instrument pour rembourser la dette de famille. Ce revers de fortune fut son premier coup de chance. Il trouva un acheteur en la personne de Jérôme Lalande, le plus illustre des astronomes du pays, un homme qui avait des relations dans toutes les couches de la société française.

Lalande procura au jeune homme un emploi à temps partiel au Dépôt général des cartes de la marine à Versailles. En tant qu'hydrographe, Méchain participa à des expéditions le long des côtes de Normandie et prépara des cartes militaires détaillées de la côte méditerranéenne, traçant une ligne côtière qu'il n'avait seulement jamais vue et faisant ses calculs à partir des observations des autres. Pendant vingt ans, il passa ses journées à brasser des tonnes de chiffres dans l'obscurité d'un bureau, et ses nuits à scruter les brillances du ciel boréal. Lalande étant par ailleurs un tyran généreux, il demanda au jeune homme de travailler sur ses tables astronomiques.

Méchain était plus dur avec lui-même qu'aucun maître n'eût pu l'être. Il faisait partie de ces astronomes qui préféraient obtenir une réponse sûre par un long travail mathématique plutôt que par le biais d'une technique meilleure et plus rapide mais dont la qualité n'avait pas encore été établie de manière irréfutable. Cette persévérance fit de lui l'un des plus brillants astronomes français, découvreur de onze comètes, membre de l'Académie des sciences et rédacteur de la *Connaissance des Temps*[13], première revue astronomique française, dont le principal mérite était l'exactitude de ses éphémérides. Grâce à Méchain, la revue put rivaliser avec son homologue britannique et modèle du genre, le *Nautical Almanac*.

En récompense de toutes ces réalisations, Méchain fut nommé capitaine-concierge de l'Observatoire. Les membres influents qui avaient soutenu sa nomination assurèrent à Cassini qu'il ferait preuve d'une « juste déférence due à [sa] place de directeur ». Ils firent également remarquer que Méchain était « très habile, très honnête » autant que « jeune, pauvre et marié[14] ». En 1783, la famille Méchain emménagea dans la confortable petite maison de l'Observatoire avec cuisine, salle à manger, chambres, cabinet, petite cour et jardin à l'arrière où le précédent locataire, un botaniste, avait planté des arbres exotiques. C'est là que naquit le plus jeune fils du couple, en 1786.

Méchain était petit et brun ; il avait le teint pâle et les traits fins, qui eussent été réguliers s'ils n'avaient été déformés par toutes les émotions qui y affleuraient : ses sourcils épais remontaient assez haut comme pour se faire suppliants, son regard clair recherchait la compassion, et le doux contour de ses lèvres s'affaissait aux commissures, trahissant son manque d'assurance[15]. Méchain n'avait jamais cherché à devenir célèbre ; heureusement (ce fut là son deuxième coup de chance), il n'avait pas eu à s'inquiéter beaucoup pour sa carrière après son mariage avec Thérèse Marjou. Il avait toutefois gravi régulièrement les échelons jusqu'à sa désignation, la toute dernière année de l'Ancien Régime, comme membre de l'opération franco-anglaise pour le calcul de la longitude de l'observatoire de Paris par rapport à celle de Greenwich.

C'est au cours de cette expédition que pour la première fois furent confirmés les espoirs que l'on pouvait mettre dans le cercle de réflexion de Borda et les qualités de géodésien de Pierre François

André Méchain. Les philosophes naturalistes des deux plus grandes puissances du monde croyaient qu'une étude trans-Manche [16] permettrait aux navigateurs de faire correspondre facilement les cartes marines anglaises et françaises. Ils avaient aussi l'espoir qu'une pointe de rivalité scientifique inciterait les deux gouvernements à accorder un soutien plus généreux à la science. À l'imposant théodolite de Jesse Ramsden, un tout nouvel instrument financé par George III, l'équipe française opposerait son cercle de réflexion, financé celui-là par Louis XVI et conçu pour être l'instrument idéal des géodésiens. Le cercle de Borda était plus simple à réaliser et plus facile à transporter que le monstre de Ramsden (l'un pesait vingt livres et l'autre deux cents). Il était en outre possible de l'adapter selon que l'on désirait mesurer des angles terrestres ou célestes. Enfin, il garantissait un taux d'erreur presque nul. La quête de la précision exige que l'on coopère : c'est là encore une forme de compétition.

Les Anglais n'avaient pas voulu s'avouer vaincus. Le chef de l'opération avait fini par conclure que « [le] petit cercle mesure les angles de manière très précise quand il est possible de faire la moyenne de nombreuses observations [17] », mais il n'en considérait pas moins son instrument, « pour ce qui est de sa construction et de ses divisions, disait-il, comme absolument infaillible ».

De 1787 à 1788, les équipes anglaise et française triangulèrent leurs côtes respectives, puis elles passèrent chacune de l'autre côté de la Manche pour vérifier les résultats de l'équipe adverse. Paradoxalement, toutes deux avaient atteint un tel degré de précision qu'il leur fut impossible de se mettre d'accord sur les résultats. Si les Français reconnaissaient aux Anglais des erreurs inférieures à deux secondes, ils se vantaient d'avoir fermé leurs triangles avec une erreur d'une seconde et demie seulement, faisant ainsi dix fois mieux que lors de la décennie précédente. Pour Cassini, c'était la preuve que le cercle de Borda avait poussé la science à un niveau de perfection qui frôlait le sacrilège.

> Dans les arts et dans les sciences, plus on approche de la perfection, plus les difficultés pour atteindre ce but semblent naître et s'accroître ; l'on serait quelquefois tenté de penser qu'il est un terme que le génie et la main de l'homme s'efforceraient en vain de passer, si des succès inespérés ne venaient de temps en temps ranimer notre confiance, et nous prouver que rien n'est impossible à l'étude et à la persévérance [18].

Pourtant, aux points de jonction – au cap Blanc-Nez par exemple –, la différence entre les valeurs angulaires des deux équipes était six fois supérieure au degré de précision dont elles se vantaient, soit 12,7 secondes, un score assez démoralisant. À qui la faute ? Pas à nous, avaient déclaré les Français en justifiant leur extrême confiance dans leurs mesures par le fait qu'elles avaient été vérifiées par Méchain [19].

Cette confiance en Méchain n'était pas déplacée. Durant toute l'opération, celui-ci avait été la bête de somme de Cassini. Il avait effectué des mesures à Dunkerque, à Watten et dans les autres stations de la côte française. Au début, Cassini avait profité de son ancienneté pour monopoliser le cercle de Borda, reléguant Méchain à un rôle secondaire, celui de vérifier la précision du cercle avec un instrument plus ancien, le quart de cercle. Méchain trouva cependant l'occasion d'utiliser l'instrument de Borda, et, vers la fin, il savait très bien s'en servir. Cette expérience, conjuguée à sa réputation d'homme de rigueur, faisait de lui la personne toute désignée pour l'opération de la méridienne, son troisième (et dernier) coup de chance, au moment où la Révolution supprimait les modestes revenus de son épouse [20].

Pourtant, avec le pessimisme qui le caractérisait, Méchain considéra cette opportunité sous un jour particulièrement défavorable. Il ne voyait pas en quoi cette expédition pouvait améliorer ses perspectives de carrière ou faire grandir sa réputation. « [A]insi vous voyez que j'ai bonne espérance de voir que de peu de chose que j'étais, je ne serai et je n'aurai absolument plus rien [21] », écrivit-il à son vieux maître en apprenant qu'il avait été sélectionné.

Chez Méchain, rigueur ne rimait pas avec froideur. C'était un homme d'une grande sensibilité : angoissé, mélancolique, avec une perception très fine des sentiments d'autrui, surtout quand il s'agissait de problèmes qui reflétaient les siens. Bien qu'il fût d'origine modeste, il avait assimilé les institutions de l'Ancien Régime, qui, après tout, lui avaient été plutôt favorables. Quand certains de ses confrères, inspirés par la nouvelle philosophie démocratique, suggérèrent une meilleure adéquation de l'Académie avec les principes égalitaires, il se rangea du côté des traditionalistes. C'était un homme prudent, sûr, soucieux du devoir accompli. Il avait été propulsé au premier rang dans cette expédition et en avait accepté la responsabilité. Pour lui, c'était une question d'honneur.

*

Peu après le 28 juin 1792, Méchain quitta enfin la capitale, accompagné de ses assistants et muni des deux cercles répétiteurs qu'il avait si longtemps attendus. Son premier adjoint était un ingénieur carto-

graphe militaire, nommé Jean Joseph Tranchot. Les terrains montagneux de la Catalogne n'ayant jamais fait l'objet de relevés cartographiques, Méchain avait besoin d'un assistant solide et compétent. Âgé
de trente-sept ans, Tranchot était originaire du nord-est de la France,
et il avait passé la moitié de sa vie à trianguler la Corse, dernière
acquisition territoriale de la France, une terre sauvage et aride comme
on en trouve peu en Europe. Les deux hommes avaient déjà travaillé
ensemble pour déterminer la position de la Corse par rapport à la côte
méditerranéenne, dans le cadre de la réalisation de la carte militaire,
et Méchain avait lui-même formé Tranchot aux finesses de l'astronomie d'observation et de ses calculs [22]. Son autre assistant était le
fabricant d'instruments Esteveny, qui avait appris le métier dans l'atelier de Lenoir. Un domestique nommé Lebrun l'accompagnait également.

   L'équipe ne rencontra qu'un seul obstacle au cours de son voyage
vers le sud. Le premier jour, elle fut arrêtée près de la ville d'Essonnes, par un barrage semblable à ceux que rencontrait Delambre à
chaque coin de rue. La garde nationale prit leurs instruments d'astronomie pour du matériel de guerre ultra-perfectionné et les retint
jusqu'à ce qu'elle se fût entretenue avec les administrateurs du pays.
Heureusement, à cette époque-là, c'est-à-dire avant la chute de la
monarchie, la proclamation du roi avait encore valeur de laissez-
passer. Une fois l'obstacle franchi, la berline fila bon train à travers
une campagne paisible.

   Le calme régnait toujours lorsque Méchain arriva une semaine
plus tard à Perpignan, la grande ville la plus au sud de la France. La
cité mauresque aux murs pourpres s'étendait sur une plaine côtière
aux vignobles roussis et aux étangs d'eau de mer, enfermée dans la
longue courbure de la Méditerranée quand de l'Espagne elle tend le
bras pour étreindre l'Italie. À l'arrière de la ville, une imposante
chaîne de montagnes bleutées, dominée par le massif du Canigou, se
dressait au-dessus des basses terres desséchées, telle une épaule
brunie et musclée. C'étaient les Pyrénées, où Méchain devait commencer ses opérations. La frontière avec l'Espagne s'étendait le long
des crêtes.

   Après s'être présentés devant l'assemblée municipale de Perpignan, Méchain et son équipe empruntèrent la grande route en direction de Barcelone, puis la route nationale entre les deux royaumes. À
mesure qu'elle s'éloignait de la côte, la route descendait à travers de
riches terres agricoles pour grimper à nouveau le long des collines,
entrecoupée par des intermittences de soleil, de pluie et de gel, avant
de filer vers un col de basse altitude, où elle passait sous les canons de

l'imposante forteresse de Bellegarde, pour ensuite entrer en Espagne. À partir de là, la superbe route du roi de France se transformait en un chemin à l'état « naturel, mais déplorable [23] », qui descendait encore à travers des terres désolées, sablonneuses, avec des chênes-lièges sur les hauteurs et, au-dessous, quelques plantations d'oliviers clairsemées. C'était seulement en se rapprochant à nouveau de la côte que l'on commençait à voir se multiplier la marque de la main de l'homme. Les arbustes à fleurs et les herbes aromatiques embaumaient l'air. Au bord de la route étaient plantées des haies d'aloès, d'aubépine et de grenadiers sauvages. Des pompes à chaînes irriguaient champs de maïs et orangeraies. Les villes se faisaient de plus en plus nombreuses. Bientôt, ce furent les portes de Barcelone, métropole en proie à la fièvre du changement.

*

La Barcelone du XVIIIe siècle avait prospéré sous le regard attentif de ses suzerains castillans. La ville catalane s'enorgueillissait de ses manufactures de soie, de son opéra italien et d'un quai de huit cents mètres où pouvaient être amarrés une centaine de bateaux à la fois. L'or affluait des Amériques et les textiles et produits manufacturés partaient vers les colonies. En même temps qu'elle réalisait son expansion commerciale, Barcelone devenait aussi capitale intellectuelle, en partie à cause de sa relative ouverture à ce qui lui venait de sa voisine du nord.

Le déferlement des idées françaises n'était pas toujours apprécié. Du fait de sa prospérité, la population de la ville avait triplé, passant à cent vingt mille âmes. Une grande partie des nouveaux venus étaient des Français, qui représentaient presque un huitième de la population à la fin du XVIIIe siècle. Ces immigrés irritaient à la fois les habitants de la ville et les autorités castillanes. Les artisans les considéraient comme des concurrents, et les Castillans, que la Révolution n'avait fait que conforter dans leurs soupçons, se méfiaient des idées radicales. On reprochait aux Français l'augmentation du prix du pain et la baisse brutale des salaires. Pendant plusieurs décennies, les œuvres de certains philosophes éclairés comme Voltaire et Rousseau avaient fait l'objet d'une diffusion clandestine en Espagne, en même temps que les pamphlets politiques, les tracts antireligieux et les ouvrages pornographiques, parfois tous brillamment associés. Madrid avait essayé de contenir ce flot d'œuvres subversives, allant même jusqu'à interdire le *Journal de physique* en 1791, au motif qu'il était empreint d'athéisme. Maintenant, en plus de ces tracts dérangeants, on voyait affluer des aristocrates et des prêtres qui fuyaient l'impiété de la Révolution et n'étaient pas pour autant accueillis à bras ouverts. Craignant la fomentation de troubles par des révolutionnaires déguisés en prêtres, le gouverneur général donna l'ordre en juillet d'arrêter les fugitifs à la frontière. Les réfugiés devaient jurer de rester en Espagne et d'observer la religion catholique [24].

Néanmoins, la couronne d'Espagne voulait aussi profiter des dernières innovations géodésiques. Au cours des années précédentes, les deux nations avaient commencé à travailler ensemble sur un projet de définition de leur frontière commune. Les Espagnols étaient très pressés de voir le cercle répétiteur de Borda, l'instrument idéal pour cette opération [25].

Dès son arrivée à Barcelone, le 10 juillet, Méchain rencontra les autorités espagnoles et l'équipe de ses collaborateurs scientifiques, dirigée par le lieutenant José Gonzalès, capitaine de la frégate *Corzo* (le chevreuil) et spécialiste en navigation céleste. Méchain connaissait déjà ses travaux [26]. Gonzalès avait pour seconds l'enseigne Alvarez et le lieutenant de vaisseau Francisco Planez. Comme la plupart des scientifiques de l'époque, les Espagnols parlaient français. D'un commun accord, ils décidèrent de passer le reste du mois à rassembler l'équipement nécessaire à l'expédition : il leur fallait des réserves pour soixante personnes pendant plusieurs mois.

Durant son séjour, Méchain rencontra l'élite catalane des Lumières – des savants proches des milieux intellectuels français et de leurs idées. L'astronome était remarquablement doué pour l'amitié. S'il lui arrivait d'être mélancolique, voire irascible, il inspirait aussi l'admiration et l'affection : c'était un homme d'honneur, intègre par vocation. Sa façon de se dénigrer avait elle aussi son charme. Il correspondait avec les astronomes du monde entier, de Pise à Londres et de Copenhague à Madrid – des hommes avec qui il échangeait des données célestes et partageait ses découvertes. Il était donc tout à fait naturel de le voir se lier d'amitié avec des intellectuels catalans comme le général polyvalent Antoni Martí i Franquès, astronome, mathématicien et chimiste, le premier à avoir déterminé la composition exacte de l'air (il a revu les estimations de Lavoisier), ou encore avec le docteur Francesco Salvá i Campillo, pionnier de la médecine moderne.

Méchain demanda à des artisans barcelonais de fabriquer des tentes coniques destinées à protéger le cercle répétiteur contre le soleil et à signaler en même temps la position exacte de la station, de façon qu'elle pût être repérée de loin. Ces tentes pouvaient aussi servir d'abri pour la nuit. Méchain en avait dressé les plans. Elles se présen-

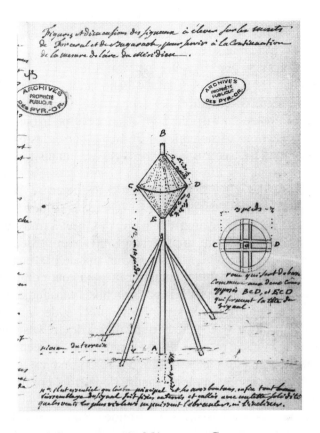

5. LES SIGNAUX DE MÉCHAIN EN CATALOGNE

Ce dessin, fait par Méchain, représente le signal conçu pour la triangulation de la Catalogne. La partie conique inférieure pouvait être revêtue d'une toile pour former un tepee. Le double cône de la partie supérieure était peint en blanc pour servir de cible visible de loin. La hauteur totale était d'environ vingt pieds (archives départementales des Pyrénées-Orientales, Perpignan, lettre de Méchain à Llucia, 6 octobre 1793).

taient sous la forme d'un tepee, avec une pièce de bois dimensionnée comme un essieu et plantée verticalement, à plusieurs pieds de profondeur. Cette tige était étayée par trois ou quatre arcs-boutants bien solides et elle était revêtue d'un morceau de toile. La partie qui dépassait de la tente était coiffée d'un double cône semblable à une toupie géante et peint en blanc pour pouvoir servir de signal [27]. Cette forme bizarre faisait beaucoup parler Barcelone la volubile, déjà troublée par l'annonce de tensions entre l'Espagne des Bourbons et la France révolutionnaire. Comme d'habitude, les racontars n'étaient qu'à moitié vrais. Un grand personnage de la ville entendit même une rumeur selon laquelle les signaux étaient destinés à être plantés sur des sommets ou en haut des forteresses situées entre Barcelone et la frontière, de façon à servir de relais la nuit pour transmettre des renseignements sur les préparatifs de guerre contre les Français.

Une fois que les tentes furent prêtes, début août, l'équipe se mit en route vers le nord, en direction des montagnes. Dans cette première étape de la remontée du méridien, Méchain avait pour but de repérer une chaîne de stations exploitables entre Barcelone et les hautes montagnes de la frontière, secteur qui n'avait encore jamais fait l'objet de relevés cartographiques. Ensuite, il devait revenir vers le sud et prendre la mesure exacte des angles, avec son cercle répétiteur. À vol d'oiseau, la distance à parcourir n'était pas grande – guère plus d'une trentaine de lieues –, mais le relief était irrégulier et les routes moyenâgeuses. Comme les chemins étaient impraticables en voiture, Méchain avait laissé la sienne à Perpignan. Même les chevaux ne parvenaient pas à grimper les sentiers de haute montagne, et, pour tout compliquer, les deux semaines passées à fouiller dans les archives espagnoles n'avaient pas permis de dénicher une seule carte précise de la Catalogne. Méchain et son équipe avaient donc eu recours à des mulets pour porter le matériel et les vivres, et à des guides locaux pour les mener à travers les hauts pâturages et les crêtes étagées des forêts de pins.

À cette époque, la région montagneuse de la frontière franco-espagnole était une zone ambiguë et dangereuse. La partie haute des Pyrénées ne figurait pas sur les cartes. La frontière était perméable et mal définie. Les Pyrénées étendaient leurs vallées fertiles de l'océan Atlantique à la mer Méditerranée, et la population était habituée à se déplacer librement entre les fermes au climat tempéré, les hauts pâturages et les villages voisins. L'Espagne avait eu le contrôle des deux côtés de la chaîne montagneuse jusqu'à la conquête du Roussillon (la partie de la Catalogne située au nord des Pyrénées) par les Français. Un traité datant de 1659 spécifiait que la frontière entre les deux royaumes passait « le long des crêtes des montagnes », mais les Français ne consentirent à considérer les Pyrénées comme une frontière naturelle qu'aussi longtemps que cela arrangeait leurs intérêts. En 1710, les troupes du Roi-Soleil marchèrent sur Barcelone pour tenter de faire de toute la Catalogne une seule province française. Le traité qui mit fin à cette guerre installa un Bourbon sur le trône d'Espagne et redonna pour frontière les crêtes des Pyrénées, sans toutefois préciser lesquelles [28]. À la fin du XVIIIe siècle, les habitants des deux versants parlaient toujours le catalan et revendiquaient farouchement leur indépendance par rapport à Paris et à Madrid, désormais alliés par la branche des Bourbons. Les contrebandiers et les bandits – les *miquelets*, en catalan – faisaient la navette entre les deux pays pour vendre du tabac, des armes et des livres interdits, harcelant les voyageurs, les marchands et les patrouilles frontalières. C'était là une autre raison qui poussait les gouvernements français et espagnol à vouloir mener ensemble l'opération de la méridienne jusqu'à Barcelone. En effet, les triangulations allaient permettre de définir les frontières nationales de manière scientifique, et le commerce entre les deux nations pourrait ainsi être contrôlé, régulé et soumis à l'impôt.

Pour aller plus vite dans la recherche de stations exploitables, Méchain divisa ses hommes en deux groupes : Gonzalès et lui en prenaient un, Tranchot et Planez avaient l'autre. Les deux groupes avançaient en parallèle et plantaient des signaux qui devaient être visibles d'une station à l'autre. Ils commencèrent en haut de la crête de Valvidrera qui borde l'ouest de la grande métropole moderne de Barcelone. De là, ils avancèrent vers le nord et traversèrent des forêts de pins desséchés pour parvenir enfin au monastère isolé de Montserrat [29].

Ce lieu de pèlerinage médiéval était encastré dans un étroit nid d'aigle, à mi-hauteur d'un énorme ensemble de formations rocheuses cylindriques qui ressemblaient à des tuyaux d'orgue et justifiaient son nom : Montserrat, ou montagne en dents de scie. Comme l'avait dit un poète catalan, « avec une scie en or, les anges ont découpé les montagnes entortillées pour te faire une place ». Il fallut à Méchain et à son équipe trois heures à dos de mulet pour grimper le long des lacets du chemin millénaire, mais même là-haut la vue n'était pas assez dégagée. Finalement, Méchain planta son signal sur le portique de la chapelle Notre-Dame, isolée au sommet du plus haut des tuyaux de pierre, deux cents toises au-dessus du monastère et à plus de six cents toises du fond de la vallée. À cette hauteur vertigineuse, il avait un panorama de 360 degrés avec, au nord, la froide muraille des Pyrénées, et au sud les scintillements de la mer autour de l'île de Majorque. Juste en dessous, dans la vallée en terrasses, l'astronome pouvait distinguer un chaos de formes brisées : noyers et oliveraies que séparaient les sinuosités de la pierre, villages aux toits rouges groupés au bord de la rivière, crêtes dont la ligne sombre allait se fondre dans l'aridité des montagnes, et bien sûr, plus près, le monastère lui-même. « Plusieurs [pics] l'entourent de fort près et semblent menacer de [le] détruire par leur éboulement [30] », écrivit-il dans ses notes.

À Montserrat, Méchain et son équipe trouvèrent un logement propre et une bonne chère. Partout ailleurs dans la région, les auberges étaient misérables : trois planches posées sur des tréteaux suffisaient pour faire un lit, et les fenêtres n'avaient pas de vitres [31].

Durant le mois qui suivit, l'équipe traversa les montagnes désertes du nord de la Catalogne, puis elle s'aventura dans le lacis de sentiers qui menaient aux crêtes des hautes Pyrénées. Ici, soit les champs étaient en jachère, soit on cultivait le chanvre. La montagne était sauvage. Les ours attaquaient fréquemment les troupeaux de vaches et de moutons. En hiver, c'était au tour des loups d'attaquer les ours. Les bergers étaient armés et tout le monde faisait de la contrebande.

Quand ils approchèrent de la frontière, en septembre, la saison était bien avancée. Méchain espérait installer des stations sur les montagnes frontalières de Costa Bona (sept mille cinq cents pieds) et de Massanet (six mille pieds), mais la neige avait déjà rendu leur sommet inaccessible. Dans les vallées, il pleuvait en abondance. Plus néfaste encore était le climat de tension politique qui régnait le long de la frontière. La nouvelle du renversement de la monarchie française avait déclenché des réactions violentes dans le sud du pays, et les répercussions s'en faisaient sentir jusqu'en Espagne. Les Français craignaient une invasion par les Espagnols, et les Espagnols avaient peur de voir leur vertueux pays contaminé par la Révolution. À la frontière, près de Costa Bona, des révolutionnaires pleins d'ardeur avaient planté un arbre de la liberté, symbole de la régénérescence par la révolution. Les bandes de miquelets opéraient en toute impunité, et ni d'un côté ni de l'autre on ne pouvait compter sur leur loyauté. Dans ces conditions, la petite équipe franco-espagnole de Méchain ne pouvait envisager de commencer ses visées à la lunette le long de la frontière, car cela risquait d'être perçu comme une provocation. Et ils auraient pu y laisser leur vie [32].

En fait, le jour même où Delambre improvisait son cours de géodésie devant les habitants de Saint-Denis, Méchain subissait un revers à Camprodon, petite ville espagnole située à flanc de coteau, à l'arrière des Pyrénées. Le commandant général de la Catalogne venait d'ordonner aux officiers espagnols qui participaient à l'expédition de s'éloigner de la frontière, et comme le passeport de Méchain l'obligeait à voyager avec ses hôtes espagnols, il dut battre en retraite également. La précaution était sage. Cette semaine-là, en effet, l'astronome et ses équipiers avaient échappé de justesse à une embuscade. Douze partisans français de la ville transfrontalière de Prats de Mollò les avaient attendus sur une petite bande de territoire français qui rejoignait la route entre deux stations. Par chance, l'équipe avait choisi un autre itinéraire. Le prix à payer avait été un détour de trois jours sur des « chemins d'enfer [33] », mais cela leur avait probablement valu d'avoir la vie sauve.

Méchain se sentait profondément frustré. Ces gens ne comprenaient-ils donc pas qu'il faisait partie d'une expédition scientifique pacifique ? Il écrivit aux administrateurs du département de Perpignan pour leur demander de faire afficher la proclamation du roi dans tous les petits villages de montagne. Sa mission était d'ordre scientifique, soutenue par les deux nations, et elle répondait aux plus hautes aspirations de l'homme en matière de connaissance universelle et de commerce pacifique. Certes, il reconnaissait que la proclamation officielle – celle que Delambre était à l'instant même en train de lire aux habitants de Saint-Denis – avait été signée par un roi qui ne gouvernait plus, mais c'était tout ce qu'il avait sous la main [34].

En attendant, l'astronome n'avait pas d'autre choix que de tourner le dos à la frontière et de repartir vers le sud, de station en station, en direction de Barcelone. Cette fois, il allait prendre les mesures angulaires définitives à l'aide du cercle répétiteur. Il en avait apporté deux : l'un avec la graduation traditionnelle de 360 degrés, et un autre divisé selon la nouvelle échelle décimale à 400 degrés, signe d'adhésion à l'esprit de rationalisation du moment. Le cercle répétiteur était l'invention du chevalier Jean Charles de Borda, l'un des plus anciens confrères de Méchain à l'Académie. Borda était à la fois la personnalité la plus importante de la physique expérimentale française et un capitaine de vaisseau chevronné qui avait participé activement aux combats navals de la guerre d'indépendance des États-Unis, première et dernière victoire de la marine française sur la britannique. Il avait commandé le *Solitaire*, un vaisseau de soixante-quatre canons qui fut capturé au cours d'un combat inégal contre des forces écrasantes. Rentré en France au milieu des années 1780, il avait transformé l'un de ses instruments de navigation en un nouvel appareil pour mesurer la Terre. Malgré son âge avancé, le capitaine, à l'allure aristocratique et sévère, était toujours aussi rigoureux, et avec Étienne Lenoir, un homme petit par la taille certes mais le plus grand fabricant français d'appareils scientifiques, il avait créé un instrument qui devait atteindre « un degré de précision dont on n'avait pas idée [35] ».

Le principe ingénieux qui était à l'origine du cercle de réflexion permettait au géodésien d'effectuer des lectures multiples d'un même angle sans avoir à revenir au zéro. Cette répétition garantissait la suppression de toutes les erreurs liées à une mauvaise perception de l'observateur ou à d'éventuels défauts dans la fabrication du limbe *. Le cercle de réflexion ou cercle répétiteur était muni

* Cercle en laiton gradué [N.d.T.].

6. LE CERCLE RÉPÉTITEUR DE BORDA (OU CERCLE DE RÉFLEXION)

(ci-dessus) Le cercle de Borda est présenté ici dans la position horizontale propre à la triangulation géodésique (extrait de la *Base du système métrique décimal*, de J.B Delambre, vol. 2, planche VII. Ph. Roman Stansberry).

(ci-contre) Ce schéma illustre la répétition qui fait du cercle répétiteur un instrument de haute précision. Dans cet exemple, qui commence par une vue de dessus, la figure (1) montre un écartement de 10 degrés entre les cibles d'observation G (pour gauche) et D (pour droit), comme l'indique la position des lunettes F et L. À l'origine, les deux lunettes sont couplées au limbe. En (2), la lunette inférieure F a été tournée dans le sens des aiguilles d'une montre pour viser la cible D, entraînant du même coup la lunette supérieure L, dans le même sens et sur la même distance. En (3), la lunette supérieure L a été désolidarisée du limbe et tournée séparément pour viser le point G, de sorte qu'elle balaie un angle de deux fois 10 degrés par rapport à son point d'origine. Ensuite, en (4), la lunette L a été de nouveau couplée au cercle, de manière qu'en la refocalisant sur D, on déplace aussi la lunette inférieure F. Ainsi, quand la lunette F est à nouveau séparément axée sur G (5), elle ajoute un nouvel écartement de 10 degrés, tout en ramenant l'observateur à la situation initiale – sauf que, au lieu d'avoir mesuré une seule fois l'écart de 10 degrés, on a ajouté deux fois l'angle d'origine à la première lecture. Ce processus peut être répété autant de fois que le souhaite l'observateur (voir fig. 6 et 7) sans qu'il soit nécessaire de revenir au zéro. Le résultat final du cumul des mesures de l'angle est alors divisé par le nombre d'itérations afin de donner une mesure précise de l'écart angulaire. Cette méthode a l'avantage de réduire les incertitudes liées à chaque observation et de minimiser les conséquences des irrégularités liées à la fabrication du cercle gradué. La vue latérale (fig. 9 et 10) montre comment le même procédé d'itération permet de mesurer la hauteur d'un astre S avec une lunette AB par rapport à l'horizontale définie par la lunette MN. Dans ce cas, on commence par faire pivoter le cercle à 180 degrés autour de son axe, et ensuite on vise à nouveau l'astre avec la lunette AB (figure non représentée) [extrait de l'*Exposé des opérations faites en France en 1787, pour la jonction des observatoires de Paris et de Greenwich*, de Jean Dominique Cassini IV, Pierre François André Méchain et Adrien Marie Legendre, Paris, Institution des sourds-muets, 1790, planche 3, photographie de la bibliothèque Houghton, université de Harvard, Cambridge, MA].

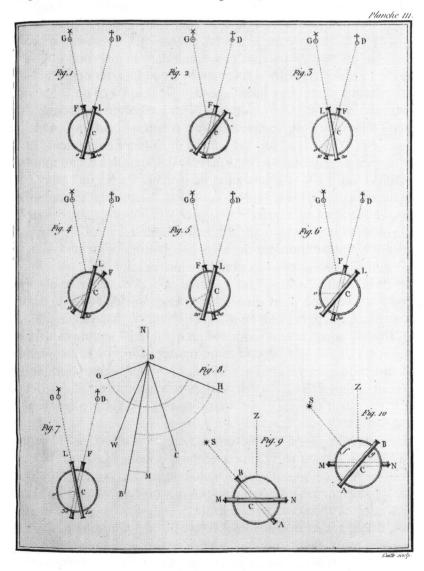

Planche III.

7. UTILISATION DU CERCLE RÉPÉTITEUR DE BORDA

de deux lunettes croisées sur des anneaux de cuivre qui glissaient séparément sur le limbe. Pour mesurer la distance angulaire entre deux points de la surface du globe, le géodésien devait faire coïncider le plan du cercle avec le plan défini par ces deux points. Ensuite, il mettait la lunette supérieure au zéro, en visant la station de droite et en resserrant les vis qui maintenaient l'anneau en place. Puis il passait à la lunette inférieure et s'en servait pour viser la station de gauche, en serrant également la vis de l'anneau correspondant. À ce stade, notre géodésien pouvait se contenter de lire sur le limbe le résultat de la mesure de l'angle entre les deux stations et en rester là. Ce qu'il faisait alors était tout à fait paradoxal : il revenait directement à la lunette *inférieure* et la tournait dans la direction opposée, dans le sens des aiguilles d'une montre cette fois, en déplaçant les deux anneaux et les deux lunettes ensemble jusqu'à ce qu'il eût visé la station de droite. Ce faisant, il avait nécessairement donné à la lunette supérieure un mouvement de rotation identique, dans le même sens. Alors, il relâchait l'anneau de la lunette supérieure et le faisait tourner seul, dans le sens inverse des aiguilles d'une montre, jusqu'à ce qu'il eût visé la station de gauche. En fin de compte, la lunette supérieure avait balayé deux fois l'angle qu'il souhaitait mesurer. En répétant l'opération, il pouvait ajouter un autre doublé, et ainsi de suite. Pour obtenir dix autres doublés, il fallait compter seulement quinze minutes lorsque les stations étaient faciles à observer, sinon cela pouvait prendre toute une journée. À la fin, il relevait la dernière mesure sur le limbe et la divisait par le nombre de doublés. La supériorité du cercle répétiteur résidait dans le cumul des lectures, qui permettait de diviser l'erreur de manière de plus en plus fine. Il suffisait de répartir sur un nombre de lectures suffisant des erreurs de dix secondes liées à l'observateur ou à la fabrication de l'instrument pour les réduire à leur plus simple expression. Selon l'inventeur du cercle, « il ne [tenait], pour ainsi dire, qu'à la patience de l'observateur que ces erreurs ne [fussent] à la fin presque totalement détruites [36] ».

Méchain commença ses mesures à l'ermitage de Notre-Dame-du-Mont. Il continua sur les sommets de Puig-se-calm, Matagall et Roca-Corra, où Alvarez dormit sous la tente tout en haut du pic jusqu'à ce qu'il en eût terminé avec les observations de cette station. L'astronome effectua encore d'autres mesures à Puig Rodos, où, avec Gonzalès, il logea dans une étable et fit plus d'une douzaine d'allers et retours de quatre heures chacun, pour se rendre au sommet de la montagne dans l'espoir que le temps serait assez clair pour commencer les observations. Puis ce fut le mont Matas, la chapelle de Montserrat et, fin octobre, la crête de Valvidrera qui surplombe le bassin de Barcelone. Au soir du 28 novembre 1792, des habitants de la ville crurent voir des feux brûler sur Mont-Jouy, au-dessus du palais de la Generalitat et en d'autres points élevés situés à la périphérie de Barcelone. C'était Méchain et ses collègues qui allumaient des réverbères pour effectuer des lectures nocturnes d'un bout à l'autre du bassin [37].

Une fois en possession de ces mesures angulaires, Méchain avait toutes les raisons de se déclarer satisfait. Il avait bouclé sept stations en moins de trois mois et traversé comme un météore près de la moitié de la distance à parcourir pour être au rendez-vous à Rodez, alors qu'il avait en charge la partie la plus difficile de la méridienne. S'il avait une critique à formuler, ce n'était que de s'être senti un peu bousculé dans sa façon de travailler. Il se plaignait de la réticence des Espagnols à rester longtemps sur les stations les plus « pénibles [38] ». S'il avait suivi son propre rythme, il aurait sûrement fait beaucoup plus d'observations, même dans des conditions défavorables. Il recherchait un degré de précision qui avait échappé à tous les autres investigateurs et qui devait être le meilleur garant de l'universalité du mètre. Il n'était pas près de laisser l'air glacial de la montagne ou la difficulté des ascensions nuire à l'exactitude de mesures destinées à tous les hommes, pour tous les temps. Mais il fallait faire des compromis, c'était le prix à payer pour un travail en collaboration.

Certes, il n'avait pas encore pu mesurer les stations de haute montagne, le long des crêtes des Pyrénées, mais il pourrait toujours le faire plus tard, lorsqu'il serait du côté français de la frontière. De plus, une fois rentré en France, il disposerait à la fois des cartes et du fruit des précédentes expériences de Cassini et il serait en mesure de s'adonner à ses observations tout à loisir. Il ne lui restait donc qu'une seule chose à faire en Espagne : déterminer la latitude du terme austral de sa partie de l'arc à Barcelone. Cette mesure, Méchain décida de la prendre à partir de Mont-Jouy, la forteresse située tout en haut de la colline qui bordait le sud de la ville.

*

L'affleurement de Mont-Jouy, avec son fort perché au bord de la falaise qui domine la mer, est visible de n'importe quel point du centre de Barcelone, mais l'ascension des cent toises qui le séparent de la Méditerranée est d'une difficulté insurmontable. Côté ville, la montée est également très raide. De nos jours, on peut emprunter le téléphérique rouge vif qui a transporté les spectateurs aux jeux Olym-

8. Mont-Jouy, vu du port de Barcelone

(Illustration extraite du *Voyage pittoresque et historique de l'Espagne*, d'Alexandre Laborde [Paris, Didot, 1806-1822], planche I, ph. Collections spéciales, bibliothèque Golda Meir, université de Wisconsin-Milwaukee.)

9. Barcelone, vue des hauteurs de Mont-Jouy

(Illustration extraite du *Voyage pittoresque et historique de l'Espagne*, d'Alexandre Laborde [Paris, Didot, 1806-1822], planche IV, ph. Collections spéciales, bibliothèque Golda Meir, université de Wisconsin-Milwaukee).

piques de Barcelone en 1992, ou s'y rendre en voiture, par la route en lacets qui traverse un parc boisé en terrasses, héritage de l'Exposition internationale de 1929 et itinéraire retenu pour les grands prix automobiles comme pour l'une des plus célèbres courses cyclistes d'Espagne. Les jours sans fêtes, toutefois, quand téléphériques et bicyclettes cèdent la place aux chats vagabonds qui s'endorment au milieu des palmiers et des pins débraillés, on peut aisément imaginer ce que fut cette colline il y a deux cents ans, quand les touristes du XVIIIᵉ siècle partaient à la pêche aux fossiles dans le massif de calcaire, ou quand ils exhumaient de gros morceaux de tombes hébraïques, restes d'une nécropole d'avant l'exil, qui a donné au site son nom catalan : Montjuïc, la montagne des juifs. En français on dit « Mont-Jouy », nom évocateur de jeux et de plaisirs [39] ; et en latin, c'est Mont-Jovis, l'Olympe en miniature où se dressait autrefois un temple dédié à Jupiter. En somme, c'est un lieu qui a vu se stratifier un certain nombre d'épisodes de l'histoire.

Pendant des siècles, le site de Mont-Jouy fut l'emplacement d'un phare. Puis, au XVIIᵉ siècle, alors que la France et l'Espagne se disputaient la Catalogne et que la ville était le siège de rébellions périodiques contre les deux royaumes, on dota la colline de fortifications. En 1714, le monarque espagnol fit construire une forteresse très moderne pour l'époque, que les visiteurs anglais trouvaient si « parfaite en son genre » qu'elle rendait Barcelone « imprenable [40] ». Ses murs imposants formaient un pentagone d'où l'on pouvait tirer sur les assaillants avec une puissance de feu maximale. La forteresse pouvait abriter trois mille hommes et cent vingt canons. Au milieu se trouvait une grande cour de manœuvres et un corps de casernes bien aménagées, pour les officiers et les soldats.

Entre le château de Mont-Jouy au sud et l'imposante nouvelle citadelle au nord, la ville était à la fois protégée des attaques et prévenue contre toute rébellion. Des hauteurs de Mont-Jouy l'imprenable, où Méchain et son équipe avaient pris leurs quartiers d'hiver, les clameurs qui s'élevaient de la ville contre les Français résonnaient en un lointain vacarme. La forteresse était suspendue entre la ville et le ciel.

Du haut des remparts de Mont-Jouy, la vue s'étend sur une grande partie de la Costa Dorada. Au loin, vers le sud, là où le bleu de la mer se fond dans la pâleur de l'horizon, on peut apercevoir, par temps clair et si l'on est correctement équipé, une tache jaunâtre qui vient rompre la vague frontière entre la mer et le ciel : c'est Majorque, la plus grande des îles Baléares ; et s'il est possible de la voir c'est que le regard suit la courbure de la Terre, grâce à la réfraction du rayon lumineux qui pénètre dans la partie basse et humide de l'atmosphère méditerranéenne.

Ce panorama à lui seul était source de tentation. Pris d'un accès d'ambition, Méchain rêva d'aller plus loin que sa mission ; il voulut étendre la mesure du méridien à son terme austral, jusqu'à Majorque[41]. Il avait les moyens de le faire. Le capitaine Gonzalès avait proposé son *Corzo* pour traverser le détroit qui faisait moins de cent milles de large et aller installer des signaux sur les pics de l'île. Méchain écrivit à ses confrères en France et obtint leur accord pour tenter cette extension. En décembre, il mit son plan à exécution. Tandis que Gonzalès se mettait en route avec son équipage pour aller planter les réverbères au sommet de la Silla Torellas de Majorque, à cinq mille pieds de haut, Tranchot et Planez partaient en reconnaissance sur la côte et Méchain s'installait sur les remparts de Mont-Jouy. Le soir du 16 décembre, il aperçut dans sa lunette une faible lueur qui vacillait à l'horizon. Mais, comme il en informa ses confrères de Paris, la résolution était trop faible, et ce triangle géodésique, le plus grand qui eût jamais été tenté, ne pouvait être réalisé qu'avec un cercle répétiteur muni de lunettes plus puissantes et avec des réverbères plus grands. En attendant, il s'engagea à donner la priorité à la mission qui lui avait été confiée.

Méchain consacra la fin du mois de décembre à l'installation d'un observatoire près de la tour de Mont-Jouy, face à la mer. C'était une cabane en bois de douze pieds sur quinze, avec un toit escamotable fait de trappes qu'on levait à l'aide de poulies, et des fenêtres qui, une fois ouvertes, offraient une vue dégagée avec au sud la mer et au nord les montagnes. À l'intérieur, Méchain avait placé son cercle répétiteur de manière à saisir au passage les astres qui traversaient le méridien céleste. C'était un travail de nuit, réservé à quelques spécialistes. La petite équipe de la montagne s'était dispersée. Avec Gonzalès qui comptait les secondes de la pendule et Tranchot qui tenait une lanterne pour régler le niveau, Méchain mesurait les étoiles[42].

La mesure de la latitude, qui devait servir d'ancrage aux extrémités de la méridienne, constituait la partie la plus délicate de l'opération, car, à ce stade, la moindre erreur pouvait fausser le résultat final. La détermination de la latitude ne posait pas de gros problèmes aux astronomes de l'époque. Si pendant des siècles le calcul de la longitude avait déconcerté les navigateurs du monde entier, les marins savaient depuis longtemps calculer la distance qui les séparait du nord ou du sud de l'équateur en mesurant la hauteur du soleil, de l'étoile polaire ou d'un autre corps céleste. La latitude, c'était la routine ; mais la science aime à transformer les vieilles habitudes en nouveaux problèmes. Méchain espérait déterminer la latitude de Mont-Jouy avec une précision encore inconnue dans l'histoire de l'astronomie[43]. Son but était de localiser la position de la forteresse sur la terre à la seconde près. En termes de distance, cela faisait une incertitude d'une centaine de pieds, soit une précision comparable à celle des systèmes de positionnement d'aujourd'hui. C'est ce degré de précision qui faisait d'une mesure routinière un défi redoutable.

Dans sa quête de précision céleste, la seule arme dont disposait Méchain était encore une fois le cercle répétiteur de Borda, mais le savant se sentait capable de relever le défi. « Comme le dit M. de Borda, il ne tient pour ainsi dire qu'à la patience de l'observateur que ces erreurs ne soient à la fin presque totalement détruites[44]. » Jusqu'alors, la patience, le zèle et la ténacité de Méchain avaient dépassé tout ce que l'on pouvait espérer. Il avait écrit à l'inventeur de l'instrument pour lui annoncer qu'il venait de terminer les calculs préliminaires aux résultats géodésiques et que l'écart trouvé dans la somme des angles de ses triangles se rapprochait de 180 degrés à trois secondes et demie près, ce qui représentait un taux d'erreur incroyablement faible de 0,0005 pour cent. Maintenant, il était prêt à mettre l'instrument à l'épreuve des étoiles.

Pour Méchain, la recherche de la précision était autant une quête morale qu'un objectif scientifique. Le résultat obtenu était la preuve que l'investigateur possédait la patience, la compétence et la droiture suffisantes pour révéler le caractère prévisible et légitime de la nature. Or, à l'instar de toutes les quêtes morales, la recherche de la précision est une entreprise périlleuse. Faire un zoom sur la structure fine de la nature peut conduire à des explosions auxquelles on ne s'attend pas. Et si les résultats ne convergent pas, qui est responsable ? La nature ou celui qui l'étudie ?

Pour procéder à l'étude du ciel, le limbe du cercle répétiteur était basculé en position verticale, comme un panneau stop que l'on placerait dans l'axe de la méridienne. L'une des lunettes – celle qui était équipée d'un niveau à bulle – était ensuite pointée vers l'horizon et sa position soigneusement contrôlée. En même temps, l'autre lunette était dirigée sur la hauteur prévue de l'astre en transit. Quand l'astre approchait du méridien, le savant suivait son mouvement à travers le réticule de la lentille, tout en écoutant le battement de la pendule pour noter le temps exact. Cette aptitude particulière à voir et à entendre en même temps constituait la plus élémentaire et la plus exigeante des qualités requises pour être un bon astronome, mais avec le cercle répétiteur, cela ne suffisait pas. En effet, si l'écart angulaire entre les deux lunettes donnait dès la première lecture sur le limbe une évaluation préliminaire de la hauteur stellaire, l'exactitude des résultats obtenus à partir du cercle dépendait ici encore du phénomène de réitération. Pour cela, le savant effectuait une rotation de l'instrument à 180 degrés sur son axe vertical, afin de faire regarder le panneau stop dans la direction opposée, tout en le maintenant dans l'axe du méridien. Ensuite, il fallait desserrer les vis et faire glisser la lunette sur le limbe jusqu'à ce qu'il fût à nouveau possible d'observer l'astre à travers la grille métallique. Ce faisant, on avait doublé l'écart angulaire lu sur le limbe. En répétant l'opération, on obtenait une valeur égale à quatre fois la hauteur de l'astre, et ainsi de suite. Ce mouvement incessant de l'astronome qui faisait tourner alternativement le limbe dans un sens et la lunette dans l'autre exigeait une dextérité comparable à celle d'un grand mathématicien occupé à manipuler un Rubik's cube dans l'espoir de trouver une séquence de mouvements ultrarapides qui lui permettrait d'accéder à la combinaison secrète déclenchant l'ouverture des portes du ciel.

Lorsque Méchain refusa de laisser ses hôtes espagnols tenter leur chance avec l'instrument, ceux-ci en furent bien entendu fort irrités. Planez se plaignit d'avoir été relégué au rang de « simple spectateur[45] » et laissa entendre que le roi d'Espagne n'apprécierait pas de voir ses officiers traités d'une manière si autoritaire. Rien n'y fit. Méchain persista dans son refus de leur abandonner l'oculaire. Les mesures, insistait-il, lui incombaient à lui seul. Lui seul possédait les qualités et l'expérience requises. Lui seul devrait répondre des résultats devant l'Académie. C'était sa responsabilité de savant et son droit. Il avait été traité de la même manière par Cassini, lors de l'expédition de 1788 pour la jonction des observatoires de Paris et de Greenwich. Finalement, Méchain obtint le renvoi de Planez et son remplacement par un assistant plus conciliant, le capitaine du génie militaire Agustín Bueno.

Au cours des trois mois qui suivirent, Méchain effectua 1050 observations de six étoiles différentes, avec dix réitérations à chaque fois. Ce fut un travail herculéen. La nuit, il faisait si froid que les baquets d'eau gelaient[46]. Durant toutes les vacances de Noël et jusqu'à la nouvelle année, Méchain, Tranchot et Gonzalès travaillèrent dans l'obscurité des nuits méditerranéennes, loin au-dessus de la ville, pour déterminer avec précision la latitude de la forteresse.

De temps à autre, Méchain se livrait à des observations d'une autre sorte. Le soir du 10 janvier 1793, à 18 heures 15, il déclara avoir découvert une nouvelle comète. La chasse aux comètes était son occupation favorite en même temps que le fondement de sa réputation scientifique – tous ses confrères le savaient. Aussi, de crainte que ceux-ci ne pensent qu'il s'était laissé détourner de sa mission officielle, Méchain ajouta que la comète était passée légèrement à l'ouest de ζ de la Grande Ourse, l'une des étoiles dont il avait besoin pour le calcul de la latitude. « Ce n'est pas ma faute, écrivit-il en faisant part de sa découverte à l'Académie des sciences, je ne la cherchais pas [47]. » Cette innocente découverte fit l'objet d'un article dans le quotidien de Barcelone, le *Diario*, et les rédacteurs se sentirent obligés d'ajouter qu'une comète était un corps céleste naturel dont le passage ne présageait aucunement l'approche « d'une guerre, de la peste ou de la mort d'un roi [48] ». La même semaine, la Convention se réunit à Paris pour décider du sort de Louis XVI. Dix jours plus tard, le 21 janvier 1793, le monarque français était exécuté. La guerre ne fut pas longue à suivre.

La nuit du 20 février, juste au pied de la forteresse de Mont-Jouy mais hors de la portée de ses canons, un corsaire attaqua un bâtiment espagnol qui cherchait à entrer dans le port de Barcelone avec une cargaison d'or en provenance des Amériques. Une foule immense se rassembla sur la digue pour assister, impuissante, au spectacle des pirates français s'enfuyant avec quatre-vingt mille douros qui devaient normalement revenir aux marchands de la ville. La foule cria vengeance et lapida un citoyen de Gênes qu'elle avait pris pour un Français. Le consul de France craignit de voir la population s'emparer des marchandises françaises en signe de représailles. « Les Catalans, écrivit-il, sont téméraires, entreprenants et vindicatifs, et leur dieu est l'argent [49]. » Méchain fut bouleversé d'apprendre que la frégate *Corzo* que commandait son ami et collaborateur José Gonzalès avait reçu l'ordre de se lancer à la poursuite des pirates. Trois jours plus tard, Gonzalès était revenu bredouille. Les citoyens de Barcelone étaient furieux. Certains historiens ont par la suite considéré que cet incident avait été l'un des événements déclencheurs de la guerre entre les deux puissances autrefois alliées.

Le temps était maintenant venu d'en finir avec la partie catalane de la mission. Le jour du retour de Gonzalès, Méchain écrivit pour la première fois à son collaborateur de la partie nord, pour lui adresser quelques mots d'encouragement et de sympathie. « Monsieur et cher confrère, écrivit-il à Delambre, j'ai su vos mésaventures et j'y ai pris beaucoup de part. J'ai appris vos succès dans la mesure des angles et cela m'a fait grand plaisir. » Il proposa ensuite d'échanger notes et conseils. Par exemple, comment Delambre s'y prenait-il pour installer les signaux ? Comment avait-il positionné le cercle répétiteur ? Méchain décrivit la façon dont lui-même avait procédé et déclara très modestement n'avoir pas été aussi précis que son collaborateur dans la fermeture de ses triangles, mais il s'empressa d'ajouter que cela n'était pas seulement dû à sa maladresse. En montagne, les mesures présentaient toutes sortes de difficultés que l'on ne rencontrait pas dans les plaines. En altitude, l'épaisseur des nuages obscurcissait le ciel, les chemins étaient très dangereux et le froid nuisait au bon fonctionnement de l'instrument. Néanmoins, il avait été secondé par des collaborateurs compétents, et dès qu'il en aurait fini avec ses calculs de latitude, « dans le courant du mois prochain [50] », il se proposait de rentrer en France.

Delambre lui répondit de Paris en lui souhaitant « santé, courage, patience [51] ». Puis il revint à des considérations plus pratiques et joignit des passeports actualisés, qui n'étaient pas revêtus du sceau de l'ancien roi.

Cependant, avant de quitter Barcelone, Méchain dut se plier aux exigences des autorités espagnoles qui lui demandaient avec insistance de produire un rapport sur ses triangles géodésiques et sur la latitude de Mont-Jouy. En tant que partenaires de l'opération, les Espagnols avaient le droit d'être tenus informés. Les résultats recueillis allaient leur permettre de réaliser la première carte détaillée de la Catalogne et de localiser leurs forteresses de manière très précise. Gonzalès dut user de toute sa diplomatie et déployer des trésors de patience pour obtenir de Méchain qu'il révélât les résultats de ses observations ; finalement, devant son insistance, l'astronome français résolut de passer le mois de mars à préparer un rapport sommaire à l'intention de ses collaborateurs espagnols [52]. Il expédia également un abrégé de ses résultats à Paris, à l'attention de Borda.

Ce que Méchain ignorait, parce que personne à Barcelone ne le savait encore, c'est qu'une nouvelle page de l'histoire venait d'être tournée. La France et l'Espagne étaient déjà en guerre, même si jusqu'à présent la ville n'avait perçu que quelques signes d'une situation de plus en plus tendue. Début mars, les autorités espagnoles ordonnèrent aux citoyens français de quitter le pays, et Méchain fut obligé de demander l'autorisation de rester le temps nécessaire pour terminer son rapport. À la fin du mois, ses collaborateurs espagnols, tous officiers militaires, reçurent l'ordre de rejoindre leur régiment [53]. Le capitaine Gonzalès reprit la mer à bord du *Corzo* pour escorter un convoi de vivres et de munitions jusqu'au fort de Roses. Ces événements mirent un terme à tout espoir d'étendre la mesure du méridien jusqu'à Majorque. À force d'insister pour qu'on lui laisse le capitaine Bueno, Méchain finit par obtenir gain de cause. Sans escorte, il lui eût été impossible d'obtenir l'autorisation de se rendre aux deux stations frontalières qui séparaient l'Espagne et la France.

Durant tout le XVIIIe siècle, les deux royaumes avaient été de proches alliés, gouvernés chacun par une branche de la famille des Bourbons, avec pour ennemis communs l'Angleterre et les États germaniques. Les remous de la Révolution n'avaient pas modifié cette équation de base, du moins pas au début. Le nouveau prince régnant, Charles IV, avait promis qu'il ne rejoindrait pas la coalition montée contre la République tant qu'il ne serait fait aucun mal à son cousin Louis. Les républicains français avaient décidé de considérer cette promesse comme un ultimatum. Peu après avoir fait exécuter Louis XVI, ils furent les premiers à déclarer la guerre [54]. L'Espagne répondit deux semaines plus tard, puis attendit encore deux semaines pour sonner le tocsin et annoncer aux habitants de Barcelone que la Couronne faisait le serment d'éradiquer la Révolution.

Ce même jour, le 4 avril, les autorités militaires espagnoles ordonnèrent à Méchain de quitter le fort de Mont-Jouy et de démanteler son observatoire. L'armée ne pouvait tolérer la présence d'un ennemi à l'intérieur de la plus importante forteresse de toute la côte méditerranéenne espagnole. Assigné à résidence dans la ville même, Méchain loua une chambre à la Fontana de Oro. L'auberge était située juste derrière la Rambla, récemment aménagée en promenade, dans la Carrer d'Escudellers, une rue connue au XVIIIe siècle pour ses beaux hôtels et ses potiers, et célèbre aujourd'hui pour ses prostituées et ses boutiques de poterie.

Au début, la guerre qui sévissait aux frontières méridionales de la France n'avait guère retenu l'attention de Paris, davantage préoccupé par l'approche des armées prussiennes et autrichiennes qui se trouvaient à deux jours de marche de la capitale. Le front sud était pourtant le théâtre de violents affrontements. Des dizaines de milliers de soldats étaient engagés dans le combat, et des milliers d'entre eux périrent : les troupes régulières pour les Espagnols, et côté français, c'étaient, pêle-mêle, les nouvelles recrues inexpérimentées et les gardes nationaux. Pendant plus de deux ans, la bascule allait pencher alternativement d'un côté ou de l'autre des Pyrénées. Au cours de l'été 1793, l'Espagne parut sur le point de reprendre son ancienne province du Roussillon, avec sa capitale, Perpignan. En 1794, en revanche, la France semblait très près de conquérir toute la Catalogne jusqu'à Barcelone. Pendant deux ans, les troupes régulières, la garde nationale et les *miquelets*, dont certains avaient fait serment d'allégeance à la France, d'autres à l'Espagne et d'autres à personne, allaient s'attaquer mutuellement de part et d'autre des cols de haute montagne, assiéger les villes dans les vallées et se battre pour prendre les forteresses de la côte. Ces combats allaient rappeler aux deux parties que la frontière n'était pas une limite naturelle, mais bien plutôt une ligne tracée avec le sang, défendue par les armes et encore non définie par la science.

En avril 1793, cependant, Méchain conservait des raisons d'être satisfait, malgré le tour désastreux que prenaient les événements internationaux. Il avait achevé sa mission en Espagne et, en plus, selon ses propres exigences. Dans ces conditions, il ne voyait aucun mal à s'autoriser un petit séjour, depuis longtemps différé, chez son ami le docteur Francesco Salvà y Campillo. Le docteur Salvà faisait partie des savants éclairés de Barcelone. Il avait milité en faveur de l'inoculation de la variole et s'était battu pour faire connaître les bienfaits de la consommation de fruits. C'était aussi un inventeur qui avait conçu les premiers rails de chemin de fer et les premiers sous-marins, et un savant qui correspondait avec les plus grands physiciens d'Europe. Depuis longtemps il insistait pour montrer à Méchain sa dernière découverte, une pompe hydraulique ultra-moderne qu'il avait installée dans sa propriété des environs de Barcelone et que ses visiteurs anglais qualifiaient de prodige de la mécanique.

Quand ils arrivèrent à la station de pompage, ils la trouvèrent fermée, sans cheval pour entraîner la pompe. Méchain assura qu'il lui convenait tout à fait d'examiner la machine à l'arrêt, mais Salvà insista pour la faire fonctionner. Avec l'aide de son domestique, il se mit à faire tourner la barre, longue de huit pieds, tandis que Méchain surveillait le niveau de l'eau dans le réservoir. Soudain, des cris perçants poussèrent l'astronome à quitter son poste. La pression de l'eau avait augmenté au point de faire tourner la barre en sens inverse, entraînant le docteur et son domestique vers l'arrière. Méchain s'élança à leur secours mais, à l'instant même où il s'approchait, les deux hommes lâchèrent la barre. Frappé en pleine poitrine, le savant fut projeté contre le mur, puis retomba sur le sol, apparemment mort [55].

Horrifié, Salvà, aidé de son domestique, transporta le corps inerte de Méchain jusqu'à la maison la plus proche. Lui-même étant le meilleur médecin de Barcelone, il parvint à faire repartir le pouls du Français, sans toutefois lui faire reprendre connaissance. Craignant le pire, les deux hommes le soulevèrent pour l'installer dans une voiture et le ramener en ville. Ils arrivèrent à minuit et Salvà fit appeler le meilleur chirurgien de la ville, le docteur Sanpons. La quantité de sang que Méchain perdait par l'oreille droite était telle qu'il semblait avoir peu de chance de passer la nuit. Les deux médecins décidèrent néanmoins de le saigner davantage afin d'éviter toute accumulation de sang dans le cerveau. Puis ils l'enveloppèrent dans une peau de mouton et remirent au lendemain tout autre traitement. Le matin suivant, Méchain étant toujours en vie, bien que sans connaissance, ils procédèrent à l'examen des blessures. L'astronome avait tout le côté droit enfoncé, les côtes écrasées et la clavicule cassée en plusieurs endroits. Ils appliquèrent des bandages et le placèrent sous étroite surveillance. Trois jours après, la fièvre tomba et Méchain reprit conscience. Plus tard, en y repensant, il aurait ces mots empreints d'une reconnaissance teintée de tristesse : « Sans [le docteur Salvà] ce malheur ne me serait pas arrivé, et s'il n'eût pas été présent je n'existerais plus [56]. »

Méchain était immobilisé. Et quand bien même il eût été capable de se lever de son lit, il n'eût pas su où aller. Alors qu'un mois auparavant il lui avait fallu demander l'autorisation de rester en Espagne, cette fois on lui interdisait de partir avant la fin de la guerre [57]. Le nouveau gouverneur général, chargé de diriger l'effort de guerre contre la France, craignait en effet que les informations géodésiques de Méchain ne vinssent au secours de ses adversaires révolutionnaires. En outre, le Trésor espagnol avait confisqué les avoirs français pour toute la durée de la guerre, et les banquiers de Barcelone refusaient d'accorder des fonds supplémentaires à Méchain.

Il ne faut donc pas s'étonner qu'une note plaintive soit venue se glisser dans la lettre qu'il dicta à l'attention de ses confrères français, alors que justement il minimisait la gravité de ses blessures : « Je ne puis vous écrire moi-même aujourd'hui et ma lettre n'aura pas grand ordre parce que je [me] suis fortement blessé il y a environ une quinzaine de jours... Il y a certitude que sous quinze jours je serai en état de reprendre le travail [58]. » Il omit de mentionner qu'il avait été blessé dans des circonstances qui n'avaient rien à voir avec sa mission ; et s'il refusa de reconnaître la gravité de ses blessures, ce fut par crainte de voir ses confrères de Paris envisager de le remplacer. Non seulement il avait peur de laisser passer son heure de gloire, mais, en outre, rien ne garantissait que son successeur continuerait sa mission en y apportant le même souci de perfection.

La nouvelle de l'accident de Méchain mit un mois pour parvenir à Paris, où elle suscita une vive inquiétude. Thérèse Méchain s'affola. Elle avait espéré que son mari serait de retour pour la fin de l'été[59]. À présent, elle voulait partir immédiatement le rejoindre à Barcelone. Lavoisier et les autres académiciens l'en dissuadèrent. Il lui serait difficile, c'était le moins qu'on pût dire, de traverser la frontière où les combats faisaient rage. Elle ne parlait pas espagnol. Et puis, la nouvelle datait déjà d'un mois. Peut-être son mari était-il rétabli et déjà en route pour la France. Dans tous les cas, sa place à elle se trouvait auprès de ses trois jeunes enfants.

Lavoisier, pour sa part, écrivit à Méchain pour l'assurer qu'il lui avait envoyé des fonds supplémentaires. Il avait déjà déposé trente-quatre mille francs dans les banques de Barcelone depuis le début de l'année. En tant que trésorier de l'Académie, il allait insister pour que les banquiers espagnols paient les traites d'un projet qui « intéresse le commerce de toutes les nations[60] ». En outre, il se porterait personnellement garant de cette somme – et nul n'ignorait que Lavoisier était l'un des hommes les plus riches de France. D'ici là, Méchain ne devait pas regarder à la dépense pour lui-même. Et Lavoisier réprimanda gentiment son confrère pour avoir lésiné sur son confort matériel, comme à son habitude. Une telle frugalité était disproportionnée par rapport à l'importance suprême de sa mission[61].

> Véritablement nous avons à vous reprocher d'avoir mis trop d'économie, je dirais presque de parcimonie, dans tout ce qui est relatif à vos dépenses. Vous ne devez pas perdre de vue que vous avez à remplir la mission la plus importante dont un homme ait jamais été chargé. Que c'est pour toutes les nations que vous travaillez, que vous êtes le représentant de l'Académie des sciences et des savants de tout l'univers[62].

Plus que tout, Méchain devait préserver sa santé et se « regard[er] comme un individu précieux pour les sciences, pour la nation française, pour [ses] confrères et pour [ses] amis[63] ».

Ces lignes généreuses où se mêlaient réconfort, recommandations et appui financier furent écrites à la mi-juin. La difficulté consistait à les faire parvenir à Barcelone. Aucune lettre de crédit ne pouvait passer la frontière, parce qu'elles étaient toutes décachetées pour empêcher la transmission de renseignements militaires. L'acheminement du courrier par Genève ou par Gênes, villes restées neutres, n'était pas sûr. La meilleure chose à faire était de demander au général français en charge de l'armée des Pyrénées de transmettre la lettre à son homologue de la partie espagnole. En temps de guerre, les adversaires maintenaient toujours un réseau de communication, et les deux parties accepteraient certainement de venir en aide à un savant blessé engagé dans une mission que les deux gouvernements avaient approuvée et qui était dédiée à l'acquisition d'un savoir utile au bien commun. Après tout, fit remarquer Lavoisier en plaidant la cause de Méchain, « les sciences ne sont point en guerre [64] ».

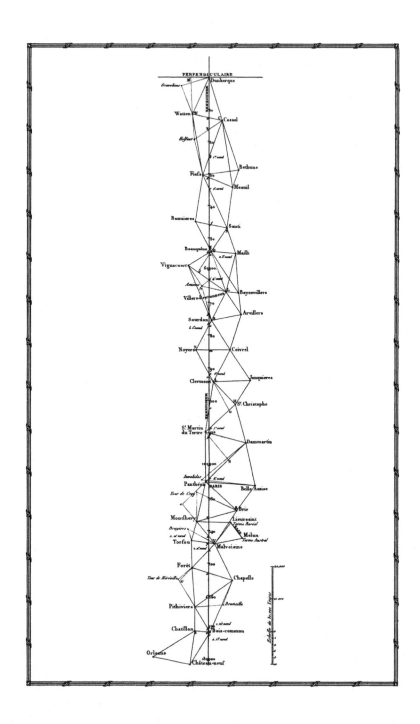

3

La mesure de la Révolution

« Un dessein global ! Je le savais ! lance Dixon. Que vous avais-je dit ?
– Reprenez-vous l'ami, marmonne Mason. Qu'en est-il de "nous sommes des hommes de science" ?
– Et les hommes de science, s'écrie Dixon, peuvent n'être que les simples jouets d'autres, sans plus d'idée de ce qu'ils font qu'un marteau n'en a d'une maison[1]. »

THOMAS PYNCHON, *Mason & Dixon*

« J'ai peur que les mathématiciens qui n'ont pas encore troublé le monde, ne le troublent enfin, et que leur tour ne soit venu[2]. »

Louis Sébastien MERCIER, *Le Nouveau Paris*, 1800

La Révolution française fut loin d'être un mouvement unitaire : au contraire, elle fut marquée par une certaine pluralité, même si chacun revendiquait le pouvoir au nom de tous les autres, comme si tous étaient à l'unisson. Paris fut l'arène où cette revendication fut la plus violente, mais à travers tout le pays, villageois, citadins et paysans firent également valoir ce que la Révolution représentait pour eux. Pour certains, il s'agissait d'un noble combat entre un peuple vertueux et une aristocratie parasite. Pour d'autres, c'était une guerre civile entre des usurpateurs impies et une masse restée fidèle. Certains proclamaient que la Révolution était une guerre de défense nationale, d'autres que c'était un mouvement de libération international. Pour d'autres encore, c'était une guerre de conquête à l'initiative des nations étrangères. La Révolution, selon certains, était une tactique de Paris pour mettre les campagnes au pas ; d'autres affirmaient au contraire que c'était une tactique des provinces pour établir leur autonomie. Certains voyaient la Révolution comme un mouvement de libéralisation du commerce, d'autres comme une lutte sociale visant à obtenir la garantie d'un juste prix pour le pain. Et toujours, partout, la Révolution était un moyen de lancer une carrière, de faire fortune, de participer à des manifestations, de partir à l'aventure ou de déplorer la disparition du bon vieil ordre établi. Promesses d'égalité et alertes à la trahison circulaient par vagues, de Paris jusqu'aux frontières, galvanisant les foules ou semant la panique – pour revenir ensuite déformées, amplifiées, transformées. Telle une masse d'eau bombardée de pierres, la nation était agitée par ces vagues qui de temps à autre semblaient se neutraliser, alors qu'au même moment, sous le calme apparent, se préparait une nouvelle effervescence.

Dès qu'il eut obtenu des autorités le levé des scellés sur ses voitures ainsi que de nouveaux passeports, Delambre se précipita à Saint-Martin-du-Tertre pour procéder aux observations de la collégiale de Dammartin avant sa démolition. Grâce à la proclamation officielle de l'Assemblée selon laquelle l'opération de la méridienne était une mission d'importance nationale, il était libre de ses déplacements dans toute la République. Deux semaines plus tard, les armées de la Révolution arrêtaient la marée prussienne à Valmy ; cela aussi contribua à faciliter les choses. Les campagnes s'apaisaient avant la moisson.

Cependant, à peine les événements humains eurent-ils tourné en faveur de Delambre que les éléments naturels se mirent à conspirer contre lui. La grisaille de l'automne septentrional s'installa sur le pays. Chaque jour, en ce morne septembre, Delambre grimpait en haut du clocher de l'église de Saint-Martin-du-Tertre pour tenter de percevoir quelque chose à travers le voile qui couvrait les terres cultivées. Malheureusement, si ses calculs d'angles lui indiquaient l'endroit exact où regarder, la brume l'empêchait d'apercevoir la collégiale de Dammartin et le dôme des Invalides.

Les conditions de travail dans la tour du clocher n'étaient guère celles d'un laboratoire idéal. Le vent et les pluies glaciales laissaient les trois hommes transis jusqu'aux os et perturbaient le fonctionnement du cercle répétiteur. Chaque tintement de cloche semblait amener l'étroit clocher au bord de l'effondrement. Dès qu'il changeait de point d'appui, même légèrement, Delambre faisait bouger les planches et trembler l'instrument. Il finit par confier les observations à ses deux jeunes assistants, Lefrançais et Bellet, qui se mirent chacun à un poste fixe, dans la partie supérieure et exiguë de la tour, de manière à pouvoir alterner les lunettes sans avoir à changer de position. Lefrançais était plus petit que Delambre, il pouvait donc s'accommoder plus facilement d'un espace réduit ; et puis la mauvaise vue du savant le contraignait à régler les oculaires à chaque fois qu'il changeait de lunette, ce qui suffisait à perturber l'instrument [3].

Delambre et son équipe allaient devoir attendre trois semaines avant d'obtenir une vue dégagée de Paris à partir de l'étroit clocher de Saint-Martin-du-Tertre, et encore serait-ce pour découvrir, après qu'une pluie d'orage eut enfin nettoyé l'atmosphère, qu'une petite colline masquait la vue sur le dôme des Invalides. Il ne restait donc plus que le Panthéon comme seule station possible dans Paris, et il faudrait par conséquent recommencer toutes les mesures effectuées depuis le début de l'opération, en juin. Après quatre mois de travail dans des conditions dangereuses, il leur fallait encore parcourir plus de quinze lieues, et ils n'étaient pas plus avancés qu'au départ. C'était une progression digne de Don Quichotte.

En voyant raccourcir les jours et s'assombrir le ciel septentrional, Delambre décida d'aller de l'avant, prenant à l'envers son itinéraire de l'été précédent pour faire le tour de Paris, mais dans l'autre sens, celui des aiguilles d'une montre. Il termina la collégiale de Dammartin juste avant qu'elle fût abandonnée aux mains des démolisseurs. Il retourna au château de Belle-Assise [4], lieu de sa précédente arrestation, pour y refaire les mesures, cette fois sans incident (des années après, au XIXe siècle, le château allait devenir la propriété du baron de Rothschild, avant d'être entièrement détruit. Seul subsiste aujourd'hui un ancien moulin à vent qui domine la vallée d'Euro Disneyland). Au début du mois de novembre, Delambre commença ses observations à partir de l'église de Brie-Comte-Robert, et à la fin du mois il était de retour à Montlhéry, à l'endroit même où six mois auparavant il avait commencé son périple, à une époque qui désormais appartenait à l'histoire. Cette fois, il maquilla le mât du signal en arbre de la liberté, afin d'apaiser les soupçons de la population locale. L'hiver avançait. L'équipe alluma un feu au pied de l'ancienne tour pour se réchauffer en travaillant.

Delambre avait espéré pouvoir s'arrêter là et rentrer à Paris pour l'hiver, mais les propriétaires de la ferme de la Malvoisine, qui lui avaient gentiment permis de rehausser leur cheminée pour en faire un signal, lui demandèrent de la remettre en l'état, par crainte de la voir s'effondrer au premier coup de vent. Cela l'obligeait à terminer au plus vite ses observations à partir du toit de la Malvoisine [5] et de toutes les stations adjacentes. Parmi celles-ci, le savant avait retenu un site cher à son cœur, qu'il connaissait intimement en tant qu'astronome. Il s'agissait du château de Morionville, la résidence de campagne de sa

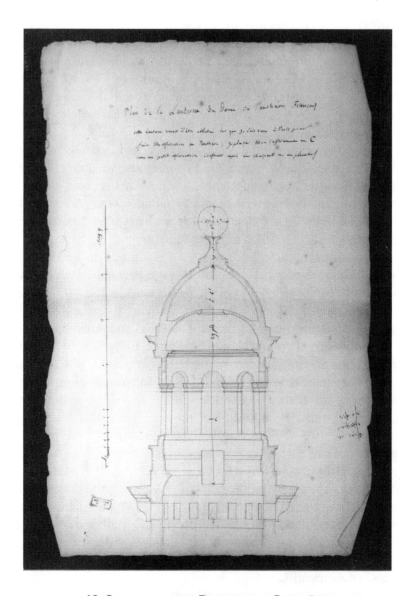

10. Observatoire de Delambre au Panthéon

Ce dessin de la coupole et du dôme du Panthéon a été annoté par Delambre. Il indique la position de la lanterne utilisée comme cible d'observation au cours des triangulations de 1792-1793. On y voit aussi l'observatoire spécial que les architectes ont arrangé pour lui (en C). La lanterne se trouvait là en remplacement de la croix qui avait jadis coiffé le dôme. En février 1793, juste avant le retour de Delambre dans la capitale, la lanterne fut remplacée par un demi-globe qui devait servir de piédestal à une statue de la Renommée. On notera que Delambre a ajouté au crayon les différentes dimensions, en utilisant les anciennes unités de mesures de Paris (archives de l'Observatoire de Paris).

11. Le Panthéon couronné de sa « Renommée »

Ce dessin de 1794 représente le Panthéon tel que l'artiste de Machy l'a imaginé, surmonté de la statue de la Renommée. Un modèle grandeur nature avait été réalisé, mais il n'a jamais été mis en place sur le socle (Bibliothèque nationale de France, Paris, collection Destailleur).

bienfaitrice, Mme d'Assy, située juste aux abords de la ville de Bruyères-le-Châtel.

Avant la Révolution, il lui arrivait souvent, en été, d'installer ses instruments d'astronomie sur la terrasse devant ses appartements ou d'effectuer des observations à partir de la fenêtre ouverte. Vue du toit de la ferme de la Malvoisine, la porte qui donnait sur le jardin apparaissait dans sa lunette comme une tache noire sur une surface blanche.

Ce furent les dernières observations auxquelles il se livra cette saison-là. Alors qu'il étudiait l'itinéraire à prendre pour se rendre dans le sud, à la lisière de la forêt royale de Fontainebleau, la neige se mit à tomber. Dans ces conditions, les mesures géodésiques devenaient irréalisables. Delambre venait à peine de sortir de la ligne de mire de Paris, et il était déjà temps pour lui de retourner dans la capitale. Il allait passer les mois de février et mars à trianguler tous les sites des environs depuis le dôme du Panthéon, la station géodésique centrale de la ville.

Le Panthéon, commandé par Louis XV sous le nom d'église Sainte-Geneviève, se trouvait en voie d'achèvement lorsque la Révolution française éclata. Depuis, il avait servi d'entrepôt provisoire aux milliers de poids et mesures envoyés par les villes de province pour être comparés aux nouvelles mesures étalons de la République [6]. Maintenant, les conventionnels voulaient transformer cet entrepôt en un mausolée destiné aux plus grands héros de la nation. Le dôme gris et monumental de l'édifice dominait la plus haute colline de la capitale et les révolutionnaires avaient dans l'idée que le choix de cette architecture néo-classique pure serait une bonne façon de critiquer l'obscurantisme gothique des tombeaux royaux de Saint-Denis.

Il fallait toutefois commencer par débarrasser le Panthéon de ses attributs religieux. Le premier à disparaître fut la croix qui surplombait le dôme. On la remplaça par une lanterne, et c'est d'ailleurs cette lanterne que Delambre avait utilisée comme cible d'observation lorsqu'il fit le tour de la ville pour la première fois. Toutefois, les architectes voyaient encore plus grand, et en novembre, au moment où Delambre sortait de la ligne de mire de la capitale, ils remplacèrent la petite lanterne par un piédestal de plus amples dimensions, en forme de demi-sphère légèrement aplatie, sur lequel ils avaient en projet de placer une statue colossale, *La Renommée*. Déjà, un sculpteur avait exécuté un modèle grandeur nature, une silhouette de femme aux seins nus de trente pieds de haut et cinquante d'envergure, embouchant une trompette qui sonnerait (ne fût-ce que pour la métaphore) jusqu'aux frontières de la France [7], et serait « aperç[ue] donc aussi du milieu de l'océan ».

C'était un endroit idéal pour mesurer la Terre. Delambre obtint l'autorisation de construire au sommet de la coupole un observatoire provisoire à quatre ouvertures, où il pourrait travailler à l'abri des vents. L'architecte parla même de construire un observatoire permanent dans la partie creuse de la demi-sphère, sous les pieds de la Renommée, pour que « ce nouveau couronnement ait l'avantage complet de réunir aux beautés de l'art une destination utile à la science » ; cet objectif était en harmonie avec le monument, dédié au triomphe de la Vérité sur l'Erreur. Sur le fronton, au-dessus de la dédicace – « AUX GRANDS HOMMES, LA PATRIE RECONNAISSANTE » –, une frise représentait le type de héros admis à y rentrer. Comme l'expliqua l'architecte, c'était par la « conquête de l'Erreur [8] » que le Génie, personnifié sous la forme d'un jeune homme robuste, pourrait saisir vaillamment la couronne de lauriers de l'immortel souvenir.

Jusqu'alors, au nombre des hommes jugés dignes de cet honneur comptaient Mirabeau, le plus grand homme politique de la nation, Voltaire, son plus grand lion littéraire, Rousseau, son plus grand penseur, et Descartes, son plus grand savant. Mirabeau fut le premier à y être véritablement enterré. Peu après, les cendres de Voltaire y furent transférées en grande pompe, devant une centaine de milliers de spectateurs, et l'on se préparait à accorder le même honneur à Rousseau. Mais les héros des uns sont parfois des vauriens aux yeux des autres, et à l'époque du retour de Delambre à Paris un jeune politicien radical nommé Maximilien Robespierre exigea l'exhumation de Mirabeau, au motif que sa vie n'avait pas été à la hauteur des idéaux républicains. Pour Descartes, la décision fut remise à plus tard. Pendant ce temps, l'intérieur du Panthéon restait encombré de boisseaux, de pintes et autres poids venant de province, que l'on avait expédiés pour les comparer aux nouveaux poids et mesures du système métrique.

En janvier-février 1793, durant le mois qu'il fallut à l'architecte pour construire à Delambre son coquet petit observatoire en nid-de-pie à deux cent vingt-sept pieds au-dessus du sol, le roi de France fut jugé, condamné puis exécuté, la guerre fut déclarée à la Grande-Bretagne, et Paris fut ravagé par des émeutiers affamés. Puis, de février à mars, tandis que Delambre grimpait chaque jour en haut de la coupole pour trianguler toutes les stations voisines de la capitale, on déclara la guerre à l'Espagne, l'ouest de la France se souleva pour organiser une contre-révolution et la Convention commença à se pencher sur la création d'un Comité de salut public afin d'organiser la défense de la nation. L'observatoire de Delambre faisait un admirable perchoir au-dessus d'une ville en pleine effervescence. L'astronome procéda aux observations de la nouvelle station de transmission de signaux télégraphiques à Montmartre, qui permettait d'acheminer les nouvelles du front nord en trente minutes. Il visa également son propre observatoire de la rue de Paradis et observa les stations de Saint-Martin-du-Tertre, Dammartin, Belle-Assise et Montlhéry. Quand il descendit du Panthéon pour la dernière fois, le 9 mars 1793, il en avait fini avec la mesure de la portion du méridien qui traversait la région autour de Paris. Cela représentait moins du dixième de la partie qui lui incombait, alors qu'à la même époque Méchain en était déjà à presque la moitié de la sienne et qu'il était occupé à terminer le calcul de la latitude de Mont-Jouy.

Delambre écrivit immédiatement à Méchain pour lui dire où en étaient les choses dans le nord. Ils auraient beau redoubler d'efforts, son expérience de l'année passée lui donnait peu de raisons d'espérer qu'ils pourraient réaliser la jonction de leurs triangles en cours d'année. « Trop d'obstacles nous arrêteront », lui disait-il. Déjà, les nouvelles autorités du Paris radical ne tenaient aucun compte de sa demande de passeport, malgré la proclamation officielle du conseil exécutif approuvant la mission. (Il s'excusait de ce que son nom figurât en premier sur la déclaration mais, dit-il, « les rédacteurs ignoraient sans doute que ma réception à l'Académie est de beaucoup postérieure à la vôtre et je n'étais pas auprès d'eux pour les en avertir ».) « Adieu mon cher confrère, je vous souhaite santé, courage et patience. Agréez l'assurance de mon amitié sincère [9]. » Au moment où cette lettre lui parvint, Méchain avait cessé d'avancer lui aussi et se trouvait cloué au lit sans pouvoir bouger, à court d'argent, et maintenu captif en vertu des lois espagnoles.

*

Le gouvernement français commençait à perdre patience. Plusieurs années s'étaient écoulées depuis que l'Académie avait promis de réaliser l'étude de la méridienne en un an. Cela faisait maintenant douze mois que l'expédition elle-même était en cours et Delambre et Méchain se trouvaient tous deux bloqués loin de leur lieu de rendez-vous. Diverses propositions relatives à la réforme des poids et mesures avaient été faites depuis les tout premiers jours de la Révolution, et les radicaux du corps législatif étaient impatients de faire entrer la France dans l'ère du système métrique. Certains commençaient à demander si cela valait la peine d'attendre les résultats de l'opération de la méridienne – question que d'autres avaient posée dès le début.

Fait paradoxal, l'un d'eux se trouvait être Jérôme Lalande, le savant qui avait été à l'origine de la carrière des deux astronomes,

Delambre et Méchain. Lalande avait été le premier à profiter de la Révolution pour proposer une réforme des poids et mesures aux représentants de la nation. En avril 1789, avant la prise de la Bastille et avant même la constitution en Assemblée nationale des représentants du peuple français convoqués par le roi, Lalande avait déjà dénoncé « un abus multiplié à un degré inconcevable[10] » dans la diversité des poids et mesures, et il avait poussé les représentants à créer un système uniforme, en déclarant tout simplement que, désormais, les poids et mesures de Paris seraient les mesures étalons nationales. Dans le même pamphlet, il avait aussi réclamé un moratoire sur le commerce des esclaves, le remplacement des institutions religieuses de l'Ancien Régime par des écoles laïques et gratuites, ainsi que la « libération » de tous les moines et de toutes les nonnes.

Lalande avait toujours été en avance sur son temps, mais, curieusement, il avait gardé dans ses obsessions un côté Ancien Régime. Il n'était pas seulement le plus grand astronome de France, il était aussi le plus grand vulgarisateur des sciences, à une époque où la vulgarisation scientifique était l'arme principale contre l'intolérance, la superstition et l'injustice. Instruit chez les jésuites, il avait été très près de rentrer dans les ordres, pour devenir en fin de compte l'athée le plus notoire de France. Son père, maître de poste et marchand de tabac en Bourgogne, l'envoya à Paris pour y étudier le droit, mais chaque soir le jeune homme s'échappait de sa chambre d'étudiant de l'hôtel de Cluny pour rejoindre les astronomes dans leur observatoire sur le toit. En 1751, alors âgé de dix-neuf ans, il fut envoyé en mission à Berlin dans le but de contribuer à déterminer la distance de la Terre à la Lune, par le calcul de la parallaxe[11]. À Berlin, Lalande fut invité aux soupers de Frédéric le Grand, le plus grand despote éclairé d'Europe ; il logea chez Leonhard Euler (le plus grand mathématicien) et conversa avec Voltaire (le plus grand esprit). À son retour à Paris en 1753, il fut élu membre de l'Académie des sciences, à l'unanimité. Il avait vingt-et-un ans.

Il y fut immédiatement plongé dans une controverse entre deux astronomes et se heurta à son maître * qui l'accusa de s'être trompé dans les formules relatives à la forme de la Terre pour le calcul des parallaxes. L'Académie lui donna raison, et, dès lors, le maître refusa de lui adresser la parole. Polémiques et controverses se succédèrent ensuite pendant cinquante ans.

---

* Pierre-Charles Le Monnier (1715-1799), astronome privilégié du roi Louis XV et professeur au Collège de France [N.d.T.].

En 1773, une rumeur circula dans Paris : Lalande aurait calculé qu'en 1789 une comète risquait de passer assez près de la Terre pour déchaîner les mers et dévaster le globe [12]. L'archevêque de Paris préconisa quarante heures de prière et le lieutenant de police demanda à l'Académie des sciences de répudier les conclusions de Lalande. Celle-ci rétorqua qu'on ne pouvait rejeter les lois de l'astronomie. Puis, lorsque Lalande put enfin publier son article, il attribua au cataclysme une probabilité si faible (environ une chance sur soixante-quatre mille) qu'un grand nombre de lecteurs s'imagina que le gouvernement voulait dissimuler la vérité. Dans les campagnes, l'annonce de l'imminence de cette apocalypse provoqua des manifestations de repentir général et, paraît-il, une augmentation du nombre des enfants mort-nés. Plus tard, il se trouva un plaisantin pour dire que si Lalande avait prédit la fin du royaume, au lieu de la fin du monde, il eût été le plus grand prophète du siècle. Pour Condorcet, cet affolement général avait au moins donné quelque chose de bon. Les dames de la Cour et les vendeuses des marchés avaient confessé leurs péchés et les boulangers avaient vu les gens se ruer sur le pain azyme, ce qui avait donné un coup de fouet à l'économie locale. Les laïcs qui autrefois se méfiaient des nécromanciens commencèrent à prêter l'oreille aux prédictions des scientifiques : « le temps des prophètes est passé ; celui des dupes ne passera point [13] ».

Lalande avait de la gloire une soif inextinguible. Il cultivait les amitiés avec les plus grands esprits de l'époque et multipliait les publications. Il rédigeait des articles sur le papier et le platine, les canaux de navigation et les calendriers, la musique et la morale. Il écrivait des panégyriques pour les morts, des hommages aux vivants (à son maître, avec qui il s'était brouillé, notamment) et des prédictions astronomiques. Comme auteur de récits de voyages, il était prodigieux. En Italie, il avait répertorié les monuments antiques, rencontré le pape et fait pression sur lui pour retirer de la liste des ouvrages interdits les écrits de Copernic et de Galilée. En Angleterre, il avait visité l'observatoire de Greenwich, échangé des propos aimables avec le roi George III et contribué à faire passer en contrebande la première description du célèbre chronomètre de Harrison, conçu pour déterminer la mesure de la longitude en mer [14]. Il avait rejeté l'idée des vols en ballon comme une chose impossible puis, quand les frères Montgolfier prouvèrent qu'il avait tort, il déclara avoir dit le contraire et demanda à faire partie du vol suivant. Plus tard, il entreprit un voyage de cent vingt lieues en montgolfière pour aller assister à une rencontre de savants dans la ville de Gotha, en Allemagne ; il n'alla pas plus loin que le bois de Boulogne et fît de mauvaises rimes pour chanter cet exploit. Il rédigea même la première histoire de la franc-maçonnerie et fut le cofondateur de la trop célèbre loge des Neuf-Sœurs, qui s'enorgueillissait de compter parmi ses frères des sommités telles que Condorcet, Danton, Diderot, d'Alembert, Voltaire et Benjamin Franklin.

Un enthousiasme sans bornes comme celui-là attire toujours son lot d'opposants systématiques – tout au moins en France. Il y eut un grand esprit pour déclarer que Lalande souffrait d'une « hydropisie de la célébrité [15] ». Lalande reconnut que c'était vrai, mais il s'en excusa lui-même, « sur [sa] sincérité naturelle et sur [son] amour pour la vertu [16] ». Sa manie de vouloir faire toujours plus parler de lui avait fini par devenir un leitmotiv dans les commentaires qui accompagnaient ses faits et gestes, et cela lui faisait encore plus de publicité. Voltaire l'avait félicité d'avoir « trouvé le secret de rendre la vérité aussi intéressante qu'un roman [17] ». Le poète avait même troussé un distique en l'honneur de l'astronome.

Dans l'univers entier ta gloire est répandue,
Et ce n'est qu'avec lui que périra ton nom [18].

Lalande avait un goût notoire pour les insectes. Il prétendait que les araignées avaient la saveur subtile des noisettes, alors que les chenilles avaient plutôt un goût de pêche. Ces dernières faisaient régulièrement son dîner chez l'un de ses amis, au sortir des séances du samedi à l'Académie. L'ami en question raconte : « Comme mon appartement donnait de plain-pied sur un assez beau jardin, il trouvait facilement de quoi passer sa première faim ; mais comme Mme Disjonval aimait à faire bien les choses, elle lui en amassait le samedi pendant l'après-dîner un certain nombre, et les lui faisait servir aussitôt après son arrivée. Lui ayant toujours laissé ma part de ce ragoût, je ne puis vous parler que par ouï-dire de la différence de saveur qu'il y a entre une araignée et une chenille [19]. »

Lalande était d'une laideur extrême et il en tirait fierté. Son crâne en forme d'aubergine et la touffe de cheveux en bataille qui traînait derrière comme une queue de comète avaient fait de lui le favori des portraitistes et des caricaturistes. Il déclarait mesurer cinq pieds (1,60 m), mais s'il était d'une grande précision dans le calcul de la hauteur des étoiles, il semble bien qu'il ait exagéré sa propre hauteur par rapport à la Terre. Il aimait les femmes, surtout les femmes brillantes, et il les mettait en avant, dans les paroles et dans les actes. Sa maîtresse attitrée, Louise Élisabeth Félicité du Piéry, fut la première femme à enseigner l'astronomie à Paris. Lalande chantait les louanges de femmes astronomes comme Caroline Herschel et Mme Lepaute. Lorsqu'il fut nommé inspecteur du Collège de France sous la Révolution,

12. Jérôme Lalande

Ce portrait de Lalande est un dessin au pastel de Joseph Ducreux, réalisé en 1802. L'astronome, alors âgé de soixante-dix ans, porte l'uniforme de la nouvelle Académie des sciences, postrévolutionnaire (musée de Versailles, Réunion des Musées nationaux ; ph. Art Resource, New York).

son premier geste officiel fut d'ouvrir les classes aux femmes. Il dédia à sa maîtresse son *Astronomie des dames*, premier livre sérieux contenant des exemples de l'activité des femmes chercheurs, et qui soixante ans après était toujours publié [20].

Sa façon d'aimer les femmes ne leur plaisait toutefois pas toujours. Il ne se maria jamais, bien qu'il se vantât d'avoir refusé des propositions intéressantes. Quand il se décida enfin à faire une demande en mariage, à l'âge de quarante-quatre ans, il essuya un refus de la jeune fille, âgée de quatorze ans. L'illustre savant avait aussi un côté licencieux : dans son journal, on trouvait des phrases comme « Monsieur de V. aimait tant [sa jolie femme] qu'il rassembl[ait] les plus aimables jeunes gens et les laissait coucher avec elle devant lui. Monsieur Helvétius en était[21] ». Un jour, il se montra importun en cherchant à séduire Sophie Germain, une jeune mathématicienne très douée, et dès le lendemain matin il lui écrivit des mots de repentir serviles, s'excusant notamment d'avoir sous-estimé ses connaissances scientifiques. Il aimait à dire aux jolies femmes : « Il ne tient qu'à vous de faire mon bonheur, mais il ne tient pas à vous de me rendre malheureux[22]. »

Il aimait les femmes, disait-il, mais pas assez pour se laisser détourner de sa grande passion : les étoiles.

Bref, Lalande avait le sens de la promotion personnelle, qu'il pratiquait avec impudence, et ce trait de caractère servait particulièrement bien la vocation qu'il prisait entre toutes, l'enseignement. C'était un pédagogue doué, un missionnaire de l'astronomie. Son *Astronomie* devint un ouvrage de référence. Ses cours au Collège de France attirèrent deux cents personnes venues de toute l'Europe et qui devinrent ensuite membres de son réseau mondial de correspondants[23]. À la fin des années 1780, il avait formé une nouvelle génération d'astronomes français, dont Delambre et Méchain, et les avait tous enrôlés dans son séminaire scientifique, une véritable entreprise familiale.

Pour Lalande en effet, l'astronomie était une affaire de famille. Il avait fait venir de la campagne son jeune cousin Lefrançais, l'avait adopté comme neveu, l'avait formé à l'astronomie et l'avait marié à sa fille illégitime de quinze ans, Marie Jeanne Amélie Harlay, qu'il avait formée aux mathématiques pour calculer ses données célestes. Il était très attaché à sa nièce et à son neveu, comme il les appelait, et se trouvait facilement ému jusqu'aux larmes quand il s'agissait d'eux. Amélie fit la majeure partie des calculs qui devaient servir à l'épais recueil de tables de navigation qu'il publia en 1793, des « calculs minutieux et pénibles[24] », avait-il dit avant d'ajouter : « mais ici ils prennent à nos yeux un plus grand caractère, ils s'anoblissent par l'idée de ce qui en résulte pour la Marine en rapprochant toutes les parties de l'Univers ». Lalande ne plaisantait pas avec le travail. Il lui arrivait de se plaindre auprès de sa maîtresse car, disait-il, « quand je n'y serai pas, ma boutique chômera[25] ». Pour son neveu, il conseillait de « lui laver la tête, s'il ne travaille pas[26] ». Au début de la Révolution, il avait annoncé un nouvel objectif à sa famille d'astronomes : un catalogue monumental de trente mille étoiles, qui surpasserait la vieille *Histoire céleste*[27]. Ses élèves étaient invités à apporter leur contribution à cette entreprise.

Méchain s'était déjà taillé la part du lion dans la deuxième édition de l'*Astronomie* de Lalande, parue en 1781. Cette année-là, le concours de l'Académie devait récompenser l'astronome qui tracerait la trajectoire de la comète que Lalande avait présentée comme susceptible de ravager la Terre en 1789. Méchain produisit un article dans lequel il montrait que l'erreur de son maître était liée à une confusion sur l'apparence de deux comètes différentes. Quand l'Académie des sciences remit son prix à Méchain, Lalande eut la bonne grâce de s'en montrer satisfait[28]. En 1782, il fit élire Méchain à l'Académie, puis il chercha une nouvelle recrue.

En 1783, Delambre commença à faire parvenir à Lalande les données qui allaient servir à la troisième édition de l'*Astronomie*, et Lalande ne trouva bientôt plus de mots pour louer ses compétences. « Monsieur Delambre est le plus habile astronome que nous ayons actuellement dans aucun pays du monde... Il importe de soutenir l'émulation d'un sujet aussi précieux et de l'attacher de plus fort à une science où il fait des prodiges, sans avoir aucune place et sans aucun intérêt[29]. » Le premier grand *coup* astronomique de Delambre se fit également aux dépens de son maître. En 1786, Delambre fut en effet l'un des deux seuls astronomes de Paris à rapporter le dernier vacillement de Mercure au cours de son passage devant le Soleil[30]. Cet exploit dépassait le cadre de l'astronomie d'observation, car c'était aussi un triomphe de la théorie. Comme à son habitude, Lalande avait rendu public à l'avance le moment du transit de la planète. Les nuages de la nuit avaient toutefois persisté au-delà de l'heure prévue, et tous les plus grands astronomes du pays avaient quitté leur poste d'observation. Lorsque les nuages se dissipèrent enfin, à huit heures du matin, Delambre, resté à sa lunette, aperçut Mercure sur le bord du Soleil quarante minutes après le moment prédit par Lalande. Le seul autre observateur à avoir vu ce transit était occupé à rechercher des taches sur le Soleil. Delambre, lui, était resté à son poste parce qu'il doutait des calculs de Lalande.

Malgré sa vanité sans bornes, Lalande n'était jamais offusqué lorsque ses élèves le contredisaient : « Je suis toile cirée pour les insultes et éponge pour les louanges[31] », aimait-il à dire. Peut-être se souvenait-il de la façon dont il avait été rejeté par son premier maître. De toute façon, il y avait assez de travail pour tout le monde dans le ciel. Les triomphes de la science étaient une affaire collective, même si les hommes qui étaient entrés dans la course étaient mus par une soif de gloire personnelle. Dès la séance suivante à l'Académie, Lalande présenta les résultats de Delambre sur le passage de Mercure, en la présence de celui-ci, et sitôt fait, il s'en servit pour mettre à jour ses propres tables[32].

Son observation du passage de Mercure avait révélé les qualités scientifiques qui allaient permettre à Delambre de tenir bon pendant les sept années que dura l'étude de la méridienne : sa patience et sa persévérance, son sens de la précision et de la remise en question, sa capacité à marier l'observation et la théorie, ainsi que l'assurance avec laquelle il dénonçait les erreurs de ses aînés. Malgré un énorme travail de préparation, Méchain avait manqué le moment du passage de Mercure[33]. Il avait fait confiance aux prédictions de Lalande, fit-il remarquer alors, non sans regret.

Delambre savait également rebondir sur un succès pour créer de nouvelles opportunités. Au cours de la même séance de l'Académie, Pierre Simon Laplace présenta la suite de son *Exposition du système du monde*, l'œuvre de sa vie, synthèse de la cosmologie newtonienne. Laplace avait le même âge que Delambre, mais il était déjà considéré comme le meilleur physicien de son époque. Ce théoricien affirmait que si la position et le mouvement de toutes les particules de ce monde étaient connus, il serait possible à un être d'une intelligence extrême de prédire tout l'avenir de l'univers. Dans le passage présenté ce jour-là, Laplace peaufinait une technique permettant de déceler les perturbations qu'une planète pouvait causer dans l'orbite d'une autre. Delambre fut ébloui par la capacité du physicien à calculer les orbites de manière si précise. Plusieurs années auparavant, Méchain avait fourni à Laplace quelques résultats préliminaires concernant Uranus, que l'on venait de découvrir. Delambre proposa d'appliquer la théorie de Laplace à Uranus. Ce fut un travail monumental : durant presque deux ans, Delambre se livra à des observations nocturnes pendant huit heures d'affilée, et le jour il passait autant de temps à faire des calculs. Sa peine ne manqua pas d'être récompensée. À l'instigation de Laplace et de Lalande, l'Académie des sciences annonça que le prix de 1789 récompenserait la précision de calculs concernant l'orbite d'Uranus. À l'époque, Delambre confia à un ami sa certitude que son étude serait la meilleure, puisque c'était la seule qui avait été soumise. Le comité d'attribution du prix était composé de Cassini, de Lalande et de Méchain. Delambre reconnut lui-même en privé qu'il eût été difficile de trouver des juges plus « favorablement disposés[34] ». Dans le rapport qui récompensait son élève, Lalande reconnut en Delambre « un astronome plein de sagacité et de courage, qui discut[ait] toutes les observations faites depuis cent trente ans, pour en tirer la valeur et la mesure de ces inégalités dont la théorie ne donne que le principe et la loi[35] ».

Quel fut le sentiment de Méchain devant ce nouveau talent qui montait ? En voulut-il à Delambre d'avoir réussi à saisir le passage de

Mercure, ou de cet art qu'il avait de faire mieux que les autres, comme avec Uranus ? Fut-il jaloux du nouveau favori du maître ? Les réactions du savant n'étaient pas sans importance pour Delambre. Non seulement Méchain faisait partie du comité qui décernait les prix, mais en tant que membre de l'Académie, il pouvait faire obstacle à l'élection de son rival. Il était déjà arrivé aux deux astronomes d'observer les étoiles ensemble [36]. Lalande leur avait demandé de collaborer à une nouvelle édition de son *Astronomie*, et Méchain avait publié le travail de Delambre dans sa revue astronomique. Les relations entre les deux hommes restaient toutefois empreintes d'une certaine formalité, et Delambre estimait plus prudent de demander à ses amis de glisser quelques mots en sa faveur auprès de Méchain. Pour sa part, Méchain s'adressait toujours à son rival en puissance avec une extrême courtoisie, lui donnant de « l'abbé de Lambre [37] ».

Plus tard, Delambre devait reconnaître « quelque ressemblance entre [ses] premières années et celles de Méchain [38] ». Tous deux étaient d'origine modeste, nés en Picardie et instruits chez les jésuites, on leur avait refusé l'accès à l'enseignement supérieur de l'Ancien Régime, et tous deux avaient été par la suite employés comme précepteurs. À partir de là, leurs chemins convergeaient davantage encore : choix d'une même discipline scientifique, même maître, participation à la même expédition. Cependant, on ne fait pas sa destinée comme on fait sa carrière.

*

La proposition faite par Lalande d'adopter les mesures parisiennes comme mesures étalons ne retint pas vraiment l'attention avant la révolution juridique d'août 1789, lorsque la noblesse renonça à tous ses privilèges, et notamment à son pouvoir en matière de poids et mesures. À partir de ce moment, les propositions affluèrent de toutes parts : membres des sociétés savantes de province, ingénieurs de l'État sous-employés et citoyens enthousiastes de tous genres. Chacun des pamphlétaires avait sa petite idée de la forme que devait prendre le nouveau système de poids et mesures de la nation.

Pourtant, en fin de compte, le système métrique fut essentiellement la création d'un noyau de savants de l'Académie des sciences de Paris. Les rois de France avaient de tout temps adressé à l'Académie les questions concernant les poids et mesures. Pendant la période qui précéda la Révolution, Lavoisier et d'autres académiciens avaient été invités à participer à des commissions royales chargées de réfléchir sur les avantages d'une uniformisation des poids et mesures [39]. Puis

Condorcet, Lavoisier, Laplace, Borda et Legendre se hâtèrent de créer une Commission des poids et mesures chargée d'élaborer la réforme dans ses détails. Certains d'entre eux, comme Condorcet, étaient également membres de l'Assemblée législative. D'autres élus de la Législative, tel le jeune ingénieur Claude Antoine Prieur-Duvernois, dit Prieur de la Côte-d'Or, contribuèrent à promouvoir la réforme de l'intérieur. Au cours des quatre années qui suivirent, tous ces hommes transformèrent une simple demande d'uniformisation venue des citoyens en un système hyperrationnel combinant toutes les caractéristiques longtemps recherchées par les savants, pour aboutir à une communication métrologique parfaite. Proposées indépendamment les unes des autres, toutes ces caractéristiques firent cependant à chaque fois l'objet d'une controverse.

La seule exigence qui fit l'unanimité des savants, des législateurs et des pamphlétaires fut leur souhait de voir le nouveau système de poids et mesures appliqué uniformément dans toute la France. Certes, en 1788, quelques-uns des rédacteurs des Cahiers de doléances avaient estimé qu'il suffisait d'exiger l'alignement des poids et mesures régionaux sur les étalons utilisés dans les gros bourgs de provinces, mais l'idée d'un système métrologique régional parut bien vite inappropriée aux membres du nouveau gouvernement national. C'est pourquoi, en février 1790, la première proposition de réforme à être déposée devant l'Assemblée législative réitéra l'appel de Lalande en faveur de l'adoption des mesures de Paris comme unités de mesure nationales. Cette proposition ne pouvait manquer de plaire à une nation qui venait de prendre conscience de son unité. C'était aussi l'aboutissement logique de mille ans de centralisation. Pour une autre nation et en d'autres temps, une telle proposition aurait sûrement pris force de loi dans tout le pays, et il est presque certain qu'alors le système métrique n'aurait jamais existé sous sa forme actuelle.

Mais il ne s'agissait surtout pas d'une autre nation, et surtout pas d'un autre temps. La nation en question était consciente d'être à l'avant-garde de l'histoire, à une époque où celle-ci appelait des actes de portée universelle. Même les hommes qui avaient proposé de prendre comme étalons les mesures de Paris reconnaissaient qu'il y avait du changement dans l'air. Ils savaient que certains de leurs camarades avaient des ambitions plus grandes, mais ils craignaient de voir ces ambitions ruiner tout espoir d'obtenir un succès plus limité. « Ne portons pas plus loin que nos désirs et que nos espérances [40] », avait imploré Lalande. Néanmoins, les autres savants étaient bien décidés à ne pas laisser passer cette chance de pouvoir établir un système de poids et mesures vraiment rationnel.

Un mois plus tard, en mars 1790, Charles Maurice de Talleyrand adressait à l'Assemblée une proposition beaucoup plus ambitieuse. Si l'adoption des mesures de Paris semblait opportune, elle avait le défaut de ne pas répondre encore suffisamment « ni à l'importance de l'objet, ni à l'attente des hommes éclairés et difficiles [41] ». À la place, l'ancien évêque, révolutionnaire occasionnel et chef immuable de la diplomatie française, avançait une proposition soutenue par les savants, et surtout par Condorcet. Au lieu d'une mesure étalon empruntée à l'histoire ou dérivée des ordonnances royales, il demandait à la Législative de tirer l'unité de mesure fondamentale de la nature, héritage commun à toute l'espèce humaine. Seul un étalon tiré de la nature elle-même, déclara-t-il, serait susceptible d'être éternel, parce qu'il serait le seul à pouvoir être reproduit si sa forme matérialisée par l'homme venait à souffrir des ravages du temps. Par exemple, la *toise* de Paris [42], qui équivalait, par définition, à six fois la longueur du *pied* royal, était matérialisée par une règle de fer scellée dans le mur qui se trouvait au pied de l'escalier du tribunal du Grand Châtelet. Or, tout le monde savait que la règle d'origine avait été très déformée lorsque le bâtiment s'était affaissé, et qu'elle avait été remplacée en 1668. En 1758, la nouvelle règle, qui faisait la moitié de la largeur de l'entrée du palais royal du Louvre, avait elle-même commencé à montrer des signes d'altération liés au temps. Un étalon si éphémère ne conviendrait pas pour un nouveau régime fondé sur les droits de l'homme. Seule une mesure tirée de la nature pourrait prétendre transcender les intérêts d'une seule et même nation et obtenir ainsi l'assentiment universel. Le jour serait alors plus proche où tous les peuples de la terre s'engageraient dans le commerce pacifique et l'échange d'informations sans entrave.

Talleyrand – sur l'instance de Condorcet encore une fois – proposa d'ajouter une autre particularité au nouveau système de poids et mesures : les diverses unités (de longueur, de superficie, de capacité, de masse, etc.) devaient être reliées entre elles de manière rigoureuse. L'idée était qu'une fois l'unité de longueur obtenue à partir de la nature, on pourrait définir toutes les autres unités par rapport à elle. Cette caractéristique faciliterait toutes sortes de calculs et de comparaisons, surtout pour les personnes – ingénieurs, médecins, savants et artisans – qui transformaient la nature pour en tirer des objets utiles. Cette disposition particulière fut réitérée dans toutes les propositions qui suivirent, même si les savants ne s'accordaient guère entre eux sur la façon de définir le lien entre les différentes unités, notamment pour ce qui était de l'unité de poids [43]. Lavoisier et le créateur de la cristallographie, René Just Haüy, avaient entrepris, au début de l'année 1793, de fixer l'unité de poids, le grave (futur kilogramme) à partir du décimètre cube d'eau distillée pesé dans le vide à la température de la glace fondante. Toutefois, en l'absence d'une longueur définitive pour le mètre, leurs résultats ne pouvaient être que provisoires. Finalement, en 1799, le chimiste Lefèvre-Guineau définirait le gramme comme l'équivalent d'un centimètre cube d'eau distillée pesé dans le vide à la température de sa densité maximum *.

Peu après que la proposition de Talleyrand fut votée, les membres de l'Assemblée législative autorisèrent l'ajout d'une troisième caractéristique, longtemps recherchée par les savants. Ils déclarèrent en effet que toutes les unités du système métrique seraient divisées suivant une *échelle décimale*. L'idée de mesures décimales universelles remontait à l'époque de la Renaissance et avait été proposée par Simon Stevin [44], l'ingénieur flamand qui fut à l'origine de la notation décimale. Au XVIIe siècle, les avantages des mesures décimales avaient été repris par le philosophe anglais John Locke et par Vauban, le célèbre ingénieur militaire français. Plus récemment, dans son *Traité élémentaire de chimie*, Lavoisier avait pressé tous les savants de la terre d'adopter les mesures décimales. Étant donné la quasi-universalité de l'échelle décimale en arithmétique, un système de poids et mesures adapté rendrait les calculs plus aisés, non seulement pour les érudits mais aussi pour toute personne impliquée dans le commerce ou dans le bâtiment. On pouvait même considérer que le système décimal était une sorte d'échelle naturelle, puisque l'homme a dix doigts. Pour couronner le tout, l'Assemblée nationale étudiait également une autre proposition visant à décimaliser la nouvelle monnaie nationale, comme l'avait fait la république américaine quelques années auparavant.

La proposition d'un système métrique décimal fut elle aussi sujette à controverse. On vit plusieurs auteurs de pamphlets préconiser l'utilisation du système duodécimal pour la nouvelle métrologie. En raison de ses nombreux diviseurs, un système en base 12 permettrait aux acheteurs et aux vendeurs de diviser et de subdiviser les marchandises de manière plus aisée. Les bouchers pourraient ainsi proposer des demi, des tiers ou des quarts de saucisse. Quant à l'inconvénient généralement admis du système duodécimal, à savoir son incompatibilité avec l'échelle arithmétique habituelle, on le réglerait en adop-

---

* L'eau possède un maximum de densité à 4 °C, température du fond des océans [N.d.T.].

tant le même système pour l'arithmétique, avec ajout de deux nouveaux chiffres pour faire 10 et 11. La Révolution fournissait l'occasion de repenser toutes les vieilles idées. Ensuite, un autre pamphlétaire préféra proposer une échelle en base 8 au motif que cela permettrait de diviser les denrées de moitié en moitié, comme pour une tarte. Il y eut encore une autre proposition pour un système en base 2. Un grand mathématicien caressa même l'idée de prendre pour base un nombre premier, 11 par exemple, puisque d'un point de vue mathématique une unité fondamentale se doit de n'avoir aucun diviseur[45].

Le quatrième et dernier point que les savants souhaitaient ajouter, et certainement le point le plus déroutant pour leurs compatriotes, était la nomenclature des préfixes. Très progressivement, l'Académie en est venue à considérer que les nouvelles mesures avaient besoin d'une nouvelle nomenclature. En mai 1790, le citoyen Auguste Savinien Leblond fut le premier à proposer le néologisme « mètre » pour désigner l'unité fondamentale de longueur : « un nom si expressif, je dirais presque si français[46] », avait-il ajouté. Les années suivantes, les partisans de la réforme continuèrent à penser que les multiples et les sous-multiples du mètre garderaient le nom qui leur était propre, c'est-à-dire la *perche* (dix mètres), le *stade* (cent mètres), la *palme* (le dixième de mètre) et le *doigt* (le centième de mètre). L'idée d'utiliser des préfixes grecs et latins est apparue pour la première fois dans un rapport de la Commission des poids et mesures daté de mai 1793. Malgré une contre-proposition qui soutenait que les préfixes seraient plus authentiquement français s'ils étaient empruntés au bas-breton, ce fut ce système de préfixes emprunté aux classiques qui fut retenu comme élément final à ajouter à la définition du système métrique tel que nous le connaissons aujourd'hui.

*

Chacune des particularités du nouveau système fut donc sujette à controverses, puis ajoutée à la suite des autres et débattue, tout au long des premières années de la Révolution. Cependant aucune d'elles n'a causé autant de consternation, de frustration et de critiques rétrospectives que la proposition de calculer l'unité fondamentale de longueur à partir de la mesure de la Terre. « Il ne fallait pas aller chercher si loin ce que l'on pouvait déterminer de très près[47] ! » avait même asséné l'un de ses détracteurs.

En effet, Talleyrand avait tout d'abord proposé de prendre pour mesure élémentaire la longueur du fil du pendule battant la seconde. L'idée était loin d'être nouvelle. Elle remontait au tout début du xviie siècle, lorsque Galilée avait pour la première fois démontré que la période d'une oscillation pendulaire était déterminée par la longueur du fil, du moment que l'amplitude restait faible *. Vers 1620-1630, le savant hollandais Isaac Beeckman et le père Marin Mersenne de Paris avaient discuté ensemble de la possibilité de prendre un étalon de longueur dans la nature et de le calibrer sur la longueur du pendule battant la seconde. En 1775, Turgot, contrôleur général des Finances à l'esprit réformiste, avait demandé à Condorcet, membre de l'Académie des sciences alors en pleine ascension, d'élaborer un projet scientifique de système des poids et mesures qui s'appuierait sur le pendule à seconde[48].

Sur les conseils de Condorcet, Talleyrand avait tout d'abord proposé au gouvernement français d'inviter deux savants de chaque pays du globe à participer à une expérience commune visant à déterminer la longueur du pendule battant la seconde. Plus tard, il avait déclaré être en contact avec sir John Riggs Miller, un membre du Parlement britannique qui avait soumis une proposition similaire à la Chambre des communes. Talleyrand considérait que c'était là un signe encourageant et qu'il était peut-être même permis « de voir dans ce concours de deux nations interrogeant ensemble la Nature pour en obtenir un résultat important, le principe d'une union politique par l'entremise des sciences[49] ». Si l'entreprise réussissait, on pourrait étendre ce système de mesures au-delà de l'Europe, sur toute la surface du globe. Un savant de la toute nouvelle république sœur d'outre-Atlantique avait fait savoir que lui aussi était intéressé par ce projet. Thomas Jefferson, en sa qualité de premier secrétaire d'État, avait été désigné par le président George Washington pour établir un rapport sur la réforme des poids et mesures américains, et il avait également accepté de coordonner ses propositions avec celles des Français. Condorcet avait alors prédit en privé que très bientôt les Français, les Anglais et les Américains, « les trois nations les plus éclairées et les plus actives du monde[50] », utiliseraient les mêmes poids et mesures.

Il n'y avait qu'un seul problème. Au cours des deux siècles qui avaient suivi la découverte de Galilée, les savants avaient appris que la longueur du pendule à seconde était sensible à la latitude du lieu de la mesure, du fait que la gravité en dépendait légèrement. Talleyrand fit donc remarquer aux législateurs que l'expérience du pendule ne pouvait être menée n'importe où. L'équateur semblait être un lieu tout naturellement désigné, en raison de sa situation équidistante des deux

* Inférieure à 20° [N.d.T.].

pôles, mais les nations scientifiques en étaient très éloignées. En conséquence, affirmait Talleyrand (sur les conseils de Condorcet), le second lieu le plus naturellement désigné était le point médian entre le pôle et l'équateur, à 45° de latitude nord, point où le pendule présenterait une longueur moyenne. Et puisque l'expérience devait être réalisée au niveau de la mer et loin des montagnes perturbatrices, l'endroit de la Terre qui semblait le plus indiqué était situé dans les environs de Bordeaux, dans le sud-ouest de la France.

Inutile de dire que ce point de la proposition de Talleyrand ne reçut guère l'approbation de la communauté internationale. Miller, en Grande-Bretagne, optait pour Londres. En Virginie, Jefferson plaidait la cause du trente-huitième parallèle, qui se trouvait être la latitude médiane des États-Unis et qui, fort commodément, passait sur la colline où il avait sa propriété de Monticello. Et des Parisiens avaient osé suggérer Paris, au motif que l'expérience pourrait y être réalisée plus aisément. L'établissement de mesures universelles allait, semblait-il, demander beaucoup de finesse diplomatique. Or Talleyrand était un excellent diplomate. Il veilla à ce que le décret voté le 8 mai 1790 fût rédigé avec délicatesse, mentionnant que la longueur du pendule serait prise à la latitude de 45°, « ou toute autre latitude qui pourrait être préférée [51] », et il invita l'Académie des sciences à nommer une Commission des poids et mesures chargée de mettre ce plan à exécution. En Angleterre, Miller se réjouit devant la Chambre des communes de la concession faite par les Français, et de son côté Jefferson remania le rapport final qu'il présenta à la Chambre des représentants. Vantant les bienfaits d'une coopération dans le domaine des poids et mesures, il se ralliait au quarante-cinquième parallèle « dans l'espoir que cette décision matérialiser[ait] l'union des États-Unis avec le reste du monde [52] ».

Pourtant, un an plus tard, le 19 mars 1791, après avoir mené à leur terme toutes ces délicates négociations, la Commission rendit un rapport qui préconisait l'abandon du pendule au profit du mètre, défini comme la dix millionième partie de la distance entre le pôle Nord et l'équateur suivant ce qui avait été établi lors d'une précédente étude du méridien qui passait entre Dunkerque et Barcelone.

Ce fut Borda qui, en tant que président de la Commission, donna les raisons scientifiques de ce changement. Le problème avec le pendule, fit-il remarquer, était qu'une unité de longueur fondamentale (la longueur du mètre) en viendrait à dépendre d'une autre unité (une seconde de temps). Qu'arriverait-il alors si les unités de temps venaient elles-mêmes à changer ? En l'écoutant, les académiciens commençaient à se demander si la division arbitraire du jour en vingt-quatre heures de soixante minutes, elles-mêmes divisées en soixante secondes, telle qu'on l'avait héritée des Babyloniens, ne devait pas elle aussi être calculée à l'échelle décimale. Une journée pourrait alors être rationnellement divisée en dix heures de cent minutes de cent secondes chacune. En revanche, rien n'était plus simple ni plus naturel que de rapporter l'unité fondamentale de longueur (le mètre) à une autre unité de longueur (celle de la Terre).

D'ailleurs, il était tout à fait pertinent de fonder l'unité de mesure qui devait servir à tous les peuples de la Terre sur la mesure de la Terre elle-même. On avait là une parfaite adéquation avec les aspirations universelles de la Révolution. Comme Laplace devait le faire remarquer un peu plus tard, un mètre tiré de la mesure de la Terre permettrait au plus humble des propriétaires de tenir des propos tels que « le champ qui fait [vivre] mes enfants est une telle portion du globe. Je suis dans cette proportion copropriétaire du Monde [53] ».

De toute évidence, la circonférence de la Terre ferait une unité de longueur assez peu commode pour un usage ordinaire. En revanche, une unité de longueur qui aurait pour base le quart de méridien terrestre divisé par dix millions tendrait à se rapprocher de la longueur de l'aune de Paris, soit trois pieds de taille humaine, et serait ainsi familière à de nombreux citoyens français. Pour déterminer cette longueur avec la précision nécessaire, il suffisait d'autoriser une nouvelle opération de mesure d'un méridien, ou du moins d'une portion de méridien.

Borda justifia le choix du méridien fait par les académiciens français en se fondant sur des critères rationnels qui excluaient « toute détermination arbitraire ». Premièrement, la portion d'arc sélectionnée devait traverser au moins dix degrés de latitude pour permettre une extrapolation à l'arc dans son entier. Deuxièmement, cette portion d'arc devait se trouver à cheval sur le quarante-cinquième parallèle, ce qui permettrait de minimiser toute incertitude liée aux bizarreries de la forme de la Terre, étant donné que ce parallèle était à égale distance du pôle et de l'équateur. Troisièmement, les deux extrémités de l'arc devaient être situées au niveau de la mer, qui était le niveau naturel de la figure de la Terre. Quatrièmement, enfin, la région traversée devait avoir été déjà triangulée, pour pouvoir être mesurée plus vite. Un seul méridien au monde remplissait toutes ces conditions. Il s'agissait de l'arc de méridien qui s'étendait de Dunkerque à Barcelone en passant par Paris. Borda assura aux législateurs que rien dans cette proposition ne pouvait « donner le plus léger prétexte au reproche [54] ». Il les assura également que la tâche serait achevée en un an.

Comme disait Borda, l'idée de prendre la circonférence de la Terre pour unité naturelle de mesure avait longtemps été le rêve des savants. Des siècles avant Christophe Colomb, certains érudits savaient déjà que la Terre était ronde. Ératosthène, directeur de la fabuleuse bibliothèque d'Alexandrie au IIIe siècle avant Jésus-Christ, fut aussi le père fondateur de la géodésie. Il mesura la circonférence de la Terre à dix pour cent près. Ératosthène savait qu'en Égypte, le jour du solstice d'été dans la ville de Syène (Assouan), située à cinq mille *stades* d'Alexandrie, plein sud, le Soleil était à la verticale à midi, parce qu'alors sa lumière éclairait un puits jusqu'à son fond. Lors d'un solstice d'été, donc, vers 240 avant Jésus-Christ, il mesura la hauteur du Soleil à midi dans la ville d'Alexandrie, en plantant un bâton dans le sol et en observant son ombre, et il trouva que le bâton était à 7,2 degrés de la verticale, ce qui représentait approximativement un cinquantième de la circonférence d'un cercle de 360 degrés. Il en déduisit que la circonférence de la Terre était cinquante fois plus importante que les cinq mille *stades* qui séparaient les deux villes, ce qui faisait deux cent cinquante mille *stades*. Une estimation tout à fait honorable, étant donné ce que nous savons de la longueur du *stade*.

Deux mille ans allaient ensuite s'écouler avant de trouver mieux. Au XVIe siècle, Jean Fernel, médecin du roi Henri II, eut recours à une technique assez rudimentaire en comparaison. Il mesura la distance entre Paris et Amiens en comptant le nombre de tours de roue d'un coche tout au long du chemin (un dispositif mécanique placé à l'intérieur du coche lui permettait de compter les tours). Il savait que la ville d'Amiens était située plein nord, à un degré de latitude de la capitale, et la route était toute droite, il eut donc simplement à multiplier d'abord le nombre de rotations par la circonférence de la roue, puis le résultat obtenu par trois cent soixante, pour les 360° du globe terrestre. Si l'on tient compte de la technique utilisée, on peut dire qu'il ne se trompait pas de beaucoup. La méthode moderne de mesure des distances terrestres par triangulation fut introduite en 1617 par Willebrord Snell, l'« Ératosthène batave », dans la campagne gelée des alentours de Leyde. Trois cent soixante années plus tard, elle était toujours d'actualité.

L'un des premiers actes officiels de l'Académie des sciences de Paris avait été de mesurer à nouveau, par triangulation, l'itinéraire emprunté par Fernel entre Paris et Amiens. La régularité de la Terre, constatée à cette occasion, inspira une idée à l'abbé Gabriel Mouton, vicaire-astronome à Lyon. Celui-ci proposa en effet de prendre désormais la Terre comme base de toutes les mesures faites par l'homme. En 1670, il suggéra de prendre pour unité fondamentale le *milliare*, qui serait la longueur d'une minute d'arc de méridien. Tous les sous-multiples du *milliare* seraient assujettis à la division décimale, de sorte que la *virga* en serait la millième partie et la *virgula* (l'équivalent du pied) la dix millième partie. La prodigieuse régularité de la nature incitait l'homme à se mettre à sa mesure.

Tous ces érudits, depuis les astronomes grecs jusqu'aux savants européens, étaient partis de l'hypothèse que la Terre était parfaitement ronde. Isaac Newton, sans avoir jamais quitté Cambridge, avait affirmé que notre ronde planète était légèrement aplatie aux deux pôles. Il avait formulé cette hypothèse à partir d'un raisonnement théorique. Calculant l'effet de la rotation sur une sphère liquide homogène (notre Terre), où toutes les particules s'attirent entre elles en permanence, il avait estimé que la force centripète produirait une excentricité terrestre égale à 1/230. En d'autres termes, il entendait par là que le rayon de la Terre était 1/230 fois plus court au pôle qu'à l'équateur. Par la suite, Newton corrobora cette hypothèse avec des exemples bien choisis. Il refit l'analyse de la mesure du méridien par les académiciens français pour montrer que l'aplatissement de la Terre devenait sensible à mesure que l'on triangulait vers le nord. Il fit observer que le battement de l'horloge pendulaire emportée par un savant français aux Caraïbes en 1672 était devenu plus lent à mesure que le savant s'était approché de l'équateur, ce qui permettait de penser que la gravité diminuait légèrement aux endroits où la Terre était bosselée, du fait que l'on s'éloignait alors de son centre. Il souligna enfin que les astronomes avaient remarqué que la planète Jupiter était elle-même aplatie aux pôles. Ne disait-on pas « sur la Terre comme au Ciel » ? Enfin, pour couronner le tout, Newton avait fait une dernière déduction qui était extraordinaire. Il avait en effet émis l'hypothèse que le renflement de la Terre en son milieu fournissait l'explication d'un phénomène qui avait dérouté les astronomes pendant deux mille ans. Les forces d'attraction exercées par la Lune et le Soleil sur la partie renflée de la Terre étaient en effet responsables de la précession des équinoxes, ce pivotement de l'axe de rotation de la Terre, lent mais constant, sur une période de vingt-six mille ans. Newton avait banni l'idée d'une parfaite sphéricité de la Terre en même temps que celle de la circularité des orbites planétaires. Nous ne vivons pas sur une orange parfaitement ronde, mais plutôt sur une tomate aplatie. Il ne fallait pas chercher la perfection de la nature dans la géométrie pour enfants, mais au plus profond de ses forces cachées – et révélées par Newton.

Un siècle de débats s'ensuivit qui marqua l'âge d'or de la géodésie, une époque de vives controverses et de revirements stupéfiants. La mesure du méridien entreprise par Cassini I en 1700 avait paru confirmer l'hypothèse de Newton, jusqu'à ce que Cassini II en eût vérifié les résultats et eût osé suggérer le contraire, à savoir que Newton avait fait erreur et que le globe, s'il n'était pas parfaitement sphérique, était allongé aux pôles, et non aplati – un long citron plutôt qu'une tomate. La question n'avait pas seulement un intérêt théorique, elle influait aussi sur la cartographie terrestre et maritime. Le problème, c'était qu'une erreur de un pour cent dans la mesure des latitudes – un rien, en somme – suffisait à changer la figure de la Terre : aplatie au départ, elle se retrouvait allongée ; tomate, elle devenait citron, ou *vice versa*.

Pour trancher la question, l'Académie des sciences organisa une expédition au Pérou, dans le but de déterminer si la Terre présentait un renflement à l'équateur. La célèbre institution envoya également des savants concurrents en Laponie, avec pour mission de mesurer la courbure de la Terre lorsqu'on approche du pôle. Ces voyages avaient un côté palpitant qui projetait sur la science une lumière teintée d'héroïsme, portant la physique de Newton à l'attention du public et faisant les riches heures des salons parisiens témoins de querelles fielleuses entre académiciens. En 1740, pour mettre un terme à la controverse – et remanier la carte du royaume –, le roi de France autorisa Cassini III à entreprendre une nouvelle mesure du méridien, de Dunkerque à Perpignan. À son retour de la Méridienne vérifiée, Cassini rejeta l'idée paternelle d'un globe terrestre allongé : l'homme vivait plutôt sur le globe aplati de Newton – même s'il ne se trouvait pas deux savants au monde pour se mettre d'accord sur le degré de cet aplatissement [55].

À en croire une personnalité éminente du monde scientifique du XVIIIe siècle, cette controverse avait paru mettre à mal « l'idée flatteuse [56] » d'une unité de mesure universelle tirée de la perfection de la nature. C'était compter sans les philosophes naturalistes, qui n'abandonnaient pas si facilement l'idée de la perfection naturelle. Plusieurs savants, Laplace en particulier, restèrent convaincus que la Terre avait beau être aplatie, elle pourrait toujours servir de base à la détermination d'un mètre parfait. Condorcet expliqua devant l'Assemblée nationale que ces arguments l'avaient convaincu d'abandonner le pendule simple pour se rallier à la mesure géodésique. En conséquence, il conjurait l'Assemblée de faire de même en adoptant le nouveau projet. La mesure du méridien s'appuierait sur les méthodes scientifiques les plus sûres, souligna-t-il, dont l'universalité des principes serait telle qu'il en deviendrait même impossible de dire par quelle nation ces travaux avaient été exécutés. L'ancien secrétaire perpétuel continua en pressant les membres de l'Assemblée, en des termes quelque peu contradictoires, de ne pas attendre le « concours des autres nations » avant de se prononcer sur le choix d'une unité de mesure. En tant que représentant d'une grande nation éclairée, dont la vision englobait tous les hommes et tous les temps, le peuple français se devait de rejeter la voie de la facilité et de lui préférer ce qui « approcherait le plus de la perfection [57] ». Le 26 mars 1791, malgré quelques protestations liées au coût et aux délais probables de l'opération, l'Assemblée nationale adopta le méridien comme base du nouveau système de poids et mesures.

Cette décision eut des répercussions durables. À brève échéance, elle mit un terme à tout espoir de coopération internationale. Pour les savants étrangers, ce projet de mesure du méridien reflétait surtout la recherche d'un intérêt national. Ceux qui avaient donné la préférence au pendule refusèrent d'admettre son infériorité. Ils firent remarquer que les géodésiens s'appuyaient sur bien d'autres unités que le temps et les angles pour mesurer le globe, et qu'en conséquence il n'existait pas à proprement parler d'unité fondamentale. Les membres les plus influents de la Royal Society de Londres accusèrent leurs confrères français de chercher à « détourner l'attention du public européen du véritable enjeu de leur proposition, à savoir que les neuf ou dix degrés de méridien pris en *France* fussent choisis comme base pour un étalon *universel* [58] ». Jefferson aussi refusa de soutenir plus longtemps le projet d'un système métrique lorsqu'il apprit que les Français voulaient faire porter l'étude sur leur propre méridien. « Si les autres nations adoptent cette unité, souligna-t-il, elles devront croire les mathématiciens français sur parole pour ce qui sera de sa longueur... Alors n'en parlons plus [59]. »

Pour les savants français eux-mêmes, cependant, l'opération rapportait de jolis dividendes. Grâce au coût excessif du projet, le budget alloué à la création du système métrique fut révisé à la hausse, pour atteindre trois cent mille livres, soit à peu près trois fois le montant des coûts d'exploitation annuels de l'Académie sous l'Ancien Régime [60]. Les fonds du gouvernement passèrent aussi dans les coffres des fabricants d'instruments comme Lenoir, qui avait été durement frappé par l'interruption du commerce de luxe à l'avènement de la Révolution. Presque tous les savants de l'Académie qui travaillaient dans le domaine des sciences physiques furent impliqués dans le projet de système métrique. Enfin, tous sauf Lalande, qui refusa de prendre part à un projet qu'il trouvait futile et vain, mais n'en souhaita pas moins bonne chance à ses anciens élèves.

Dans le pays aussi, des protestations s'élevèrent. Le critique littéraire Louis Sébastien Mercier trouvait que l'opération de la méridienne avait des relents de charlatanisme. « Les savants, dit-il, sous prétexte de mesurer l'arc du méridien pour la perfection des poids et mesures, conservèrent leurs pensions et traitements [61]. » D'autres que lui se montrèrent plus virulents encore. Jean-Paul Marat, l'ennemi atrabilaire de l'Académie, dont il qualifiait les membres de « lâches prôneurs du despotisme », estimait que le budget de trois cent mille livres était « un petit gâteau qu'ils [allaient] partager en frères [62] ». Il y eut même quelques savants pour dire (en privé) que derrière la modification du projet se cachaient des motifs inavoués. Delambre lui-même émit plus tard l'hypothèse que Borda avait soutenu le méridien pour étendre la réputation de ses cercles répétiteurs [63]. Quelques-uns se demandèrent si Laplace et les autres physiciens n'avaient pas vu essentiellement dans ce projet le moyen de définir la forme exacte de la Terre, plutôt que la longueur du mètre. Certes, comme on l'a beaucoup dit à l'époque et souvent répété depuis, la décision de prendre pour unité de mesure la dix millionième partie du quart de méridien terrestre était en soi arbitraire. Pour commencer, il ne s'agissait même pas d'une distance réelle, mais plutôt d'une distance calculée à partir d'une portion de la surface d'un géoïde imaginaire qui serait partout au niveau de la mer, et la mesure d'un petit segment de l'arc devait ensuite être extrapolée à l'arc tout entier. Puis on assista à une pléthore de propositions sur les nombreuses autres façons de couper le globe en tranches. Certains avaient une préférence pour un mètre issu de la circonférence de l'équateur. Non seulement celui-ci était unique, mais il était apparemment circulaire et immuable. Un méridien, en revanche, était une ligne arbitraire, elliptique et susceptible de subir des variations au cours du temps. D'autres encore, tout en retenant le choix du méridien, se demandaient pourquoi les savants n'avaient pas pris pour étalon la cent millionième partie de sa longueur totale (plutôt que la dix millionième partie de son quart). Cela aurait permis de faire du mètre une unité de longueur qui se serait rapprochée de celle du pied, plus pratique au quotidien. De temps à autre, au gré des retards et des reports de l'opération de la méridienne, hommes politiques et citoyens poussaient la témérité jusqu'à demander s'il était vraiment nécessaire de tirer la mesure étalon de la nature. Celle-ci était changeante et irrégulière, disait l'un. « Tout, dans la nature, est inégal [64] », récriminait un autre. La forme de la Terre était elle aussi susceptible de se modifier au cours du temps, reconnaissait lui-même Laplace… quoique la mesure du méridien ne prendrait sûrement pas *tout ce temps-là*.

Depuis toujours, Lalande, ce vieil iconoclaste, avait gardé une préférence pour un étalon physique comme la toise de Paris, en cuivre, dont l'Académie avait la garde. Un étalon comme celui-là pourrait être défini avec beaucoup plus de facilité et de précision, tandis qu'une unité de longueur tirée de la nature se révélerait éphémère, en raison du trop grand nombre de facteurs susceptibles d'influencer la longueur du pendule, indépendamment du problème de la latitude. Il fallait compter notamment avec l'angle d'oscillation du pendule, la température ambiante et la résistance de l'air. En outre, faisait encore observer Lalande, les savants ne pouvaient être certains que la période du pendule serait constante en tout point d'une même latitude, car la présence de montagnes ou autres accidents de terrain pouvait avoir des répercussions sur son oscillation. Les mêmes facteurs étaient susceptibles d'affecter toute mesure fondée sur la géodésie. Compte tenu de toutes ces incertitudes, Lalande pensait que, grâce aux progrès de la science (auxquels il croyait fermement), on obtiendrait des résultats beaucoup plus précis dans vingt ans. Que se passerait-il alors ? Faudrait-il revoir périodiquement les étalons tirés de la nature pour tenir compte des progrès réalisés ? Si tel était le cas, à quoi bon lutter pour une précision absolue dès maintenant [65] ?

*

Tout pressé qu'il était de reprendre ses opérations dès que la saison le permettrait – un retard aurait pu fournir aux bureaucrates une excuse pour annuler la mission et les frais de transport ne cessaient d'augmenter –, Delambre avait encore besoin d'une autorisation officielle pour partir. Les barrages de l'année précédente lui avaient appris la valeur d'un passeport en règle. En mars, il avait demandé à la commune de Paris l'autorisation de se déplacer librement dans toute la République. Sa demande avait été rejetée à l'unanimité par l'assemblée générale de la commune, des sans-culottes hostiles à l'Académie, qu'ils estimaient être une institution élitiste. « Se pourrait-il qu'à Paris, au centre des Lumières et des arts, les agents d'une loi qui a été reçue [avec les] applaudissements de toute l'Europe fussent tout à coup arrêtés dans leur marche [66] ? » Delambre réitéra sa demande, contresignée cette fois par des administrateurs influents. L'assemblée vota à l'unanimité la délivrance d'un passeport. Par mesure de précaution, Delambre écrivit par avance à toutes les communes qu'il allait traverser afin de les assurer que sa mission était sans danger [67].

Le gouvernement républicain avait proclamé que la France serait une nation avec « une seule loi, un seul poids et une seule mesure ». Il avait promis de mettre un terme à toutes les inégalités scandaleuses de l'Ancien Régime dans le domaine de la justice et de l'impôt. Il s'était engagé à permettre aux hommes de talent de faire carrière et à libéraliser le commerce. Mais la Révolution avait aussi fait voler en éclat l'autorité royale qui gouvernait la France. Le fait de mettre la souveraineté entre les mains du peuple avait décentralisé le gouvernement et fait de chaque ville son propre maître. La confusion régnait sur les marchés, et le prix des denrées alimentaires augmentait. Les villes se méfiaient des campagnes ; les paysans se défiaient des villes. À chaque pas, Delambre devait présenter ses papiers. Lorsqu'il passa à Amiens, sa ville natale, il dut faire appel à un vieil ami et lui demander de préparer un dossier officiel signé, estampillé et cacheté des sceaux les plus fantaisistes [68].

Au moins Delambre avait-il une stratégie pour la saison qui s'annonçait. Plutôt que de s'escrimer en vain à faire le tour de Paris, il allait, avec ses deux collaborateurs, Lefrançais et Bellet, commencer par le commencement. Ils partiraient donc de Dunkerque, la station la plus au nord, et de là ils se dirigeraient vers le sud. Cette stratégie était logique, mais elle ne tenait pas compte de la logique particulière des circonstances. La saison optimale pour les opérations géodésiques coïncidait avec la saison optimale des opérations militaires. Ce printemps-là, tandis que Delambre attendait à Paris la délivrance de son passeport, l'armée austro-prussienne s'était massée à la frontière pour tenter une nouvelle fois de restaurer la monarchie, et lorsque l'astronome arriva dans le nord, les plaines de Flandres avaient été transformées en champ de bataille, et les envahisseurs avançaient à nouveau vers Paris.

Au milieu du mois de mai 1793, Delambre se hâta de rejoindre Dunkerque avant l'effondrement de la défense française. Dans la tour du clocher, il reçut l'assistance du citoyen Garcia, issu d'une famille de tourriers qui y exerçait ce métier depuis trois cents ans. Au cours de cette longue période, le clocher de cent soixante-deux pieds de haut avait été séparé du reste de l'église par une rue, restée depuis la rue principale du centre-ville. Du haut de la tour en briques rouges – deux cent soixante-quatre marches, « et nous les avons comptées [69] », avait noté Delambre –, l'équipe pouvait voir plusieurs nations : la France, les Pays-Bas, et par-delà la Manche, l'Angleterre. Cassini et Méchain avaient utilisé le même clocher en 1788, lors de la jonction des méridiens de Paris et de Greenwich. Plus près de lui, Delambre voyait les dunes le long de la plage, le port paralysé par la guerre avec l'Angleterre et la longue côte basse qui s'enfonçait dans la brume grise. À l'intérieur des terres, il avait vue sur les manœuvres de l'armée française le long de la frontière.

À partir de Dunkerque, il progressa rapidement vers le sud et traversa la Picardie, sa région natale. Le paysage convenait parfaitement aux opérations de triangulation, et l'été était la saison idéale pour les géodésiens. La campagne ondulée était sillonnée de corniches peu élevées, et chaque ville arborait un élégant clocher. On y trouvait d'excellentes stations en abondance, même si chacune d'elles présentait un défi particulier à relever. À Watten, petite ville située à cinq lieues de là, à l'intérieur des terres, sur le bord de l'Aa, le clocher n'était pas assez haut pour être visible de loin, aussi Delambre le coiffa-t-il d'une couronne de planches de bois blanches [70]. À Cassel, un peu plus à l'est, la chaleur estivale qui régnait dans le clocher était suffocante. À Mesnil, l'astronome dut patienter quatre jours avant de pouvoir établir le signal, car les charpentiers étaient occupés à célébrer la fête du village dans les cafés du coin. À Fiefs, il lui fallut attendre l'autorisation de faire des ouvertures dans la flèche pour avoir une vue dégagée dans toutes les directions. À Bayonvilles, il dut abattre plusieurs arbres pour ouvrir un champ de mire. Vers la mi-juillet, il avait fermé dix triangles et accompli plus de choses en un mois que durant toute l'année précédente. De son propre aveu, cette partie-là du méridien fut celle qui lui procura le plus de bonheur, et qui fut la plus agréable. Derrière lui, les armées françaises étaient en mauvaise posture. Les Anglais avaient assiégé Dunkerque et les Hanovriens se rapprochaient de Lille ; mais à ce moment-là Delambre arrivait sur Amiens, sa ville natale.

Lefrançais ne fut pas de la partie cette fois. À la mi-juillet, il avait dû rentrer précipitamment à Paris. Sa femme, la fille de Lalande, était sur le point d'accoucher. Le 27 juillet, elle donna naissance à une fille, Uranie, mais le baptême fut reporté jusqu'à ce que Delambre pût y assister, comme parrain. L'astronome écrivit à la jeune maman pour la féliciter : « Je vous admire d'avoir sitôt repris vos travaux astronomiques. En nous donnant une Uranie vous aviez assez fait et vous pouviez vous reposer plus longtemps. » Il avait encore six stations à terminer avant de pouvoir rentrer à Paris pour le baptême de leur « nouvelle muse [71] ». Quant à Lefrançais, grand-père Lalande écrivit qu'il pourrait reprendre sa mission dès qu'il serait élu lui-même académicien, c'est-à-dire probablement à la séance du 7 août [72].

Lefrançais ne devait jamais reprendre sa mission. Le 8 août, l'Académie fut supprimée, et Lalande renvoya son neveu à l'élaboration de la carte du ciel à laquelle il attachait tant d'importance.

13. MÈTRE PLIANT

Ce mètre pliant en métal avait été réalisé suivant les spécifications du mètre provisoire de 1793. On peut lire dessus l'inscription suivante : « mètre égal à la dix
millionième partie du quart du méridien terrestre, Borda, 1793 » (musée des Arts
et Métiers, CNAM, Paris. Ph. CNAM).

Delambre était occupé à installer un signal dans la flèche de la
cathédrale d'Amiens lorsqu'il apprit la nouvelle de la suppression de
l'Académie. Lavoisier lui avait écrit : « Je ne sais si j'ai encore le
droit de vous appeler mon confrère. Je [puis] au moins vous donner
cette lettre comme à un coopérateur zélé pour le progrès des sciences. »
La bonne nouvelle, c'était que les savants avaient réussi à sauver la
réforme du système métrique, et avec elle l'opération de la méridienne. « Les circonstances de la suppression de l'Académie ne doivent réellement en rien ralentir vos opérations, ni diminuer votre infa-
tigable activité[73]. » La mauvaise nouvelle, c'était qu'il n'y avait plus
d'argent pour payer Lefrançais et que la poursuite de l'opération de la
méridienne avait été échangée contre une dangereuse concession : la
définition d'un « mètre provisoire ».

La suppression de l'Académie ne fut pas un choc insurmontable
pour Delambre. Pendant des années, les académiciens s'étaient vu
reprocher d'être des élitistes qui se nommaient entre eux et déni-
graient les inventeurs et autres penseurs populaires. Au cours des derniers mois, des radicaux avaient demandé la dissolution de toutes les
institutions royales. Certains législateurs avaient tenté de sauver
l'Académie des sciences en arguant de la transcendance de la véracité
de la science et de l'utilité des services que celle-ci rendait à la nation,

notamment en ce qui concernait la réforme des poids et mesures. En vain. Certains académiciens en vinrent même à tomber d'accord sur le fait que l'Académie était antidémocratique et applaudirent à la décision de la supprimer. Lorsque Cassini IV tenta de faire passer une motion visant à reporter la séance de clôture, il se trouva des savants républicains pour faire écho à la phrase lancée à Delambre par le garde éméché de Lagny : « Il n'y a plus de Cadémie [74] ! »

Cette fois, c'était vrai. Maintenant, tout était à l'envers. Ce n'était plus l'Académie des sciences qui finançait une expédition censée définir le système métrique, c'était la création du système métrique qui venait justifier l'argent accordé par l'État à la science. Le 1er août 1793, une semaine avant la dissolution de l'Académie des sciences, une nouvelle loi avait codifié le système métrique tel que nous le connaissons aujourd'hui. Cette loi donnait un an au peuple français pour se préparer à l'usage obligatoire du système. Il était évident pour tout le monde que l'opération de la méridienne ne pourrait pas être terminée pour cette date. C'est pourquoi la loi avait prévu l'établissement d'un mètre « provisoire » que les administrateurs de l'État et les entreprises commerciales utiliseraient en attendant les résultats « définitifs » de l'opération de la méridienne [75]. La valeur de ce mètre provisoire avait été donnée par l'Académie, contrainte et forcée.

Avant le départ de Delambre et de Méchain, Borda avait déjà estimé en privé que la valeur du mètre se rapprocherait de 443,5 *lignes* selon les vieilles mesures de Paris. Une *ligne* était égale à un douzième de *pouce*, de sorte que l'on obtenait un *pied* de 144 *lignes* [76]. Il s'agissait là d'un rapide calcul approximatif qui s'appuyait sur ce que tout le monde savait déjà de la forme et de la taille de la Terre. En public, Borda n'avait rien dit : avancer officiellement une telle estimation aurait pu saper l'opération de la méridienne.

Plusieurs organes gouvernementaux étaient malgré tout impatients de connaître cette valeur provisoire. Le projet d'une nouvelle carte du pays, qui devait permettre au gouvernement de taxer de manière précise la propriété individuelle en France, avait été interrompu parce que les géomètres attendaient de pouvoir utiliser la nouvelle unité de longueur [77]. Le Trésor public ne pouvait pas procéder à la décimalisation de la monnaie sans avoir quelque idée du poids des nouvelles pièces d'argent. En janvier 1793, le Comité des finances avait insisté auprès de la Commission des poids et mesures pour obtenir une estimation sérieuse de la longueur probable du mètre. Par obligeance, Borda, Lagrange et Laplace, trois des spécialistes de physique mathématique les plus illustres de tous les temps, se mirent à la tâche. Ils procédèrent en trois étapes. Tout d'abord, ils partirent de l'hypothèse que la longueur du degré de l'arc à la latitude nord de 45 degrés était la longueur moyenne du degré de l'arc sur tout le quart du méridien. Ils tirèrent cette valeur de l'étude réalisée par Cassini III en 1740, puis ils multiplièrent le résultat obtenu par quatre-vingt-dix (pour les quatre-vingt-dix degrés du quart du méridien), et divisèrent le tout par dix millions. Ils obtinrent ainsi la valeur de 443,44 *lignes*. On ne pouvait pas faire plus simple.

Or, ce n'est que lorsque l'Académie fut menacée d'être supprimée, un peu plus tard cette année-là, que la Commission consentit à divulguer cette valeur. À cette date, la Convention nationale était passée aux mains des Jacobins du parti montagnard qui avaient transféré le pouvoir exécutif à un Comité de salut public. Au sein de ce Comité ne se trouvaient pas seulement des radicaux comme Robespierre et Saint-Just, mais également des officiers du génie militaire comme Lazare Carnot et Prieur de la Côte d'Or, chargés de diriger l'effort de guerre et d'organiser la production de matériel. La loi du 1er août 1793 devait permettre la mise en œuvre du système métrique dès que possible, en prenant comme étalon le mètre provisoire. Peu de temps après, Lalande écrivit à Delambre pour lui dire qu'il ne servait à rien de se presser dans sa mission. « Les nouvelles mesures sont dans le commerce, indépendamment de vos nouveaux degrés. [Rien] ne vous force à vous presser pour donner vos nouveaux résultats [78]. »

Delambre passa cette semaine-là dans sa ville natale d'Amiens, à faire des observations à partir de la seconde galerie de la flèche de la cathédrale, la plus haute flèche en bois de France [79]. Une lourde charpente et d'énormes cloches encombraient l'intérieur de cette flèche légèrement inclinée vers l'ouest, ce qui déviait quelque peu les observations. Tout en bas, la ville de briques rouges paraissait calme, et personne ne manquait de pain, bien que des émeutiers affamés eussent causé des troubles le mois précédent, et que la farine commençât de nouveau à manquer chez les boulangers. Le 9 septembre, peu après le départ de Delambre, soixante-quatre prêtres furent arrêtés pour avoir refusé de prêter le serment d'obéissance à la Constitution.

S'il revenait rarement chez lui et discutait très peu de sujets politiques, Delambre s'était néanmoins inscrit en 1791 à une société amiénoise affiliée à un club politique dont son beau-frère était le cofondateur. Malgré sa devise, « Vivre libre ou mourir », la Société des amis de la Constitution prêchait la modération. Delambre était tout à fait en accord avec ce principe. Au beau milieu des passions, il avait osé proposer au journal de sa ville d'organiser un soir une assemblée à but éducatif, où démocrates et aristocrates rejetteraient toutes les factions extrémistes et discuteraient de leurs différences. « Pour être raisonnable, il faut être sans passions[80] », avait-il insisté. Cette modeste proposition fut mise à mal par un autre citoyen de la région, Gracchus Babeuf, un radical qui allait être un jour désigné comme l'ancêtre du communisme. Delambre, fit-il remarquer de manière sarcastique, n'avait pas compris « qu'un homme sans passions est incapable d'une noble entreprise. Les grandes choses ne sont pas de son ressort ; c'est... un être sans énergie, un être pour ainsi dire méprisable[81] ». Dans sa réponse, Delambre souligna le caractère modeste de sa proposition et formula l'espoir que cet épanchement de bile avait au moins eu du bon pour la santé de son adversaire. En trente années de services rendus à une demi-douzaine de régimes différents – l'Ancien Régime, la monarchie constitutionnelle, la République, le Directoire, le premier Empire et enfin la Restauration –, c'était là ce qui chez Delambre se rapprocherait le plus du commentaire politique. En effet, pendant les dizaines d'années qu'il a passées au service de l'État, l'astronome a toujours maintenu une prudente ambiguïté quant à ses opinions politiques.

Son devoir était ancré dans la mission dont il était investi, et c'est sur cette base qu'il était déterminé à poursuivre. Il pouvait se débrouiller sans Lefrançais, du moment que Bellet restait avec lui. Le jeune fabricant d'instruments s'était révélé excellent dans ses observations et très agréable comme compagnon. Il suivit Delambre dans toutes les étapes de sa mission, jusqu'au dernier triangle. L'astronome lui octroya une prime de cinq cents livres, prélevée sur ce qui restait de la provision pour le traitement accordé à Lefrançais[82], et comme l'Académie avait été supprimée, il recevrait désormais une paie journalière en tant que membre de la nouvelle Commission temporaire des poids et mesures. Le montant de celle-ci s'élèverait royalement à dix francs par jour, soit approximativement le salaire d'un bon artisan.

Au début du mois d'octobre, Delambre relia enfin les triangles de la nouvelle saison à ceux qu'il avait mesurés à Paris l'année précédente. Il avait désormais un canevas de triangles continus entre Dunkerque et le fin fond de l'Île-de-France, soit à peu près un tiers de la distance qui le séparait de Rodez, le lieu de rendez-vous. Fin octobre, il passa au sud de la capitale pour reprendre les choses là où il les avait laissées l'hiver précédent. En travaillant dans la forêt orléanaise juste au nord de la Loire, Delambre se trouva pris au milieu des tensions politiques auxquelles il avait réussi à échapper jusqu'à présent. Le clocher de la Cour-Dieu, qui avait servi de signal à Cassini III en 1740, était enseveli de tous côtés par les arbres, et il ne se trouvait aucun lieu de remplacement convenable au milieu des terres vallonnées couvertes de grands chênes, dans les anciennes forêts royales, réserves de chasse préférées des Bourbons. La seule option possible était de faire construire une tour d'observation sur une petite colline nommée les Hauts de Châtillon. Là où la nature n'offrait aucun point de vue et où l'on ne pouvait disposer de clochers, le géodésien devait faire ses constructions à partir de rien.

La réalisation de cette tour en bois de soixante-quatre pieds de hauteur prit plus d'un mois et attira beaucoup trop l'attention. Les citoyens des hameaux environnants commençaient à s'interroger sur les agissements étranges qui avaient lieu dans l'ancienne forêt royale. « On était venu dire qu'on avait vu à la Cour-Dieu trois ou quatre cents brigands qui faisaient construire des échafauds et percer des trous dans les clochers... que sans doute ils venaient pour reconnaître le terrain en faveur d'une nouvelle Vendée [83]. » L'épisode aurait pu être amusant, si les citoyens du lieu n'avaient pas demandé à six cents soldats d'attaquer le site. Fort heureusement, au moment venu, ils trouvèrent un autre exutoire à leur colère. Le 27 décembre, juste au moment où la tour allait être achevée, la société populaire locale vota à l'unanimité pour la destruction d'un obélisque tout proche érigé en l'honneur de la précédente opération de 1740, au motif qu'il s'agissait là d'un « signe odieux de ce despotisme expirant, sous l'emblème d'une pyramide en pierre appelée le méridien, autrefois bâtie par les ci-devant seigneurs en signe de leur grandeur [84] ». L'obélisque fut démoli et ses morceaux utilisés pour faire des pavés. Au même moment, on exécutait Malesherbes, juriste éminent et propriétaire des terres où l'obélisque avait été érigé, au motif qu'il avait été le principal conseil du roi lors de sa dernière (et vaine) défense.

À la Saint-Sylvestre, Delambre et Bellet grimpèrent pour la première fois en haut de la plate-forme de leur observatoire de Châtillon et entreprirent de hisser leur précieux cercle à l'aide de cordes et de poulies [85]. Le pourtour de la plate-forme avait été garni de planches pour l'abriter des tempêtes et de la neige. Malheureusement cette protection avait aussi l'inconvénient d'exposer au vent une plus grande surface. Le cercle fut à peine arrivé sur la plate-forme, en bon état, qu'une violente rafale secoua la tour et obligea les observateurs à redescendre tant bien que mal ; cette épreuve dura quinze minutes, à cause de toutes les précautions à prendre pour rapporter le cercle en bas. Le lendemain le vent était tombé et les deux hommes remontèrent en haut de la tour. Mais cette fois le froid rendit les choses très pénibles, le jour fut plus court et les observations médiocres.

Pourtant, lorsque tomba le coup de grâce, deux jours plus tard, ni les citoyens de la région ni le temps ne purent être incriminés : ce fut l'œuvre de l'instance suprême du pays. Le 4 janvier 1794, Delambre reçut une lettre de la Commission des poids et mesures lui notifiant que, sur ordre du Comité de salut public, il avait été destitué de ses fonctions dans l'opération de la méridienne, en même temps que plusieurs de ses confrères. La lettre l'informait de l'obligation où il se trouvait de remettre tous ses mémoires, ses calculs et ses instruments, de façon à permettre à quelqu'un d'autre de le remplacer « si l'opération de la méridienne venait à se poursuivre [86] ».

Indépendamment des conséquences de cette décision sur l'avenir de la mission elle-même, le fait de tout abandonner revenait à réduire à néant les mois de travail passés à construire la tour de Châtillon. Si, au cours de l'hiver, une tempête la faisait s'effondrer, il faudrait recommencer tous les triangles environnants. L'opération devait au moins continuer jusqu'à une station permanente, comme le clocher de Châteauneuf ou celui d'Orléans, en bord de Loire. Ainsi, son successeur, si un jour on en désignait un, serait à même de commencer son travail à partir d'un lieu sûr. En outre, Delambre estimait qu'il lui faudrait au moins trois mois pour mettre de l'ordre dans ses registres et achever ses calculs. Il écrivit donc à la Commission, la priant de lui laisser la possibilité d'exécuter ce plan, et en même temps il se lança frénétiquement dans le travail pour le terminer avant de recevoir une réponse négative [87].

La lettre cachetée arriva quelques jours plus tard entre les mains de Gaspard Prony ; cet ingénieur et ex-confrère de Delambre à l'ancienne Académie était la personne désignée pour le remplacer au sein de la Commission. Prony trouva cependant plusieurs excuses pour ne pas transmettre la réponse [88]. Il préférait aller aider Delambre à terminer ses observations à Châtillon, et il l'accompagna même à Orléans pour fermer les triangles des bords de Loire. Le crucifix qui se trouvait autrefois tout en haut de la flèche de la cathédrale d'Orléans, et qui aurait fait un signal idéal, comme des réticules sur une lunette de visée, avait été récemment remplacé par un bonnet de la Liberté déformé, en fonte. La cathédrale, dite maintenant Temple de la Raison, avait été le témoin cette semaine-là d'un plus grand sacrilège. La belle Rosalie, jeune prostituée de la rue Soufflet, avait été promenée dans toute la ville, déguisée en déesse, avec une pique à la main et sur la tête un bonnet rouge de révolutionnaire, debout sur un énorme char orné de drapeaux tricolores et tiré par un attelage de douze chevaux blancs que conduisaient six jeunes gens vêtus de toges. Tous les citoyens de la ville avaient suivi le cortège, habillés en Romains. À un moment, le char avait dû passer sous un portail un peu bas, et l'on avait entendu la déesse crier : « Eh ! mâtin ! eh ! b... !

arrête donc, j... f... V'là que je tombe [89] ! » avant de sauter dans la foule pour regrimper de l'autre côté.

En un an et demi de travail, Delambre avait couvert près de la moitié de l'itinéraire qui lui avait été imparti, de Dunkerque à Rodez, et réalisé la triangulation de l'arc sur une longueur de soixante-quinze lieues, du littoral de la mer du Nord aux rives de la Loire. Pour cela, il avait parcouru plus de douze fois cette distance, soit environ quatre mille huit cents kilomètres [90], en zigzag, sur les inconfortables routes de France. Le 22 janvier 1794, il avait ajouté une dernière note dans son registre : « Le temps s'est mis à la pluie et il n'a pas été possible de reprendre ces angles [91]. » Un peu plus tard ce jour-là, Prony lui donna la réponse de la Commission, avec plus de trois semaines de retard. Une lettre explicative l'accompagnait :

Citoyen,

La Commission des poids et mesures a chargé l'un de ses membres de se rendre auprès de toi pour te remettre l'arrêté du Comité de Salut public qui te concerne, et pour concerter avec toi les moyens de clore tes opérations de manière que les signaux restent inutiles ; elle t'invite à terminer la rédaction de tes calculs et la copie de tes observations, ainsi que tu le proposes.
Lagrange, président de la Commission des poids et mesures [92].

Sous ces termes ambigus, ses amis de la Commission avaient donc accédé à sa requête, lui permettant de garder ses registres avec lui, pour le moment. L'ordre officiel qui était joint à cette lettre avait été écrit de la main de Prieur de la Côte d'Or sur l'impressionnant papier à en-tête du Comité de salut public. Il était daté du 23 décembre 1793, presque un mois plus tôt :

Le Comité de salut public, considérant combien il importe à l'amélioration de l'esprit public que ceux qui sont chargés du gouvernement ne délèguent de fonction ni ne donnent de mission qu'à des hommes dignes de confiance par leurs vertus républicaines et leur haine pour les rois..., arrête que Borda, Lavoisier, Laplace, Coulomb, Brisson, et Delambre, cesseront, à compter de ce jour, d'être membres de la Commission des poids et mesures, et remettront de suite, avec inventaire, aux membres restants, les instruments, calculs, notes, mémoires, et généralement tout ce qui est entre leurs mains de relatif à l'opération des mesures ; arrête, en outre, que les membres restants à la Commission des poids et mesures... [s'assureront que celle-ci] fera part en même temps de ses vues sur les moyens de donner le plus tôt possible l'usage des nouvelles mesures à tous les citoyens, en profitant de l'impulsion révolutionnaire.

Signé au registre : Prieur, Barère, Carnot, Lindet, Billaud-Varenne[93].

Le lendemain, Delambre remballa ses instruments pour rentrer à Paris. « Quoiqu'il me soit impossible de deviner le motif de mon appel, je m'y soumets sans réclamation. Je vais reprendre les occupations auxquelles je m'étais arraché avec regret[94] », écrivit-il en réponse à la Commission des poids et mesures. En cours de route, il eut à régler une affaire personnelle. Son bienfaiteur, Geoffroy d'Assy, était recherché par la police révolutionnaire. Il lui fallait donc s'arrêter à la résidence secondaire des d'Assy à Bruyères-le-Châtel, où d'Assy s'était retiré.

La Révolution était entrée dans la période de la Terreur, au cours de laquelle les Jacobins décrétèrent une levée en masse de soldats réquisitionnés d'urgence, en même temps qu'ils imposèrent un contrôle des salaires et des prix et appliquèrent leurs décrets à coups de peines d'emprisonnement et d'exécutions capitales. C'était la première guerre avec une mobilisation de masse.

Aux frontières de la France, une coalition de Prussiens, d'Autrichiens, d'Anglais et d'Espagnols s'opposait à la République. À l'intérieur, celle-ci était sapée par les aristocrates rebelles, les paysans réactionnaires, les marchands thésauriseurs de grain et les prêtres réfractaires. Lavoisier avait été arrêté un peu plus tôt dans le mois, en même temps que les autres fermiers généraux qui avaient autrefois collecté un si grand nombre d'impôts, tous détestables et abusifs, pour le compte du roi. Et lorsque Delambre arriva à la résidence des d'Assy, ce fut pour voir conduire son bienfaiteur, lui aussi, à la prison du Luxembourg[95].

Plus tard, cet hiver-là, une rafale renversa la tour de Châtillon.

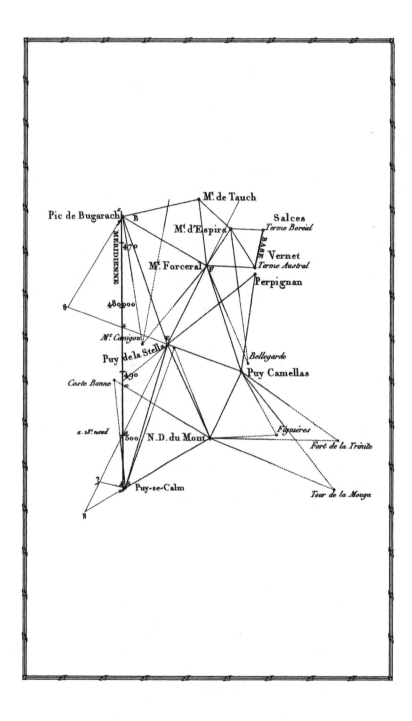

4

La forteresse de Mont-Jouy

> « [...] on ne voit rien de juste ou d'injuste qui ne change de qualité, en changeant de climat. Trois degrés d'élévation du pôle renversent toute la jurisprudence. Un méridien décide de la vérité. En peu d'années de possession, les lois fondamentales changent. Le droit a ses époques. [...] Plaisante justice qu'une rivière borne ! Vérité au-deçà des Pyrénées, erreur au-delà[1]. »
>
> BLAISE PASCAL, *Pensées sur la religion*

Bloqué de l'autre côté des Pyrénées à cause de la guerre, Méchain n'avait presque rien su de ces événements. Pendant neuf mois, il n'avait reçu aucune nouvelle de France. Les plus récentes dataient de mars 1793, c'est-à-dire avant son accident à la station de pompage. Pendant les deux mois de sa convalescence il était resté allongé, jusqu'au jour où, attiré par le soleil de l'été, il avait quitté l'obscurité de sa chambre pour passer sur la terrasse de La Fontana de Oro. Le solstice d'été approchant, il avait insisté pour être amené dehors, non pour faire une cure de soleil, mais pour mieux connaître l'astre solaire. On l'avait donc transporté à l'extérieur, dans l'aveuglante lumière de l'été méditerranéen, et il avait demandé qu'on l'installât auprès du cercle répétiteur, bien calé au milieu de ses oreillers. Le souffle salé de la brise balayait les pavés. La chaleur du soleil de midi avait réduit la ville au silence. Toute proche, mais sans être visible, la mer venait éclabousser les quais. La foule des promeneurs chic de la Rambla s'était réfugiée à l'intérieur des maisons. Seuls les chiens enragés, les Anglais et les spécialistes de l'astronomie solaire sortaient en plein midi * dans la chaleur estivale de Barcelone.

---

* Allusion au refrain de la chanson de Noël Coward, *Mad dogs and Englishmen* (1931) : « Mad dogs and Englishmen go out in the midday sun » (« Les chiens enragés et les Anglais sortent dans le soleil de midi ») [N.d.T.].

Tranchot lui avait préparé l'instrument. Pendant quatre mille ans, les astronomes avaient cherché à définir l'une des constantes les plus fondamentales de leur science, l'obliquité de l'écliptique, c'est-à-dire l'angle d'inclinaison de l'axe de rotation de la Terre par rapport au plan de son orbite autour du Soleil. Avec le cercle de Borda à portée de main et le solstice d'été au-dessus de la tête, Méchain tenait là l'occasion idéale pour mesurer cette constante de manière définitive.

Exécutée dans les meilleures conditions, la tâche était déjà pénible, et pourtant Méchain avait insisté pour effectuer seul les lectures. Pendant que Tranchot maintenait la lentille fumée face à l'œil de l'astronome, celui-ci suivait la trajectoire du Soleil jusqu'à sa hauteur maximale. Ensuite, Tranchot faisait tourner le cercle de Borda pendant que Méchain réglait la position de la lunette. En travaillant de conserve, ils arrivèrent à faire quelques lectures préliminaires avant de voir l'anneau de cuivre gradué commencer à se déformer sous l'effet de la chaleur. Méchain avait du mal à ajuster la lunette de la main gauche. Pour un homme qui avait eu la poitrine enfoncée, pour un droitier dont le bras droit ballait, l'effort était trop grand. Les deux hommes avaient dû s'interrompre. L'état de Méchain s'était à nouveau détérioré. Pendant vingt ans, il avait travaillé dans l'obscurité des bureaux de la cartographie maritime pour faire la carte d'une côte méditerranéenne qu'il n'avait jamais vue. Maintenant, la lumière de cette côte lui embrasait la tête, même lorsqu'il gardait les yeux fermés.

Salvá s'inquiéta et lui proposa de faire une cure aux eaux thermales de Caldas. Ramené à la raison, Méchain suivit son conseil. Les bains chauds et les douches lui firent du bien, mais six mois après son accident, son bras droit pendait toujours, inerte, le long du corps. Les médecins lui avaient dit qu'il n'en recouvrerait jamais l'usage. « Le temps a fait plus que l'art [2] », devait-il conclure quelques années plus tard, lorsque son bras retrouva toute sa force. Quand il revint de la station thermale, toujours handicapé malgré les progrès obtenus, l'Espagne était sur le point de gagner une victoire décisive, qui allait lui donner le contrôle des deux versants des Pyrénées et réunifier la Catalogne pour la première fois depuis cent cinquante ans. La France avait peut-être été la première à déclarer la guerre, mais l'Espagne avait été la première à attaquer. En mai, le général Ricardos, commandant en chef de l'armée espagnole, avait ordonné aux quarante mille hommes qui formaient la majeure partie de ses troupes de franchir le col du Perthus au nord-est de la forteresse de Bellegarde, à l'endroit même où Hannibal était passé deux mille ans auparavant. En même temps, trois colonnes de trois mille cinq cents soldats espagnols s'étaient infiltrées par les défilés des hautes terres de l'intérieur, que Méchain et Tranchot avaient triangulées au cours de l'été précédent. Les Espagnols avaient vaincu les soldats français de la garnison de La Garde et s'étaient dirigés vers la vallée du Tech pour rejoindre le gros des troupes qui occupaient la plaine du Roussillon. S'ils avaient continué sur leur lancée, ils auraient pu s'emparer de Perpignan. Au lieu de cela, ils s'arrêtèrent pour fortifier les hauteurs, assiéger Belle-garde et encercler la ville. Pendant les mois d'avril, mai et juin, sous les yeux des Perpignanais effarés, ils bombardèrent Bellegarde depuis le Puig Camellas, tout près de là, réduisant la puissante forteresse en un tas de décombres. Quand les braves Français de la garnison se ren-dirent enfin, ce fut un millier de prisonniers que l'on conduisit à Barce-lone pour y être incarcérés au château de Mont-Jouy, d'où Méchain avait opéré ses observations célestes l'année précédente. Les prison-niers furent placés dans une cave et gardés par des canons chargés à mitraille, « pour prévenir l'insolence chez un peuple aussi mauvais [3] ».

Les guerres du XVIIIe siècle baignaient dans leurs propres contradic-tions. Courtoisie et brutalité se côtoyaient, même entre les défenseurs de la monarchie catholique et les apôtres de la libération révolution-naire. Les généraux espagnols avaient permis aux officiers français prisonniers de passer une nuit à Perpignan avant d'être embarqués en prison, et les révolutionnaires avaient tenté de rallier les Catalans à leur cause. Au XVIIIe siècle, comme les savants rivaux, les officiers ennemis avaient souvent entre eux plus de choses en commun qu'avec les chefs qui les envoyaient se battre. Cependant, avec l'apparition de cette nouvelle forme de guerre qu'était la guerre de masse, la poussée des nationalismes commençait à ravager la science.

Deux mois après ces événements, Lavoisier écrivit enfin à Méchain pour l'informer que l'Académie avait été supprimée, mais que lui-même, en tant que membre de la Commission temporaire des poids et mesures, allait percevoir un salaire de dix francs par jour, que sa femme pourrait toucher pour lui [4]. Au moins sa famille recevrait-elle maintenant l'argent de son travail. Méchain ne reçut jamais cette lettre. Quelques mois plus tard, à l'époque où Delambre se trouva exclu du projet de la méridienne, avec ses anciens confrères empri-sonnés ou menacés d'exécution, Méchain envoya une lettre à Paris, disant qu'il s'en remettait au bon vouloir de l'Académie. En fait, il avait bel et bien entendu des rumeurs selon lesquelles l'Académie n'existait plus, mais il croyait (non sans raison) que les administra-teurs de la commune de Paris cherchaient à le remplacer. En effet, le savant paraît n'avoir dû sa mise à l'écart de la liste des personnes con-cernées par l'épuration générale qu'au simple fait que le Comité de salut public craignait qu'une telle menace lui fît demander l'asile définitif aux Espagnols et, du même coup, garder avec lui les précieux cercles répétiteurs ainsi que tous ses résultats.

Aussi, lorsqu'on lui offrit un poste prestigieux au service de la Couronne espagnole, Méchain fut-il naturellement tenté d'accepter [5]. Des dizaines de milliers de Français et de Françaises avaient fui leur pays, et des milliers d'entre eux avaient pris les armes contre leur propre nation. Les jeunes frères du défunt roi commandaient des armées qui se battaient contre leur propre peuple. En comparaison de tout cela, quel mal pouvait-il y avoir à mesurer quelques triangles géodésiques pour l'Espagne ? Le travail scientifique pouvait-il être synonyme de trahison ? Lavoisier l'avait bien dit : « Les sciences ne sont pas en guerre. » Et puis Méchain était sans le sou. Les banquiers de Barcelone avaient bloqué son compte, les assignats qu'il possédait n'avaient ici aucune valeur et une loi française empêchait ses confrères de lui envoyer de l'argent en numéraire.

Enfin, par-dessus tout, Méchain n'éprouvait que mépris pour la radicalisation de la politique de son pays depuis 1792. Il avait déjà été profondément affecté par les révoltes de 1789, pourtant modérées en comparaison, mais cette fois les récents événements l'avaient horrifié. Toutefois, si la Révolution avait complètement défait les liens qui l'attachaient à son pays, elle n'avait pas entamé son sens du devoir envers ses confrères ni envers sa mission. Méchain était un homme d'exactitude, une vertu prosaïque peut-être, et rarement associée au génie, mais qui allait de pair avec une farouche détermination à terminer ce qu'il avait commencé. Les stations frontalières qu'il avait espéré approcher par le côté français faisaient maintenant partie du territoire occupé par les Espagnols. Delambre avait proposé de venir au plus vite pour l'aider à les trianguler si cela était nécessaire [6]. D'un autre côté, si Méchain voulait effectuer lui-même les mesures, il lui semblait que c'était la seule et unique chance qu'il aurait jamais.

Heureusement, son bras commençait à aller mieux, et Tranchot était là pour l'aider de ses compétences. Au début de l'automne 1793, Méchain avait donc obtenu du général Ricardos l'autorisation de terminer la triangulation de la chaîne des Pyrénées. Le général lui permettait, à lui, l'émissaire d'une nation ennemie, d'effectuer des mesures géodésiques sensibles dans un secteur en guerre. Déjà, les Français avaient localisé avec précision les plus importantes forteresses de la Catalogne. En échange de cette autorisation, Méchain donna sa parole qu'aucun membre de son équipe ne quitterait le pays sans l'accord des autorités officielles, et il s'engagea sur l'honneur à ne pas transmettre ses résultats à son pays avant la fin de la guerre.

Au mois de septembre, les deux Français, accompagnés du capitaine Bueno, se risquèrent à retourner dans les Pyrénées avec le projet audacieux de tenter l'achèvement de la triangulation des stations de haute montagne. En arrivant devant l'imposante forteresse de Figuères que Méchain avait choisi d'utiliser pour ses triangles, ils se répartirent en deux groupes, chacun prenant avec lui un cercle répétiteur. Méchain et Bueno s'orientèrent vers le Puig Camellas, ce sommet d'où les canons espagnols avaient pilonné le fort de Bellegarde, le réduisant en un tas de décombres, tandis que Tranchot volait de ses propres ailes en direction des hautes montagnes de l'intérieur.

L'assistant avait pour objectif d'atteindre le Puig de l'Estelle, un pic de cinq mille huit cents pieds qui surplombait une ancienne mine de fer. Le sommet se trouvait dans l'ombre du massif du Canigou, ce mastodonte glaciaire au teint bleuté qui domine la chaîne des Pyrénées à l'est. Toute cette zone avait été autrefois en territoire français. En fait, au moment où Tranchot arriva au Puig de l'Estelle, l'armée française, qui avait reçu du renfort, libéra Perpignan. À partir du fort de Salses, au nord de la ville, elle se dirigea ensuite vers l'intérieur des terres et poursuivit son avancée en remontant la vallée du Tech, obligeant les Espagnols à se regrouper au Boulou, point stratégique où la grande route traversait la rivière. Beaucoup moins nombreux que leurs ennemis – ils étaient neuf mille contre vingt-neuf mille espagnols –, les Français étaient néanmoins soutenus par plusieurs milliers de *miquelets*, qui se déplaçaient en parallèle sur le flanc des troupes, assaillant les Espagnols et terrorisant les paysans. En réaction, les paysans avaient formé des bandes organisées pour assurer leur propre protection. La campagne était en effervescence.

Passé la fraîcheur des forêts de pins, l'air sec des hauteurs offrait une vue superbe sur les stations géodésiques voisines autant que sur les deux armées qui se battaient pour asseoir leur position dans la vallée en contrebas. Chacune des parties visait la colline dominante. En vingt-quatre jours, pour localiser les positions espagnoles, les Français avaient soutenu onze combats et trois attaques générales. Dans la seule journée du 22 septembre, ils avaient perdu trois mille hommes. Le 1er octobre, des renforts français arrivèrent devant un tir de barrage espagnol et s'emparèrent d'un avant-poste au sommet d'une colline. Le 5, les Français déclenchèrent une canonnade pour protéger une charge de cavalerie. Le 6, ils établirent une nouvelle batterie sur les hauteurs, et le lendemain ils ouvrirent le feu sur le principal camp espagnol du Boulou. Debout sur le pic de la montagne nue, à côté de son étrange signal conique, tout occupé qu'il était à faire des visées avec son instrument à double lunette, Tranchot faisait une très belle cible.

Depuis une semaine il effectuait des mesures de façon intermittente – le temps était variable et des vents violents menaçaient parfois de faire basculer le cercle – quand, le 7 octobre au matin, au moment même où, à Banyuls, une batterie française ouvrait le feu sur les positions espagnoles en contrebas, une bande de six villageois venus du hameau voisin de Valmagne lui tendit une embuscade, au nom de la Révolution. Tranchot protesta de sa loyauté envers la France et jura être un fervent révolutionnaire envoyé en mission par la Convention. Il leur montra ses sauf-conduits, son passeport, et une copie de l'ordre de mission à laquelle il ajouta les nouveaux documents certifiés que Delambre avait envoyés. Malgré cela, les villageois refusèrent de laisser un ingénieur inconnu « [faire] des découvertes de l'état [du front] [7] ». Le Puig de l'Estelle donnait en effet directement sur la vallée où l'armée française poursuivait sa progression. Ils ligotèrent donc Tranchot, le bâillonnèrent, lui attachèrent une corde autour du cou et l'emmenèrent ainsi garrotté jusqu'à leur village, où le maire leur conseilla de le conduire au chef-lieu du district, d'où il fut emmené, sous escorte, jusqu'à Perpignan.

Ce qui aurait pu être une véritable calamité se révéla un heureux coup du sort. Francesc Xavier Llucia, procureur général syndic de la ville de Perpignan, connaissait bien le projet de la méridienne ; il obtint la libération immédiate de Tranchot et fit mieux encore [8]. Quelques semaines plus tôt, Méchain avait prié Llucia de l'autoriser à faire élever des signaux sur les pics du mont Bugarach et du mont Forceral, au-delà des lignes françaises, de manière à pouvoir les observer depuis la frontière. Maintenant que Tranchot se trouvait en zone française, Llucia pouvait lui donner l'autorisation d'élever lui-même les signaux. Une fois ses signaux établis, deux semaines après son arrestation, Tranchot repartit en direction du Puig de l'Estelle pour reprendre les choses où il les avait laissées. À ce moment-là, la bataille de la « Batterie du Sang » menaça d'engloutir son nid d'aigle de la montagne. Pendant plusieurs jours, une colonne de six mille soldats français assaillit le Puig Singli d'où les batteries espagnoles commandaient les hauteurs autour du Boulou. Lors des sept premières attaques les Français furent repoussés, les trois suivantes ils parvinrent à pénétrer les batteries ennemies pour en être chassés aussitôt, et la onzième tentative vit capituler les Espagnols, à court de munitions… jusqu'au lendemain matin où une contre-attaque leur permit de massacrer tous les Français. Gardant son calme au-dessus du chaos, Tranchot parvint à s'acquitter de sa tâche.

Ce devait être la seule et unique station que Méchain lui laisserait observer avec le cercle, tout seul, et l'on se demande bien pourquoi. Ce n'était certes pas à cause d'un manque d'expérience. Tranchot avait travaillé dur pendant vingt ans sur la triangulation de la Corse, une région aussi accidentée que la Catalogne. Né à Kœur-le-Petit, hameau de Lorraine où la France se mêle à l'Allemagne, il avait survécu à une naissance difficile pour devenir un vigoureux jeune homme. Peut-être lui manquait-il d'être allé à l'école ou d'avoir un titre universitaire, mais il comptait au nombre des cartographes les plus compétents de la nation et c'était un homme d'une parfaite intégrité. Au moment de l'achèvement du projet corse, des accusations de fraude scientifique avaient circulé. Les dernières mesures de Tranchot avaient permis de mettre fin à la controverse. Méchain avait lui-même signé le rapport de l'Académie qui reconnaissait la contribution de Tranchot comme « infiniment précieuse pour la précision de la géographie[9] ». De la part de Méchain, il ne pouvait y avoir plus grand éloge. En outre, depuis le temps, Tranchot avait appris à maîtriser le cercle répétiteur. Méchain lui-même admettait qu'il pouvait « [se] reposer sur [Tranchot] comme sur [lui]-même[10] ». Et pourtant, l'astronome avait toujours fourni à son assistant des feuilles comportant les résultats tout préparés, et il ne l'avait jamais laissé faire ses propres calculs, pas plus qu'il ne lui avait permis de consulter ses registres. En cela, il était tout l'opposé de Delambre, qui permettait à Bellet, un simple fabricant d'instruments, d'effectuer les observations, de relever les résultats obtenus et de vérifier les calculs.

De même, il est difficile d'imaginer que les scrupules de Méchain étaient fondés sur des raisons techniques. En 1790, les deux hommes avaient travaillé ensemble, pour la Marine, sur les cartes de la côte méditerranéenne. Méchain savait que Tranchot était un géodésien accompli, mais il ne lui avait jamais été facile de collaborer. Malgré le temps passé à travailler dans le cabinet d'astronomie de Lalande, malgré l'aide de son épouse, qu'il avait acceptée, et malgré son expérience des assistants qu'il employait pour la rédaction des *Temps*, Méchain restait un astronome qui travaillait mieux en solitaire. Ses qualités résidaient dans sa capacité à comprendre la Terre, les planètes et les étoiles. Il connaissait moins bien ses congénères.

Ou peut-être les connaissait-il trop bien justement. Peut-être avait-il appris ce que Tranchot avait réellement eu l'intention de faire au cours de sa petite excursion de l'autre côté de la frontière – et il se demandait peut-être même si, à un moment donné de son incursion en

France, Tranchot n'avait pas rencontré ses supérieurs pour leur donner les plans et les indications géodésiques concernant la situation de toutes les forteresses que l'équipe avait triangulées en Catalogne : Figuères, Girone, Roses, Barcelone et Mont-Jouy – en somme, toutes les plus importantes places militaires du nord-est de l'Espagne. En tant que capitaine ingénieur géographe, Tranchot était tenu de donner cette information à ses chefs [11]. S'en abstenir eût été commettre un acte de trahison, à une époque où la trahison était passible d'exécution immédiate. D'ailleurs, Tranchot était un patriote, un révolutionnaire engagé, et ces plans pouvaient aider la cause républicaine.

Pour Méchain, cependant, c'eût été une trahison : les connaissances scientifiques acquises pour le bénéfice des peuples de la terre entière ne devaient jamais être utilisées à des fins néfastes. Méchain plaçait l'allégeance à la science plus haut que l'allégeance à la nation. À tout le moins, l'incursion de Tranchot en France l'avait fait manquer à la parole donnée au général espagnol. Son sens de l'honneur exigeait qu'il tînt sa promesse. La réputation d'un savant était le signe extérieur qui garantissait sa loyauté envers la science. Faillir à son honneur était pire que trahir.

Voilà qui donne une idée sur la raison réelle qu'avait Méchain de ne pas faire confiance à Tranchot. Puisqu'il avait trahi la mission, qu'est-ce qui empêcherait Tranchot de trahir Méchain et d'usurper sa fonction de responsable de l'expédition sud ? Jusqu'à présent, le géographe avait à son crédit bon nombre des succès de cette expédition, et si l'astronome devait être mis dans l'incapacité de continuer, c'était lui qui serait très probablement appelé à le remplacer. Cette idée hantait Méchain et le poussait à retourner dans les Pyrénées, malgré sa blessure au bras droit.

De la station où ils se trouvaient, au sommet du Puig Camellas, Méchain et le capitaine Bueno avaient eu leur propre aperçu de la bataille du Tech [12]. De là en effet, ils pouvaient voir au-delà des lignes de combat, jusque dans Perpignan, où les généraux français avaient ordonné les opérations de libération de la ville assiégée. Ils avaient vue aussi sur la Catalogne espagnole, au sud, et sur l'autre côté de Figuères, où se trouvait une tourelle en ruines noircie par les embruns, la tour de Mala-Vehina (la « tour du méchant voisin »), sur une crête qui appartenait au capitaine Bueno lui-même. Ils pouvaient apercevoir enfin, au nord, les monts Bugarach et Forceral, situés en plein cœur du territoire français, là où Tranchot avait installé ses signaux. Et le 25 octobre, par une claire et radieuse matinée, alors qu'ils ajustaient leurs lunettes sur l'autre côté de la vallée du Tech, ils aperçurent une forme humaine au sommet du Puig de l'Estelle, debout à côté du signal à double cône – une silhouette sombre sur un fond de ciel bleu, penchée sur un cercle de cuivre étincelant. C'était Tranchot, qui manipulait les lunettes de son cercle pendant que grondait la bataille dans la vallée qui les séparait.

Quand Méchain termina ses mesures dix jours plus tard, Tranchot était toujours occupé à trianguler. Une semaine passa, puis une autre encore, et Tranchot ne revenait toujours pas. Méchain commençait à s'inquiéter. Il était moins préoccupé par le sort de son assistant que par l'éventualité de le voir rester en France. Une fois les mesures angulaires effectuées, la partie catalane de leur mission était terminée. Lalande, en tout cas, espérait que Tranchot resterait en France et il pressa même Méchain de passer la frontière en catimini pour le rejoindre [13].

C'était sous-estimer le côté scrupuleux de Méchain, qui envoya un message à Tranchot, lui enjoignant de revenir immédiatement en Espagne : « Il est de mon devoir, de mon honneur de vous prescrire de ne pas passer sans moi, ni par une autre route, ni par d'autres moyens ; c'est pour cela et non même pour la suite de la mission que j'insiste fortement. Ce serait vouloir nous exposer à une grande disgrâce – et très méritée – que de vous conduire autrement [14]. » L'enjeu était bien plus grand que le simple aboutissement d'un projet scientifique, même si celui-ci était « le plus important qui ait jamais été confié à l'homme ». Le véritable enjeu, c'était la réputation de Méchain en tant qu'homme de parole.

C'est ce moment que choisit l'armée espagnole pour contre-attaquer. Profitant du fait qu'ils étaient supérieurs en nombre, les Espagnols repoussèrent une nouvelle fois les Français vers la vallée du Tech, s'emparèrent des villes côtières de Collioure et de Banyuls, et assiégèrent à nouveau Perpignan. Ce faisant, ils interdisaient tout accès à Tranchot, qui se trouva condamné à rester en France, dit-il, « par la force des armes [15] ». Perpignan était devenu le théâtre d'une lutte politique acharnée entre modérés et radicaux. Une nouvelle fois on guillotina un général français pris en défaut. Les personnes soupçonnées d'activités contre-révolutionnaires, et particulièrement celles qui avaient des liens avec l'aristocratie, le clergé ou le parti girondin, faisaient l'objet d'exécutions sommaires. Parmi elles figurait Llucia, ce révolutionnaire catalan français qui avait un jour déclaré qu'il était temps « d'électriser toutes les âmes [16] ». Il avait sauvé Tranchot, mais il ne parvint pas à se sauver lui-même et préféra le suicide à une exécution inévitable. Une cinquantaine de têtes tombèrent durant ce mois dans la seule ville de Perpignan. Cette fois, il n'y eut que le mauvais temps pour mettre un frein à l'avance espagnole. Les pluies de novembre, en effet, mirent un terme aux deux campagnes, militaire et géodésique. Dans la vallée du Tech, les soldats dormaient dans la boue. Méchain rentra à Barcelone. Dans le courant de l'hiver, Tranchot retraversa la frontière pour le rejoindre.

Cette preuve de l'intégrité des Français ne suffit pas à convaincre le général Ricardos. Insensible aux demandes officielles comme aux requêtes personnelles, il insista : l'équipe devait rester à Barcelone jusqu'à la fin de la guerre. Méchain ne serait pas non plus autorisé à poursuivre ses envois de communiqués comportant chiffres et quantités numériques ; ceux-ci seraient considérés comme des messages codés et confisqués à la frontière [17]. Aucun chef militaire ne pouvait sciemment laisser ces renseignements tomber entre les mains ennemies, même si, en fait, Ricardos était en train de hisser un pont-levis bien après que les fossés avaient été franchis.

Au printemps, la fortune des armes tourna encore une fois. En mars, le victorieux général Ricardos trouva la mort lors d'un séjour à Madrid. Il fut remplacé par La Unión, le plus jeune général de l'armée espagnole, un fervent catholique doté d'un sens aigu des valeurs morales et qui n'éprouvait que répulsion pour l'athéisme populiste de la Révolution française. Peu après, la Convention nomma à la tête de l'armée des Pyrénées-Orientales un autre général français, Jacques Coquille Dugommier [18], qui venait de remporter une victoire sur les Anglais à Toulon, où il avait été le commandant du jeune capitaine Napoléon Bonaparte. Très vite, Dugommier mit à exécution le plan de campagne républicain visant à libérer, ou plutôt à subjuguer, la Catalogne. Il déclara celle-ci mûre pour la Révolution. La province était riche en minerai et comptait de nombreuses industries. Les Catalans aimaient leur liberté et haïssaient leurs suzerains espagnols. S'ils épousaient la cause de l'égalité et devenaient une République autonome, la Catalogne pourrait être le boulevard qui mènerait au reste de la péninsule Ibérique.

Dugommier attaqua dès que la saison le permit. À la mi-juin, les Français avaient reconquis les cols de haute montagne et commencé à descendre le versant sud des Pyrénées. Les Espagnols se replièrent vers la forteresse de Figuères, sur la grande route, et pour protéger leur flanc droit, ils postèrent neuf mille soldats et disposèrent plus de trente-deux pièces d'artillerie à la tour de Mala-Vehina, sur les terres appartenant au collaborateur cartographe de Méchain, le bon capitaine Bueno. Si Figuères tombait, ce qui était probable, la voie serait alors ouverte pour atteindre Gérone, puis, au-delà, Barcelone.

Depuis les neuf derniers mois, Méchain était sans nouvelles de ses confrères restés en France ; il n'avait entendu que des rumeurs. Il leur écrivit cependant une longue lettre. Il n'avait pas réussi, disait-il, à obtenir de place sur un bâtiment qui lui eût permis de sortir de Barcelone, et les Espagnols le maintenaient « injustement détenu ». L'Académie ayant été supprimée, comme il l'avait appris dans les journaux, il supposait que le projet de la méridienne avait été suspendu lui aussi et que la détermination du mètre se ferait par rapport au pendule, comme il était initialement prévu. Si l'annulation de sa mission était bien réelle, il souhaitait en être informé immédiatement. Dans le cas contraire, il avait une idée sur la façon de terminer la mesure du méridien pour la fin de l'année. Il avait imaginé tout un scénario. Dès que le général espagnol le relâcherait, il rentrerait en France et opérerait les triangulations vers le nord en allant à la rencontre de Delambre. Comme en France le terrain avait déjà été triangulé et cartographié par Cassini, il se contenterait de vérifier les anciennes mesures angulaires à l'aide du cercle répétiteur. En commençant le mois prochain, il pourrait être arrivé à Évaux pour le mois de juillet. Évaux était le point médian de l'arc de méridien, bien au-delà du nord de Rodez où était prévu le point de rencontre avec Delambre. Avec un peu de chance, il pourrait même remonter jusqu'à Bourges, ce qui voudrait dire qu'il aurait triangulé les deux tiers de la longueur totale de l'arc, au lieu du tiers qui lui avait été attribué. Les deux astronomes pourraient alors mesurer ensemble les deux bases en août, l'une dans le secteur de Delambre et l'autre dans son secteur à lui, au sud, et ils pourraient en avoir fini avec leur mission pour la fin de l'été.

Il n'y avait qu'un seul problème. Le général espagnol refusait de le laisser partir. Méchain se lamenta : « Mais, hélas ! Où suis-je ? dans les fers ! et j'y parle comme un homme libre de se livrer à l'ardeur de son zèle pour le succès de cette superbe entreprise. Nous avons cherché cependant à rendre notre esclavage utile, si ce n'est à la mission principale, du moins à l'astronomie [19]. »

Il était en effet trop obnubilé par l'astronomie pour rester sans rien faire. Si l'accès à Mont-Jouy lui était refusé, on ne lui avait en revanche pas interdit de travailler depuis l'auberge où il logeait à Barcelone. Aussi décida-t-il en décembre de réorganiser son observatoire sur la terrasse de la Fontana de Oro. Cette fois, il profiterait du solstice d'hiver pour mesurer l'angle d'inclinaison de l'axe de rotation de la Terre par rapport à son orbite autour du Soleil. Pour cela, il aurait également besoin de déterminer avec précision la latitude de la terrasse de l'auberge, car les résultats obtenus l'hiver précédent à Mont-Jouy ne lui seraient ici d'aucune utilité. En effet, s'il était facile d'observer la forteresse à partir du sud de la ville, il n'en restait pas moins qu'elle se trouvait à plus de mille toises. Puisqu'il était en possession de l'instrument d'astronomie le plus précis du monde, Méchain entendait effectuer la mesure la plus exacte jamais réalisée depuis quatre mille ans. Enfin, argument supplémentaire, les observations faites ici serviraient à vérifier son calcul de la latitude de Mont-Jouy.

Les raisons qui poussèrent Méchain à entreprendre ces observations, dont le résultat allait le hanter pendant le reste de ses jours, semblent plutôt complexes – ce qui est souvent le cas. L'astronome souhaitait certainement prouver à ses confrères parisiens et à ses hôtes espagnols qu'il était toujours aussi méticuleux qu'avant, et que son accident du mois d'avril 1793 n'avait pas diminué ses moyens[20]. Cela lui permettait d'une part de couper court à toute velléité de nommer quelqu'un d'autre à sa place dans cette opération, et d'autre part de faire la preuve de son zèle, à une époque où ceux qui refusaient de servir la cause publique risquaient la peine capitale.

Méchain était tourmenté par une autre question qui avait trait à ses travaux antérieurs. Pour calculer la latitude de Mont-Jouy, il avait mesuré la distance zénithale de six étoiles différentes : l'étoile Polaire, β de la Petite Ourse, α du Dragon, ζ de la Grande Ourse, Elnath et Pollux. Dans ce domaine, faire plus était toujours faire mieux. La minutie était toujours récompensée. Pour sa dernière analyse, Méchain avait utilisé les résultats des quatre premières étoiles pour lesquelles il avait fait le plus grand nombre de lectures. Les trois premières convergeaient de façon remarquable, avec des latitudes moyennes de 41°21'44,91" pour la Polaire, 41°21'45,19" pour α du Dragon, et également 41°21'45,19" pour β de la Petite Ourse. L'écart total entre les valeurs obtenues était infime : 0,3 seconde d'arc. Cela voulait dire que Méchain avait déterminé l'emplacement de la tour de Mont-Jouy à seulement une trentaine de pieds près. C'était là un magnifique exemple de sa virtuosité dans les calculs astronomiques, et cette précision lui avait justement valu d'être chargé de la partie sud de l'expédition.

Les résultats obtenus à partir de la quatrième étoile, ζ de la Grande Ourse, s'écartèrent malheureusement des trois autres, donnant une latitude de 41°21'41", soit une différence de quatre secondes d'arc, ou quatre cents pieds. Méchain fut irrité de cette anomalie. Pourquoi les mesures relatives à cette seule étoile étaient-elles multipliées par dix par rapport aux autres ? C'était là une question naturelle pour un philosophe naturaliste. Pourtant, à ce stade, Méchain aurait pu s'en tenir là. Dix ans plus tôt encore, on aurait considéré qu'un écart de quatre secondes était un résultat remarquable. Cela représentait l'équivalent d'à peine plus de 0,01 pour cent des cinq cent mille toises que faisait l'arc de méridien entre Dunkerque et Mont-Jouy. D'ailleurs, l'astronome avait déjà donné un condensé de ses résultats à ses hôtes espagnols et il en avait expédié un autre à Borda.

D'autre part, Méchain avait une hypothèse qui pouvait expliquer cet écart. Ah, ce « d'autre part » ! Pourquoi est-ce toujours avec un « d'autre part » que les hommes de science ouvrent la boîte de Pandore ? Car s'ils l'ouvrent, ce n'est pas pour se compliquer la vie. Souvent ils ne cherchent qu'à se rassurer eux-mêmes, à confirmer ce qu'ils croient déjà savoir à un niveau plus intuitif. Cependant, pour leur bonheur ou pour leur malheur, ils ignorent ce qu'ils croient savoir. Parfois même, ils ont la chance de s'être trompés. Et c'est à ce moment-là, comme disait le grand physicien Enrico Fermi, que l'on « fait une découverte * ».

Méchain supposa que le problème posé par ζ de la Grande Ourse venait de la réfraction. Les corrections de la réfraction avaient été faites par des astronomes de Londres et de Paris. Peut-être ne convenaient-elles pas pour des villes du sud comme Barcelone, où le passage d'un astre au méridien se faisait en un point plus proche de l'horizon et où les fortes températures faussaient les visées dans l'atmosphère. De toutes les étoiles mesurées, ζ était celle dont le transit avait lieu au point le plus proche de l'horizon. Les corrections apportées étaient faibles au départ, bien sûr, et tout ajustement ne pouvait être que plus faible encore ; mais l'opération de la méridienne visait un degré de précision inconnu jusqu'alors. La précision du cercle répétiteur n'avait pour limites que la patience de l'observateur. Et Méchain refusait de croire que la faute incombait aux étoiles.

L'astronome passa donc l'hiver 1793-1794 à faire des observations nocturnes sur la terrasse de son auberge à Barcelone. Avec Tranchot qui tenait la lanterne et vérifiait le niveau à bulle, Méchain, accroupi comme avant, faisait tourner le cercle, puis la lunette, attentif au battement du pendule au moment du passage de l'étoile à travers le méridien. Ensuite il faisait à nouveau pivoter le cercle, puis la lunette, et il répétait les mesures, à l'œil et à l'oreille. Il observa le ciel à la veille de Noël, la nuit de Noël, à la Saint-Sylvestre, la première nuit de la nouvelle année ainsi que toutes les nuits sans nuages des mois de décembre, janvier, février et mars. Il fit neuf cent dix lectures stellaires, avec pour chacune dix répétitions ou plus, ce qui l'amena à un

---

* « Si les résultats confirment l'hypothèse, alors on a fait du mesurage. S'ils l'infirment, on a fait une découverte » Enrico Fermi (1901-1954) [N.d.T.].

total herculéen de dix mille observations. Ensuite, pendant la journée, à l'intérieur de l'auberge cette fois, il brassait toute cette masse de résultats, et faisait ses calculs avec ses tables de réfraction et ses tables logarithmiques à ses côtés. Début mars, il avait déterminé la latitude nord de l'auberge, soit 41°22'47,43" par rapport à la Polaire, 41°22'48,38" avec β de la Petite Ourse, et 41°22'44,10" avec ζ de la Grande Ourse. Une fois de plus, les résultats concernant les deux premières étoiles concordaient de manière impressionnante, à une seconde d'arc près (cent pieds), ce qui faisait de la Fontana de Oro l'auberge la plus exactement située du monde. Cependant, une fois encore, les observations de ζ de la Grande Ourse produisirent des résultats discordants, avec une différence d'environ quatre cents pieds par rapport aux deux autres.

Une dernière étape allait mettre fin au mystère. Méchain devait désormais comparer ses nouveaux résultats concernant la latitude de la Fontana de Oro avec les résultats de Mont-Jouy, en soustrayant la distance entre les deux stations. Bien entendu, le calcul de cette distance était précisément le genre d'opération pour laquelle il était équipé dans le cadre de cette expédition. Il triangula donc son auberge, Mont-Jouy et la cathédrale de Barcelone, et pour vérifier son résultat, il réalisa une seconde triangulation avec son auberge, Mont-Jouy et le sommet de la lanterne qui servait de phare. Le seul ennui était que, pour opérer la triangulation avec précision, il lui fallait prendre les mesures angulaires de chaque station et que le fort de Mont-Jouy lui était interdit en tant que Français. Être si près du but et ne pas pouvoir l'atteindre !

À la mi-mars, aidé de Tranchot, il avait terminé les mesures de son auberge, de la cathédrale et de la lanterne. Entre-temps, il avait apparemment réussi à convaincre le commandant du fort de Mont-Jouy de lui accorder une seule journée dans l'ancien observatoire qu'il avait construit dans la tour du château. Aussi, le dimanche 16 mars 1794, jour de printemps au ciel légèrement couvert, Méchain grimpa-t-il au sommet de Mont-Jouy pour y effectuer une dernière triangulation, alors que plusieurs centaines de ses camarades-citoyens languissaient dans la prison juste en dessous [21]. Ensuite, le savant retourna à l'auberge pour y faire ses calculs.

Très vite il s'avéra que les chiffres concordaient. D'après les triangulations, Mont-Jouy était situé à 59,6 secondes d'arc de l'auberge, soit à huit cent quatre-vingt-quatre toises au sud. Comparer cette distance avec les deux mesures de la latitude était l'affaire d'une simple soustraction. Après avoir soustrait 59,6 secondes de la latitude moyenne de la Fontana de Oro (41°22'47,91"), on devait obtenir un

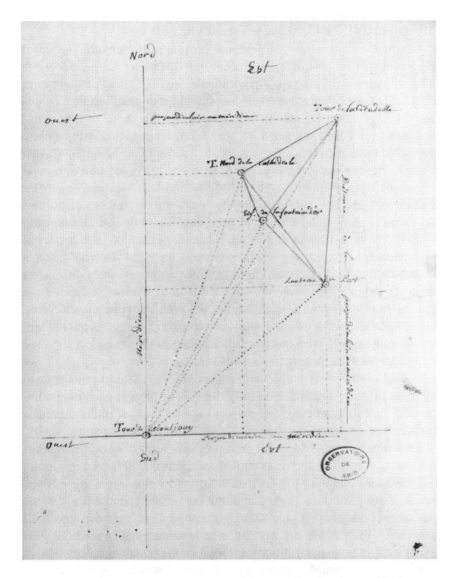

14. Triangulations opérées par Méchain à Barcelone en 1794

Il s'agit ici du tracé, réalisé par Méchain lui-même, des triangulations opérées dans la ville de Barcelone en 1794, dans le but de vérifier la distance entre la Fontana de Oro et la forteresse de Mont-Jouy. La Fontana de Oro est située au centre d'un diamant. Méchain avait élaboré deux triangles dont chacun comprenait Mont-Jouy et son auberge : l'un avait pour troisième sommet la tour septentrionale de la cathédrale, et l'autre la lanterne (le phare) [extrait des archives de l'Observatoire de Paris].

résultat égal à la moyenne de la mesure la plus fiable de la latitude de Mont-Jouy (41°21'45,10"). Cela serait vite fait.

On peut imaginer le sentiment d'horreur qui l'envahit lorsqu'il s'aperçut que les résultats affichaient une différence de 3,2 secondes d'arc. Toutefois, il ne fallait pas ramener ces 3,2 secondes aux cinq cent mille toises de l'arc de méridien qui allait de Dunkerque à Mont-Jouy, ce qui aurait fait une différence négligeable de 0,01 pour cent ; il fallait plutôt les ramener à un arc de huit cent quatre-vingt-quatre toises, soit une différence incroyable de 5,4 pour cent. Au lieu d'avoir trouvé une explication qui permettrait d'en finir avec une anomalie concernant ses résultats de Mont-Jouy seulement, Méchain se retrouvait confronté à une anomalie dont les proportions étaient terrifiantes. Alors qu'il avait déterminé, une première fois, une latitude de quarante pieds, puis, plus tard, une autre de cent pieds, il venait de découvrir que ses deux moyennes présentaient un écart de trois cents à quatre cents pieds. Il avait dû se tromper dans ses observations ou dans ses calculs. Mais où ? À quels chiffres pouvait-il se fier ? Et le plus affreux dans tout cela était qu'il avait déjà envoyé un abrégé de ces résultats, ceux de Mont-Jouy, à ses confrères parisiens qui allaient vouloir partir de là pour calculer la longueur du mètre, étalon suprême pour tous les hommes, pour tous les temps.

C'était comme s'il avait cherché à accorder un Stradivarius et qu'il en avait brisé le manche. Son intégrité l'avait plongé dans une situation critique. Il avait essayé de sauver sa réputation, et il n'avait réussi qu'à mettre en doute ses capacités. Que s'était-il donc passé ?

En temps normal, Méchain serait tout simplement retourné à Mont-Jouy et il y aurait effectué d'autres observations stellaires ; mais les circonstances n'étaient pas normales. Son laissez-passer d'une journée lui avait été accordé à titre exceptionnel et à contrecœur ; il n'y aurait pas de seconde chance pour un ennemi de la Couronne espagnole. Et jour après jour, à mesure que l'armée révolutionnaire pénétrait plus avant en Catalogne, le climat politique se dégradait. La République avait promis au peuple catalan d'instaurer une république « sœur » qui lui serait propre ; la Couronne espagnole, elle, avait entrepris une guerre de religion contre l'athéisme. Certains habitants de Barcelone soutenaient les révolutionnaires, d'autres réagissaient fortement contre l'impiété française. Il ne faisait pas bon être français à Barcelone [22].

En outre, rien ne semblait désormais faire obstacle au départ des astronomes français. Ricardos s'y était opposé, mais il était mort. Tranchot et Esteveny avaient hâte de rentrer en France, où les attendaient leurs obligations, mais aussi leurs collègues, leurs amis et leur famille. Méchain se trouvait cependant devant un terrible dilemme. Il n'avait parlé à personne de son erreur, pas même à Tranchot. Il était libre de partir, mais allait-il oser laisser son erreur derrière lui ? Une fois qu'il aurait quitté l'Espagne, comment pourrait-il jamais revenir à Mont-Jouy ? D'un autre côté, comment pourrait-il justifier de rester dans un pays étranger – et ennemi – maintenant que son travail y était terminé ? Il n'osait pas risquer de donner l'impression qu'il cherchait à émigrer. Une rumeur de la sorte suffirait à amener les autorités parisiennes à supprimer son salaire, à emprisonner sa famille et à l'empêcher définitivement de rentrer en France.

Alors, suivant les conseils de ses amis espagnols, il se débrouilla pour obtenir un passeport pour l'Italie, pays neutre, sous prétexte que cela ne serait pas sujet à caution, et il évita ainsi d'avoir à informer le général La Unión de son départ. Fin mai, après deux années passées en Catalogne, Méchain se prépara à embarquer sur un navire vénitien en partance pour Gênes, la ville italienne la plus proche de la frontière française. S'il s'attendait toujours au pire, Méchain n'en attirait pas moins son lot de calamités et son pessimisme ne le protégeait guère. Le 25 mai, trois jours après qu'il eut chargé ses précieux cercles répétiteurs sur le navire à quai dans le port de Barcelone, la foudre frappa le mât du bateau, éventra les caisses en bois qui contenaient les cercles, et calcina l'un des supports. En apparence les cercles étaient intacts, mais ce coup de foudre avait été comme une dernière salve, et l'on ne pouvait trouver plus approprié, venant de la Catalogne. Ils partirent le 4 juin [23].

*

Rien de tout cela ne parvint jusqu'à Paris. Là-bas, tout le monde pensait que Méchain avait été placé en détention par les généraux espagnols (peut-être pour avoir fait passer en France les plans des forteresses). N'avait-il pas lui-même écrit à ses proches qu'il était « injustement détenu » à Barcelone ? Ne s'était-il pas plaint d'être « dans les fers » ? Si les termes étaient métaphoriques, voire mélodramatiques – car Méchain avait été confortablement installé, durant tout ce temps, à la Fontana de Oro –, ses confrères informèrent néanmoins le général Dugommier que l'astronome français était retenu contre sa volonté. À la mi-juin, deux semaines après le départ de Méchain pour l'Italie, Dugommier écrivit une lettre indignée à son homologue espagnol, le jeune et très croyant général La Unión, dans laquelle il exigeait la libération du Français : « Je saisis cette occasion pour réclamer, au nom de la République française qui protège les savants de tous les pays et qui sait venger les outrages faits aux siens, au nom des arts dont le libre exercice fut respecté dans tous les temps et chez toutes les nations, le citoyen Méchain, astronome chargé de voyager pour prendre la mesure de l'arc du méridien, et ses deux coopérateurs détenus, comme lui, à Barcelone par les ordres de ton prédécesseur – ou par les tiens [24]. » Cette leçon ne fut pas la seule que le général républicain crut bon de donner au monarchiste barbare. « Ces savants ne peuvent être traités ni considérés, sous aucun rapport, comme des militaires, écrivit encore Dugommier. Leurs arts paisibles n'eurent jamais rien de commun avec la guerre, et à moins d'une violation inouïe, et du droit des gens et des conventions reçues jusque parmi les peuples les moins civilisés, tu ne peux te refuser de les rendre tous trois à la liberté et à leur patrie. » Et il insista : la mission de Méchain devait « être respectée sur tout le globe [25] ».

Pas plus que les Français, le général La Unión ne savait où se trouvait Méchain. En revanche, il savait très bien où était son honneur. Jamais il n'avait fait obstacle aux progrès de la science, pas plus qu'il ne s'était déshonoré en retenant contre sa volonté un citoyen innocent. « Si son libre témoignage prouve qu'il a été retenu par le gouvernement et par moi, je passerai pour un imposteur à la face de l'univers », écrivit-il en retour, avant de glisser une accusation voilée à l'encontre des Français impies. Comme tous ses compatriotes, déclara-t-il, il appréciait chez Méchain « non seulement la science, mais aussi les vertus morales [26] ». Toutefois, au cas où ces vertus seraient passées inaperçues aux yeux de certains, il demanda en privé aux autorités barcelonaises de traiter Méchain de façon honorable et de veiller à ce qu'il ne manquât de rien. À ce moment-là bien sûr, cela faisait déjà des mois que Méchain se trouvait loin des frontières espagnoles.

Au cours de l'automne, le siège de Figuères connut sa phase la plus intense. Le général Dugommier y trouva la mort le 17 novembre, emporté par un éclat d'obus alors qu'il était occupé à observer la victoire imminente de ses troupes. « Dugommier est mort au champ d'honneur, déclara alors le représentant de la Convention, il demande vengeance et non des larmes [27]. » Trois jours plus tard, le général La Unión le suivit dans la tombe, tué de deux balles de mousquet au cours d'une attaque française particulièrement meurtrière. Les Français chassèrent les Espagnols de la crête où se trouvait la tour du capitaine Bueno ; ils forcèrent Figuères à capituler et avancèrent vers l'est en direction de la côte. Cependant leurs succès eurent tôt fait de venir à bout de leur résistance. Le ravitaillement ne se faisait plus correctement. Le nombre de désertions augmentait. Les deux nations entamèrent des pourparlers pour mettre un terme au conflit et, en juillet 1795, elles signèrent le traité de Bâle qui redonna à la frontière la même position ambiguë qu'elle occupait avant la guerre. Mais Méchain n'avait aucunement la possibilité de retourner à Mont-Jouy.

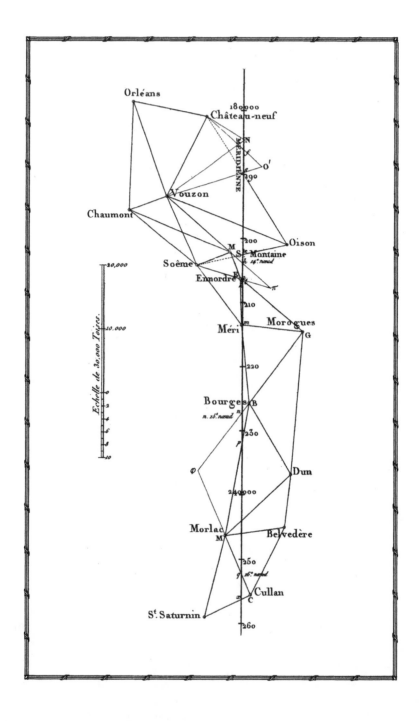

5

Un peuple de calculateurs

« Il y a certaines idées d'uniformité qui saisissent quelquefois les grands esprits (car elles ont touché Charlemagne), mais qui frappent infailliblement les petits. Ils y trouvent un genre de perfection qu'ils reconnaissent, parce qu'il est impossible de ne le pas découvrir : les mêmes poids dans la police, les mêmes mesures dans le commerce, les mêmes lois dans l'État, la même religion dans toutes ses parties. Mais cela est-il toujours à propos sans exception[1] ? »

Charles DE SECONDAT DE MONTESQUIEU,
De l'esprit des lois, 1750

« Nous voici à un des chapitres les plus curieux de l'ouvrage. C'est un de ceux qui ont valu à Montesquieu l'indulgence de tous les gens à préjugés, de tous ceux qui haïssent les lumières, de tous les protecteurs des abus, etc. Les idées d'uniformité, de régularité, plaisent à tous les esprits, et surtout aux esprits justes... L'uniformité de poids et de mesures ne peut déplaire qu'aux gens de loi qui craignent de voir diminuer le nombre de procès, et aux négociants qui craignent tout ce qui rend les opérations du commerce faciles et simples... Une bonne loi doit être bonne pour tous les hommes, comme une proposition vraie est vraie pour tous[2]. »

M.-J.-A.-N. DE CONDORCET,
Observations... sur l'Esprit des lois, 1793

Delambre avait été contraint de s'arrêter brutalement. Méchain était retenu derrière les lignes ennemies. Tel un pont suspendu que l'on aurait abandonné juste après en avoir élevé les culées, l'opération de la méridienne avait été interrompue au beau milieu de son déroulement, laissant entre les deux astronomes une travée inachevée dont la portée était longue comme la moitié de la France. Pour les conventionnels, ce n'était pas un problème. Ils considéraient l'arc de méridien comme une absurdité monumentale. Maintenant qu'ils avaient le mètre provisoire entre les mains, ils pouvaient laisser à l'abandon les ruines de la méridienne inachevée, l'image même de la présomption scientifique. Pour eux, le défi à relever ne consistait pas à atteindre une précision extrême et encore inconnue, mais plutôt de faire profiter le peuple des bienfaits du système métrique. Cela revenait à mettre une règle entre les mains de vingt-cinq millions de Françaises et de Français.

Or, le 1er juillet 1794, date à laquelle l'usage du système métrique fut rendu obligatoire, le gouvernement révolutionnaire avait fait distribuer moins d'un millier de règles, et pas un seul citoyen français n'avait encore mis en pratique le nouveau système. Même les petits fonctionnaires qui devaient rendre des comptes au tyrannique Comité de salut public persistaient à utiliser les anciennes mesures dans la rédaction de leurs mémoires, rendant ainsi impossible tout contrôle de l'administration centrale sur les réserves de grain. Prieur de la Côte-d'Or et les autres membres du Comité appelèrent leurs subordonnés à se servir du nouveau système métrique pour régler les affaires de la nation [3]. Ils dénoncèrent le caractère féodal de la diversité des mesures comme un reste barbare de l'Ancien Régime, et ils exprimèrent leur sentiment de frustration : pourquoi le peuple, qui avait mis tant d'ardeur à réclamer une réforme des poids et mesures dans ses cahiers de doléances, était-il devenu subitement si réticent devant le système métrique ?

Ce paradoxe n'aurait pas paru aussi étrange si les politiques et les savants de l'époque ne s'étaient pas entêtés dans leur indifférence à l'égard de ce que signifiait la diversité des mesures sous l'Ancien Régime, et s'ils avaient bien voulu considérer l'importance du changement qu'ils cherchaient à imposer – un changement qui allait justement permettre de comprendre le sens de la mesure des choses, pour eux et leurs descendants. La métrologie moderne permet de décrire des objets en utilisant des unités de mesure abstraites définies par rapport à un étalon absolu. Il en était ainsi pour le nouveau système métrique que les Français cherchaient alors à établir, et cela est également vrai pour le système non métrique, toujours en vigueur aux États-Unis. Les deux systèmes font appel à des grandeurs mesurables qui restent fixes, quel que soit l'objet mesuré ou l'instrument de mesure utilisé. Un mètre est un mètre, un pied est un pied, une livre est une livre et un kilo est un kilo. Les dimensions de n'importe quel objet peuvent être données par référence à ces unités. Leur ultime garant est une agence nationale ou internationale, qui a à sa disposition des étalons précis et une équipe d'inspecteurs pour les vérifier. On ne voit plus guère d'inspecteurs aujourd'hui, car la capacité de contrôle a été intégrée aux instruments de mesure que nous utilisons tous les jours : règles, balances, cylindres gradués, horloges ou jauges. Sauf en cas de litige, les inspecteurs ne sont plus vraiment obligés d'en vérifier le calibrage. Jusque-là, confiance est faite aux instruments. Ce système de mesure est adapté à notre économie moderne, dans laquelle acheteurs et vendeurs, éloignés dans le temps et dans l'espace, pratiquent des échanges impersonnels en ayant la certitude que leurs mesures sont des quantités ou des grandeurs commensurables.

Sous l'Ancien Régime, en revanche, la mesure était inséparable de l'objet mesuré et des usages de la communauté locale. Ce n'étaient pas de lointains bureaucrates qui faisaient respecter la juste mesure, c'étaient les gens du pays eux-mêmes, qui devaient répondre de leur honnêteté devant leurs voisins. Loin d'être irrationnel ou contre nature, ce salmigondis de mesures différentes avait réellement un sens pour les paysans, les artisans, les négociants et les consommateurs qui les pratiquaient au quotidien.

Pour commencer, chaque mesure effectuée sous l'Ancien Régime se référait à un étalon physique *particulier*, qui se trouvait à la disposition des gens du pays et qui était garanti par les autorités locales. À l'échelon communal, par exemple, les matériaux utilisés dans le bâtiment pouvaient être mesurés d'après une brasse en métal scellée dans le mur de la halle du marché. À l'échelon local, le pesage du pain se faisait à partir d'une livre de référence conservée au siège de la corporation des boulangers. Dans les districts, on utilisait pour le grain une mesure de capacité qui était la copie d'un boisseau gardé en lieu sûr dans le château seigneurial. Pour le vin, les mesures de capacité locales étaient dérivées d'une barrique modèle entreposée dans les caves du monastère dont le vignoble était la propriété. Il revenait aux autorités locales – échevins, maîtres de corporations, seigneurs et pères abbés – de garantir la conformité des mesures à leur étalon et de veiller à l'équité des échanges commerciaux sur les marchés. En retour, ils étaient en droit de percevoir une petite commission, pour le service rendu.

Non seulement ces étalons-modèles différaient d'une communauté rurale à l'autre, mais la méthode employée dépendait elle aussi des coutumes locales. Dans certains districts, on mesurait le grain à comble, en remplissant le boisseau jusqu'à la formation d'un cône ; dans d'autres, on pratiquait la mesure à ras, en égalisant la surface ;

15. Les mesures de l'Ancien Régime dans la ville de Laon

À Laon, ville natale de Méchain, on peut encore voir les mesures étalons d'avant la Révolution, scellées dans le mur, sous le porche de l'ancien hôtel de ville. Elles comptent parmi les dernières mesures de l'Ancien Régime à être encore visibles *in situ*. De gauche à droite : le « T » qui servait à mesurer les barriques, les rectangles qui faisaient office de matrices pour calibrer les briques (en haut) et les tuiles (en bas), et le « I » qui représentait une aune (dont la longueur était d'environ trois pieds) et servait à mesurer l'étoffe (ph. musée de Laon).

dans d'autres encore, on tapait sur le boisseau pour en tasser le contenu. La pratique courante locale dictait même la hauteur à partir de laquelle il fallait verser le grain dans le récipient, puisque le contenu pouvait se tasser de lui-même pendant l'opération. Un petit coup de coude pouvait modifier la quantité de grain dans le boisseau : la différence était grande alors pour ceux qui payaient leurs impôts en nature comme pour ceux qui achetaient et vendaient les denrées alimentaires en vrac, c'est-à-dire la grande majorité de la population. De la même façon, l'unité utilisée par les drapiers, l'*aune*, faisait généralement la largeur des métiers à tisser de la région. Ainsi obtenait-on une *aune* carrée d'étoffe en pliant rapidement celle-ci en triangle. Le marchand pouvait aussi mesurer son étoffe en plaçant un bout sous son nez et en tendant l'autre avec le bras, puis en ajoutant la valeur d'un pouce, « pour faire bonne mesure [4] ». Sous l'Ancien Régime, la notion de quantité était donc liée aux rites et aux usages locaux.

Les étalons étaient susceptibles d'être discutés, négociés et modifiés avec, bien sûr, l'assentiment de la communauté locale. En effet, dans beaucoup d'endroits, la mesure de capacité que les gens du pays désignaient sous le nom de « boisseau » avait en réalité évolué au fil des ans et au gré des conflits entre seigneurs et métayers à propos de sa « vraie » valeur (qui devait déterminer un niveau d'imposition convenable et un juste prix pour les denrées de base). En tant que telles, les mesures locales rendaient compte de l'état d'équilibre des forces en présence au sein de la communauté. Si les gens de l'extérieur ne pouvaient comprendre en quoi ces mesures étaient justes, les acheteurs et les marchands du coin, eux, savaient ce qu'il en était, et c'est peut-être là que résidait l'un des principaux avantages de la diversité à l'échelon local. Elle permettait en effet de tenir les étrangers à l'écart. La spécificité des mesures protégeait les marchands des bourgs contre les négociants des grandes villes, au moins en obligeant ces derniers à payer des droits avant de pouvoir se présenter sur le marché local. Les corporations d'artisans prenaient en charge leurs propres mesures, de façon à définir les caractéristiques de leurs produits, à repérer les commerçants malhonnêtes et à les écarter des affaires à coups de procès ruineux. Ce qui était vrai autrefois pour les armuriers et les chapeliers l'est aujourd'hui pour l'informatique. Avoir la maîtrise des étalons revient à maîtriser les règles de la vie économique, et sous l'Ancien Régime les étalons étaient tous définis localement. Néanmoins, sous cette diversité locale se cachait le sens profond que revêtait à l'époque l'acte de mesurer.

De nombreuses mesures de l'Ancien Régime[5], notamment celles qui étaient liées au monde de la production, avaient à l'origine une signification anthropométrique, dérivée des besoins ou des intérêts de l'homme. Cela ne voulait pas dire pour autant qu'elles reflétaient les mensurations du corps humain et que le *pied*, par exemple, était aussi long que le pied du roi ou qu'un pied humain moyen. En revanche, bien souvent, un grand nombre de ces mesures représentaient la quantité de travail qu'une personne pouvait accomplir dans un laps de temps donné. Ainsi, dans telle région, le charbon était-il mesuré en *charges*, équivalentes chacune au douzième de la production journalière d'un mineur. La terre arable était souvent mesurée en *hommées* ou en *journées*, désignant la surface qu'un paysan pouvait labourer ou moissonner en un seul jour. D'autres unités exprimaient la valeur ou les qualités d'un terrain, selon l'estimation des paysans du coin. Ainsi, la surface d'une terre arable pouvait-elle être également mesurée en boisselées : dans ce cas le terrain avait une superficie égale au nombre de boisseaux de grain nécessaires à son ensemencement.

Même dans les districts où l'unité de mesure officielle des surfaces agraires était l'*arpent*, défini par rapport à un certain nombre de *pieds* carrés, les dimensions données pour une superficie variaient en réalité selon le type de terrain et la qualité du sol. Les pâturages, par exemple, étaient mesurés en *arpents*, souvent divisés en cinq *degrés* distincts se rapportant à la meilleure utilisation possible du terrain. Il arrivait que des propriétés décrites en *arpents* dans les documents officiels fussent dans la pratique divisées en *journées*, rendant ainsi impossible toute comparaison avec un autre terrain pour lequel on aurait utilisé des mesures abstraites.

Comme l'a fait observer l'historien économiste Witold Kula[6], ces mesures anthropométriques exprimaient les préoccupations essentielles de ceux qui travaillaient la terre ou en produisaient les denrées. Dans le cas d'un paysan dont le lopin de terre était géographiquement plus petit que les « cinq boisselées » de son voisin, mais qui utilisait, lui, six boisseaux de semence parce que la pente de son terrain était faible et le sol fertile, il était tout à fait concevable que le paysan en question estimât que « six boisselées » étaient une mesure beaucoup plus concrète qu'une superficie abstraite. Les mesures anthropométriques n'exprimaient d'ailleurs pas seulement la valeur du terrain ; elles traduisaient également des règles de travail et établissaient des limites coutumières au labeur que le propriétaire pouvait exiger. Ainsi, quand un agent du seigneur embauchait quatre paysans pour vendanger un vignoble de huit *journées*, les journaliers savaient qu'ils ne toucheraient pas moins de deux jours de paie chacun et ils refusaient de faire le travail avec seulement trois paysans dans l'équipe. En ce sens, les mesures anthropométriques de l'Ancien Régime servaient de moyen de contrôle de la productivité et masquaient en réalité l'idée même que celle-ci était une grandeur mesurable.

C'est précisément pour cette raison que certains propriétaires terriens du XVIIIe siècle avaient entrepris de faire un levé de leur propriété en unités géométriques plutôt qu'en unités de temps de travail. Ils avaient engagé des arpenteurs capables de donner « bon ordre à tous ces défauts [afin] que, en chaque province, [les mesures aient] leur contenance réglée, soit à tant de perches, à tant de pas, à tant de pieds[7] ». Armés de leurs nouvelles unités au carré, ces propriétaires espéraient contrôler la productivité et empocher tous les gains. Cette nouvelle race de propriétaires, axés sur le rendement[8], rassemblait les espoirs des « physiocrates », un groupe de réformistes qui exerçait une grande influence sur l'administration du royaume, et que l'on désignait aussi sous le nom d'économistes, étant les premiers à pratiquer cette « science funeste ». Pour les physiocrates, la réforme

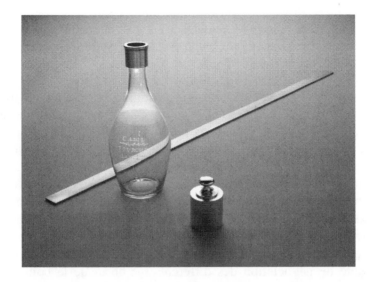

16. RÈGLE MÉTRIQUE, « CADIL », ET « GRAVE »

Cette règle est l'étalon prototype du mètre provisoire de 1793, qui mesurait 3 pieds 11,44 lignes de Paris. Il était en laiton et avait été fabriqué par Lenoir. Le cadil prit l'appellation de litre en 1795. L'unité de masse représentée ici est le grave, nom d'origine du kilogramme alors défini comme la masse du décimètre cube d'eau à la température de la glace fondante (environ 4 °C). Le gramme fut défini comme la masse du centimètre cube d'eau à la même température (musée des Arts et Métiers, CNAM, Paris ; ph. CNAM).

agraire et la libéralisation du commerce étaient les facteurs clés de l'amélioration du niveau de vie, et comme tous les historiens économistes qui suivirent, ils consacrèrent beaucoup d'efforts à essayer de déterminer si la productivité française était en augmentation. Il est hélas pratiquement impossible de répondre à cette question pour ce qui est de la plus grande partie de la France, du fait que la conversion des mesures anthropométriques en mesures modernes gomme précisément la seule véritable information qui définissait le critère de productivité sous l'Ancien Régime. Quand, à la fin des années 1780, l'éminent agronome anglais Arthur Young entreprit son premier voyage en France pour en jauger l'agriculture, il découvrit qu'il lui était impossible de se fier aux mesures figurant dans les documents officiels.

> Les dénominations des mesures de France[9], comme pourra voir le lecteur, sont presque infinies et sans aucun point fixe auquel on puisse les rapporter... Le seul fil qui puisse vous en tirer et sur lequel vous puissiez tant soit peu compter, c'est la quantité de semence qu'on y a mise... [Et] ce n'est pas dans les cabinets des grandes villes que se font

les recherches de ce genre ; les livres et les papiers ne sont point susceptibles de donner ces renseignements ; il faut qu'un homme voyage dans le pays ou qu'il reste toujours ignorant, quand il aurait des milliers de volumes.

Même les arpenteurs engagés par les propriétaires terriens « progressistes » se laissèrent décourager par la difficulté de transformer le pays en un facteur de production exprimable en unités au carré. Ils en avertirent leurs employeurs : pour obtenir un véritable partage des terres, il valait mieux s'en tenir « au rapport de ceux qui [les avaient] ensemencé[es] [10] ». S'il en était ainsi, c'était parce que les mesures anthropométriques de la terre et de ses produits résultaient de plusieurs siècles de négociations difficiles entre artisans, paysans, marchands et seigneurs. Leur valeur était devenue coutumière, et elle avait été fixée d'une manière qui reflétait la relative capacité de négociation des différents membres de la communauté locale. À ce titre, les mesures de l'Ancien Régime avaient fini par exprimer la façon dont la communauté se représentait le véritable équilibre social. Et toute tentative visant à instaurer un nouveau système de mesures était perçue comme susceptible de mettre en danger cet équilibre.

Rien d'étonnant donc si les paysans haïssaient les arpenteurs – et si Delambre et Méchain rencontraient autant de méfiance sur leur chemin. Eux aussi étaient en quelque sorte des géomètres venus remplacer les mesures anthropométriques qui constituaient le nerf de l'économie paysanne. Eux aussi voulaient mesurer la Terre dans la perspective d'un nouveau partage.

Les savants avaient dit que les nouvelles mesures seraient « naturelles » parce que tirées de la Terre elle-même [11]. Pour eux, une unité de mesure était naturelle lorsqu'elle pouvait être définie *sans* aucune référence aux intérêts de l'homme. Le mètre, disaient-ils, serait indépendant de toute négociation sociale et de tout changement temporel ; il transcenderait les intérêts de toute communauté et de toute nation. Ces savants-là invoquaient la nature comme garant du fait que tous les peuples en profiteraient d'une manière égale, parce que personne n'en tirerait un avantage particulier. C'était s'en tenir à un idéal de justice aveugle. En effet, ce projet des Lumières a souvent été perçu comme une tentative de changement des fondements de l'ordre social en substituant aux relations interpersonnelles un mètre universel, tiré des sciences naturelles et susceptible de soumettre le monde social à une analyse objective – et à des perspectives de progrès. Cependant, sous l'Ancien Régime, le peuple considérait lui aussi que son système de mesure était « naturel », en ce sens qu'il avait été adapté aux dimensions du monde de son vécu et qu'il exprimait ses besoins, ses valeurs et l'histoire de sa vie. Les mesures anthropométriques avaient fait de l'homme la mesure de toutes choses et elles exprimaient une idée différente de la justice comme ne régissant pas seulement le domaine de la productivité du travail, mais aussi celui des échanges économiques.

L'Ancien Régime était en effet le royaume de l'économie du « juste prix[12] ». Les denrées de base y étaient vendues à un prix coutumier fixé par la communauté locale en fonction de ce que la majorité des membres de cette communauté pouvait payer. Le « juste prix » était appliqué à coups de sanctions morales et, en dernier ressort, par la menace d'un recours à la violence. En outre, la théorie de l'économie du « juste prix » avait été légitimée par la doctrine scolastique du Moyen Âge – même si l'on ne croyait pas pour autant que les prix fussent fixés par la volonté divine. Le peuple de l'Ancien Régime avait compris que la production et la consommation s'arrêteraient si acheteurs et marchands refusaient les transactions. Pour encourager la production et les échanges, il était donc nécessaire que le juste prix reflétât les coûts liés à la transaction commerciale, mais à certaines conditions, à savoir l'intervention des autorités en période de pénurie, l'impossibilité pour les agents des seigneurs et autres officiers d'administration locaux d'extorquer des droits exorbitants aux étrangers et aux personnes en situation financière critique, et l'interdiction pour les marchands de pratiquer des ententes sur les prix.

Dans un système économique comme celui-là, la diversité des poids et mesures venait huiler les rouages du commerce. À une époque où les boulangers n'osaient pas demander plus que le « juste prix » pour un pain, de peur de provoquer une émeute, ceux d'entre eux qui voulaient préserver leur niveau de vie lorsque le coût de la farine augmentait faisaient tout simplement des pains plus petits. Les moines usaient du même stratagème pour contourner les règles que la religion chrétienne imposait en matière de profit : ils achetaient du vin dans de grandes barriques et le revendaient au même prix dans de plus petites. De tels agissements furent à l'origine d'accusations de fraude, comme en 1788, lorsque les rédacteurs des cahiers de doléances de Notre-Dame-de-Lisque[13] se plaignirent que le receveur de leur abbé avait fait « agrandir » sa mesure de grain. Sans doute l'homme avait-il simplement cherché à conserver les mêmes revenus, à une époque où les prix augmentaient rapidement.

Les mécanismes de ce type d'économie étaient bien connus des officiers d'administration de l'Ancien Régime. Un intendant avait notamment remarqué que les marchands de grain du pays faisaient du bénéfice en achetant leur grain avec une mesure et en le revendant (au même prix) avec une autre, de moindre contenance ; mais au lieu de condamner cette pratique, il avait noté qu'elle encourageait le commerce dans la région, dans la mesure où toute tentative d'augmentation des prix risquait de provoquer la colère de la population locale. En 1788, une assemblée provinciale avait lancé une mise en garde contre « l'établissement d'une mesure uniforme [qui] anéantirait ce genre de commerce, [et] détruirait même une infinité de petits marchés qui ne subsist[aient] que par les différences et qui, sans être d'une grande importance, fourniss[aient] à la consommation des gens qui les avoisin[aient] [14] ».

Dans de nombreuses petites bourgades, c'étaient les subdélégués eux-mêmes qui servaient de médiateurs et venaient s'interposer entre acheteurs et marchands, établissant le juste prix pour les denrées de base comme le pain, la viande, le vin et la bière. D'ailleurs, cette façon de superviser l'économie du pays constituait l'une des obligations d'un bon monarque et justifiait en grande partie sa qualité de prince régnant. Lorsqu'ils fixaient le juste prix, les intendants prenaient généralement en compte les conditions du marché. Le prix du pain, par exemple, était soumis à un *tarif*, sous forme d'un tableau qui convertissait le cours de la farine en vigueur à cette période-là en un juste prix correspondant à différentes sortes de pains de quatre livres (pain blanc, pain bis, pain de qualité inférieure, etc.). Dans les grandes villes, ces *tarifs* étaient établis par les échevins et les boulangers, qui estimaient ensemble le coût de la mouture et de la cuisson ainsi que celui de l'équipement du magasin, tout en garantissant au boulanger un modeste rapport. Cet ajustement des prix était cependant délicat, car d'une part les boulangers ne pouvaient guère suivre les fluctuations quotidiennes du coût de la farine, d'autre part ils avaient tendance à arrondir les prix à cause de la pénurie persistante de petite monnaie. Au lieu d'ajuster les prix, on jouait donc sur le poids des miches de pain ou on diluait les ingrédients. De telles pratiques étaient illégales, certes, mais elles étaient tolérées par les consommateurs eux-mêmes, du moment que tout le monde pouvait encore se payer une « livre » de pain. L'équité importait plus que le rendement. Pourtant, en période de disette, toute tentative d'augmentation des prix ou d'allègement trop flagrant du poids du pain pouvait déclencher une émeute. Le prix ne constituait pas la variable la plus importante dans l'économie de l'Ancien Régime [15], ce n'était qu'un critère parmi d'autres, notamment la quantité, la qualité, les coûts de production et les usages locaux.

Bref, la bonne vieille diversité des poids et mesures, loin d'être contraire à la raison et à la nature, formait l'ossature de l'économie de l'Ancien Régime. À cette époque, les poids et mesures ne servaient pas seulement à déterminer un système économique spécifique, ils permettaient également de définir un type d'êtres humains. Pour nous aujourd'hui, le « marché » consiste en une infinité d'échanges en tête à tête, en mode face à face, et c'est la somme globale de ces échanges qui sert de base à l'établissement des prix. C'est ce que l'on pourrait appeler le *principe* du marché. Sous l'Ancien Régime, on partait de l'idée que le marché était un espace public, une sorte de bazar ou de foire de village où clients et marchands se rencontraient pour se livrer à des transactions, sous l'œil vigilant d'un tiers. Et ce tiers, généralement un intendant, un échevin de la commune, le seigneur de la région ou le plus proche abbé, justifiait la taxation de ces transactions en s'assurant que les nécessiteux avaient assez à manger et que le producteur retirait un juste bénéfice pour le mal qu'il s'était donné. Ainsi, outre le fait qu'il fournissait aux paysans et aux artisans toutes les indications nécessaires à l'évaluation de leurs terres et de leur travail, le système des poids et mesures en vigueur sous l'Ancien Régime apportait aux commerçants et aux consommateurs la garantie du caractère équitable des transactions qu'ils effectuaient sur les marchés.

Dans un tel contexte, le projet de réforme des savants français était une rupture révolutionnaire, beaucoup plus radicale encore que ce que l'on a pu constater lors de la transposition des unités anglo-saxonnes au système métrique, par exemple. En effet, par cette réforme, les révolutionnaires avaient la ferme intention de mettre fin aux présupposés sous-jacents à la bonne vieille économie du juste prix. Leur objectif était de faire de la productivité la mesure visible du progrès économique et des prix la variable par excellence des échanges commerciaux. Pour eux, la réforme du système métrique constituait une étape cruciale dans la formation de l'*Homo economicus* des Temps modernes.

C'est dans ce but qu'en 1793 l'Académie des sciences proposa d'indexer la monnaie sur le système décimal, afin de déterminer la valeur de celle-ci à partir des nouvelles unités de poids. Un franc contiendrait 0,01 gramme d'or. Borda avait énoncé : « Ainsi, les mesures de toutes espèces, les poids et les monnaies se rapportent toutes à une base unique et fondamentale, le quart du méridien terrestre [16]. » En définissant l'échelle de la valeur de l'argent en même temps que celle des quantités, la science poserait des bases solides pour une économie rationnelle. Le 7 décembre 1794, le nouveau franc fut adopté comme équivalent de la vieille livre, divisée maintenant en cent centimes. Cette rationalisation de la monnaie était la grande idée des savants et politiques qui avaient prôné la réforme du système métrique, à savoir Lavoisier, Condorcet et Prieur de la Côte-d'Or.

Lavoisier n'était pas seulement le plus grand chimiste du monde ; c'était aussi l'un des fermiers généraux de l'Ancien Régime, ces financiers chargés de collecter les impôts pour le compte du roi et qui, au passage, se payaient royalement. Sa position fit de lui l'une des plus grandes fortunes de France en même temps qu'un objet de haine pour des millions de Français ordinaires. Néanmoins, malgré les origines de sa fortune, il avait adopté la politique du laisser-faire prônée par les physiocrates, et avait milité en faveur de la suppression de nombreux impôts de l'Ancien Régime, visibles ou invisibles. Il avait longtemps et intensément réfléchi à la façon d'optimiser la gestion de l'économie nationale, et sa façon de penser les choses en ce domaine se rapprochait beaucoup de celle dont il appréhendait la chimie. Avec sa grande formule du « rien ne se crée, rien ne se perd, tout se transforme », il avait mêlé sa jeune science au domaine des mesures de précision. Quel autre moyen le chimiste avait-il de savoir si la matière avait été conservée ou non ? Si l'équation chimique devait être le nouveau mode de pensée qui allait régir le monde matériel, alors la balance de précision serait la preuve de sa crédibilité. L'innovation, la productivité et le profit dépendaient tous trois du soin apporté à la tenue des comptes. À l'instar de la transformation chimique, les échanges économiques devaient être mesurés avec des unités universelles qui assureraient la transparence des transactions commerciales entre des acheteurs et des vendeurs en possession des mêmes informations concernant le marché à conclure. Ce genre de transactions devait également permettre à l'État centralisé de contrôler le respect de l'équité et, bien sûr, de déterminer le mode d'imposition. Lavoisier fit remarquer que si la monnaie n'était pas divisée en fractions décimales, alors ce serait en vain que la Convention aurait adopté « un système métrique aussi parfait qu'il le pouvait être [17] ».

Avant d'occuper la fonction de secrétaire perpétuel de l'Académie des sciences, Condorcet avait été inspecteur général des Monnaies. Tout en apportant sa contribution à la science sociale mathématique, il était devenu l'un des plus importants spécialistes de la nation en économie politique. Pour lui, le progrès économique allait de pair avec le progrès politique. Condorcet fut peut-être le plus grand optimiste de l'histoire. Il avait pour objectif de concilier la liberté, l'égalité et le bien-être matériel par le biais d'un programme d'éducation universelle et d'une nouvelle science sociale qui mettrait en rapport les lois humaines et les besoins sociaux. Pour lui, si les lois de la nature étaient partout les mêmes, alors tout le salmigondis des lois humaines devait être aligné sur des principes universels. Si l'on réduisait à l'essentiel tous les codes légaux, la loi serait compréhensible pour tout individu sachant lire et écrire. Le caractère inique de l'avantage exercé sur les petites gens par des personnes ayant autorité en serait amoindri. Donner à tous les citoyens l'accès à la connaissance reviendrait à leur donner le pouvoir de contrôler leur propre destin. Condorcet avait imaginé un moyen de classer toutes les connaissances selon un système décimal qui pourrait être l'ancêtre de l'actuelle classification décimale Dewey. Il vit même encore plus grand et imagina une langue universelle qui exprimerait par des signes toutes les formes de pensée logique, d'une manière très semblable à celle dont l'algèbre traduit la mathématique. Cette langue universelle s'appliquerait aux relations sociales aussi bien qu'à la logique. Elle « servirait à porter sur tous les objets qu'embrasse l'intelligence humaine, une rigueur [et] une précision qui rendrai[en]t la connaissance de la vérité facile et l'erreur presque impossible [18] ».

Pour Condorcet, le système métrique constituait une première étape vers la formation de cette nouvelle langue universelle qui s'appliquerait aux objets du monde de la matière. Associé à la réforme de la monnaie, il permettrait le bon fonctionnement des relations économiques, et, en retour, cela servirait la cause de l'égalité tout autant que celle de la liberté : « [L'Assemblée nationale] veut qu'à l'avenir tous les citoyens puissent se suffire à eux-mêmes dans tous les calculs relatifs à leurs intérêts, indépendance sans laquelle ils ne peuvent être ni réellement égaux en droits, ni réellement libres [19]. »

En tant qu'ingénieur, Prieur de la Côte d'Or était favorable à l'optimisation, et en tant qu'administrateur il privilégiait la limpidité des protocoles – en d'autres termes, il faisait siens tous les clichés de l'époque. Prieur était plus jeune que Lavoisier et Condorcet – et il était loin d'être leur égal sur le plan intellectuel. Sous l'Ancien Régime, il était un ingénieur militaire tout à fait ordinaire : sous-employé, un peu timide, boiteux, mal à l'aise pour prendre la parole en public. Enfant chéri de sa mère autrefois, il entretenait maintenant une relation amoureuse avec une femme mariée. Instruit en science mathématique, il nourrissait l'ambition démesurée de rationaliser le monde, sans être pour autant un penseur très original. Mais par sa récente qualité de membre du Comité de salut public, il avait le pouvoir de concrétiser les choses.

Prieur était convaincu que l'uniformité des mesures ferait de la France une grande nation, dotée d'une administration centralisée et unifiée par ses échanges commerciaux. Le système métrique devait transformer le pays en « un vaste marché, où chaque partie de la France trouve[rait] à se pourvoir de ce qui lui manqu[ait], en échange de son superflu ». Grâce au nouveau système, les échanges seraient « directs, sains et rapides [20] », et l'on constaterait une diminution des « frottements » dans les rouages du commerce. Au nombre de ces « frottements » comptait tout ce qui pouvait faire mystère du prix véritable d'un produit – par exemple la variété des mesures de l'Ancien Régime. Pour Prieur, le prix d'un produit dépendait de nombreux facteurs – de sa rareté éventuelle, du travail nécessaire à sa production et de sa qualité –, mais en dernier ressort le prix était la résultante d'un accord entre les parties. En clair, pour s'entendre sur un prix, il fallait connaître les termes de l'échange, et non se laisser dérouter par de mystérieuses fluctuations quantitatives. Ceux qui prétendaient que la diversité des mesures favorisait les échanges commerciaux ne voyaient les choses que du point de vue de leur profit personnel. « La République française, écrivait-il, ne veut plus d'hommes qui fondent leur revenu sur des mystères [21]. » Pis encore, ceux qui tiraient profit de la diversité des mesures, disait Prieur, corrompaient les autres, qui essayaient de pratiquer des échanges dans l'honnêteté et dans la transparence ; et il ajoutait : « À cause de la contagion du mauvais exemple, le commerce se complique, la bonne foi s'altère, l'erreur et le dol se naturalisent parmi les nations [22]. » Tant que les échanges commerciaux ne seraient pas réalisés dans la plus parfaite probité, le menu peuple douterait des avantages de la libéralisation du commerce. La condition essentielle pour fonder les relations commerciales sur une bonne compréhension des parties entre elles était de ne tolérer dans les échanges aucune autre variable que celle des prix.

*

Pour instruire le peuple dans cette nouvelle forme du « penser juste » en matière d'économie, on aurait recours aux poids et mesures du nouveau système. Les nouvelles règles auxquelles devrait se plier le peuple seraient celles qu'il utiliserait chaque jour. Des poids et mesures rationnels engendreraient une citoyenneté rationnelle.

> Veut-on que le peuple mette de l'ordre dans ce qu'il fait, et de la suite dans ses idées, il faut que l'usage de cet ordre lui soit retracé par tout ce qui l'entoure… On peut donc regarder [le nouveau système] comme un bon moyen d'instruction, introduit dans celle des institutions sociales

qui offrait le plus de désordre et de confusion. Les esprits les moins exercés goûteront cet ordre, lorsqu'ils le connaîtront. Il sera retracé par des objets que tous les citoyens auront sans cesse sous les yeux et entre les mains[23].

Aujourd'hui, nombre de ces idées sont tenues pour acquises, mais, à l'instar de beaucoup d'autres choses d'apparence ordinaire, il se cache derrière elles une longue histoire jalonnée d'amères controverses. La banalisation des poids et mesures s'est avérée difficile, et il a fallu, pour y parvenir, plus d'un siècle de luttes et de conflits.

Les esprits réformateurs, par exemple, présumaient tous d'une chose que nous sommes enclins à oublier, à savoir que la libéralisation du commerce doit être encouragée par l'État. Peut-être tous les peuples ont-ils un penchant naturel qui les porte « à trafiquer et à faire des trocs et des échanges », comme disait Adam Smith, mais les dirigeants de la nouvelle République française avaient compris qu'un « libre marché » était quelque chose de tout à fait différent, exigeant un nouveau corps d'institutions sociales. Les partisans du système métrique voulaient à la fois un appareil d'État puissant *et* des citoyens libres, habilités à participer à la vie politique et économique de la nation. Pour résoudre cette apparente contradiction, ils formèrent le projet de transformer leurs camarades citoyens en un peuple de calculateurs. Les savants, les ingénieurs et les administrateurs de la France du XVIIIe siècle étaient d'excellents calculateurs parvenus au rang qu'ils occupaient grâce surtout à leurs compétences mathématiques. Tout ce qu'ils voulaient, c'était que le peuple français se mette à leur ressembler un peu plus.

*

Les partisans du système métrique, comme aujourd'hui ceux de la mondialisation, avaient pour but de créer d'un seul coup une nouvelle économie et un nouveau système politique radicalement différents. Non que les savants français du XVIIIe siècle fussent des révolutionnaires dans l'âme. Ils avaient beaucoup apprécié le confortable petit train de vie qu'ils avaient mené sous l'Ancien Régime, tout comme les avocats, les financiers et les militaires qui s'avançaient avec la même prudence sur le chemin de l'ère nouvelle. Ils n'avaient guère eu de raisons de se plaindre. Les savants étrangers en visite à Paris avant la Révolution avaient souvent relevé, non sans une pointe de regret, les marques de respect témoignées par la haute noblesse et par les

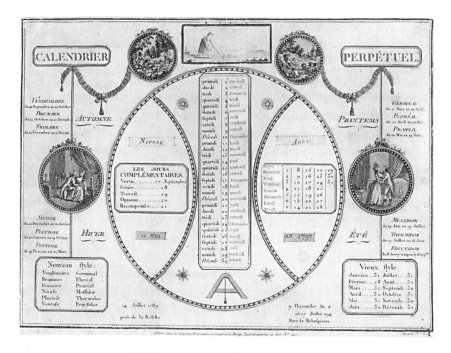

17. LE CALENDRIER RÉVOLUTIONNAIRE

Ce calendrier de 1797 permet à ses utilisateurs de convertir les dates grégo-
riennes en dates républicaines. Le calendrier républicain fut institué en
octobre 1793 et commença avec l'an II. Il fut abrogé au début de l'an XIV, juste
à temps pour commencer l'année 1806 un 1er janvier (photothèque des musées de
la Ville de Paris).

ministres à l'égard de leurs confrères français. Les savants étaient
appréciés, et ils profitaient de leur train-train quotidien. Mais pouvait-
on se fier à cette routine ? Donnez aux hommes de science une chance
de refaire le monde, et qui sait ce qu'il subsistera lorsqu'ils en auront
fini ? Quelle pratique humaine peut survivre au couperet de la
logique ? Quelle institution sociale peut justifier de ses agissements
devant les mathématiques ? Quelle coutume ancienne peut résister à
la précision d'une analyse ? Le système métrique participait de cette
tendance radicale des révolutionnaires à vouloir abolir toutes les distinctions locales pour ouvrir la voie à un avenir dans lequel toute
chose serait partout la même, un peu comme aujourd'hui certains
détracteurs de la mondialisation laissent supposer que l'ère informatique permettra de niveler toutes les différences culturelles en ce
monde. Le système métrique devait constituer le nouveau langage du
monde matériel. À l'instar des révolutionnaires qui, en se réclamant

de l'unité linguistique et de la rationalisation de la communication, cherchaient à supprimer la diversité des nombreux patois [24] et langues régionales en leur substituant le français comme seul langage de communication rationnelle, les savants se mirent à rêver d'étendre le langage métrique à tous les domaines de la vie publique et scientifique.

On commença par le temps. La Révolution avait marqué l'avènement d'une ère nouvelle dans l'histoire de l'homme. Si le calendrier grégorien avait suivi le rythme des fêtes chrétiennes, une république laïque se devait d'adopter un calendrier fondé sur la nature et la raison ; mais la détermination du moment exact à partir duquel le changement devait se produire fut une question épineuse. Fallait-il prendre le 1er janvier 1789, c'est-à-dire le tout début de l'année de la liberté ? ou le 14 juillet de la même année, jour de la prise de la Bastille ? Les deux dates furent proposées, et bien d'autres encore. Il fallut attendre 1793 pour voir la question enfin réglée, grâce à la proposition d'un mathématicien converti à la politique, Gilbert Romme, conseillé par son ami Jérôme Lalande. L'an I de la nouvelle ère remonterait à la fondation de la République française, le 22 septembre 1792, date qui fort heureusement coïncidait avec l'équinoxe vrai d'automne – le meilleur des augures pour la conjonction de la nature et de la raison. « Ainsi le soleil a éclairé à la fois les deux pôles et successivement le globe entier, le même jour où, pour la première fois, a brillé dans toute sa pureté, sur la nation française, le flambeau de la liberté qui doit un jour éclairer tout le genre humain [25]. » Le calendrier comporterait douze mois de trente jours, dont le nom serait une évocation poétique des particularités de la saison :

> Vendémiaire, mois des vendanges, septembre/octobre
> Brumaire, mois de la brume, octobre/novembre
> Frimaire, mois des frimas, novembre/décembre
> Nivôse, mois de la neige, décembre/janvier
> Pluviôse, mois de la pluie, janvier/février
> Ventôse, mois du vent, février/mars
> Germinal, mois de la germination, mars/avril
> Floréal, mois des fleurs, avril/mai
> Prairial, mois des prairies, mai/juin
> Messidor, mois des moissons, juin/juillet
> Thermidor, mois des chaleurs, juillet/août
> Fructidor, mois des fruits, août/septembre

Chaque mois fut ensuite divisé en trois périodes de dix jours appelées *décades*. Fini les dimanches et les fêtes des saints. Désormais, les fêtes nationales commémoreraient les journées d'insurrection révolu-

18. Une horloge décimale

En 1794-1795, sur une courte période, le gouvernement français rendit obligatoire l'usage de l'horloge décimale. La journée fut divisée en dix heures de cent minutes, constituées elles-mêmes de cent secondes chacune. De tous les changements consécutifs à la réforme du système métrique, celui-là remporta la palme de l'impopularité. Certains esprits progressistes, comme Laplace, firent modifier le cadran de leur montre. Une horloge du palais des Tuileries conserva son cadran décimal jusqu'en 1801, mais partout ailleurs la division décimale du temps resta lettre morte (musée des Arts et Métiers, CNAM, Paris. Ph. Pascal Faligot/Seventh Square).

tionnaire et culmineraient avec les *Sans-culottides*, cinq jours de fête consécutifs (six pour les années bissextiles), pour faire en sorte de commencer chaque nouvelle année le jour de l'équinoxe vrai d'automne. Aucune autre création de la République, écrivit Lalande, ne pourrait mieux briser l'emprise des prêtres sur leurs superstitieuses dupes. Il admit cependant que les gens ordinaires pourraient trouver un peu longue la semaine de dix jours ; aussi proposa-t-il un jour chômé en milieu de décade, le quintidi, pour être sûr que le calendrier républicain et, avec lui, la Révolution deviendraient populaires [26].

Et pendant qu'on y était, réfléchirent les adeptes de la rationalisation, pourquoi ne pas diviser chaque journée en dix heures, et chaque heure en cent minutes [27] ? C'est ce qui fut ordonné, par décret du 11 brumaire an II (1er novembre 1793). Des maîtres horlogers fabriquèrent des modèles d'horloge qui marquaient V heures à midi et X heures à minuit. Laplace fit changer le cadran de sa montre de gousset pour l'adapter au temps décimal.

Et pourquoi s'en tenir au temps ? Pour quelle raison continuerait-on à diviser les cercles en trois cent soixante degrés, sinon parce que les Babyloniens l'avaient fait avant nous [28] ? Avec un cercle de quatre cents degrés (et un angle droit de cent degrés), non seulement les calculs se trouveraient facilités, mais l'astronomie et la navigation pourraient être synchronisées. Dans un monde où la longueur du quart de méridien terrestre était égale à dix millions de mètres, chaque degré de latitude ferait alors cent kilomètres. Cela simplifierait les cartes et serait bien utile aux marins. Déjà, Étienne Lenoir avait voulu donner un gage de la cohérence du système métrique en divisant les cercles répétiteurs de Delambre et Méchain en quatre cents degrés au lieu de trois cent soixante. La nouvelle division angulaire allait exiger l'utilisation de nouvelles tables trigonométriques et logarithmiques [29], mais leur production pourrait être rationalisée elle aussi. En décomposant les formules complexes en une série de tâches arithmétiques simples, les savants pourraient répartir le travail entre des « calculateurs » spécialisés, créant ainsi une sorte d'usine à calculs mathématiques. Condorcet proposa d'embaucher les diplômés des écoles de sourds-muets, qui se laisseraient moins facilement distraire de leur tâche que les autres. En l'occurrence, les savants eurent recours aux perruquiers, que les voies de fait des révolutionnaires sur les coiffures des aristocrates avaient laissé sans travail. Cet ordinateur humain collectif, qui s'inspirait des théories d'Adam Smith et allait être une source d'inspiration pour Charles Babbage *, préfigura l'économie de l'information telle que nous la connaissons aujourd'hui : universalité des mesures, transparence des chiffres et division du travail mental.

*

Condorcet et Lavoisier étaient bien placés pour appuyer la réforme, au début du moins. Secrétaire perpétuel de l'Académie des sciences, Condorcet était le porte-parole de l'institution. Également représentant du peuple à l'Assemblée nationale législative, puis député à la Convention, il était devenu le principal défenseur du principe d'égalité pour les femmes, les Juifs et les Noirs. Il préconisait l'organisation de l'instruction publique pour tous les enfants français. Il croyait que la vertu et la raison étaient à jamais réunies. De telles idées allaient lui valoir des ennemis, surtout lorsque le pouvoir passa aux mains des Jacobins. Non que ceux-ci contestassent les objectifs proposés : ce qu'ils critiquaient, c'étaient les méthodes volontaristes utilisées par Condorcet. Lorsque le Comité de salut public condamna le savant et tout ce qu'il lui restait d'alliés politiques, celui-ci partit se

* Mathématicien anglais (1792-1871), à l'origine de la machine à calculer. [N.d.T.]

cacher chez une amie. Pendant cette période de clandestinité, il écrivit son grand traité utopique, *Esquisse d'un tableau historique des progrès de l'esprit humain*, qu'il laissa inachevé en mai 1794, préférant mettre fin à ses jours plutôt que de se laisser guillotiner.

S'il lui manquait un rôle officiel au sein de la nouvelle République, Lavoisier jouissait néanmoins d'une influence considérable pour promouvoir la réforme du système métrique. Trésorier de l'Académie des sciences, c'était lui qui tenait les cordons de la bourse pour l'opération de la méridienne. Membre bienfaiteur de l'un des plus grands salons parisiens, il organisait des dîners chez lui, boulevard de la Madeleine, où l'élite scientifique pouvait venir discuter d'une nouvelle politique et rallier des personnalités à sa cause. Lavoisier était connu de tous et partout respecté. Il obtint que fussent exemptés de la réquisition pour la fabrication des armes tous les savants et fabricants d'instruments qui travaillaient sur la réforme du système métrique, notamment Delambre, Méchain et leurs deux assistants [30]. Il détermina un étalon de masse qu'il définit comme le poids d'un centimètre cube d'eau de pluie à la température de la glace fondante. Il était occupé à terminer ces travaux lorsque le Comité de salut public ordonna son incarcération à la prison de la Porte-Libre, avec tous les autres fermiers généraux.

Lavoisier, qui s'était inquiété du sort de Méchain après l'accident de ce dernier, avait désormais lui-même besoin d'un protecteur. Borda écrivit aux autorités révolutionnaires, demandant bravement la libération du savant afin de lui permettre de reprendre ses travaux sur le système métrique. Autrefois, Lavoisier avait invoqué (sans succès) le projet de réforme en cours comme raison majeure pour maintenir l'existence de l'Académie des sciences, à présent c'étaient ses confrères qui arguaient de sa contribution à cette même réforme comme raison majeure pour lui laisser la vie sauve. Pour toute réponse, le Comité de salut public décida l'exclusion de Borda, en même temps que celle de Delambre, de Laplace, et de plusieurs autres membres de la Commission des poids et mesures. L'arrêt était signé de la main de Prieur de la Côte-d'Or [31].

Au cours des années passées, Prieur avait été régulièrement reçu chez Lavoisier, où les grands esprits scientifiques de la nation se retrouvaient pour débattre des détails relatifs à l'introduction du nouveau système métrique. La conversation prenait souvent un tour politique. Prieur, le benjamin de l'assemblée, n'était pas une sommité scientifique et, de ce fait, il se retrouvait souvent seul à défendre le gouvernement révolutionnaire dont il devenait un membre influent. La conversation s'animait : ces hommes-là avaient leur franc-parler.

De temps à autre, on se moquait des opinions de Prieur. Pour Delambre, l'explication de cette vendetta résidait dans le ressentiment que Prieur éprouvait à l'égard des anciens : « Il nourrissait, dit-il plus tard, un ressentiment profond contre Lavoisier surtout, et contre ceux de ses confrères qui s'étaient montrés les plus ardents, les plus spirituels ou les plus piquants dans la dispute, comme Borda et Coulomb [32]. » Pour Prieur, bien sûr, il s'agissait uniquement de « régénérer » la Commission des poids et mesures. Il mettait fin à l'opération de la méridienne, devenue inutile, pour permettre au gouvernement de se concentrer sur la tâche autrement plus importante de la mise en œuvre de la réforme du système métrique. La partie scientifique de la mission, écrivit-il, avait été portée « à ce point de maturité qui sépare le besoin de réflexion de celui d'agir [33] ». Le moment d'agir était venu.

Cet hiver-là, pendant que Lavoisier languissait dans sa prison, les mêmes forces punitives se refermèrent sur le bienfaiteur de Delambre, Geoffroy d'Assy, autre riche financier dont le nom était associé aux diverses et multiples taxes tant détestées de l'Ancien Régime. Le conseil de quartier du Marais – rebaptisé « section de l'Homme armé » – envoya deux commissaires perquisitionner à la résidence des d'Assy à Paris pour recueillir les preuves de sa déloyauté. Lorsque les domestiques de la maison expliquèrent que la famille d'Assy avait quitté Paris pour la campagne, les commissaires apposèrent les scellés sur la résidence de la rue de Paradis. Puis, le 25 janvier 1794, au moment même où Delambre, qui revenait d'Orléans, se présentait au château des d'Assy, on vint arrêter le financier. Il n'y eut aucune explication, mais étant donné le poste occupé par d'Assy sous l'Ancien Régime, aucune ne s'imposait. Une semaine plus tard, une seconde perquisition eut lieu à la résidence des d'Assy à Paris. Elle permit de découvrir une lampe de table gravée de fleurs de lys et fabriquée par un artisan qui était le « fournisseur de Sa Majesté [34] ».

Delambre fut chargé de faire disparaître de la maison toute autre pièce compromettante. Après une semaine passée à réconforter la famille de son bienfaiteur à Bruyères, l'astronome se mit en route pour Paris, dans sa voiture personnalisée. Une fois arrivé, il versa leur dernier mois de salaire à Bellet et à son domestique, Michel, puis il se rendit à l'atelier de Lenoir pour remettre son cercle répétiteur et se présenta de lui-même au conseil de quartier. Il montra son passeport signé du ministre de l'Intérieur et déclara habiter au n° 1 de la rue de Paradis. Il présenta également le certificat attestant de son statut de membre de la Commission désignée par la République pour la mesure du méridien, et il expliqua au conseil qu'il lui était nécessaire d'avoir accès à la demeure des d'Assy pour y récupérer certains instruments d'astronomie essentiels à l'accomplissement de sa mission. Bien entendu, il avait soigneusement omis de mentionner qu'au début du mois, il avait été exclu de l'opération de la méridienne en raison d'un « manque de ferveur révolutionnaire [35] ».

Officiellement, Delambre avait déclaré vouloir récupérer des papiers personnels dans son appartement du troisième étage. Deux commissaires l'accompagnaient. En entrant dans sa chambre, il fit mine de s'apercevoir que son secrétaire était fermé à clé et d'avoir oublié celle-ci. Cette manœuvre lui permit de retourner sur les lieux un mois plus tard. La deuxième fois, les commissaires examinèrent chaque petit morceau de papier que Delambre trouvait dans le secrétaire, notamment un morceau de parchemin écrit en latin, qui portait la signature et les armes du roi d'Angleterre, George III. Ce document attestait de sa qualité de membre correspondant de la Société royale de Londres. Les commissaires parurent embarrassés de cette découverte ainsi que de celle de plusieurs autres feuillets sur lesquels étaient griffonnés des calculs et des dessins : peut-être s'agissait-il là de signes codés ou de plans secrets. Cependant, ils laissèrent Delambre emporter ses papiers, n'ayant trouvé « rien de suspect [36] ». Plus tard, l'astronome évoquerait dans ses souvenirs cette « grande condescendance pour un homme qu'ils croyaient en correspondance avec plusieurs rois [37] ».

Lavoisier eut moins de chance. Il fut exécuté le 8 mai 1794, en même temps que vingt-sept autres fermiers généraux, ce qui fit dire à Lagrange, le célèbre mathématicien : « Il ne leur a fallu qu'un moment pour faire tomber cette tête, et cent années peut-être ne suffiront pas pour en reproduire une semblable [38]. »

Cela faisait alors cinq mois que Geoffroy d'Assy était enfermé à la prison du Luxembourg. Au début, les conditions de sa détention étaient tolérables ; les prisonniers avaient même à leur disposition un café dans la cour centrale de la prison. Mais à mesure que s'intensifiait la fébrilité engendrée par la guerre, le Comité de salut public réprimait toute forme de dissension, qu'elle fût populiste ou modérée. Cet été-là, Geoffroy d'Assy fut condamné à mort par le Tribunal révolutionnaire, en même temps que cinquante autres co-conspirateurs qui avaient fomenté une révolte des prisonniers pour « rétablir la monarchie et le pouvoir de la tyrannie [39] ». On ne pouvait guère imaginer une bande de conspirateurs plus bigarrée : il y avait là des aristocrates, des boulangers, et même une famille au grand complet. Seuls un marchand de vin âgé et un jeune garçon de quatorze ans échappèrent à la peine de mort, mais le frère aîné du garçon, âgé de seize ans, fut exécuté. Deux semaines plus tard, Robespierre lui-même était guillotiné, au moment de la réaction thermidorienne.

L'incarcération, puis la mort du bienfaiteur de Delambre faisaient maintenant de l'astronome le principal protecteur de la famille d'Assy. En juin, il retourna à leur résidence parisienne, muni d'une procuration signée de Mme d'Assy, pour récupérer les papiers juridiques de la famille. En janvier 1795, il déposa une requête afin de reprendre tout ce qui lui appartenait dans la maison, notamment ses instruments d'astronomie, ses meubles, et un petit portrait de lui-même qui se trouvait sur la coiffeuse de Mme d'Assy. Il passa la fin de cette période loin de Paris à la résidence de campagne de Bruyères-le-Châtel, renommé Bruyères-Libre. Lorsque le frère de Mme d'Assy mourut d'une fièvre maligne un peu plus tard cette année-là, Delambre promit de le pleurer dès qu'il en aurait le temps. À cette époque, les tragédies arrivaient trop vite [40].

La Révolution avait offert aux savants français une chance unique de mesurer le globe, mais cette opportunité n'était pas sans risques. En persistant à traiter leurs subordonnés « à l'ancienne », ils risquaient de se faire remettre à leur place. Puisqu'ils avaient mis leurs talents au service de l'État, celui-ci était en droit de leur demander des explications sur leur travail, et une erreur dans leurs calculs d'astronomie pouvait les envoyer en prison.

Durant cette longue et chaude période estivale que l'on allait appeler la Terreur, la plupart des exclus de la Commission s'étaient cloîtrés à la campagne. Borda s'était retiré dans sa propriété familiale. Laplace se terrait à Melun, à quarante-cinq kilomètres au sud-est de Paris, avec sa femme et ses deux jeunes enfants. Malheureusement pour lui, Cassini IV résidait à l'Observatoire de Paris, et à présent il payait son refus de servir la République. Au cours des dix années qui avaient précédé la Révolution, il avait accueilli à l'Observatoire trois élèves qu'il avait fait instruire dans la pratique de l'astronomie par Méchain et par les autres astronomes. Ces élèves astronomes exigeaient maintenant d'être traités sur un pied d'égalité avec leur directeur, et de jouir de tous leurs autres droits d'hommes libres. Le plus âgé, un doux moine de cinquante ans répondant au nom de Nicolas Antoine Nouet, qui avait également le titre d'aumônier de l'Observatoire, informa Cassini de son intention d'épouser sa domestique. Le savant s'en indigna et les deux hommes, qui entretenaient autrefois des rapports cordiaux, ne se parlèrent plus jamais. Le deuxième élève, un jeune homme doué pour l'astronomie nommé Jean Perny, rentra un soir fort tard et complètement ivre d'une réunion de son club révolutionnaire. Il se mit à cogner à la porte de son bienfaiteur avec le pommeau de son épée, en criant : « Il faut tuer cet aristocrate de Cassini[41] ! » On fut obligé de le contenir et de le mettre au lit. Quelques jours plus tard, il écrivit une lettre d'excuses pour se faire pardonner. Quant au troisième élève, Alexandre Ruelle, jeune déserteur d'un régiment de dragons à qui Cassini avait donné refuge, tout en l'instruisant, jusqu'à son amnistie, il finit par devenir le pire ennemi de son bienfaiteur.

Les récriminations des élèves astronomes étaient identiques à celles que faisaient tous les jeunes savants dans les cabinets de leurs aînés : ils accusaient Cassini de s'être approprié leur travail pour le publier sous son propre nom. Ils réclamaient le même honneur et la même paie. Ce « despotisme affreux[42] » du directeur de l'Observatoire, affirmaient-ils, était un « vol manifeste du fruit de [leurs] veilles ». En fait, dans ses rapports à l'Académie, Cassini reconnaissait généralement très volontiers la contribution de ses étudiants, mais il le faisait avec une certaine condescendance.

Dans le chambardement général de la Révolution, les trois élèves réussirent néanmoins à faire valoir leurs accusations. Avec l'aide d'un politicien complaisant, ils réorganisèrent l'Observatoire dans une optique égalitaire. La science, après tout, était une entreprise démocratique, ouverte à tous les candidats. Aucun savant ne devait hériter de sa position comme d'un titre de noblesse. La Convention créa donc quatre nouveaux postes de « professeurs de l'Observatoire ». Cassini conserva le sien. Toutefois, plutôt que de laisser confier les trois autres à des sommités de l'astronomie comme Lalande, Delambre et Méchain, les élèves réussirent à persuader les autorités que ces trois savants « étaient des aristocrates comme Cassini[43] », et ils se firent nommer à leur place. Le traitement de Cassini fut diminué de moitié, et il fut décidé que la direction de l'établissement ferait désormais l'objet d'une rotation et que Perny en serait le premier directeur. Devant une telle humiliation, Cassini démissionna, mettant ainsi un terme à cent vingt ans de règne familial. Sa démission ne fit qu'aggraver la situation. Les trois élèves en vinrent à l'expulser de ses appartements de l'Observatoire[44]. Puis la Convention fit enlever sa carte de France, ce grand ouvrage familial à l'usage du commerce et de la science, et lorsque Cassini osa élever des protestations contre ce vol, on le jeta en prison. Tout de suite après, l'élève Ruelle, membre du comité révolutionnaire de sa section, demanda à faire comparaître son ancien bienfaiteur devant le Tribunal révolutionnaire, ce qui revenait à l'envoyer à l'échafaud. Par bonheur, le comité rejeta la demande.

Dans les périodes de grands bouleversements, les choses basculent parfois très vite. Une fois Robespierre tombé, les élèves-professeurs se brouillèrent. Ruelle devint subitement la cible des attaques de ses collègues [45]. Apparemment, il avait commis une erreur de dix secondes sur une observation solaire. Plus grave encore, ses résultats étaient frauduleux, car ils étaient le fruit de conjectures théoriques, et non de l'observation directe, comme il l'avait affirmé. Pour ce crime contre la science, et aussi, bien sûr, pour son adhésion au club des Jacobins désormais tombé en disgrâce, Ruelle fut emprisonné le 22 août. Tels étaient les risques que faisait courir la science en ces périodes troubles. Pour remplacer leur collègue, les deux autres anciens élèves invitèrent Delambre à venir les rejoindre au sein du corps professoral de l'Observatoire.

En science comme en politique donc, le vent de la révolution pouvait tourner. Les successeurs républicains de Robespierre, des « modérés » soucieux de leur image, s'attachèrent ostensiblement à faire revivre les institutions scientifiques de la nation. En juin 1795, ils en créèrent une nouvelle, le Bureau des longitudes [46], imitant en cela les Anglais et leur *Board of Longitudes*, afin de permettre à la France de faire concurrence à la prédominance commerciale et navale de la nation britannique. Le Bureau supervisait l'observatoire de Paris, et se trouvait constitué des plus grands savants de la nation, avec notamment Lalande, Laplace, Legendre et Borda, auxquels venaient s'ajouter Delambre et Méchain. L'Académie des sciences fut ensuite rétablie au sein du nouvel Institut national, où presque tous les académiciens (ceux qui avaient survécu), Delambre et Méchain inclus, retrouvèrent le siège qu'ils occupaient autrefois.

C'était maintenant au tour de Cassini d'être libre pendant que Ruelle croupissait en prison. Pourtant aucun des deux hommes ne connut de rédemption scientifique. Lorsque Ruelle fut enfin libéré [47], seul Lalande accepta de se porter garant de lui, et l'ancien élève de l'Observatoire finit à la loterie nationale, où l'on espère qu'il n'eut pas recours aux mêmes procédés que ceux qui lui avaient coûté sa carrière d'astronome. Quant à Cassini, il resta sourd aux prières de Delambre et de Lalande qui l'invitaient à rejoindre la compagnie des savants. Il prétexta avoir été témoin de trop nombreuses et profondes dissensions au sein de l'Académie pour pouvoir envisager d'y revenir. Il se retira donc dans son château de Thury, avec sa mère, ses cinq enfants et neuf nonnes expulsées d'un couvent voisin – ses « hirondelles », comme il les appelait. Il avait nommé cet endroit « la république de Thury [48] », dans laquelle, disait-il, « il ne manque, je vous jure, que des républicains ». Le savant, qui avait autrefois revendiqué sa participation à l'opération de la méridienne comme un droit naturel, ne croyait plus à la réforme du système métrique – ni même en la science.

> Mais l'astronomie, me direz-vous, quand donc vous en occupez-vous ? L'astronomie, mon cher, hélas ! je l'avoue, elle n'est plus rien pour moi... Mais, me direz-vous, votre gloire, votre réputation, vos devoirs mêmes de savant, s'opposaient à ce parti... Mon ami, les devoirs d'un père passent avant ceux d'un académicien... Quant à ma réputation, à ma gloire, j'en ai fait le sacrifice, et il m'a peu coûté... Obligé de fuir de l'Observatoire, je l'ai vu abandonné au gouvernement des sans-culottes. Enfin, et c'est ce qui m'a le plus douloureusement affecté, j'ai vu les savants armés, divisés entre eux, partager le délire et les fureurs de la horde révolutionnaire, en adopter les mœurs, les manières et même jusqu'au langage... Comment me reconnaître même dans ce bouleversement de nos anciens calculs, de nos anciennes mesures, de ces jours qui n'auront plus que dix heures au lieu de vingt-quatre, de ces cercles de quatre cents degrés... Tout est changé. Or, je suis un peu trop vieux pour perdre l'habitude de mes anciennes routines, de mes vieilles notions. L'année, les mois, l'almanach, les tables astronomiques sont changés. Si Galilée, Newton, Kepler, tombaient du ciel au milieu de l'Institut, ils ne concevraient plus rien à la lecture d'un mémoire du citoyen Lalande lorsqu'ils lui entendraient dire que le 20 brumaire la lune, se trouvant en opposition à 200° de soleil, a passé au méridien à 5 heures [49].

Les paysans, les commerçants et les villageois n'étaient pas les seuls à être attachés au bon vieux système numérique de l'Ancien Régime. Pour qui sait compter, les chiffres comptent. Certains savants de la vieille époque, comme Cassini, considéraient que le système métrique était un outrage aux valeurs harmonieuses qui avaient autrefois servi à décrire leur univers.

Alors que Cassini battait en retraite, le citoyen Lalande, lui, allait de l'avant. Le 17 mai 1795, il devint le nouveau directeur de l'Observatoire. Le grand iconoclaste avait traversé les aléas de la Révolution en gardant la tête haute. Quand il fut élu à la tête du Collège de France en 1791, son premier geste officiel fut d'ouvrir les cours aux personnes de la gent féminine. Il mit fin à la distribution des prix en latin. Il essaya même d'obtenir des professeurs qu'ils fissent leurs propres cours. Tous les soirs, par n'importe quel temps, Lalande faisait une longue promenade d'une ou parfois deux lieues dans les rues de Paris, faisant l'aumône. Avec son gilet pourpre et son parapluie (une invention moderne), il avait une allure singulière : de petite taille – moins de cinq pieds (1,60 m) – négligé, plutôt sale, avec une épaisse tignasse grise qui formait une touffe à l'arrière d'un crâne en forme d'aubergine. Les hommes qui ne connaissent pas la honte sont capables d'un grand courage. « Je suis assez heureusement constitué, disait-il, pour n'avoir jamais eu peur de rien, ni de personne, ni des dangers, ni de la mort. » Peut-être était-ce par vanité de philosophe, mais il insistait toujours sur le fait qu'il disait la vérité. « Je pousse la franchise jusqu'à la rudesse, disait-il encore, je n'ai jamais dissimulé la vérité, lors même qu'elle pouvait déplaire [50]. » Il avait déjà son franc-parler sous l'Ancien Régime, ce n'était pas maintenant qu'il allait changer.

Plus tard, il admit que s'il avait eu la vie sauve pendant la Terreur, c'était probablement grâce à son athéisme notoire. Si tel avait été le cas, c'était bien la première fois que son impiété avait eu la faveur du pouvoir en place. « Je ne plains pas les religieuses qui refusent le serment et qui perdent leur pension, écrivit-il à sa fille, car c'est un bonheur que de mourir de faim quand c'est pour Dieu [51]. » Malgré tout, Lalande s'avéra être un sauveur universel. Il cacha le monarchiste Du Pont de Nemours dans le dôme de son observatoire du collège des Quatre-Nations et lui apporta à boire et à manger là-haut pendant plusieurs semaines, au péril de sa vie. Des années plus tard, lors de ses funérailles, le fondateur de la société Du Pont de Nemours demanderait à Dieu de bénir le célèbre athée. Lalande protégea aussi plusieurs prêtres condamnés en les faisant passer pour des astronomes. Il leur disait de ne pas s'alarmer de ce mensonge : « Oui, vous êtes astronomes, les rassurait-il. Qui mérite mieux ce nom que des gens qui ne vivent que pour le ciel [52] ? » À une époque où il était risqué de le faire, Lalande publia aussi l'éloge funèbre de certains savants guillotinés, comme Lavoisier, par exemple – et tout de suite après, il se mettait à ergoter sur leurs opinions scientifiques. Il connut son heure de gloire au moment de la fête inaugurale de l'Être suprême, lorsqu'il contribua à célébrer le nouveau culte que Robespierre avait espéré substituer au christianisme. La cérémonie eut lieu à l'intérieur du Panthéon, le 8 juin 1794, un an après que Delambre eut opéré ses triangulations à partir de la coupole. Lorsqu'on lui offrit enfin de monter en chaire pour y prêcher l'athéisme et dénoncer la cabale des curés, Lalande s'empara de l'occasion pour prévenir ses concitoyens contre le patriotisme acharné qui sévissait alors.

> Le temps est arrivé d'y annoncer des vérités importantes, des vérités incontestées, reconnues de tous les temps, de tous les peuples et sur toute la surface de la terre : l'amour de la patrie, l'amour de la vertu, le règne de la raison… L'amour de la patrie n'est pas le seul devoir d'un

patriote : la bienfaisance en est un autre. Nous ne pouvons pas tous servir la patrie, dans les camps, dans les administrations, dans les arts, mais nous pouvons tous venir au secours de nos frères... C'est ainsi que la bienfaisance, ajoutée à l'amour de la patrie, nous rendra véritablement dignes de notre Révolution, de nos victoires, et de l'admiration de l'Univers [53].

Néanmoins, si grand que fût son amour pour sa nation ou pour ses concitoyens – et ses concitoyennes ! –, la grande priorité de Lalande resta toujours son intérêt pour les étoiles. Quelques jours après sa harangue de la fête de l'Être suprême, il annonça avoir ajouté mille deux cents nouvelles étoiles à son catalogue au cours de la décade précédente, ce qui l'amenait à un total de vingt et un mille étoiles. Six mois plus tard, au terme d'une période qui vit la chute de Robespierre et la prise du pouvoir par les conventionnels modérés, il en ajouta un autre millier. Il refusa de faire partie du jury d'un tribunal criminel, de crainte de se laisser distraire de l'astronomie. Il prévint les autorités : « Il n'y a aucune peine qui pût m'obliger à quitter mes étoiles ; je me soumettrais à tout plutôt que de déférer à votre réquisition [54]. » Au cours de l'année 1796, le petit atelier-séminaire d'astronomie familial dépassa l'objectif initial des trente mille étoiles et l'on y décida de viser les cinquante mille. La fille de Lalande continua les calculs avec « un courage rare pour son âge et pour son sexe ». Son plus jeune fils avait été placé en nourrice, parce qu'il distrayait trop sa mère et son grand-père. Lorsque Lalande atteignit les quarante et un mille étoiles en 1797, il s'exclama triomphalement : « cet inventaire de tout le ciel est mon projet, que j'ai formé depuis vingt ans et qui m'intéresse au point que je regarderai la mort sans regret, en laissant un monument de mon passage sur la terre [55] ».

*

Durant tout ce temps, Delambre avait tranquillement exercé son métier d'astronome à la résidence de campagne des d'Assy, à Bruyères. Par mesure de précaution, il s'était fait délivrer par la municipalité un certificat constatant qu'il n'était pas émigré et n'avait jamais été détenu [56]. Il restait le plus possible à l'écart de la vie publique. Une seule fois, les conventionnels jacobins en appelèrent à son avis d'expert : il avait repéré un défaut dans le nouveau calendrier républicain.

Soucieux de garder l'équinoxe vrai d'automne comme date anniversaire de la République, les auteurs du calendrier avaient institué un sixième jour complémentaire, appelé jour de la Révolution, à la fin de chaque période bissextile de quatre ans. Malheureusement, ils n'avaient pas vu que parfois cet intervalle devrait être de cinq ans, au lieu de quatre. Obtenir une parfaite coïncidence entre la République et la Nature n'était pas chose facile. En étudiant les cent cinquante années qui allaient suivre, par exemple, Delambre découvrit une année pour laquelle il était impossible de prévoir avec certitude le moment exact de l'équinoxe, qui pouvait tomber en deçà ou au-delà de la vingt-quatrième heure, la nuit du 22 septembre. L'astronome communiqua ces observations à Lalande, qui en informa le principal auteur du calendrier, Romme, qui lui-même s'adressa à Delambre pour résoudre le problème. Delambre proposa plusieurs solutions, en précisant toutefois qu'elles pourraient donner lieu à certaines incohérences trois mille six cents ans plus tard. Lorsque Romme présenta les modifications aux membres du Comité d'instruction publique, ceux-ci déclarèrent ne pas se sentir concernés. L'un d'eux demanda même si Romme ne voulait pas leur « faire décréter l'éternité [57] ». L'auteur du calendrier s'en défendit, ajoutant qu'il serait satisfait si le comité acceptait de reconsidérer la question au bout de trois mille six cents ans. L'adoption du décret se fit donc ainsi, dans l'amusement général. Romme ne devait cependant pas vivre assez longtemps pour voir arriver l'année suivante. Il fut arrêté et exécuté deux mois plus tard, à cause de ses sympathies jacobines.

À cette époque, les conquêtes militaires de la France, que l'on devait à l'armée et à ses chefs jacobins, avaient donné des idées à un nouveau bienfaiteur de la géodésie. En 1794, le général Étienne Nicolas Calon fut nommé directeur du Dépôt de la guerre et de la marine, où les ingénieurs géographes de l'armée de terre et de la marine se trouvèrent réunis sous un seul et même commandement. Calon rêvait de faire un levé de terrain détaillé pour étendre la carte de France de Cassini aux nouveaux territoires des Pays-Bas, de l'Allemagne et de l'Italie. C'était un homme à l'enthousiasme indéfectible, un géographe militaire qui avait le sens de la promotion personnelle et qui se trouvait être à présent général de brigade et député à la Convention. Et, chose plus intéressante encore, il avait le budget pour réaliser ce qu'il entreprenait. Il avait envisagé la création d'un musée de géographie qui rassemblerait cinquante-cinq des sommités scientifiques de la nation, et dont le but serait « de porter au plus haut degré de développement et de gloire les sciences de l'astronomie et de la géographie [58] ». Une étude géodésique très précise du méridien devait constituer l'épine dorsale de ce mastodonte de la géographie.

Pour réaliser son objectif, Calon avait décidé de consulter l'érudit Jean-Baptiste Joseph Delambre [59], qui avait participé à la mesure du méridien. Mais il ne savait pas dans quelle prison il fallait chercher l'astronome, aussi demanda-t-il à Lenoir de se renseigner. Il fut heureux d'apprendre que Delambre était confortablement installé dans un manoir à la campagne. Il invita donc le savant à Paris pour organiser la reprise de l'opération et déposa une demande auprès du Comité de salut public afin d'obtenir l'autorisation de recourir à nouveau aux services de Delambre et de Méchain pour la suite de la triangulation de la méridienne.

Peu après, sous l'impulsion de son représentant, Prieur de la Côte-d'Or, la Convention vota la loi du 18 germinal an III (7 avril 1795)[60]. Cette loi instituait le système métrique tel que nous le connaissons aujourd'hui. Elle établissait l'ensemble des préfixes et la nomenclature se rapportant au nouveau système des poids et mesures. La nouvelle loi revenait également sur quelques-unes des applications du principe de rationalisation. Si le calendrier républicain restait en vigueur, on avait abandonné la division décimale du jour et de ses parties, en invoquant pour raison officielle d'une part le coût du remplacement de toutes les horloges de la nation, d'autre part le fait que la décimalisation du temps ne serait utile qu'aux astronomes, et non au citoyen moyen. Prieur reconnaissait aussi qu'il fallait « adoucir » le passage aux nouvelles mesures. Pour s'assurer du bon déroulement des opérations, il proposa la création d'une Agence temporaire des poids et mesures dont la direction serait confiée au grand mathématicien Adrien Marie Legendre. Il décida également que le mètre serait d'abord introduit à Paris, et, afin de permettre aux marchands et aux acheteurs d'avoir le temps de s'y préparer, il fixa à trois mois plus tard la date limite à laquelle les nouvelles mesures devaient être appliquées. Le reste du pays suivrait ultérieurement.

La nouvelle loi relança officiellement l'opération de la méridienne. Prieur laissa de côté sa préférence pour un étalon bon marché et rapide à obtenir, et se répandit en louanges sur ces savants que l'on « glorifiait à juste titre[61] » – et qu'il avait exclus du projet dix-huit mois auparavant. Pour que le mètre devînt une véritable unité de mesure internationale, affirmait-il maintenant, il devait être fondé sur quelque chose de plus grand que les mesures de Cassini qui avaient servi à la définition du mètre provisoire et qui dataient de cinquante ans. Il insista auprès de Delambre et de Méchain afin de leur faire reprendre la mesure du méridien « aussitôt que possible[62] », car tout retard porterait préjudice au bien public. Il autorisa même les savants à s'adresser directement à lui s'ils venaient à rencontrer le moindre obstacle. « Je tâcherai par mon empressement de vous prouver mon zèle pour le succès de vos opérations[63] », écrivit-il à Delambre. Prieur avait de bonnes raisons de montrer sa bonne volonté ; il était lui-même soupçonné d'avoir noué des liens trop étroits avec les Jacobins pendant la Terreur. Delambre sourit intérieurement devant un tel retournement de situation. Plus tard, il confierait à Méchain, qu'il « aurait pu faire beaucoup l'hiver dernier, mais [il était] dans la dis-grâce de Robespierre et d'un de ses collègues dont [il lui dirait] le nom et qui depuis [l'avait] traité plus favorablement [64] ».

Les années écoulées lui avaient appris une ou deux petites choses sur l'obtention des fonds nécessaires. Cette fois, avant de se mettre en route, il formula quelques demandes. Même un savant pouvait apprendre à faire ses calculs comme le commun des mortels. « Il est vrai que les astronomes chargés jusqu'ici de l'entreprise, prodigues de leur temps et de leurs peines, ont mis dans tout le reste une parci-monie qu'on ne peut attendre que de savants peu riches, que la moindre dépense effraie et qui ont ménagé la République, comme ils auraient fait pour eux-mêmes, qui n'ont enfin ni demandé, ni reçu aucune indemnité pour leur travail [65]. » Mais à présent les respon-sables de l'expédition méritaient de recevoir un traitement, comme tout citoyen employé par l'État, avec un rappel pour les vingt et un mois passés en mission géodésique avant la suppression de l'Aca-démie. En mai 1795, après être parvenu à un accord avec Calon sur les conditions pécuniaires de sa nouvelle mission, Delambre rejoignit la Commission des poids et mesures.

*

Le 28 juin 1795, après dix-huit mois d'interruption, Delambre quitta Paris dans sa voiture spécialement conçue, accompagné seule-ment de son domestique Michel, du fabricant d'instruments mathéma-tiques Bellet et d'un autre assistant chargé de tenir les registres. Ils avaient prévu le nécessaire pour un périple de longue durée, notam-ment trente livres de graisse à essieux, un jeu de cordes et de poulies pour hisser le cercle répétiteur jusqu'en haut des clochers, deux caisses de textes et documents relatifs à l'astronomie, et de quoi faire les réparations : du borax, du cuivre, du mercure, de l'huile, des clous et de l'acier pour les vis et les ressorts [66].

Pour leur première nuit au sud de Paris, ils s'arrêtèrent au château des d'Assy, où Delambre était toujours le bienvenu. Deux jours après, ils arrivèrent à Orléans, sur les bords de la Loire, où l'astronome avait été forcé d'interrompre son travail dix-huit mois auparavant. Trois jours encore et puis ce fut Bourges, qui devait servir de base pour leurs opérations lorsqu'ils remonteraient ensuite vers Orléans.

19. Vue depuis la cathédrale de Bourges

Cette vue du haut de la tour de la cathédrale de Bourges montre la girouette en forme de pélican, unique en France, que Delambre a prise pour point de mire. Une légende médiévale veut que le pélican nourrisse ses petits de son sang, en s'ouvrant les entrailles avec le bec, et devienne ainsi le symbole du sacrifice de Jésus-Christ (Ph. de Valoire-Blois).

L'équipe descendit à l'auberge du Cœur de Bœuf, près de la place où se dressait un arbre de la liberté. Quelques observations de la cathédrale toute proche, faites à partir de l'auberge, permirent à Delambre de constater que l'équipe de 1740 y avait aussi passé la nuit. Ainsi la trigonométrie apportait-elle son concours à l'histoire. L'opération de la méridienne avait repris[67].

La cathédrale de Bourges est un pur joyau de l'architecture gothique. Sur le tympan du portail central de la façade, l'archange saint Michel pèse les âmes du Jugement dernier. Au-dedans, les vitraux représentent des scènes de l'Ancien Testament laissent passer des pans de lumière bleutée qui s'élèvent comme un ciel intérieur. Jusqu'à la Renaissance, la ville, située en plein cœur du centre de la France, avait abrité un atelier monétaire. Puis les guerres de Religion du XVIe siècle avaient ravagé la région et des fanatiques huguenots avaient décapité les statues des apôtres dans la cathédrale. Plus récemment, des révolutionnaires berruyers avaient coupé la tête des effigies en cuivre du duc et de la duchesse de Berry, avant de retourner l'endroit de fond en comble pour en faire le lieu de culte de l'Être suprême, dont la gloire « monte également vers le ciel [68] ».

La tour de la cathédrale dominait la campagne environnante sur plus de douze lieues à la ronde. Il fallait gravir les trois cent quatre-vingt-seize marches d'une cage d'escalier hexagonale avant d'atteindre la plate-forme, à trente-trois toises au-dessus du pavé, alors que l'on était déjà sur les hauteurs de la ville. À l'un des angles de la plate-forme, le tourillon de l'horloge se terminait par une flèche en fer ciselé, trois toises plus haut. Sur la pointe du tourillon tournait une girouette en forme de pélican [69]. Altruiste, l'oiseau de bronze, symbole du Christ, se perçait les entrailles avec le bec pour nourrir ses petits de son sang. Le Pélican allait servir de signal à Delambre : ce serait son point de mire. Au-delà de la petite balustrade s'étendait une mosaïque de terres cultivées, qui finissait par disparaître dans le lointain, avec ses petites bourgades en pointillé. C'était par là-bas qu'il devait aller, s'il parvenait un jour à quitter Bourges.

Delambre avait laissé derrière lui le bruit et la violence de Paris, et pourtant, même dans cette ville perdue au milieu des champs, la vague révolutionnaire en se retirant menaçait de l'engloutir. Il n'était pas plus tôt arrivé à Bourges qu'il fallut tout arrêter. Le coût du voyage avait largement dépassé les moyens dont il disposait. Depuis la chute de Robespierre, on assistait à une inflation galopante. Aux premiers jours de la Révolution, l'Assemblée constituante avait créé les assignats, ce papier-monnaie qui devait rembourser la dette nationale (laquelle était l'une des principales causes de la Révolution), et dont la valeur était garantie par la vente des biens confisqués au clergé et aux émigrés. Dans les campagnes, on avait toujours regardé ce papier-monnaie avec scepticisme, et la guerre avait déclenché une première vague d'inflation. Le Comité de salut public avait tenté de contenir l'escalade par un contrôle des prix et des salaires, mais les conventionnels modérés avaient décidé de supprimer ces contrôles et de fabriquer une plus grande quantité de papier-monnaie. La valeur des assignats s'était alors effondrée à une vitesse alarmante. Dans son état des dépenses [70], Delambre avait relevé la brusque augmentation du prix de la nourriture, du logement et des moyens de transport à mesure qu'il s'éloignait de Paris. À chaque relais de poste le coût de la location des chevaux était multiplié par deux, puis encore par deux. La première étape hors de Paris lui coûta quatre-vingt-douze francs ; le coût de la dernière, avant son arrivée à Bourges une semaine après, s'éleva à huit cent quatre francs. Quelques mois plus tard le prix avait encore doublé, atteignant mille quatre cents francs. À l'instar du prix de l'encre, du papier et des denrées de base, le coût de la réparation des clochers, de l'érection des échafaudages et de la construction des stations montait en flèche. Même la gratification des valets d'écurie avait été multipliée par dix. En quelques semaines, Delambre avait dépensé tout l'argent du budget alloué pour cette campagne. Il s'adressa au général Calon pour le supplier de débloquer des fonds [71]. Sans apport en numéraire, il serait coincé à Bourges pendant tout l'été.

Près d'un mois s'écoula avant que Calon fût en mesure d'assurer les fonds. Le Trésor ne consentait à délivrer que des assignats, même si les provinciaux n'acceptaient rien d'autre que des paiements en numéraire. À titre compensatoire, Calon augmenta leur traitement (réduit à une misère à cause de l'inflation) et les gratifia d'un grade militaire : Delambre, Méchain et Tranchot furent nommés capitaines. Cela devait leur permettre d'obtenir des rations de vivres et de fourrages. Le problème était de réussir à faire accepter les coupons de l'armée par les paysans et les aubergistes.

L'argent n'était pas le seul obstacle. La géographie des lieux en constituait un autre. Entre Orléans et Bourges, la triste Sologne offrait le paysage le plus monotone et le plus plat de France. Autrefois, Delambre et son équipe avaient dû se battre contre des paysans soupçonneux et affronter les brumes du Nord ; maintenant ils se trouvaient devant des terrains marécageux pratiquement impossibles à mesurer. Étangs aux eaux verdâtres, herbes hautes et forêts éparses, tout cela n'offrait guère de possibilité de voir loin. Les rares clochers étaient difficiles à distinguer dans la brume : celui de Salbris, qui avait été utilisé en 1740, avait été frappé par la foudre, et partout ailleurs le tribut payé à la Révolution était lourd. Delambre laissa paraître sa déception : « Les sans-culottes ont détruit la moitié des clochers autour de Bourges parce qu'ils s'élevaient insolemment au-dessus de leurs humbles demeures [72]. » Il lui fallut parcourir la région de long en large à trois reprises avant de pouvoir sélectionner une chaîne de triangles convenables.

Les villages solognots sont aussi isolés aujourd'hui qu'ils l'étaient avant l'assèchement des marais. Les étangs recueillent l'eau en excès, les fermes sont entourées de fossés et les routes, droites comme des règles, filent entre deux rangées de platanes. Seule la plainte stridente d'une motocyclette vient de temps à autre souligner le calme environnant. Les églises sont fermées toute l'année et ont sérieusement besoin d'une remise en état. La région se dépeuple, et le nombre de prêtres diminue. Au XVIIIe siècle déjà, on appelait cette contrée la Sibérie de la France. Un sol sablonneux, des landes stériles et des marais aux eaux trop stagnantes avaient rendu laborieuse toute forme d'agriculture de subsistance. « Il n'y a terre dans tout le monde dont le labour soit si ingrat et si pénible [73] », disaient à l'époque les gens du pays. Les paysans étaient rarement propriétaires de leurs terres. Les bœufs étaient maladifs et les moutons fragiles. Les étangs provoquaient des « fièvres de Sologne » – dont l'une était probablement une forme de paludisme. Chaque automne, les villageois en étaient victimes. Et pour couronner le tout, les Solognots étaient écrasés par une pléthore d'impôts.

Un tel climat faisait naître la méfiance. Certaines familles, disait-on, avaient le pouvoir de créer des orages au-dessus de la maison de leurs ennemis. Des sorciers se réunissaient avant l'aube autour des étangs comme celui de Boisgibault pour taper sur l'eau avec de grands battoirs en poussant des cris affreux : « Il leur suffit de vouloir le changement de temps, pour qu'aussitôt le plus beau ciel devienne nébuleux et que le tonnerre gronde [74]. » Pour dissiper les brumes et les vapeurs maléfiques, il fallait réciter des prières et sonner continuellement les cloches. On appelait cela le *dindon*. Les curés étaient obligés de se mettre du coton dans les oreilles pour supporter cette sonnerie continuelle.

L'église de Vouzon [75] date du XVIe siècle, et la cloche de la tour carrée que Delambre a utilisée sonne toujours les heures, mais le reste de l'édifice a été complètement réduit en cendres dans les années 1880. À Souesme, le clocher a été refait depuis l'époque de Delambre et il est maintenant recouvert d'un échafaudage en prévision de restaurations futures. La flèche octogonale de Sainte-Montaine est toujours debout et paraît minuscule à côté d'un vénérable châtaignier. Heureusement pour Delambre, quand il se rendit sur le site en novembre, l'arbre n'avait plus de feuilles, ce qui lui permit de distinguer les signaux alentour à travers les branches.

Lorsque aucune flèche ne se trouvait à sa disposition, Delambre s'adressait à des charpentiers du pays pour bâtir une tour d'observation. À Oizon, il fit construire un signal de trois toises et demie, en forme de pyramide, qu'il couvrit de planches de bois peintes en blanc. À Ennordre, ce fut une pyramide de quatre toises qu'il fit transporter par la suite au milieu d'un champ de blé bosselé. À Mororgues, au nord-est de Bourges, il fit ériger un signal de plus de quatre toises sur un chemin en hauteur qui bordait une petite colline. Delambre et Bellet grimpèrent en haut de l'échafaudage et se perchèrent sur des bottes de paille pour prendre les angles des stations environnantes. À Mèry-ès-bois, juste au nord de Bourges, un vieux villageois les conduisit jusqu'aux ruines du signal qui avait servi lors de la méridienne vérifiée de 1740. Il prétendit se souvenir du passage de Cassini dans la ville, cinquante-cinq ans plus tôt, mais l'année dernière, ajouta-t-il, des gars du pays avaient renversé le signal, qu'ils considéraient comme un signe de « féodalité [76] ». Toutes ces allées et venues attirèrent sur eux une attention indésirable :

> Ceux qui avaient de nous la meilleure idée nous prenaient pour des prisonniers de guerre que l'on transportait d'un endroit à l'autre ; d'autres en voyant les boîtes de nos cercles nous prenaient pour des charlatans de village qui n'auraient pas de quoi payer, et ils refusaient de nous loger. C'est ce qui nous est arrivé à Vouzon. À Souesme, on nous refusait aussi le gîte ; mais c'est parce qu'on nous connaissait et nous n'avions que des assignats. Sans la municipalité, qui promit de rendre du blé en nature à ceux qui auraient fourni du pain, on refusait de nous en donner, et malgré cette garantie, nous ne pûmes pendant plusieurs jours obtenir autre chose… En outre, il régnait à Vouzon une maladie épidémique, dont un de mes coopérateurs fut attaqué, au point qu'il n'était pas en état d'être transporté quand je quittai Vouzon pour aller à Chaumont [77].

La triangulation de la triste Sologne occupa encore Delambre pendant plusieurs mois ; ce fut le secteur le moins précis [78] de toute la méridienne, à cause de l'irrégularité de l'espacement des triangles. En travaillant bien au-delà de la saison optimale pour les mesures géodésiques, l'astronome parvint néanmoins à terminer la chaîne de triangles comprise entre Bourges et Orléans pour la fin du mois de novembre. Il avait prévu de profiter de l'hiver – saison impraticable pour les géodésiens – pour se consacrer à Dunkerque et déterminer la latitude du terme boréal de l'arc de méridien, le pendant de ce que Méchain avait réalisé à Mont-Jouy.

Aussi, avant de quitter Orléans pour Dunkerque, Delambre écrivit-il une lettre à son lointain confrère. Cette lettre reprenait une correspondance interrompue par deux années de silence. Delambre se disait heureux d'être à nouveau en contact avec son collaborateur : il était pressé d'échanger avec lui des informations relatives à leurs résultats, au financement de l'opération, et à des questions personnelles également. Il y avait une chose en particulier qu'il aurait aimé savoir. Puisque Méchain avait déjà effectué la mesure de la latitude du terme austral de l'arc, à Mont-Jouy – et avec quel degré de précision ! –, il aurait aimé en savoir davantage sur les étoiles observées, sur les méthodes utilisées pour mesurer leur hauteur et sur les moyens employés pour se prémunir contre le risque d'erreur. Ces informations lui permettraient de mieux comparer ses résultats avec ceux que Méchain avait si excellemment obtenus [79].

Cette demande, pourtant formulée en toute innocence, ne pouvait que toucher le point le plus sensible chez un homme à la sensibilité exacerbée comme Pierre François André Méchain.

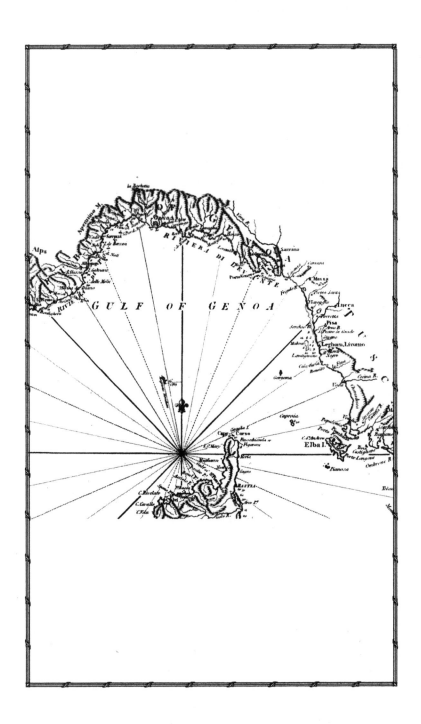

6

La peur de la France

« Quelle fatalité a donc voulu que ce qui fait la félicité
de l'homme devienne la source de sa misère ? Le sentiment si plein, si chaleureux, que mon cœur a de la
vivante nature, ce sentiment qui m'inondait de tant de
volupté, qui du monde qui m'entourait me faisait un
paradis, me devient maintenant un intolérable bourreau,
un démon tourmenteur qui, où que j'aille, me poursuit[1]. »

Johann Wolfgang VON GOETHE,
Les Souffrances du jeune Werther.

Au moment où le bâtiment qui transportait Méchain avait quitté le
port de Barcelone, la foudre s'était abattue sur les caisses renfermant
les précieux cercles répétiteurs. À peine fut-il en vue de la république
neutre de Gênes qu'une frégate anglaise l'intercepta et l'obligea à
continuer sa route jusqu'à une trentaine de lieues au sud du port de
Livourne (Livorno, en italien). Là, Méchain et ses collaborateurs se
retrouvèrent placés en quarantaine et les douaniers menacèrent de
confisquer leurs instruments. A-t-on jamais connu de philosophe aussi
malmené par la fortune ? Le destin avait déchaîné contre Méchain des
tempêtes tantôt naturelles tantôt humaines qui l'avaient forcé à
s'écarter de l'étroite portion de méridien où l'appelait son devoir ; et
comme s'il n'y avait pas assez du fléau de la guerre et de la fragilité
de sa santé pour plonger un homme – savant ou pas – dans le désespoir le plus profond, tous ces malheurs se trouvèrent augmentés par la
conscience de son erreur, une erreur d'autant plus grave qu'il ne
l'avait pas corrigée ; et ce qui l'aggravait encore, c'était le secret dont
il l'avait entourée. Le stoïcisme du philosophe pouvait triompher de
l'obstination des révolutionnaires, des caprices des généraux, de la
malice de la nature et de la violence des machines, mais pour un être

sentimental comme Méchain, l'erreur dont il se croyait responsable était plus que suffisante pour le plonger dans la plus profonde mélancolie.

À Livourne, Méchain était un étranger, il n'y connaissait personne. Il ne pouvait attendre aucune aide de sa femme ni de ses confrères qui se trouvaient à Paris. Pour leur parvenir, une lettre devait traverser les Alpes et les lignes de combat, puis passer au travers de l'épais chaos révolutionnaire. Alors, du lazaret où marchandises et voyageurs attendaient la fin des dix jours de quarantaine qui leur étaient imposés, l'astronome écrivit au directeur de l'observatoire de Pise, la ville universitaire voisine située à quatre lieues de là, au nord de la Toscane.

Méchain ne pouvait se prévaloir d'aucune relation antérieure avec Giuseppe Slop de Cadenburg, mais le Pisan avait longtemps compté parmi les correspondants habituels de Lalande, et il avait également collaboré avec la marine française à l'établissement de la carte nautique de la Méditerranée, travail qui avait occupé Méchain pendant une bonne partie des vingt-deux dernières années. Les deux hommes partageaient aussi la même fascination pour les comètes. C'est pourquoi, bien qu'ils ne se fussent jamais rencontrés et n'eussent même jamais échangé de correspondance, ils se connaissaient tous deux par leur réputation, le bien le plus précieux dont un savant pouvait s'enorgueillir. En tant que confrère, Méchain se permettait d'importuner monsieur Slop pour lui demander d'utiliser le crédit dont il jouissait auprès des autorités locales, afin de faire sortir ses instruments de la douane. En retour, lui-même se rendrait à Pise dès qu'il serait libre, pour lui exprimer sa gratitude en personne et lui faire une démonstration des performances du nouveau cercle répétiteur, au cas où le Pisan souhaiterait voir de près l'instrument scientifique le plus perfectionné de l'époque. L'appareil n'était pas un objet de contrebande et comme sa mission servait l'intérêt général, il devait être placé sous la protection de toutes les nations. « Quand la guerre sépare les individus, écrivit encore Méchain à son confrère italien, les sciences et l'amour des arts doivent les réunir[2]. »

Une telle éloquence ajoutée aux liens collégiaux suffisait à rapprocher deux astronomes, quel que fût l'endroit où ils se trouvaient. En réponse, Slop dépêcha un associé à Livourne, pour aider « le fameux Méchain[3] », le présenter aux personnalités les plus influentes, et négocier le prix qu'il fallait pour dédouaner ses instruments. C'est donc un Méchain plein de reconnaissance qui se présenta au domicile pisan de l'astronome italien, le 22 juin 1794, jour du solstice d'été. Il y resta trois semaines.

Le savant profita de ce répit pour vider son cœur. Il avait enfin trouvé une oreille compatissante et en même temps un astronome d'une grande compétence. Pour Méchain, Slop était comme un père, même s'il n'était son aîné que de quatre ans. Vertueux, honnête, généreux, d'une grande bonté, respectable, méritant, avec un cœur simple et une grande noblesse d'âme, et prodigue de ses sages conseils... la liste était interminable de toutes les qualités que Méchain attribuait à Slop, un homme qui pratiquait l'astronomie dans les mêmes lieux que Galilée avait autrefois fréquentés. Slop [4] avait épousé une jeune femme pleine d'entrain, d'origine anglaise, Elizabeth Dodsworth, et tous deux avaient élevé leurs trois enfants dans un esprit de tolérance et de libre pensée. L'aîné, Francesco, avait été arrêté l'année précédente pour avoir flirté avec la politique révolutionnaire. Puis il était revenu à Pise et, apparemment, se consacrait à l'astronomie.

Son séjour dans la famille Slop rappela à Méchain à quel point sa vertueuse épouse et ses enfants lui manquaient. Mais cette réminiscence avait un goût d'amertume, car en même temps il se souvenait de les avoir abandonnés à tous les dangers d'un Paris révolutionnaire. Le contraste était douloureux, avoua-t-il à Slop, avant d'ajouter : « Je dirai à ma femme, à nos enfants de seconder les efforts que je vais faire pour ressembler à un chef aussi respectable, aussi tendrement chéri des siens et de tous ceux qui ont l'avantage de le connaître [5]. »

À Slop, Méchain raconta tout : les motifs honorables qui l'avaient poussé à entreprendre cette mission, ses mésaventures en cours de route, les modestes succès qu'il avait connus jusqu'à présent, le sentiment de frustration qu'il éprouvait de plus en plus avec ses assistants, et même les doutes affreux qui le rongeaient par rapport à ses calculs de latitude pour Mont-Jouy et Barcelone. Astronome lui-même, Slop pouvait comprendre les subtilités des observations célestes et la myriade de façons que la science avait de pouvoir se tromper, mais il ne jugerait pas les résultats avec le même œil critique que les confrères français de Méchain, si soucieux de la précision de cette grande mission dont dépendaient leur réputation, leur carrière, et peut-être même leur vie. Se confier à Slop était sans risque : « Vous êtes le seul à qui je puis parler de si proche, le seul ami, le plus digne, le plus vertueux, le plus respectable [6]. » Par mesure de précaution, Méchain lui fit jurer de garder le secret, et plus tard il lui demanda de brûler les lettres déchirantes dans lesquelles il lui avait « ouvert son cœur comme à un père [7] ». Il importait aussi pour Méchain de s'assurer que ses lettres ne risquaient pas d'être ouvertes par les agents du gouvernement révolutionnaire français, ni de passer les Alpes pour parvenir jusqu'à ses collègues de Paris. Lues à travers l'inévitable brouillard de l'aveuglement de Méchain, ces lettres donnent un aperçu remarquable de ce que peut devenir un homme rongé par le doute scientifique. Au fil des jours et des semaines qui suivirent, l'astronome français allait confesser à Slop son erreur de Mont-Jouy – à Slop et à personne d'autre.

La destination première de Méchain restait la république de Gênes. L'astronome envisagea de s'y rendre en bateau, mais il se décida finalement pour la voie terrestre et se mit en route avec son équipe pour un voyage de deux jours à dos de cheval. La route côtière suivait la crête des montagnes qui surplombaient les scintillements de la Méditerranée. À cause des nombreux accidents de terrain, on fit transporter les instruments séparément, dans une diligence, et ils arrivèrent à Gênes, intacts, une journée seulement après que Méchain, Tranchot et Esteveny eurent fait leur entrée dans la ville, à cheval, le 11 juillet[8]. Le soir de son arrivée, Méchain dîna avec le ministre ambassadeur de France et il expédia plusieurs lettres : à ses confrères de Paris pour leur demander des instructions, à Slop pour lui dire qu'il était bien arrivé, et à son épouse pour la tenir informée de l'endroit où il se trouvait. Dans ses lettres, il disait également qu'il avait l'intention de rentrer en France aussi tôt que possible et que tout le monde l'avait assuré qu'il ne courait aucun risque à prendre la felouque pour Nice. Néanmoins, étant donné les récentes mésaventures qui lui étaient arrivées en mer, il préférait attendre les instructions officielles. En un an, il n'avait pas reçu une seule nouvelle de Paris. Il ignorait où en était le projet de la méridienne et quel était son statut à lui ou celui de sa famille. Personne là-bas ne savait d'ailleurs qu'il avait quitté l'Espagne. De Paris, les lettres mettaient au moins une semaine à parvenir jusqu'à Gênes et parfois bien davantage ; nombre d'entre elles n'arrivaient pas à leurs destinations. Les nouvelles, qui n'étaient plus d'actualité, s'amalgamaient alors pour servir de substrat à des drames ou à des épisodes comiques, selon les circonstances – ou à une angoisse dévorante, s'il l'on y était enclin. Prévoyant des retards, Méchain retourna à la douane pour prendre dans ses malles le linge et les vêtements dont il avait besoin, puis il alla s'installer à l'auberge du Lion d'Or.

Gênes avait autrefois disputé à Venise son hégémonie sur la Méditerranée, et ses vaisseaux et ses banquiers étaient encore impliqués dans les échanges commerciaux entre Gibraltar et les pays du Levant. L'impressionnante rade en demi-cercle, avec ses postes d'amarrage prévus pour un grand nombre de très gros navires, formait comme un amphithéâtre au pied de la chaîne des Apennins. Sur un promontoire rocheux, à l'une des extrémités du port, se dressait la grêle silhouette du phare de la Lanterne, semblable à un minaret de la Renaissance, de plus de soixante-cinq toises de haut. La majeure partie des cent mille âmes de la ville fortifiée s'était regroupée près du port sous les toits d'ardoise bleue qui reflétaient la couleur de la mer. On pouvait apercevoir, disséminés sur les collines pentues de l'arrière de la ville, de somptueux palais et des orangeraies en terrasses. La cité prospère arborait un très bel opéra-théâtre et offrait quantité de spectacles de rue, de la procession annuelle de la Saint-Jean, pour calmer les inondations du printemps, à la promenade du soir de la population élégante de la ville le long des remparts. Les nobles étaient entièrement vêtus de noir avec une petite cape et sans épée, et ils exerçaient sur la république patricienne un pouvoir oligarchique très homogène. Au cours du siècle passé cependant, la république de Gênes avait été minée par des querelles intestines, et les armées françaises et autrichiennes avaient tour à tour occupé la ville, obligeant les patriciens à céder l'embarrassante colonie corse aux Français pour préserver l'indépendance de leur république [9]. Cela s'était produit un an avant la naissance de Napoléon sur l'île de beauté, en 1769. La vieille cité, toujours très fière de son autonomie, avait conservé une neutralité prudente lorsque la Révolution française avait entraîné la guerre dans toute l'Europe. Cette neutralité n'était pas du goût des combattants, bien entendu. L'année précédente, la marine anglaise avait bloqué le port de façon intermittente. Pour ne pas être en reste, le ministre ambassadeur de France avait tenté d'inciter la petite noblesse à défier l'oligarchie régnante ; il avait rallié les petits artisans mécontents à la cause de la Révolution et fait imprimer la propagande jacobine dans les sous-sols de son palais. Dans l'intervalle, à une trentaine de lieues au nord-ouest de Gênes, l'armée française avait attaqué la coalition austro-piémontaise, suivant le plan d'un jeune général nommé Bonaparte.

Effectivement, trois jours après l'arrivée de Méchain à Gênes, Napoléon Bonaparte y était entré à son tour [10]. Il était venu là en mission « diplomatique » pour convaincre les Génois de faire alliance avec la France – ou pour une autre raison peut-être. Il y resta une semaine et en profita pour faire un repérage discret des défenses de la ville, tout en jaugeant la politique italienne. L'arrivisme de la République nationale menaçait d'éviction la vénérable république citoyenne.

Méchain et son équipe attendaient une décision de Paris, mais la felouque n'apportait que les échos des terribles bouleversements dont la capitale était l'objet. Le 9 août, soit dix jours après les faits, la nou-

20. Le port de Gênes

Vue de Gênes, par Ippolito Caffi (Galleria Internazionale d'Arte Moderna di Ca'pesaro, Venise).

velle de la chute de Robespierre parvint à Gênes. Pour le moment, Paris était calme. Pourtant, même ce calme-là pouvait être interprété de différentes façons. Tranchot espérait que la cause des radicaux reprendrait un nouveau souffle, maintenant que Robespierre était tombé. L'ingénieur géographe écrivit à Francesco Slop, le radical, fils de Giuseppe. Malgré l'élimination des Jacobins, lui dit-il, « [à Paris] le même ordre de choses règne qu'avant toutes ces têtes coupées ; tout ceci désole encore une fois les aristocrates qui levaient très fort la tête ici, mais elles reprennent leur courbure ordinaire [11] ». Dans toute l'Europe, ajoutait-il avec fierté, l'armée française continuait d'avancer : « d'un côté Bois-le-Duc est aujourd'hui à nous, disait-il, ainsi que Düsseldorf dont les faubourgs ont été incendiés, et de l'autre nous avons Cologne, Aix-la Chapelle, avec la citadelle de Coblence, dont la ville sera démolie du moment qu'elle tombera [en] notre pouvoir [12] ». Plus près de Gênes, à une trentaine de lieues vers l'ouest, l'armée française bombardait Cuneo.

Tranchot était plus qu'un sympathisant radical. Pendant son séjour à Gênes, il avait œuvré pour la cause française, de concert avec le ministre de France et le jeune Francesco Slop. Les deux hommes partageaient l'espoir que la Révolution finirait par arriver en Italie. Tranchot conseillait à sa jeune recrue d'attendre le bon moment.

> Je sens comme vous le dégoût d'habiter une terre pour laquelle on n'est point né, mais vous savez aussi bien que moi que notre révolution n'est pas encore à un terme qui convienne pour porter un homme à aban-

donner le bien-être qu'il a dans son pays natal ; cet heureux moment viendra, il le faut espérer, il n'est peut-être pas bien loin puisque, insensiblement, la base du nouveau gouvernement prend une assiette et une tournure qui en impose [13].

Derrière cette foi dans la Révolution et ses promesses se cachait une souffrance plus profonde. Tranchot avait des raisons de penser qu'une grande partie des membres de sa famille avait été emprisonnée ou tuée dans la tourmente révolutionnaire de sa Lorraine natale, mais de cela, il ne fallait surtout jamais parler, avait écrit Méchain dans une lettre à Slop, car Tranchot lui « saurait mauvais gré de l'avoir dit [14] ». Les relations entre les deux hommes s'étaient détériorées depuis leur départ d'Espagne. La santé de Tranchot était plus solide que jamais, et il était impatient de voir Méchain donner l'ordre de reprendre les opérations. Il lui était pénible de devoir attendre les instructions officielles de Paris. Il en avait assez du perfectionnisme et de la méticulosité de Méchain, de sa manie de toujours tout anticiper et de son refus de laisser quiconque mener les observations à sa place, ou faire les calculs, ou même consulter les registres de l'expédition [15].

Aucune nouvelle ne parvint de Paris cet été-là. Chaque samedi, la felouque accostait, n'apportant dans sa solonque que les journaux publics. Les semaines passant, l'inquiétude de Méchain augmentait. « Je suis depuis longtemps destiné à languir dans l'incertitude, à être tourmenté par les plus cruelles inquiétudes, et sur le sort des miens et sur celui qui m'attend [16]. » Ses craintes revêtaient de nombreuses formes. L'opération de la méridienne avait peut-être été annulée ? Peut-être un rival jaloux l'avait-il dénoncé au Comité de salut public ? Il n'était guère difficile de faire de lui un coupable aux yeux du Comité : il suffisait de retenir sa longue absence hors de France, ses séjours dans des pays hostiles à la République, la rumeur selon laquelle la Couronne espagnole lui aurait offert un traitement avec un poste important, et peut-être même le bruit que ses résultats étaient erronés. Rien d'étonnant donc à ce que Méchain eût secrètement demandé à Slop de lui trouver, si le pire venait à s'ajouter au pire, un refuge dans un « coin bien obscur [17] » de Pise, pendant qu'il se chercherait un lieu d'exil définitif.

À la mi-août, il reçut enfin des nouvelles de son épouse. Elle l'informait que le projet de la méridienne avait été suspendu « au moins jusqu'au printemps » et que seul le Comité de salut public avait le pouvoir de décider de reprendre les opérations. D'un côté, rien n'empêchait plus Méchain de rentrer chez lui. De l'autre, l'astronome craignait que son épouse lui eût caché des nouvelles encore plus alarmantes. « Peut-être ma femme ne m'a-t-elle embelli l'état des choses que pour me tranquilliser durant quelques moments [18] », confia-t-il à Slop en criant son innocence, en jurant de son attachement à sa famille, et en maudissant la malchance.

> Mais pardonnez, je vous parle, je crois être près de vous ; c'est le seul moment où le calme renaît dans mon cœur. Oh, vous savez trop ce qui me tourmente et m'afflige si cruellement. Une âme vertueuse, tendre et sensible comme la vôtre sent bien pourquoi je ne me rapproche de ma famille qu'en tremblant, tandis qu'en toutes autres circonstances je volerais vers elle avec transport [...] ; mais n'y porterai-je pas de nouvelles et plus vives alarmes ? Ne troublerai-je pas le peu de paix dont elle jouissait ? Combien d'exemples effrayants les événements ne me présentent-ils pas ? Que Dieu veuille [épargner à] ma famille les maux que je pourrais leur causer. Non, jamais mes intentions ne seront criminelles [19].

Il ouvrit son cœur à Slop : « Vous lisez, à présent, Monsieur, au fond de mon cœur. Vous y voyez les motifs de la crainte dont il était si fortement agité lorsqu'il s'entrouvrait près de vous [20]. » Méchain espérait que Slop aurait assez de bienveillance pour ne pas le trouver indigne de son amitié ni de ses conseils, et qu'il aurait de l'indulgence pour sa faiblesse. Sa santé, disait-il, se détériorait rapidement depuis quelques mois.

Les nouvelles de ses confrères de la Commission des poids et mesures ne lui remontaient guère le moral. À la fin du mois d'août 1794, ils lui firent enfin parvenir une copie de la loi du 1er août 1793, qui avait instauré le système métrique et défini un mètre provisoire de 443,44 lignes. En outre, ils l'informèrent que Delambre avait été exclu de la Commission, et que personne n'avait été désigné pour le remplacer. Méchain en tira ses propres conclusions : l'opération de la méridienne avait été « absolument abandonnée ». Dans ce cas, il se demandait à quoi avait bien pu servir une mission « pour le succès de laquelle [il s'était] tant tourmenté ». Le peu de bien qu'il avait espéré accomplir avait pris un goût de cendres, et les tourments endurés pour la latitude de Mont-Jouy étaient devenus cruellement grotesques, « car il importe peu que la latitude et la longitude de Mont-Jouy soient d'un quart de minute plus fortes ou plus faibles [21] », avait-il dit. Le nouveau système de mesures était en effet déjà établi, sur la base des anciennes mesures de la Méridienne vérifiée.

> Tout jette dans mon esprit un dégoût extrême ; les vues d'utilité et un peu de gloire qui m'animaient étaient de vains fantômes ; et quel intérêt

mes faibles travaux pourront-ils inspirer à la Commission, au gouvernement, à qui que ce soit quand ils n'ont plus d'application à aucun objet ? Pourquoi donc [rester] zélé pour continuer une telle mission ? Mon attachement pour ma famille ? M'ont-ils fait suivre une marche qui me conduira Dieu sait où ? Ah ! si j'en [avais pris] une autre, celle qui se présentait la plus naturellement, je serais tranquille, à l'abri de tous reproches et des suspicions, j'intéresserais les uns et les autres et l'on me plaindrait. Mais j'ai voulu le bien de la chose, celui de mes compagnons, celui des miens ; et peut-être j'ai fait avec de si pures intentions le malheur de ma famille et le mien, sans avoir contribué au succès de l'entreprise, sans espoir de reconnaissance de qui que ce soit. En voilà trop sur cet article, plus j'y pense et moins je puis voir l'avenir en beau. Le sort en est jeté, l'événement il faut l'attendre, et se consoler du sort de sa conscience et des motifs qui l'ont dirigée [22].

Toutefois, si l'annulation de la mission ôtait tout intérêt à ses travaux, elle lui apportait aussi un certain soulagement : les résultats de ses mesures n'importaient plus guère désormais. Si ses efforts devaient tomber dans l'oubli, il en serait de même pour ses erreurs. En effet, l'annulation de sa mission poussa Méchain à calculer le peu de différence que l'extension catalane aurait faite par rapport au mètre provisoire tel qu'il avait été évalué. Maintenant que le nouvel étalon était défini, même provisoirement, quelle différence cette petite extension ferait-elle ? « Ainsi, je ne suis pas loin de La Caille [et de Cassini], mais à la vérité, j'ai pris de la Méridienne vérifiée la portion entre les parallèles de Paris et de Perpignan, et comme vous voyez j'y ajoute peu de choses et mes erreurs dans ma petite portion ne peuvent avoir grande influence : ou elles sont détruites ou elles seraient énormes. Enfin, je cherche à suspendre ou à calmer le mortel dégoût qui me tue [23]. »

Dès la semaine suivante arriva la bonne nouvelle qui le replongea dans les affres du désespoir avec, en plus, d'autres informations terribles qui faillirent l'achever. Méchain avait été trop vite dans ses conjectures : le projet de la méridienne reprenait corps. Le savant apprit la chose de son épouse et de Lalande. Le général Calon avait été placé à la tête du département de topographie militaire et Méchain avait été nommé chef du service hydrographique, avec un traitement annuel de six mille *livres*, dont les deux premiers mois avaient déjà été versés à sa femme. Tranchot avait hérité d'une position subalterne dans cette nouvelle organisation. La nouvelle de la nomination de Méchain lui parvint officiellement deux semaines plus tard, signée de Calon lui-même, avec l'ordre de rentrer immédiatement à Paris, afin de débattre de l'avenir du projet de la méridienne [24].

Sur un plan pratique, cette promotion ne pouvait qu'améliorer les conditions de vie de la famille Méchain dans la capitale où, comme le lui avait dit sa femme, les fonds commençaient à manquer, et puis cette mesure était très gratifiante pour l'astronome. Pourtant, Méchain n'était pas certain qu'une augmentation de trente-trois pour cent de son traitement compenserait l'accroissement de ses responsabilités. Sa modeste activité précédente l'obligeait seulement à répondre de l'exactitude de ses propres résultats. Était-il réellement prêt à assumer la responsabilité de ceux de l'ensemble d'un service dirigé par des hommes dont il ne pouvait garantir le même souci d'exactitude ? Et comment pouvait-il être certain que cette organisation résisterait au prochain revirement des révolutionnaires ? Pour couronner le tout, Calon lui donnait l'ordre de revenir à Paris, où il devrait certainement rendre compte de ses résultats. « Ah ! Je vois et je sens bien pourquoi chacun tremble pour soi-même et pour ceux à qui on s'intéresse et [pourquoi] personne n'ose et ne peut rien [25] », écrivit-il encore à Slop.

Pis encore, la reprise de l'opération de la méridienne redonnait de l'importance à son erreur et faisait à nouveau de la discordance de ses résultats de Mont-Jouy un outrage à l'exactitude de la définition du mètre, « la mission la plus importante dont homme ait jamais été chargé ». Tous ces revirements semblaient avoir sérieusement perturbé Méchain, qui avoua à Slop ne plus avoir les idées très claires : « Je vous ai importuné de mes résultats hasardés et vous n'y aurez vu que l'image des derniers efforts d'un combattant terrassé qui lutte encore pour une victoire et des succès qui ont déjà fui bien loin de lui. En me relevant, honteux et désespéré, à peine je me souviens, et de ce que j'ai fui, et de ce que j'ai dit [26]. »

Plus traumatisante encore fut la nouvelle qui accompagnait l'annonce de la reprise des opérations. Lalande confirmait en effet que Lavoisier, Condorcet et plusieurs autres confrères de Méchain avaient été guillotinés. Pire encore, il lui apprenait que la Terreur avait frappé encore plus près de chez lui, dans l'enceinte même de l'Observatoire où sa famille habitait encore. Alexandre Ruelle, le jeune élève-astronome que Méchain avait pris sous son aile, protégé de la police et instruit à la pratique de l'astronomie pendant huit années, avait dénoncé Cassini à la police révolutionnaire, condamnant par là son ancien bienfaiteur à la prison, et pour couronner cette abominable trahison, il avait exigé que Cassini, Lalande et Méchain fussent traduits devant le Tribunal révolutionnaire, ce qui revenait à les envoyer à la guillotine. Si Méchain s'était trouvé à Paris à l'époque, il n'osait imaginer quelles conséquences affreuses en auraient découlé. Fort heureusement, Ruelle était maintenant lui-même en prison, pour son ignoble trahison, pour avoir soutenu les Jacobins désormais en disgrâce, et aussi pour avoir commis une erreur scientifique. Enfin, malgré toutes ces révélations, Lalande espérait encore le retour de Méchain dans le courant du mois [27].

Le savant entendait aussi d'autres propos, tenus par des amis qui avaient trouvé refuge à l'étranger. Ceux-ci le poussaient à venir les rejoindre dans leur exil, à abandonner tout espoir de sauver sa femme et ses enfants, et à cesser de servir un pays qui s'était entaché de sang d'une manière aussi abominable :

> [Mes amis] me disent que je serai trop heureux si le Comité se borne à m'abandonner ; que si l'on me laisse la vie, dénué de toutes ressources et toujours exposé à mille dangers, ma femme, mes enfants, et moi nous appellerons la mort pour mettre fin à nos maux ; que ma présence nuira plus à ma famille qu'elle ne lui servira, enfin ils m'appellent à grands cris vers eux. Mais ma famille, mes devoirs, mon honneur m'appellent aussi et j'ai toujours entendu leur voix ; pourquoi la repousserais-je à présent ? Pourquoi donc de si funestes augures traversent-ils les mers avec tant de vélocité pour m'atteindre ? Suis-je donc aussi coupable [28] !

L'enfant de la Picardie, étourdi par la lumière estivale de la côte méditerranéenne, était assis à son bureau dans la pénombre de sa chambre d'hôtel et considérait tous les aspects de son dilemme. Émigrer était un crime passible de la peine capitale. La seule rumeur d'une éventuelle émigration, si elle venait à se savoir, pouvait lui coûter son poste, c'est-à-dire le gagne-pain de sa famille, et ruiner à jamais tout espoir de rentrer en France. Et pourtant, comment repartir là-bas à présent ? On l'avait envoyé en mission avec pour équipement les meilleurs instruments du monde. Il s'était rendu lui-même personnellement responsable de ses observations ; et il avait effectué ses calculs selon les méthodes les plus fiables. Or, ses résultats étaient contradictoires. Méchain ne pouvait se résoudre à rejeter la faute sur ses instruments ou sur ses méthodes de calcul. Lui seul était donc à blâmer. Et si lui-même se considérait comme responsable, alors sûrement d'autres le feraient aussi. Pour une fois, il resta très en deçà de la vérité lorsqu'il rendit compte à Slop « des moments bien durs à passer depuis [qu'il l'avait] quitté ; mais, ajouta-t-il, tout est de ma faute, je me suis livré au hasard quand je tenais le certain. Il faut souffrir et ne pas se plaindre, pour ne pas s'exposer à souffrir plus encore [29] ». Il essaya de se convaincre de laisser le passé derrière lui, et de ne plus penser qu'au présent et à l'avenir. Mais il ne pouvait s'empêcher de s'inquiéter ni de se plaindre.

*

Début octobre, l'ambassadeur de France à Gênes fut rappelé à Paris pour répondre de ses sympathies jacobines, et Villars, son remplaçant, arriva avec les fonds et les passeports nécessaires pour hâter le retour de l'équipe. Le temps était venu de quitter Gênes. Tranchot se rendit au dépôt afin d'emballer les instruments pour le voyage [30]. Calon avait en effet demandé que ceux-ci fussent expédiés à dos de mule, par les Alpes, pour plus de sécurité.

Méchain annonça officiellement son intention de rentrer en France. Il écrivit au grand astronome milanais Barbera Oriani [31], qu'il avait rencontré à Paris quelques années auparavant, pour lui dire qu'il quitterait Gênes « le treize ou peut-être le quinze de ce mois ». Il demanda à Oriani de lui donner les résultats de ses observations les plus récentes afin de les faire parvenir à Lalande. En échange, Méchain ajouta un petit cadeau en annexe, l'une de ces petites attentions qui permettent à un savant d'obtenir d'un confrère des informations à caractère scientifique ; il s'agissait d'un abrégé de ses résultats pour la Catalogne, avec notamment diverses observations d'éclipses et d'étoiles, et un résumé des calculs de latitude effectués à Barcelone.

En guise de réponse, Oriani se hâta de quitter Milan pour voir Méchain avant son départ. En l'honneur de cette visite, le Français récupéra l'un des cercles répétiteurs qui se trouvaient au dépôt (alors même que Tranchot était occupé à finir de les emballer) pour faire une démonstration de ses performances extraordinaires. Les deux hommes installèrent l'instrument sur la terrasse de l'hôtel du Grand Cerf – « l'un des meilleurs hôtels de la ville, magnifiquement situé, juste en face de la mer [32] » –, et ensemble ils passèrent quelques nuits de la mi-octobre à mesurer la latitude de l'hôtel.

Oriani tomba sous le charme du cercle et, lorsque ses confrères de Milan apprirent de quoi cette merveille était capable, ils n'eurent de cesse de s'en procurer un. Les Milanais avaient commencé à effectuer leurs propres mesures géodésiques, et, de ce fait, Oriani proposa de relier les triangles français et italiens *via* Gênes. « Il est à désirer qu'une si belle entreprise puisse avoir lieu [33] », écrivit Méchain au général Calon, pour obtenir son aval. À sa grande surprise, non seulement Calon apporta son soutien au projet, mais il promit même aux Milanais de leur faire parvenir un cercle répétiteur qui leur appartiendrait en propre dès que Lenoir serait en mesure d'en fabriquer un. Après tout, ce projet permettrait de relier la carte de France et celle d'Italie, au moment où l'armée française se rapprochait de Turin, un peu plus au nord. Méchain n'en fut pas quitte pour autant : Calon insistait toujours pour qu'il revînt à Paris : « je ne te destine pas à retourner de ce côté, dit-il, mais bien à prolonger la méridienne de concert avec Delambre [34] ».

Méchain concocta donc un autre plan pour justifier de la nécessité de prolonger son séjour à Gênes (on ne devrait jamais sous-estimer la capacité d'un savant à trouver des sujets d'étude nouveaux et intéressants lorsque le besoin s'en fait sentir). Il fit observer que Gênes était située près du quarante-cinquième parallèle, à égale distance entre l'équateur et le pôle. Bordeaux n'était donc pas le seul endroit convenable pour déterminer la longueur du mètre à partir du pendule. Si seulement Calon voulait bien lui envoyer le pendule à poids en platine de l'Observatoire, Méchain pourrait épargner à la Commission la peine d'envoyer une équipe scientifique à Bordeaux [35]. Ou encore, il pourrait faire des observations à Gênes, pour apporter de nouvelles corrections de la réfraction (et résoudre discrètement le problème de ses résultats de Barcelone).

Finalement, ce fut le nouvel ambassadeur qui vint au secours de Méchain en prenant les choses en main lui-même. Depuis un mois qu'il était en poste, Villars avait fini par bien connaître le caractère indécis de Méchain. Quant à Méchain, il en était venu à considérer Villars comme « un ami des arts et des sciences [36] ». Le ministre donna effectivement la preuve de son amitié avec le savant. Rompu aux usages de l'administration, il conseilla à Méchain de demander un complément d'instructions à Paris – personne ne pouvait reprocher à un fonctionnaire du service public de chercher à clarifier les ordres reçus –, et dans l'intervalle lui-même refuserait de délivrer son passeport à Méchain, endossant par là la responsabilité du retard. Tout ce que Méchain avait à faire était de rédiger sa demande. Le lundi matin, Villars annonça à Méchain qu'il attendait sa requête officielle pour deux heures de l'après-midi, juste avant le départ de la felouque. Lorsque Méchain se présenta, à trois heures et demie – « j'étais encore hésitant », avoua-t-il plus tard à Slop – le courrier en partance était déjà dans la solonque, et Villars et le transporteur attendaient avec impatience. Villars arracha la lettre des mains de Méchain et la fourra dans la solonque. « Vos efforts sont inutiles, dit-il à Méchain. Votre inquiétude n'est point fondée, soyez tranquille et passons le reste de la journée ensemble [37]. »

La petite manœuvre de Villars réussit. Tranchot cessa d'emballer les instruments, et Méchain passa le reste de l'hiver sur la Riviera italienne. « Notre envoyé a exigé que je suspendisse notre départ [38] », annonça-t-il à Oriani. Pendant cet intermède, il fréquenta même le théâtre. Si ses compagnons de voyage avaient un faible pour le mélo-drame, Méchain, lui, préférait le théâtre classique, aspirant à y trouver « l'ordre, la tranquillité, la vertu honorée, le bonheur de tous se consolidant de plus en plus [39] ». Certains jours, il lui semblait que son cœur s'apaisait plus ou moins, mais la nuit venue, l'affreux pressentiment de sa ruine prochaine l'envahissait tout entier. Dans un courrier adressé à Slop, il avait glissé un petit billet soigneusement plié, sur lequel il avait écrit « Pour vous seul », et dans lequel il affirmait être convaincu de « n'avoir donné lieu à aucun reproche », mais, ajoutait-il, « dans les circonstances actuelles, qui peut se croire à l'abri des reproches, de l'envie, de l'inimitié, de la jalousie [40] ? ». Il avait entendu des rumeurs selon lesquelles ses ennemis de Paris conspiraient contre lui et cherchaient à contrarier ses projets, bien que son épouse parût lui servir de bouclier pour le protéger de toutes ces intrigues. « Vous voyez, concluait-il, que je suis assez bien instruit à deux cents lieues de la scène, et que mes craintes ne sont pas toujours chimériques [41]. »

Aujourd'hui, nous disposons de termes spécifiques pour désigner la manifestation clinique d'un tel état psychologique. Nous dirions en effet que Méchain était dépressif, paranoïaque, obsessionnel, et en proie à une agressivité passive. Certes, cela est vrai. Toutefois, les sentiments aussi ont leur histoire et Méchain était un homme du XVIIIᵉ siècle, un homme qui souffrait d'une maladie lancinante connue sous le nom de mélancolie. La mélancolie était une affection complexe, résultat d'un déséquilibre entre le corps et l'esprit. Elle frappait les esprits solitaires et recouvrait des formes très différentes. Le mélancolique voluptueux affectionnait particulièrement les tombes et les paysages arides, rien ne pouvait émerveiller davantage un poète élégiaque. La forme misanthropique était accompagnée d'une aigreur du caractère, comme celle qui avait frappé Candide lorsqu'il avait dû faire face à la cruauté du monde, et elle anéantissait tout espoir en l'avenir. Quant aux mélancoliques angoissés, oppressés par des remords trop lourds à supporter, ils pouvaient être amenés à la folie, ou au suicide.

Méchain présentait tous les symptômes de la mélancolie telle qu'elle avait été répertoriée dans la nosographie du docteur Philippe Pinel, médecin chef de l'asile de Bicêtre et membre de l'Académie, à savoir la taciturnité, les soupçons ombrageux, la monomanie et la recherche de la solitude [42]. Mais si Méchain était dans une incertitude paralysante, c'était parce qu'il se trouvait en face d'un terrible dilemme. S'il ne faisait confiance à personne, c'était parce qu'il manquait de confiance en lui-même. S'il craignait les conspirations, c'était parce que lui-même était détenteur d'un lourd secret.

*

Cet hiver-là, Méchain ne réalisa pas l'expérience du pendule, pas plus qu'il n'effectua de triangulations avec les Milanais. Un confrère dont il ignorait le nom [43] empêchait Calon de lui faire parvenir le pendule – c'était du moins ce qu'il croyait. Pour la liaison des triangles entre l'Italie et la France, il fallait attendre que Lenoir eût fabriqué un autre cercle. À ce dernier problème au moins, Méchain avait trouvé une solution ingénieuse : il avait demandé à Calon l'autorisation de vendre l'un de ses instruments à Oriani et de récupérer le nouveau cercle de Lenoir quand celui-ci serait terminé. Cette solution permettrait à son équipe d'avoir un apport en numéraire et il ne serait pas nécessaire de réexpédier le cercle. À sa surprise, Calon, encore une fois, donna son accord, et une semaine plus tard Méchain fut en mesure de proposer à Oriani de choisir entre les deux cercles répétiteurs : celui qui était gradué à l'échelle traditionnelle de trois cent soixante degrés, ou l'autre, qui était conforme à la nouvelle échelle décimale de quatre cents degrés. Oriani choisit le premier, et les deux savants un peu gênés convinrent d'un prix, qu'ils fixèrent à mille deux cents livres.

En réalité, Méchain se livra à quelques observations astronomiques cet hiver-là, à partir de la tour de la cathédrale de San Lorenzo et en haut de la fameuse Lanterne. L'un de ses objectifs était de tester son hypothèse sur la correction de la réfraction [44]. Les résultats ne furent guère concluants. Méchain apprit également qu'Oriani avait l'intention de publier ses résultats de Barcelone, bien qu'il l'eût averti que ceux-ci ne semblaient pas suivre le principe habituel de réfraction.

Fin décembre, Esteveny, le fabricant d'instruments, décida de partir retrouver sa famille et ses affaires et de rentrer à Paris par la felouque qui reliait Gênes à Nice [45]. Le voyage dura un mois et tourna au désastre. Un orage soudain contraignit tous les passagers à jeter leurs effets par-dessus bord, et lorsque Esteveny arriva en France, il ne lui restait plus que la chemise qu'il avait sur le dos. Ensuite, à sa descente du bateau, il fut arrêté par les autorités françaises, qui le considérèrent comme un émigré rentrant en France. Libéré sur permission du capitaine, il rencontra des obstacles à toutes les étapes de son voyage dans le pays, à cause du manque de numéraire. Le récit de ce malheureux périple parvint jusqu'à Méchain, et cela ne fit que le confirmer dans ses craintes. Que serait-il advenu, en effet, si l'astronome avait confié à Esteveny ses précieux instruments, ou pire encore, ses irremplaçables résultats ?

Méchain avait toujours Tranchot, même si les deux hommes étaient devenus totalement étrangers l'un pour l'autre. Ils ne logeaient plus à la même auberge et ne passaient guère de temps ensemble. Tous deux étaient issus des basses couches de la société de l'Ancien Régime, mais aucun n'avait encore trouvé sa nouvelle place. Tranchot était un ingénieur géographe militaire, un homme d'action, solide et sûr de lui. C'était un célibataire qui n'avait pas encore entamé le salaire qu'il avait reçu pour cette expédition. Il rédigeait des lettres courtes et franches, d'une écriture soignée et carrée. Il était toutefois sensible à tous les apparats de la bonne société. Au cours des vingt années qu'il avait passées en Corse, il avait rassemblé une petite collection de minéraux et de fossiles, et pendant son séjour en Italie il l'avait enrichie de poissons pétrifiés, de feldspath et autres cristaux « très recherchés à Paris il y a quelques années par les amateurs [46] ».

Chacun des deux hommes agissait en accord avec sa propre conscience. Tranchot suivait son patriotisme militaire et Méchain sa passion pour la rigueur. Peut-être était-ce là la raison pour laquelle ils étaient si exaspérés l'un par l'autre. Tranchot considérait le retard de Méchain comme un abandon de poste et il trouvait pitoyable son indécision. Lorsque Méchain annonça pour la énième fois qu'ils allaient bientôt quitter Gênes, l'ingénieur géographe commenta sur un ton narquois : « Selon monsieur Méchain, nous partirons après les fêtes, mais je ne sais pas si cela sera encore bien vrai [47]. »

De son côté, Méchain jurait qu'il n'éprouvait aucune hostilité envers son assistant, bien qu'il le soupçonnât d'intriguer pour lui prendre sa place de directeur de l'expédition. L'impatience de Tranchot lui était un reproche permanent, et sa compétence un défi continuel :

> Depuis l'instant que nous sommes partis de Barcelone, je me flatterais bien en vain de compter sur son amitié, son attachement et sa confiance. Il s'est exprimé ici trop nettement pour que je sois encore assez bête pour attendre un retour de sa part. Mais l'honnêteté, la probité sont toujours les règles de ma conduite envers lui, comme avec d'autres [48].

Méchain fut cependant amené à se poser la question de savoir si Tranchot connaissait son secret, et s'il risquait de le dévoiler.

Le printemps approchait, et avec lui la saison des travaux géodésiques, aussi Calon essaya-t-il à nouveau d'attirer Méchain en France. Il essaya de rendre cette perspective attrayante par ses vertus honorifiques. Nombre des plus illustres savants de France avaient accepté d'adhérer à son nouveau projet de musée de géographie. Il nomma Lalande, Delambre, Laplace et tous les anciens confrères de Méchain. « Tu ne te trouveras pas étranger au milieu de ceux qui partageront les travaux de l'établissement où tu te trouveras compris [49] », insista-t-il sans se rendre compte, bien sûr, qu'il s'agissait là précisément des personnes que Méchain craignait de rencontrer, parce qu'elles risquaient de découvrir son erreur.

Il fallut attendre la loi du 18 germinal an III (7 avril 1795), autorisant formellement la reprise de l'opération de la méridienne et le rétablissement de Delambre dans ses fonctions, pour que Méchain décidât sérieusement de quitter Gênes, et même alors, au tout dernier moment, il annonça que certaines intrigues, dans la capitale, avaient remis en cause la reprise de l'opération. À nouveau, il commença à chercher des excuses pour ne pas rentrer. Cette fois, cependant, il lui fut impossible de reporter plus longtemps son départ. Ne pas partir risquait de lui coûter son poste et de priver sa famille de son seul moyen de subsistance. Il écrivit une dernière lettre à Slop, dans laquelle il afficha même un courage stoïque en concluant : « Mais enfin le sort en est jeté, je vais tenter l'aventure [50]. » Fin avril, il embarqua à bord de la felouque à destination de Marseille, avec l'unique cercle et l'unique assistant dont il pouvait encore disposer.

Au moment où Méchain partait de Gênes, la République révolutionnaire avançait sur la cité patricienne. Tranchot avait suivi l'évolution de la guerre [51]. En novembre, il s'était vanté de ce que les victoires françaises allaient obliger l'ennemi à reconnaître la souveraineté du peuple français. Plus près de Gênes, on avait formé le projet d'envoyer vingt mille soldats français derrière les lignes autrichiennes. À la mi-mars, le géographe avait gravi les collines autour de la ville pour assister à l'attaque de la marine anglaise par la flotte française. On avait entendu tonner le canon de quatre heures du matin à trois heures et demie de l'après-midi, et Tranchot avait d'abord annoncé la victoire des Français, victoire qui, espérait-il, obligerait les patriciens génois à abandonner leur lâche neutralité. Lorsqu'il découvrit après coup qu'en fait les Français avaient été repoussés sur Toulon, il rejeta la responsabilité de ce nouvel acte de trahison contre la France sur les ennemis de l'intérieur. Quand donc, se demandait-il, la France trouverait-elle un héros redresseur de tous les torts qui lui étaient faits ?

En l'espace d'une année, Bonaparte allait mener son armée à travers toute l'Italie, et cette campagne militaire allait être l'une des plus spectaculaires de l'histoire moderne. En avril 1796, son armée occupa

Gênes, la ville qu'il avait jugée prête à être cueillie comme un fruit mûr lors de son passage en 1794. En mai, ce fut Milan qui ouvrit ses portes au conquérant, pour finalement laisser la ville aux mains des pillards de l'armée française – Bonaparte avait pourtant assuré à l'astronome Oriani que les hommes de science avaient beaucoup à gagner de cette conquête : « Tous les hommes de génie, tous ceux qui ont obtenu un rang distingué dans la république des lettres, sont français, quel que soit le pays qui les a vu naître. [52] » En juin de la même année, les troupes françaises occupèrent Livourne et Pise, où le fils de Slop partit travailler comme agent de la République française.

*

Lorsque Méchain et Tranchot arrivèrent à Marseille au printemps 1795, les confrères de Méchain avaient toutes les raisons de penser que celui-ci rejoindrait tout de suite la capitale pour les consulter avant de reprendre sa mission [53]. Il ne fallait en effet qu'une semaine, en voiture de poste, pour se rendre à Paris. Mais peut-être, pensaient-ils, Méchain préférerait-il aller directement à Perpignan pour continuer ses triangulations à partir de là où il les avait laissées. Perpignan n'était qu'à quelques jours, en allant vers l'ouest. Or Méchain ne prit ni l'une ni l'autre direction. Pendant les cinq mois qui suivirent, il se terra à Marseille. Durant ces mois d'été qui étaient la période la plus propice aux observations géodésiques, Delambre triangula tout le secteur situé entre Orléans et Bourges.

Les tergiversations de Méchain eurent pour effet de rendre Tranchot furieux, d'exaspérer Calon et de déconcerter ses confrères. Pour le pousser à reprendre les opérations, Calon envoya Esteveny rejoindre le savant à Marseille, avec deux nouveaux assistants chargés de remplacer Tranchot. L'armée française manquait cruellement d'experts en topographie, et Tranchot était l'un des géographes militaires les plus expérimentés de la nation. Calon avait besoin de lui pour trianguler la chaîne de montagnes qui servait de frontière entre la Suisse et l'Italie, là où Napoléon se préparait à passer.

En privé, Méchain admettait que Tranchot ne voulait plus travailler sous ses ordres. « Je sais qu'il désire n'être pas immédiatement sous ma direction, disait-il, Dieu comble ses souhaits [54] ! » Pourtant, il n'était pas question non plus pour lui d'oublier les services que Tranchot lui avaient rendus. Et il ne souhaitait pas plus le voir partir très loin – l'assistant était en effet la seule personne au monde susceptible de percer son secret. Aussi, quand les nouveaux assistants arrivèrent à Marseille, Méchain refusa-t-il de laisser partir l'ingénieur. Il écrivit

à Lalande que Calon voulait le priver de son assistant le plus capable :
« Nous nous entendions bien ensemble dans les opérations ; il me
secondait à merveille pour les observations astronomiques [55]. » Il se
plaignit également à Delambre : sans Tranchot, il avancerait beaucoup moins vite. Certes, la présence d'un second observateur pouvait
paraître superflue, avec un seul cercle répétiteur, mais Calon lui-
même avait donné son accord pour vendre l'autre cercle aux Milanais,
et ce n'était pas la faute de Méchain si Lenoir n'avait pas encore terminé le cercle de remplacement. À la mi-août, Calon se laissa
fléchir et accepta de « déférer [à son désir]… de ne point [se] séparer
[de] Tranchot ». Méchain pourrait « l'employer à [l']aider ainsi que
Bouvet et Décuve de la manière qu'[il] juger[ait] la plus
convenable [56] ».

Cette solution était parfaite pour Méchain. Avec le géographe sous
son autorité directe et avec un seul cercle, il contrôlait à la fois les
observations et les résultats.

Tranchot ne pouvait guère subir plus grande déception. Au lieu
d'avoir la responsabilité de ses propres levés, il se retrouvait une fois
de plus sous l'autorité de ce savant dont l'indécision l'exaspérait. Il
n'en obéit pas moins aux ordres de Calon – c'était la guerre et il était
officier –, mais il insista pour que l'on reprenne les opérations. Il
demanda l'autorisation de louer une voiture avec un postillon, pour
dix francs par jour, afin de transporter toute l'équipe jusqu'à Perpignan. Or, après avoir donné son accord dans un premier temps,
Méchain changea d'avis au moment de monter dans la voiture ; et il
opta finalement pour une traversée en bateau jusqu'au port de Sète.
Quatre ans après, quand tout fut terminé, le loueur du cabriolet se présenta à Paris avec le contrat dûment signé, et une facture cumulée de
quinze mille francs. Delambre fut obligé de trouver un arrangement
moins onéreux et parvint à réduire la facture à la valeur d'un nouveau
cabriolet. À la fin du mois d'août 1795, Méchain et son équipe quit-
tèrent Marseille pour le port de Sète. Arrivés là, ils empruntèrent un
petit bâtiment de l'État qui les déposa sur la plage du Canet, où ils
réquisitionnèrent des soldats pour transporter les instruments sur une
lieue et demie, jusqu'à Perpignan [57]. Après une interruption de deux
ans et demi, Méchain pouvait enfin reprendre la mesure de la méridienne.

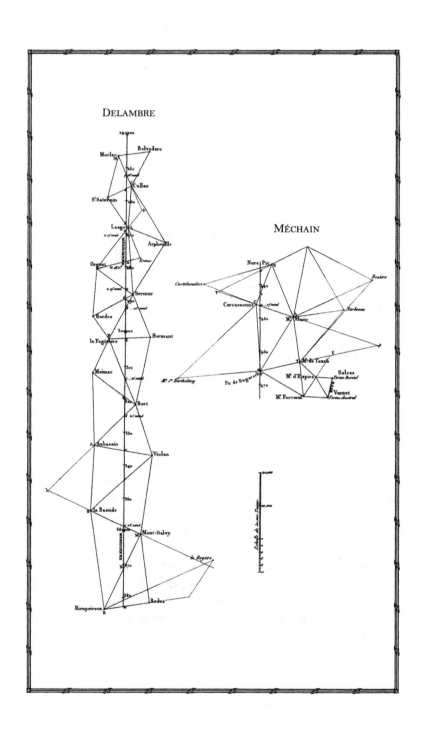

7

Convergence

Et chaque Espace qu'un Homme voit autour de sa
demeure
Se tenant sur son propre toit ou dans son jardin sur un tertre
De vingt-cinq coudées, cet espace est son Univers ;
Et à sa limite le Soleil se lève et se couche, les Nuages
s'inclinent
Pour rencontrer la Terre plate et la Mer dans un espace
ainsi ordonné
Les cieux Étoilés ne s'étendent pas plus loin, mais là se
courbent et se posent
De tous côtés, et les deux Pôles tournent sur leur valve d'or.
Et s'il transporte sa demeure, ses cieux également se
transportent
Où qu'il aille, et tout son voisinage pleure sa perte.
Tels sont les espaces appelés Terre et telle est sa dimension[1].

William BLAKE, *Milton*

Lorsque Delambre et Méchain reprirent leur mission à l'été 1795, ils se trouvaient tous deux à environ quatre-vingts lieues de part et d'autre de Rodez, la ville de grès rose où ils étaient convenus de se retrouver. Delambre, qui pourtant était plus avancé, avait encore devant lui un bout de route légèrement plus long. Il avait laissé derrière lui les plaines du nord de la France, mais il lui restait à calculer la latitude de Dunkerque, terme septentrional de la méridienne. Au sud, Méchain avait traversé la Catalogne, mais il lui fallait encore lier les pics des Pyrénées aux triangles français de la Méridienne vérifiée. Les deux savants se retrouvaient enfin l'un en face de l'autre, avec sous les yeux la France profonde, les anciennes provinces d'Auvergne, du Rouergue, du Languedoc et du Roussillon – un paysage de plaines, de coteaux et de causses, dominé par le

Massif central, avec ses volcans arrondis et ses lacis de rivières aux eaux glaciales.

La Révolution avait découpé ces provinces en départements quasi géométriques et déraciné les aristocrates et les membres du clergé qui les avaient gouvernées sous l'Ancien Régime ; pourtant, le vaste centre géographique de la France vivait encore au rythme de l'ancienne époque : agriculture de subsistance, pâturages d'été dans l'arrière-pays et marché hebdomadaire dans les villages. D'ici, Paris n'était rien d'autre qu'une lointaine rumeur métropolitaine. Les deux centres, politique et géographique, étaient unis dans une lutte sans fin visant à définir la France. Le centre politique, avec ses prétentions universalistes, s'efforçait d'obtenir une avancée linéaire de la science et de l'empire ; pendant ce temps-là, le centre géographique, fier de ses particularités, travaillait dur pour subsister, tout simplement. Les porte-parole du centre politique montraient de la condescendance envers le centre géographique et ils incitaient les campagnards à les imiter. À l'exception de quelques émissaires officiels, les habitants du centre géographique, quant à eux, faisaient de leur mieux pour ignorer Paris et ses projets extravagants, telle l'absurde proposition de l'établissement d'un nouveau système métrique et l'impossible mesure de la Terre. De leur point de vue, Delambre et Méchain n'étaient que des émissaires parmi d'autres, envoyés par le centre politique pour traverser en zigzag le centre géographique et pour le soumettre, au nom des chiffres.

Avant de reprendre sa mission, Méchain voulait se concerter avec son collaborateur de la partie nord. Il écrivit à Delambre pour lui demander comment celui-ci tenait ses registres. Donnait-il le détail de ses observations dans l'ordre où il les faisait, ou dans un ordre adapté aux calculs ? Rapportait-il ses observations une par une ou donnait-il seulement la dernière ? Regroupait-il ses résultats par station ou par triangle ? Combien de fois observait-il chaque angle ? Comment s'y prenait-il pour construire ses signaux ? « Je vous fais toutes ces questions afin de suivre le même ordre que vous, dans un souci d'uniformité. Vous avez déjà fait un très grand nombre de triangles, je n'en ai que fort peu de mon côté, et il ne m'en coûtera pas beaucoup d'en refaire la rédaction dans le même ordre que vous [2]. » Il allait jusqu'à demander à Delambre comment il s'y était pris pour ses dépenses. Avait-il donné un traitement à ses collaborateurs ? Dans le midi de la France, les prix augmentaient et les assignats avaient perdu presque toute leur valeur.

La plus grande nation scientifique du monde avait organisé une expédition dont le but était de mesurer la Terre avec un degré de précision inconnu dans toute l'histoire de l'humanité ; or les responsables de cette expédition, deux des astronomes les plus méticuleux du monde, ne s'étaient pas entendus au préalable sur la manière d'en rapporter les résultats dans leurs registres. Les savants du XVIIIe siècle voulaient peut-être soumettre le monde à la règle de l'uniformité, mais ils se gardaient bien de s'y plier eux-mêmes.

Delambre reçut cette lettre (passée par Paris) à l'automne, alors qu'il était occupé à trianguler les marais solognots. Ce fut très volontiers qu'il exposa ses méthodes en détail à l'attention de son confrère. Il consignait toujours toutes ses observations dans l'ordre exact où il les faisait, à l'encre, dans un registre où chaque page était numérotée. Ensuite seulement, il les faisait recopier par son assistant dans un autre registre, dans l'ordre approprié pour les calculs. Il notait toujours le nom de l'observateur, l'instrument utilisé, ainsi que l'heure de l'observation, le temps qu'il faisait et toute autre information pertinente, notamment un dessin du site fait à la main et annoté dans le détail. Il exécutait tout cela avec la conviction que, en tant qu'émissaire de l'État, il réalisait là une mission d'importance nationale. « La Commission réunie décidera ce qu'il faut imprimer, dit-il à Méchain, en attendant, je ne supprime rien [3]. »

Il faisait de même pour ses dépenses, surtout maintenant que le prix des vivres, du logement et du transport avait atteint des sommes astronomiques. Le traitement de ses adjoints était insuffisant pour leur permettre de se remplir le ventre, et Delambre payait tous leurs frais sur les fonds communs. Jusqu'à présent, l'administration avait refusé de rembourser ses notes de frais et il avait plusieurs mois de traitement en retard ; mais Calon avait récemment promis qu'il lui donnerait une compensation. Méchain pouvait s'adresser à lui de la même façon et compter sur une oreille attentive s'il venait à rencontrer des problèmes. En retour, Delambre avait une question à lui poser. Comme il était sur le point de se mettre en route pour Dunkerque afin de mesurer la latitude du terme septentrional de l'arc, Méchain pouvait-il lui dire quelles étoiles il avait observées à Mont-Jouy, et de quelles précautions il s'était entouré pour garantir la précision de ses mesures ?

Aucune autre question n'était susceptible de déclencher autant de réactions contradictoires chez Méchain. Il n'existait pas de sujet plus douloureux pour lui, et en même temps il n'y en avait aucun qui lui tînt autant à cœur. Sa réponse fut plus longue qu'un article scientifique. Elle fut certainement plus longue aussi que tous les autres articles qu'il publia par la suite. Elle s'étalait sur neuf pages d'une petite écriture en pattes de mouche, et il lui fallut douze jours pour la rédiger. Il la commença à Perpignan et la termina à Estagel, à mi-chemin du sommet de la montagne.

Méchain commençait par y exprimer sa gratitude envers Delambre, pour tous ses conseils. « Les renseignements que vous me donnez sont pour moi des leçons très instructives dont je vais tâcher de profiter ; vous avez aussi la bonté de me faire l'exposé de la marche que vous avez suivie dans la formation de vos triangles ; certainement, je n'ai qu'à regretter que les circonstances, les localités, et mon peu d'intelligence ne m'aient pas mis à portée d'en tenir une aussi bien concertée ; mais à présent, guidé par vous et par le canevas des triangles de la Méridienne vérifiée, je vais tâcher de prendre une marche plus sûre [4]. » Puis le savant donnait le détail des précautions prises à Mont-Jouy pour obtenir les résultats les plus précis possible, tout en laissant entendre en même temps qu'il avait des doutes sur leur fiabilité. Il s'inquiétait, avoua-t-il, pour la correction de la réfraction. Les variations dans les constantes obtenues pour ζ de la Grande Ourse étaient troublantes. Pourquoi cette étoile était-elle la seule pour laquelle ses résultats s'écartaient trois fois plus que les autres de la valeur moyenne ? Il avait été jusqu'à envisager de retourner à Barcelone pour y vérifier une nouvelle fois ses mesures. Il ne souhaitait plus qu'une chose : voir Delambre terminer ses observations à Dunkerque, car alors « la comparaison des résultats des mêmes étoiles serait déjà faite et mon procès jugé », avait-il écrit, tout en omettant soigneusement de mentionner les résultats contradictoires qu'il avait obtenus l'hiver suivant, à l'auberge de la Fontana de Oro.

La courtoisie revêt souvent un caractère formel : une phrase d'introduction pleine de fioritures pour rendre honneur au très estimé confrère, puis une dernière formule où l'on s'embrasse « de tout [son] cœur » avec, entre les deux, le détail des observations, les hypothèses, les antithèses et les critiques de ce qu'ont fait les autres. Sous l'Ancien Régime, la vie scientifique avait été réglée par ce type de formules, dont les variations étaient aussi subtiles que la formule de la réfraction de la lumière ; on assistait à une gradation de la déférence qui allait de la simple marque de respect à la vénération, et les témoignages d'affection pouvaient être feints ou venir du fond du cœur, avec toutes les nuances possibles. L'ancienneté, la renommée scientifique et le statut social faisaient coulisser le curseur dans un sens ou dans l'autre, tout comme l'amitié, la camaraderie et les rivalités d'écoles. La nouvelle époque exigeait des formules d'une autre trempe. Des citoyens virils n'avaient pas de temps pour autre chose que de francs échanges. Du jour au lendemain, on était passé d'un vouvoiement formel au « tu » républicain. Tous les hommes étaient égaux, à ce moment-là du moins. Pourtant, l'on voyait déjà réapparaître les vieilles formules que certains n'avaient

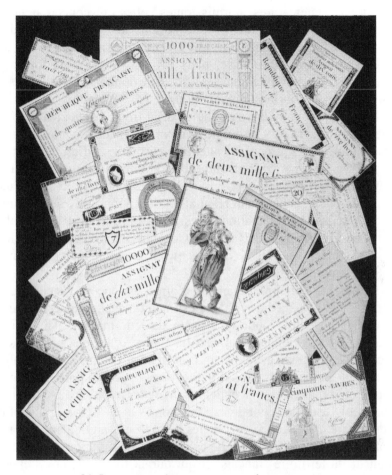

21. LE PAUVRE HÈRE SUR SA PILE D'ASSIGNATS

Ce tas d'assignats, papier-monnaie émis dans les premières années de la Révolution française, représente des bons dont la valeur nominale varie de cinquante à dix mille francs. Le cours des assignats s'effondra lors de l'hyper-inflation des années 1794-1797. Les assignats n'ont jamais été populaires en dehors des grandes villes (photothèque des musées de la Ville de Paris ; ph. Briant).

jamais complètement abandonnées. Méchain et Delambre ne se sont jamais tutoyés.

La courtoisie affectée de Méchain était tout en nuances. Même sincère, la politesse courtoise reste une sorte de camouflage. Les déclarations de respect et d'affection sont en fait des appels à la réciprocité. Même la formule finale où l'on s'embrasse de « tout son cœur » est une façon prudente de chercher pareille marque d'affection en retour. Méchain avait fait peu de publications et ses allocutions à l'Académie étaient rares, hormis toutes celles qui concernaient ses observations de comètes ou ses contributions aux éphémérides, tables annuelles des événements célestes. Delambre avait derrière lui une carrière trois fois plus courte, mais il avait publié trois fois plus, comme si son épanouissement tardif dans le domaine des sciences lui avait finalement fourni la matière pour se faire connaître.

Méchain avait toujours été rebuté par la froide irrévocabilité de la page imprimée, avec son public anonyme [5]. Il lui préférait la lettre personnelle, bien tournée, à l'attention particulière d'un destinataire unique et compréhensif, rencontre d'un homme avec un autre qui se trouvait dans les mêmes dispositions. Il correspondait avec des savants du monde entier, échangeant résultats et déceptions avec des hommes qui comprenaient l'abnégation nécessaire à l'acquisition de nouvelles connaissances : le Danois Bugge de Copenhague, l'Allemand Zach de Gotha, l'Anglais Maskelyne de Greenwich, et maintenant son compatriote Delambre, de Paris.

Méchain et Delambre n'étaient pas amis, pas encore. Ils étaient des confrères qui se tenaient en haute estime et avaient naguère observé les étoiles ensemble pour le compte de leur maître, mais qui ne s'étaient pas vus depuis trois ans. Ils étaient d'anciens membres de l'Académie (Méchain avait dix ans d'ancienneté de plus que Delambre) qui avaient été envoyés dans des directions opposées pour mesurer la Terre ; et maintenant, ils étaient camarades républicains dans un monde qui depuis le début de leur mission avait été détruit, puis refait. Tous deux étaient des savants doués à qui l'on avait demandé de rassembler des milliers de pages de calculs et d'observations sur toute la longueur du territoire français, et qui durant tout ce temps s'étaient mesurés l'un à l'autre pour recueillir leurs résultats avec la plus grande promptitude et la plus extrême précision. Ils étaient collaborateurs et devraient bientôt transformer cette masse de données informes en une seule et unique mesure, la longueur du mètre.

Il n'existait guère de guide touristique pour les aider à traverser les causses de la coopération et de la compétition, tout comme il n'y avait pas de manuel pour apprendre l'amitié ou les différentes façons de trahir. Delambre et Méchain avaient pour seuls guides les codes de convenances hérités de l'Ancien Régime et les nouveaux codes égalitaires qu'ils apprenaient au fur et à mesure. Il leur faudrait s'accommoder des deux pour façonner une nouvelle forme d'intégrité.

L'autodénigrement de Méchain suscita de la compassion chez Delambre, qui, dans sa réponse, loua (comme il était d'usage) les talents et les qualités de l'astronome. Il lui adressa quelques paroles de réconfort :

Que parlez-vous de procès à juger ? S'il y en a un, c'est celui des tables de Bradley, vous en serez le juge et je crois qu'elles perdront leur cause. On ne peut voir rien de plus précis que vos observations. Je voudrais pour beaucoup être assuré d'en faire d'aussi bonnes, et je m'inquiéterais peu qu'elles s'accordassent bien ou mal avec une théorie qui passe généralement pour incertaine et que Piazzi vient d'attaquer avec une assurance bien éloignée de votre excessive modestie [6].

Il engagea vivement son confrère à être plus confiant dans le soin qu'il apportait à ses observations et dans la précision de ses instruments. Il lui indiqua ensuite comment procéder à une nouvelle analyse de ses résultats de Mont-Jouy, lui démontrant que les résultats variaient selon les différentes hypothèses retenues pour le rapport de la réfraction aux constantes de température, de hauteur et d'angle. Aucune de ces suppositions ne permettait d'éviter le décalage des résultats concernant ζ de la Grande Ourse, mais Delambre promit de s'occuper de ce problème lorsqu'il ferait ses propres observations de latitude à Dunkerque. Dans l'intervalle, il « os[ait] inviter [son] cher collègue à [se] tranquilliser sur [ses] observations ». « Je les regarde comme décisives, ajouta-t-il ; vous n'aurez pas besoin de retourner à Barcelone. Je ne me flatte guère de faire aussi bien que vous [7]. »

Enfin, Delambre apporta à son confrère un réconfort de nature plus pratique. Il lui concéda en effet la priorité pour tout ce qui relevait de leur traitement et de leur position hiérarchique. Les temps étaient durs et les fonds rares, mais il rassura son collaborateur : « Je suis seul ; vous êtes dans une position différente. Toutes les préférences vous sont dues à toutes sortes de titres, sans parler même de l'ancienneté et de vos longs travaux [8]. » Et par-dessus tout, il espérait que Méchain serait de retour à Paris cet hiver-là, pour déplorer avec lui la perte de Lavoisier, de Condorcet et des autres savants exécutés par les Jacobins, qui fort heureusement étaient désormais bien éloignés du pouvoir. Toutefois, même s'ils ne se voyaient pas à Paris, Delambre attendrait avec impatience le jour où lui-même et son cher confrère pourraient enfin effectuer la jonction de la chaîne de leurs triangles à Rodez, car, dit-il, « ce jour fera époque dans notre vie à tous deux ».

*

En se rendant à Dunkerque pour mesurer la latitude du terme septentrional de l'expédition, sa dernière tâche à accomplir dans le nord, Delambre passa par Paris [9]. Il dîna avec Lalande et Calon et participa à la séance inaugurale de la nouvelle Académie des sciences, où il entendit présenter le système métrique comme la pierre angulaire de la mission du nouvel Institut. Il se remit en route le lendemain matin, passa à Amiens juste à temps pour fêter Noël (le 3 nivôse de l'an IV), et arriva à Dunkerque cinq jours plus tard.

Delambre consacra les trois mois qui suivirent à des calculs de latitude qui étaient l'équivalent, au nord, des mesures que Méchain avaient faites à Mont-Jouy. Ces observations étaient les plus délicates de toute l'opération, car toute erreur à ce niveau se traduirait directement par une erreur sur la longueur finale du mètre. Les observations équivalentes pour le terme austral avaient absorbé Méchain pendant deux hivers complets. Or Lalande souhaitait que Delambre n'y consacrât pas plus d'une semaine. « Quatre nuits, lui avait dit le maître, peuvent remplir votre objet à la seconde près, et vous pouvez bien vous contenter de cela [10]. » Le vieil astronome ne partageait pas avec ses anciens élèves le culte de la précision. De son point de vue, la recherche de mesures aussi fines était un gaspillage de temps et d'énergie. Le mètre étalon pouvait être fixé par décret, et s'il lui fallait le vernis de la science, quelques mesures appropriées devaient suffire. De toute façon, le devoir de ses élèves était de revenir au véritable objet de l'astronomie, c'est-à-dire de se remettre à inventorier le ciel.

Au lieu de suivre cet avis, Delambre s'employa à prendre les mêmes précautions que Méchain. Il installa son observatoire dans le grenier de l'intendance, une maison qui servait à l'armée et de laquelle on pouvait voir la tour de la cathédrale. Il fit percer une ouverture dans le toit (non sans autorisation préalable) et dormit à l'étage en dessous. Le seul inconvénient de cette confortable installation était l'instabilité du plancher. Delambre avait calculé qu'une instabilité maximum provoquait un écart de seulement 0,001 secondes, mais il préféra néanmoins installer une petite plate-forme en bois sur laquelle il se tiendrait, juste pour s'assurer que les mouvements de son corps ne perturberaient pas l'instrument [11].

La recherche de la précision est un travail minutieux. Elle requiert des précautions extrêmes et le recours à des stratagèmes, exactement comme en temps de guerre. Delambre se servit des théories astronomiques pour préparer ses observations. Il vérifia la verticalité du cercle de trois manières différentes. Il mit au point des formules pour la correction de la réfraction et de la température. Il fit une estimation préalable de la meilleure précision possible. Et alors seulement, il commença ses observations de la Polaire, l'étoile qui convenait le mieux pour le calcul de la latitude, à cause de sa proximité avec le pôle. En effet, sa distance au pôle lors de son passage au méridien permettait d'obtenir, avec une correction minimale, la distance angulaire de l'observateur par rapport à l'équateur, c'est-à-dire, en d'autres termes, la latitude du lieu où il se trouvait.

Delambre fit trente-huit observations de la Polaire au moment de son passage inférieur au méridien, ce qui lui donna une latitude de 51°2'16,66", avec un écart infime de 0,06 secondes lorsqu'il éliminait les observations les moins fiables. Les deux cents résultats obtenus pour le passage supérieur au méridien posèrent plus de problèmes à cause du ciel nuageux ; l'écart avec les précédents était d'une seconde entière. Néanmoins, lorsque l'astronome supprima les observations les moins fiables, la différence fut réduite à moins de 0,5 secondes. En cumulant le tout, il obtint un écart de 0,25 secondes seulement (soit environ vingt-trois pieds) par rapport à ses meilleurs résultats. C'était là une nouvelle démonstration de la précision du cercle, en même temps que la preuve de la qualité du travail de préparation, de la compétence et de l'intégrité de Delambre.

Pour ses calculs de la latitude, le savant avait suivi la même procédure que pour ses mesures géodésiques. Il notait toujours toutes ses observations, et Bellet et lui apposaient leur signature au bas de chacune des pages du registre, de façon à montrer à tous ceux qui viendraient à le consulter que rien n'avait été modifié ni supprimé. Il avait décidé qu'il n'avait pas le droit d'éliminer certains résultats de manière unilatérale. Plus tard, il expliquerait : « quand une observation était faite, elle devenait une chose sacrée ; bonne ou mauvaise, elle [était] fidèlement publiée [12] ».

Ensuite, Delambre entreprit de vérifier les résultats obtenus pour la Polaire avec ceux d'une étoile toute proche, β de la Petite Ourse, située également au nord de la Petite Ourse, et par conséquent tout à fait indiquée pour la mesure de la latitude. Mais il lui fut difficile d'observer cette petite étoile avec un cercle « qui [ne fut] jamais à sa vue [13] », même s'il avait fait limer le tube par Bellet, de manière à augmenter le grossissement. La même chose s'était produite lors des observations géodésiques. À ces moments-là, Delambre s'en remettait à son assistant qui menait ses observations « avec beaucoup de zèle et d'exactitude [14] ». Plusieurs fois, le savant avait noté dans son registre : « Bellet seul croyait voir le signal ; moi qui ne le voyais pas, je n'ai pris aucune part à l'observation [15]. » Les résultats relatifs à β de la Petite Ourse étaient mitigés : les valeurs recueillies au passage inférieur étaient particulièrement médiocres à cause du temps couvert, et elles montraient un décalage de trois secondes par rapport aux résultats obtenus pour la Polaire, ce qui était beaucoup. Toutefois, au passage supérieur de l'étoile, les résultats concordaient de façon extraordinaire, à 0,02 secondes près.

Delambre aurait pu s'en tenir là et quitter Dunkerque en ayant la conscience tranquille. Dans l'ensemble, ses résultats s'accordaient à une seconde près. Le mois de janvier avait été plutôt doux et février très froid avec un ciel dégagé, mais en mars les nuages s'amoncelèrent. Le ciel de la Manche ne pourrait jamais rivaliser avec celui de la Catalogne. Pourtant, lorsque les problèmes de budget obligèrent l'astronome à rester à Dunkerque pendant trois autres semaines, il décida de se livrer à des observations supplémentaires. On peut imaginer l'horreur que lui inspira l'écart flagrant qu'il découvrit alors entre ses nouveaux résultats et les anciens. Pendant près d'un mois, Delambre fut la proie de la même sorte d'angoisse qui avait tant tourmenté Méchain – jusqu'à ce qu'il trouvât l'origine du problème, à savoir que deux des vis de la lunette inférieure du cercle étaient desserrées. Une fois le problème réglé, les nouveaux résultats coïncidèrent avec les anciens. Satisfait, Delambre quitta Dunkerque le 29 mars.

L'astronome avait promis à Méchain un rapport complet sur ses mesures de latitude, mais jusqu'alors, la seule chose que le savant avait reçue était un rapport préliminaire de Lalande, qui faisait état des résultats obtenus pour la Polaire et pour β de la Petite Ourse. Cela l'avait rendu perplexe. « Vous aurez sans doute observé aussi les autres étoiles [16] », écrivit-il en mai à son collaborateur de la partie nord. Il ajouta qu'il comptait sur les résultats de Delambre pour l'aider à résoudre le problème de la réfraction et cerner son erreur. Il lui demanda un rapport complet, si Delambre voulait bien « y perdre quelques moments ». Dans la formule de politesse qui terminait sa lettre, la demande devenait prière : « Adieu mon cher confrère. Je compte sur votre amitié, votre indulgence. Je les réclame avec insistance, et en attends une nouvelle marque par votre réponse. Je vous embrasse de tout mon cœur, et vous souhaite une parfaite santé. »

Delambre répondit par une très longue lettre qu'il avait déjà lue, pour l'essentiel, lors d'une séance publique de l'Académie. Il expliqua à Méchain, comme il l'avait fait devant ses confrères de l'Académie, qu'il n'avait pas observé les quatre autres étoiles comme lui-même l'avait fait à Barcelone, car chacune d'elles posait des problèmes insurmontables. L'étoile connue sous le nom de la Chèvre n'était réellement visible que durant le jour ; on pouvait l'observer à Barcelone, mais pas dans la grisaille de Dunkerque. Quant à ζ de la Grande Ourse, l'étoile qui avait donné tant de tourments à Méchain, elle passait très près du zénith dans son passage supérieur et Delambre n'avait pas eu la possibilité de l'observer ; de toute façon, faisait remarquer l'astronome, elle « n'aurait donné qu'un résultat très incertain... comparé à celui que [Méchain] avait observé près de l'horizon », car ils auraient eu « tout à la fois les erreurs de la déclinaison et de la réfraction ». Et ainsi de suite. Delambre n'était satisfait, disait-il, que des deux premières étoiles seulement. « Ce sont peut-être les seules étoiles qu'il faille observer si l'on ne veut s'exposer à rencontrer le doute au lieu de la certitude que l'on cherche et dont on a besoin [17] », finit-il par conclure.

On n'écrit pas à un confrère comme on rédige une communication à l'Académie ; aussi Delambre ajouta-t-il un petit mot pour Méchain. Il vanta ses exceptionnelles qualités d'observateur et sa capacité à repérer des étoiles à peine visibles qui échappaient au regard des autres. Lui-même n'aurait jamais, disait-il, « la prétention de lutter avec [lui] ». Quant aux questions que Méchain se posait sur la réfraction, il pouvait être certain qu'il n'y avait rien là de très préoccupant. Aucune des observations de Méchain ne permettait de penser que la correction de la réfraction devait être différente suivant les latitudes. Tous leurs confrères, y compris Borda, s'accordaient à reconnaître que les tables de Bradley manquaient de précision et que les observations de Méchain à Mont-Jouy devaient être considérées comme définitives, « les plus précises et les plus parfaites que l'on pût espérer ». À l'unanimité, annonça-t-il à Méchain, ses confrères de Paris avaient déclaré que la partie astronomique de leur mission était achevée. Pour lui, c'était « une affaire terminée [18] ».

Deux savants ont l'un pour l'autre la même déférence. Chacun d'eux refuse d'admettre qu'il est le rival de l'autre, dont il reconnaît la supériorité. Néanmoins, des mots identiques peuvent revêtir un sens différent lorsqu'ils émanent de personnalités elles aussi différentes. Les formules de Delambre traduisaient une certaine assurance. Celles de Méchain exhalaient son manque de confiance. Dans la bonne société comme dans la nature, les formules employées peuvent véhiculer une grande variété de sens.

Delambre ajouta un dernier *post-scriptum*. Il informa son confrère qu'il dînerait en compagnie de Mme Méchain deux jours plus tard, et qu'il espérait pouvoir l'embrasser bientôt lui aussi. Méchain leur manquait à tous à Paris, et il trouverait un accueil chaleureux en rentrant. La nouvelle Académie était exactement comme l'ancienne, et le nouveau Bureau des longitudes était composé de tous les confrères auxquels il était le plus attaché. Le gouvernement, que l'on appelait désormais le Directoire, était toujours occupé avec les retombées de la Révolution et il espérait bien stabiliser la monnaie en créant le mandat, une nouvelle sorte de papier monnaie. Delambre lui-même était arrivé dans la capitale juste à temps pour assister à l'échec de la « conjuration des Égaux », un complot mené par Gracchus Babeuf, son vieil adversaire politique de l'époque d'Amiens. À présent, l'astronome s'employait à rassembler des fonds pour reprendre la triangulation au sud de Bourges. Il espérait avoir repris sa mission pour le milieu de l'été et avancer alors rapidement à la rencontre de Méchain.

*

Durant tout ce temps, Méchain était resté bloqué dans les montagnes à côté de Perpignan, se démenant pour avancer de quelques triangles vers le nord. La région était en effervescence. Les soldats français revenaient de leurs conquêtes espagnoles (négociées par les diplomates) et se trouvaient cantonnés partout dans la ville, occupant toutes les chambres libres. Les prix flambaient. Les vingt-quatre mille assignats que Calon avait octroyés valaient maintenant moins de huit cents francs en numéraire ; un mois plus tard, ils en vaudraient deux fois moins. Si parcimonieux fût-il, Méchain ne pouvait suivre le rythme. Ses coopérateurs avaient à peine de quoi se payer leur nourriture quotidienne, une livre de pain et une demi-livre de viande. Pour le vin et les autres « secours [19] » il leur fallait sortir l'argent de leur propre bourse. Les conditions de vie étaient encore pires pour eux dans les montagnes, où ils installaient les signaux. Les villageois ne voulaient à aucun prix des assignats. Personne ne consentait à leur louer chevaux ou mules. Ils devaient faire transporter leur équipement à pied, et les porteurs exigeaient d'être payés cent francs par jour. Les hommes chargés de construire les signaux demandaient plus encore. La facture pour les deux pyramides en maçonnerie que Méchain avait proposé de construire aux deux extrémités de la base, près de Perpignan, s'élevait à vingt-quatre mille francs, soit la totalité du budget de l'année.

Pour aider le savant à s'en sortir, Tranchot offrit de verser au budget de l'expédition les trois années d'arriérés qu'on lui devait. Cette générosité calculée impliquait que ses dépenses quotidiennes fussent désormais incluses dans les frais généraux. Pour faire face à l'inflation qui régnait cet hiver-là, le Bureau des longitudes avait multiplié par dix-huit l'échelle des salaires ; et pourtant, même le traitement astronomique de Méchain, cent quarante-quatre mille francs (en assignats), ne pouvait pas suivre le taux de l'inflation. Si le gouvernement de la République avait voulu apprendre au peuple français que les prix étaient la variable la plus importante, il n'aurait pas pu trouver méthode pédagogique plus rebutante. On assistait là à la première expérience mondiale d'hyper-inflation. Méchain fit observer que lui-même et ses collaborateurs seraient morts de faim dans les montagnes s'il n'avait pas eu à sa disposition le numéraire que lui avait rapporté la vente du cercle répétiteur, « et, ajouta-t-il, ce ne sont pas là des jérémiades, c'est la vérité[20] ».

La première tâche de Tranchot fut de rétablir les signaux de la frontière, détruits par deux années de guerre. L'assistant retourna au Puig de l'Estelle, où il était tombé dans une embuscade deux ans auparavant. Il remplaça les signaux des monts Bugarach et Forceral. Entretemps, Méchain assurait le général Calon de sa détermination. « Ne crois cependant pas, Citoyen, que je sois disposé à abandonner la partie ; j'épuiserai tous les moyens[21]. »

Au nombre de ceux-ci, il comptait sa résistance physique, diminuée, certes, du fait de son accident, mais encore étonnamment forte. Méchain avait décidé de ne pas récupérer sa voiture, qu'il avait laissée à Perpignan trois ans auparavant. En effet, le terrain était trop accidenté pour les voyages en voiture, et les chevaux beaucoup trop chers. L'astronome partit à pied dans la montagne, seul. Les adjoints que Calon lui avaient envoyés étaient plus gênants qu'utiles. Avec un seul cercle, il n'avait pas de tâche à leur confier ; aussi les renvoyat-il à Paris – tous excepté Tranchot[22]. Il disposait quand même d'un atout avec la chaîne de triangles de la Méridienne vérifiée. Le problème était que le degré de précision qu'il essayait d'atteindre était à lui seul une sorte de territoire inexploré.

Les premières stations autour de Perpignan furent relativement faciles. Le sommet du mont Forceral, colline aride en forme de cône située à l'extrémité ouest de la ville, offrait un panorama impressionnant sur les vignobles gris cendré, les étangs et la côte méditerranéenne. Méchain dormait à la belle étoile, car il n'avait pas les moyens de payer un gardien pour surveiller le cercle, la nuit. Le mont d'Espira, tout au nord, est situé sur les contreforts des Corbières, où le relief devient plus hostile avec ses vallées pierreuses dominées par des châteaux en ruines. Au cœur du massif se dresse une montagne isolée à deux têtes, que Cassini avait utilisée lors de la Méridienne vérifiée de 1740, et que Méchain allait lui aussi reprendre : le pic de Bugarach, plus connu sous son nom occitan, Pech de Bugarach.

Le Pech de Bugarach faillit avoir raison de Méchain. Cet énorme rocher calcaire était considéré comme sacré par les gens de la vallée. La petite ville située au pied de la montagne abritait huit cent vingt habitants, un magasin, trois moulins à eau et, tout près de là, une mine de jais, une variété de lignite noire et dure avec laquelle les gens du pays fabriquaient des bijoux. Méchain avait espéré camper au sommet du pic, mais la faible étendue de celui-ci – moins de deux toises – ne lui permit pas de planter à la fois son signal et sa tente. L'astronome logea donc dans une ferme accrochée au flanc de la montagne et s'attela chaque jour aux deux heures d'escalade. Il lui fallait escalader la pente en s'aidant des mains et des pieds, s'accrocher aux buis et aux broussailles pour ne pas perdre l'équilibre, puis entreprendre l'ascension de la dernière partie rocailleuse en montant en escalier, très prudemment. Un seul faux pas et tout serait fini. Dans une lettre à Lalande, il affirma pouvoir citer « mille exemples » d'hommes qui avaient fait une chute mortelle ; lui, au moins, grimpait les mains libres. « Je frémissais en voyant les hommes qui portaient les caisses du cercle et le bois pour le signal[23] », dit-il plus loin.

Rien n'aurait pu convaincre ces hommes de renouveler leur performance. Ils refusèrent également de monter la garde auprès des instruments la nuit, ou de rester assis près d'eux à les surveiller durant la journée. Le sommet en forme de dent de requin était balayé par d'effroyables coups de vent. Le nouveau signal était le troisième en place. Le mois précédent, un ouragan avait détruit celui que Tranchot venait de poser pour remplacer le premier, qu'il avait construit deux ans plus tôt. L'endroit était risqué. Les villageois imputaient cela aux *sinagries*, des esprits qui, disait-on, pouvaient foudroyer un homme d'un simple regard malveillant[24].

Encore aujourd'hui, une aura mystérieuse semble entourer la montagne. Bugarach est un nom d'origine arabe qui signifie « le père de tous les rochers », ou « le père banni », et désigne un lieu élevé où les exilés sont envoyés pour mourir. Le pic attire toujours des mystiques qui croient y voir le nombril du monde, ou le futur lieu de débarquement des extraterrestres, ou encore une crypte qui renfermerait d'anciens dieux et des vestiges de la mémoire humaine. La pente est raide jusqu'au sommet. De la ferme où a logé Méchain, il faut presque deux heures à un bon grimpeur pour y parvenir. Au-dessus des pâturages, le sentier prend la forme d'un lacet qui passe au travers des fourrés de hêtres et des sources d'eau minérale sur une pente très escarpée. La terre est lourde et collante. Lorsqu'on sort des fourrés, la sente traverse une crevasse avant la dernière montée jusqu'au sommet. Là-haut, si le temps est encore clair, on peut apercevoir le rideau bleuté des Pyrénées tiré sur le lointain horizon austral, avec, plus près encore, une demi-douzaine de châteaux cathares en ruines, placés à intervalles stratégiques le long d'une ligne de crêtes évanescentes dont les remparts brisés forment un prolongement à la cassure des montagnes. Au nord, dominant la grande et verdoyante dépression qui s'étend de l'Atlantique à la Méditerranée, la ville fortifiée de

Carcassonne, destination de Méchain, est à peine visible. Or, les jours
où le temps est clair sont des exceptions. Comme disent les bergers du
pays en vieil occitan :

> *Quand Lauro porto cinto*
> *Et Bugarach mantelino*
> *Aben pleijo sur l'esquino* [25].

> Quand le mont Lauro porte sa ceinture
> Et le mont Bugarach sa houppelande
> Il se met à pleuvoir sur les versants de la montagne.

Imaginez l'effet produit, disait Méchain à Lalande, lorsque vous
vous mettez en route par un beau matin clair et qu'à peine arrivé au
sommet vous vous apercevez que plus aucun des signaux environnants n'est visible. Entre les crêtes, les nuages avançaient aussi vite
qu'une armée et, à haute altitude, ils arrivaient en masse, couvrant
toute la région et persistant durant des jours. Méchain dormait à la
ferme, et il devait monter chaque jour au sommet pour s'assurer de la
présence de son cercle, qu'il avait laissé sans surveillance. Tous les
matins, il le réinstallait pour ses observations, et tous les soirs il le
remettait dans sa boîte et le plaçait à l'abri sous une toile cirée main-
tenue par des pierres, avec les *sinagries* comme seuls gardiens pour la
nuit.

Puis, quand le temps se remettait au beau, Méchain apercevait le
panorama complet, y compris le sentier qu'il avait emprunté pour son
ascension. Il pouvait le suivre du regard, descendre avec lui la pente
raide de la crête, se faufiler dans le col rocailleux puis émerger de
l'autre côté, avant de plonger dans les fourrés. C'était la piste de son
passé immédiat – et du futur aussi pour lui –, le seul moyen de monter
et de redescendre. De là-haut, le temps s'étirait devant lui, comme la
vue jusqu'à Carcassonne. On était déjà à la fin du mois d'octobre.
Chaque série d'observations avec le cercle répétiteur prenait une
heure, et il fallait en faire une douzaine. Le vent était froid. Les
nuages se rapprochaient, et alors, d'un seul coup, l'avenir pour lui
s'obscurcissait.

Ce n'était pas ainsi qu'il avait imaginé sa vie lorsqu'il s'était lancé
dans l'astronomie. En général les astronomes sont des sédentaires.
Certes, ils ont des horaires bizarres : ils veillent toute la nuit et font
leurs découvertes avant l'aube ; mais passé un certain âge, ils ne bou-
gent plus et s'échangent les informations par lettre. Aux grandes heures
de l'Ancien Régime, Méchain avait trouvé une sinécure comme capi-

taine-concierge de l'Observatoire royal. Avant l'opération franco-
anglaise de 1788, il n'avait jamais quitté les terres lourdes et compactes du nord de la France. L'Ancien Régime avait été le cadran sur
lequel avait avancé l'aiguille du temps, tel un excellent chronomètre.
Chaque soir à minuit, l'astronome traversait d'un pas tranquille les
jardins de l'Observatoire jusqu'à son cabinet d'observation, et chaque
matin il retournait dans sa coquette petite maison. Mais la Révolution
avait fait éclater le temps, remis les horloges à l'heure et arraché les
calendriers, remplissant les journées d'événements si précipités qu'il
ne pouvait plus entendre les battements du pendule. La Révolution
l'avait projeté jusqu'à la périphérie du pays, là où le temps avait
ralenti sa mesure et où ses jours étaient remplis d'une agitation répétitive. Désormais, il dormait dans les auberges décrépies des petites
villes de province : le porc y était rôti jusqu'à la moelle et les domestiques toujours en retard, il n'y avait pas de petit salon pour écrire, les
chaises n'étaient visiblement pas faites pour le repos, les portes laissaient entrer la musique du vent aussi bien que les gens, les murs
étaient blanchis à la chaux et les tapisseries étaient assez vieilles pour
servir de nid idéal aux mites et aux araignées [26]. Quand il avait de la
chance, Méchain dormait dans les manoirs des gentilshommes du
pays, ou, mieux encore, chez des savants amateurs comme la famille
Arago à Estagel, près de Perpignan. D'autres fois, moins chanceux, il
dormait sur la paille d'une étable, dans l'arrière-pays, sans chandelle
pour vérifier ses calculs, ou alors il se retrouvait sous une tente pleine
de vent tout en haut d'un sommet glacial.

Il vivait pourtant une époque où les grands navigateurs avaient
approché les confins du globe et rapporté de leurs voyages l'huile de
baleine des régions antarctiques, le fruit de l'arbre à pain des paradis
tahitiens, et le souvenir des aurores boréales. Quelle gloire y avait-il
donc à traverser la France, une nation que des dizaines de milliers
d'hommes et de femmes ordinaires traversaient chaque année, et cela
dans le seul but de rapporter quelques chiffres ? On pourrait tout aussi
bien s'interroger sur la nature du défi relevé par Thoreau au cours des
deux années qu'il passa à Walden Pond pendant que des dizaines de
milliers d'Américains ordinaires affrontaient une frontière sauvage à
plus de mille kilomètres de là, vers l'ouest. Pour les gens de Paris [27],
l'intérieur du pays était une nation étrangère aussi exotique à sa façon
que n'importe quelle partie de la cordillère des Andes. Les gens des
provinces du centre ne parlaient pas le français, mais seulement un
éventail de dialectes présentant des traits communs avec l'occitan et
le catalan.

Le maire du pays comprenait le français, mais il ne savait pas le parler. Les poids et mesures locaux enfermaient chaque village dans un système économique qui lui était propre. Le problème n'était pas de savoir si l'on pouvait traverser la France, mais comment et qui pouvait le faire, et dans quel but. Les bergers menaient leurs troupeaux sur les versants des montagnes de l'arrière-pays. Les brigands y allaient pour se cacher. Seul un homme de science pouvait accepter de grimper tout en haut d'un sommet pour prouver qu'il avait raison.

Dix jours plus tard, lorsqu'il en eut terminé avec Bugarach, Méchain se dirigea vers le mont Alaric [28]. Au même moment, une tempête abattit le signal de la station voisine, à Tauch. Tranchot fut envoyé sur les lieux pour le réparer. Méchain s'y rendit ensuite. Quand il en eut fini avec Tauch, c'était déjà la fin du mois de décembre et il faisait un froid glacial. L'astronome était monté une quinzaine ou une vingtaine de fois jusqu'à chacune des stations des sommets, et pour chacune d'elles il avait dû parcourir une trentaine de lieues à travers des champs recouverts de neige sur une pellicule de glace de l'épaisseur d'un pouce, tandis que soufflaient les violentes rafales des vents de nord-ouest. La graisse du cercle répétiteur était figée par le froid. Le savant avait les doigts trop engourdis pour resserrer les vis. Et malgré ses efforts, il était seulement parvenu à étendre sa portion de l'arc de Perpignan jusqu'à Carcassonne ; en six mois, il avait fermé trois malheureux petits triangles.

Cela aurait pu être l'occasion pour lui de rentrer à Paris et de prendre un repos bien mérité auprès de sa famille. Aucun de ses confrères n'aurait eu l'idée de lui reprocher de s'octroyer une pause pendant la morte saison de la géodésie ; mais Méchain avait une fois encore décidé de passer l'hiver dans le sud. Il déclara à Calon qu'il voulait chercher un site pour la base, le meilleur endroit qui fût pour mesurer l'un des côtés de ses triangles, d'un bout à l'autre [29]. Pour cela, il lui fallait trouver un terrain droit et plat d'au moins quatre à cinq mille toises, dont les extrémités pourraient être triangulées depuis une station adjacente. En 1740, Cassini s'était servi de la plage de Perpignan, mais Méchain considérait que le sable y était trop « mobile ». Il préféra opter pour un tronçon de la grande route qui allait de Perpignan à la forteresse de Salses. Sous la direction de Tranchot, des ingénieurs militaires construisirent une pyramide en maçonnerie à chacune des extrémités et Méchain les relia par triangulation à sa station du mont d'Espira. Il voulait aussi profiter du moment et du lieu pour s'atteler à la mesure de la base – Tranchot tenta même une série de mesures préalables avec une chaîne d'arpenteur –, mais ses confrères parisiens insistèrent pour qu'il achevât d'abord ses mesures angulaires. La mesure de la base devait être différée en attendant que les règles fussent prêtes.

Méchain prit ce refus pour un manque de confiance de la part de ses confrères. Son humeur, après une amélioration passagère, s'assombrit à nouveau. En mars, il avoua à Lalande que « [ses] forces physiques ne second[aient] plus assez [son] courage [30] ».

La rigueur de l'hiver avait ravivé sa vieille blessure au bras, mais lui-même reconnaissait que les effets à long terme de son accident avaient porté sur son moral plus encore que sur sa forme physique. Il était déprimé et ne savait pas vraiment pourquoi. Il lui restait à « guérir la tête ». « Je m'y efforce, assura-t-il, je vaincrai – j'espère encore – cette apathie, cette espèce de léthargie qui s'empare de moi et me glace dès que je suis dans le repos, ou livré à moi-même, et qui suspend le peu de facultés que j'avais [31]. » Il commençait à se laisser envahir par son état mélancolique. Il se sentait paralysé.

Dans la foulée, il écrivit à Delambre pour lui proposer de trianguler la partie nord de Rodez, qui n'était pas comprise dans sa portion de l'arc [32]. Le travail supplémentaire occasionné ne lui coûterait guère ; au contraire, cela lui permettrait tout simplement de compenser ses insuffisances et d'équilibrer leurs contributions respectives. Delambre ne répondit jamais. Le printemps arriva, puis passa. L'été s'éloigna doucement. Méchain était resté à Perpignan pour en mesurer la latitude.

Des amis qui travaillaient au Bureau du Département à Perpignan lui avaient permis d'installer son observatoire dans le jardin, où il avait aussi construit un cadran solaire. La mesure de la latitude de Perpignan était doublement inutile. Les triangles, la mesure des deux bases et les latitudes de Dunkerque et de Barcelone suffisaient amplement pour calculer la longueur du mètre. Toutefois, peu de temps auparavant, Borda, Laplace et les autres physiciens de la Commission des poids et mesures avaient décidé qu'une série de calculs de latitudes intermédiaires tout le long de l'arc de méridien permettrait d'affiner leur connaissance de la courbure de la Terre et, partant de là, que l'extrapolation finale au méridien dans son entier s'en trouverait améliorée [33]. Ils demandèrent donc aux deux responsables de l'opération de faire d'autres calculs de latitude en trois autres points : à Paris, pour la portion de Delambre ; à Évaux, le point médian de l'arc de méridien ; et à Carcassonne, dans la partie de Méchain. Et ils pressèrent Méchain de rejoindre Delambre à Évaux pour effectuer avec lui la mesure intermédiaire.

Méchain refusa poliment. Il trouvait préférable de laisser Delambre effectuer seul les mesures de latitude à Évaux. Cela en garantirait la précision. « D'ailleurs, déclara-t-il à Delambre, ne savais-je pas trop que [les miennes] seraient bien inférieures aux vôtres pour l'exactitude [34] ! »

Cette remarque, transmise à Borda, lui valut une sévère réprimande. Ce n'était pas une façon de parler pour tout homme de science qui se respectait. Lorsque Méchain se dénigrait, c'était sa mission qu'il dénigrait en même temps. Borda laissa de côté les politesses habituelles et s'adressa à l'astronome d'une manière franche et directe. Son âge avancé, sa position éminente et sa considération pour Méchain lui donnaient ce droit. « Je vais me fâcher contre vous et tout de bon, lui écrivit-il. Où avez vous pris que [les] observations [de Delambre], soit astronomiques, soit terrestres, sont meilleures que les vôtres ? Et pourquoi dépréciez-vous votre travail ou plutôt celui de la Commission lorsque tout le monde le trouve excellent [35] ? » La différence de résultat constatée pour ζ de la Grande Ourse montrait simplement que les vieilles tables de réfraction de Bradley étaient dépassées. Si les résultats de Méchain ne correspondaient pas à ce qu'avait trouvé Cassini lors de la Méridienne vérifiée, c'était « tant pis pour celle-ci ». « Vous n'avez point été envoyé pour trouver la même chose que vos prédécesseurs, mais bien pour trouver la vérité », rappela-t-il à Méchain. Avec les instruments plus perfectionnés dont il disposait et les précautions dont il s'était entouré au vu de l'importance suprême de cette mission, les résultats qu'il avait obtenus ne pouvaient qu'être différents. Sinon, l'utilité de la mission elle-même devait être remise en cause. Et en attendant, Borda allait utiliser les résultats de Méchain pour en tirer une nouvelle formule pour la réfraction.

Pour sa part, Delambre conseilla à Méchain de confier le soin de résoudre ses problèmes à Borda et à Laplace. Il pouvait s'enorgueillir de ce que les plus grands physiciens du monde allaient construire leur théorie grâce à l'excellence de ses observations catalanes, « les meilleures et les plus sûres qui existent [36] », dit-il. L'intégrité et la méticulosité de Méchain étaient légendaires. Delambre ajouta toutefois que Méchain ne devait pas essayer de tenter l'impossible : « quelque effort que l'on fasse, il sera toujours bien difficile de passer la précision d'une seconde. Je crois que nous sommes arrivés, vous et moi, ne formant pas de prétentions exagérées ; sachons nous contenter de ce qui est possible [37] ». Des erreurs minimes étaient inévitables dans toute opération de cette ampleur, et elles n'affecteraient en rien les résultats globaux. « Ceux qui auront quelque idée des difficultés nous tiendront compte du degré d'exactitude auquel nous sommes parvenus et ne chicaneront pas pour quelques petites erreurs que les circonstances ne permettaient pas d'éviter [38] », ajouta-t-il enfin.

Ces paroles de consolation n'apportèrent apparemment que peu de réconfort à Méchain. Ayant laissé passer toute une campagne géodésique sans fermer un seul triangle, celui-ci changea de programme pour se concentrer sur Carcassonne durant l'hiver, de façon à être prêt à avancer sur Rodez à l'annonce du printemps ; mais, en même temps, à Lalande, il avoua être sur le point de s'effondrer : « Mon courage s'est abattu après en avoir donné quelques preuves – et lorsqu'il n'y avait plus de difficultés à vaincre [39]. » Sur son moral pesait aussi l'idée peu flatteuse d'une comparaison avec son lointain collaborateur. « Le citoyen Delambre, écrivit-il alors qu'il se trouvait inactif, descendra vers nous avec la rapidité de l'aigle, et aura fait à peu près tout en France. »

*

À l'été et à l'automne 1796, Delambre mesura sept stations entre le sud de Bourges et Évaux, et chacune d'elles posa un problème particulier requérant une solution adaptée. À Morlac, première station au sud de Bourges, par exemple, la tour du clocher, qui s'était autrefois élevée à quarante pieds au-dessus de l'église du XIIᵉ siècle, était tombée « sous le marteau des hébertistes [40] ». Delambre offrit de partager le coût de son remplacement avec les villageois (sept cent quarante-huit âmes), mais ceux-ci refusèrent. Alors l'astronome proposa de coiffer l'église d'une pyramide en bois de dix-huit pieds, moins coûteuse, dont il partagerait la charge avec eux et qui permettrait à l'assemblée des fidèles d'être au sec lorsqu'il pleuvrait. Les habitants de Morlac rejetèrent également cette proposition. Delambre en fut quelque peu irrité et décida de conclure un marché avec un marchand de bois. Celui-ci l'aiderait à construire la tour pour une somme réduite et, en échange, lorsque les observations seraient terminées, il serait en droit de venir réclamer son bois. Mais quand le marchand se présenta un mois plus tard pour retirer le toit de l'église, les villageois ne se laissèrent pas faire. L'affaire fut portée devant le tribunal, et cinq ans après, le clocher se trouvait toujours en mauvais état. Puis, à Arpheuille, dernière station de ce secteur, les mesures de Delambre furent biaisées par la projection de l'ombre d'un grand chêne sur le clocher de l'église ; le savant dut toutefois s'abstenir de faire élaguer l'arbre, parce que celui-ci apportait de l'ombre aux paysans quand ils dansaient le dimanche [41].

Delambre arriva à Évaux, le point médian de l'arc, le 24 novembre 1796, et il descendit à l'auberge du Cheval Blanc. L'aubergiste lui loua aussi un grenier à blé au-dessus de l'une des portes de la ville. L'astronome y pratiqua une ouverture dans le toit pour se construire un observatoire, comme à Dunkerque. Après une longue période sans nuages et deux cent dix observations de la Polaire, le temps se gâta. Du jour au lendemain, la neige se mit à tomber. Au cours des deux mois qui suivirent, seules deux nuits furent propices aux observations [42].

Les premiers résultats s'écartaient très nettement de ceux que Cassini avait obtenus lors de la Méridienne vérifiée. Cette divergence – qui aurait plongé Méchain dans les pires affres de l'angoisse – amena Delambre à vérifier une nouvelle fois le travail de Cassini. L'astronome découvrit une erreur dans les méthodes employées par son prédécesseur. Il passa ses journées à mettre à jour tous les calculs, à affiner les formules et à vérifier les résultats. Il envoyait régulièrement tous ses calculs à Méchain, qui le lui avait demandé expressément. Sans doute goûta-t-il aussi aux thermes [43].

Évaux se trouve à la limite septentrionale du Massif central, à l'endroit où une source chaude jaillit de la montagne, au niveau de la roche, à une température de 60 °C. Les thermes romains de la ville ont été détruits par un incendie, au IIIe siècle. Au Moyen Âge, les bains ont servi de lieu de pèlerinage, car les eaux étaient réputées guérir les blessures des membres et les maladies chroniques. Au XVIIIe siècle, on comptait trois établissements de bains supervisés par un médecin conseil. Après des mois de voyage dans des conditions difficiles, Delambre aurait pu considérer son séjour à Évaux comme un répit bienvenu.

Évaux est un endroit où il fait bon prendre du repos mais où il ne faut pas s'attarder. Delambre était décidé à en finir avec cette expédition au cours de la saison à venir. « Aucun sacrifice ne me coûtera pour terminer l'été prochain », avait-il écrit à Méchain [44]. À Borda, il fit allusion à « quelques motifs de plus » pour rentrer à Paris, sans toutefois préciser lesquels. On peut penser cependant qu'il souhaitait reprendre sa carrière scientifique, qu'il avait interrompue si peu de temps après l'avoir commencée. Et sans doute voulait-il passer plus de temps auprès de la charmante veuve qu'il avait rencontrée peu de temps auparavant, à Paris [45].

En décembre, il commença à solliciter Calon par avance pour la campagne suivante, entamant une autre série de manœuvres délicates et interminables afin d'obtenir un renouvellement des fonds. Calon promit de faire tout ce qui était en son pouvoir, mais le gouvernement

avait changé de stratégie et se concentrait sur la lutte contre l'inflation. Si les assignats et les mandats commençaient à disparaître progressivement, il était encore difficile de se procurer du numéraire.
Delambre pouvait compléter son traitement avec les rations militaires.
En tant que capitaine de cavalerie, il avait droit à neuf livres par jour,
plus une double ration pour lui-même et pour son cheval. Le problème était que ces rations n'étaient échangeables qu'à proximité du
front, et comme le trésorier-payeur ne cessait de le lui rappeler, il n'y
avait pas en France d'endroit plus éloigné du front que la ville
d'Évaux. Pis encore, Calon lui-même commençait à perdre de son
crédit. Il n'était plus représentant du peuple, et il avait été accusé de
mal gérer son budget. Il demandait à Delambre et à Méchain de lui
fournir des comptes détaillés afin de pouvoir justifier à son tour de
leurs dépenses devant ses supérieurs. « Certains employés réformés
sont des chenilles qui cherchent à flétrir la meilleure conduite [46] »,
avait-on dit à Delambre. Au milieu du printemps, Calon perdit son
poste. Pour compenser la perte de leur bienfaiteur de l'armée, les
savants de Paris jouèrent de leur influence dans les milieux politiques.
Lalande fit pression sur Lazare Carnot, un ancien ingénieur qui faisait
maintenant partie du Directoire. Le célèbre savant proposa également
d'aller solliciter la veuve de Lavoisier, « dont on dit qu'elle est
riche », confia-t-il à Delambre [47].

Delambre avoua à Méchain qu'à la vérité il avait mis de côté une
réserve de deux mille francs en numéraire, qu'il avait économisée sur
son traitement des Longitudes et sur son petit revenu. Il espérait également pouvoir utiliser ses honoraires de membre de l'Institut. Ce
serait à peine suffisant pour financer un seul signal, mais cela en ferait
déjà un de moins à peser sur le budget. Bien entendu, cette caisse
noire devait être tenue secrète, « car il est bon que l'on nous croie plus
gueux que nous ne sommes », avait-il ajouté [48]. Néanmoins, si le seul
moyen de commencer sa campagne au printemps était de la financer
avec ses propres deniers, il irait jusque-là. Et, en fin de compte, c'est
ce qu'il fut obligé de faire.

Le 1er avril 1797, après quatre mois passés dans la petite station
thermale, Delambre entreprit la dernière phase de son parcours, vers
Rodez. Il lui restait encore à élever treize autres signaux en Auvergne,
et à fermer onze triangles. À mesure qu'il avançait vers le sud, les stations devenaient plus difficiles, comme celles du chemin de croix.
Dans sa précipitation, il s'était peut-être mis en route prématurément.
En ce début de printemps, le temps était épouvantable ; il pleuvait
presque tous les jours. Certaines fois, l'astronome trouvait refuge
dans des auberges. À d'autres moments, il se retrouvait pris sous des

torrents de pluie. À l'est, malgré la morosité du temps, il pouvait apercevoir le dôme des volcans maussades et leurs sombres mamelons
tout couverts de neige. Le plus haut de tous était le puy de Dôme. Plus
d'un siècle auparavant, le grand Blaise Pascal avait envoyé son beau-
frère au sommet du volcan, avec un baromètre rudimentaire, pour
prouver qu'il y avait des limites à l'atmosphère. Plus de mille ans plus
tôt, les Romains avaient adoré Mercure dans un temple magnifique
situé près du cratère. Et plus de dix mille ans auparavant encore, le
plateau avait été le lieu d'une série d'éruptions volcaniques – même
si cela faisait seulement dix ans que les savants avaient avancé cette
hypothèse pour la première fois et que leur théorie était encore sujette
à controverses[49].

Pendant des années, des décennies, des siècles, des millénaires,
jour après jour, les hommes avaient grouillé comme des fourmis le
long des ondulations de l'arc terrestre, guettant une crête et puis une
autre, cherchant à découvrir les processus qui avaient donné sa forme
à la Terre. S'ils avaient cru jadis en la perfection de notre planète, ils
commençaient maintenant à entrevoir son excentricité, suspendue
comme elle l'était au fil du hasard et de la nécessité. Et dans les inter-
stices entre le temps géologique et leur travail quotidien, s'était
déroulée l'histoire humaine, dont l'équilibre dépendait lui aussi du
hasard et de la nécessité. La saison des plantations avait commencé.
La terre était humide, les rivières coulaient à flots, l'air était chargé de
vapeur d'eau. La terre noire et riche nourrissait de luxuriants pâturages. Vaches, moutons et chevaux paissaient au bord des routes. La
nature avait été partout façonnée pour répondre aux besoins de
l'homme, et à son tour elle modelait les choix qu'il devait faire.
Même les églises gothiques avaient été construites avec la lave noire
du pays.

De loin, par ce temps morose, Delambre éprouva des difficultés à
repérer le beffroi d'Herment, ville médiévale fortifiée de cinq cent
vingt-sept âmes, perchée tout en haut d'un sommet pentu en forme de
cône. Chacune des trois tours de l'église d'Herment avait été démolie
et reconstruite : démolies par les huguenots, reconstruites par les
catholiques, puis démolies par les révolutionnaires, et maintenant
reconstruites par la science. Quand Delambre arriva sur les lieux, le
beffroi de cinquante-trois pieds de haut ressemblait à un squelette
noir. L'astronome fit remplir l'intérieur de la tour de balles de foin
pour la consolider et la rendre visible de loin. Mais lorsqu'il essaya de
couvrir la charpente avec la toile blanche dont il se servait pour les
signaux, les habitants du pays réagirent fortement. Le blanc était la
couleur du drapeau royaliste et l'administration départementale luttait

contre une résurgence de la réaction. Les habitants de la ville ne voulaient pas être pris pour des contre-révolutionnaires. Quelques semaines auparavant seulement, une bande de voyous s'étaient enfuis avec les fonts baptismaux qu'ils estimaient profanés et ils avaient malmené le curé parce qu'il avait prêté serment. Pour apaiser les patriotes, Delambre fit coudre une bande de tissu rouge sur un côté du drap blanc, et une bande bleue sur l'autre, transformant ainsi son signal en un drapeau tricolore de fortune. Grâce à ce procédé, il réussit à calmer les habitants de la ville assez longtemps pour se permettre de faire ses observations et de quitter les lieux. Le lendemain de son départ, un groupe de royalistes bagarreurs encercla l'église et força le curé à prendre part à leur procession. Comme le fit observer le commissionnaire du pouvoir exécutif du canton, « les ennemis des lois, du gouvernement et de l'ordre, n'[avaient] point ici perdu le fol espoir de tout désorganiser[50] ».

À la station suivante, Delambre fut obligé de solliciter l'aide de l'administration municipale. Il n'avait pas plus tôt installé son signal sur l'étrange colline grise en forme de tuyaux d'orgue dominant la ville de Bort-les-Orgues qu'un violent orage provoqua une coulée de boue qui dévala la montagne et emplit les rues d'un mélange de terre et de cailloux sur une hauteur de trois pieds. Les habitants incriminèrent le signal bizarre placé au sommet de la montagne et réclamèrent sa démolition. Cette ville pleine de suffisance était située en bordure de la Dordogne et avait longtemps souffert des inondations, malgré le sacrifice qu'elle faisait chaque année à la rivière. Au début du printemps, la veille du mercredi des Cendres, avait lieu une procession de jeunes garçons en aube blanche qui, une torche à la main, psalmodiaient une mélopée semblable à un chant funèbre, tout en accompagnant une charrette dans laquelle était disposée l'effigie d'un vieil homme : « Adieu, vieil homme, tu dois partir et moi je reste ! Adieu, adieu, adieu ! » Lorsqu'ils arrivaient à la rivière, l'homme le plus âgé du groupe brûlait alors l'effigie et la lançait encore en flammes dans la rivière. Ce rite datait de l'époque des Celtes, qui sacrifiaient les voyageurs les plus vieux en les jetant dans des rivières trop larges pour être traversées à la nage. Au XVIIIe siècle on avait ajouté à la cérémonie quelques réclamations officielles pour compenser les effets des inondations[51]. Les administrateurs municipaux parvinrent à dissuader les habitants de détruire le signal de Delambre. Le fait que le signal était hors de portée, sur la colline, rendit aussi la chose plus aisée.

La station suivante était celle du puy Violent, le point le plus haut de tout l'arc de méridien : il s'élevait à mille toises au-dessus du niveau de la mer. Là, Delambre eut le choix entre loger à Salers, la vieille cité d'époque Renaissance, toute proche – un avant-poste en onyx avec ses hôtels particuliers, ses auberges aux toits de lauze et ses remparts de lave noire, mais qui l'obligeait à trois heures d'ascension difficile pour atteindre le sommet du pic –, ou coucher dans une étable située à une heure du sommet. C'était la mi-août et Delambre crut plus sûr de s'épargner la peine de faire une longue marche tous les jours, aussi se décida-t-il pour l'étable.

> Pendant les dix jours qu'a duré ce travail, je n'ai pu me déshabiller ; je couchais sur quelques bottes de foin ; je vivais de lait et de fromage. Presque jamais je ne pouvais apercevoir deux objets à la fois ; un brouillard épais couvrait l'horizon. Pendant l'observation, comme pendant les longs intervalles qu'elle me laissait, j'ai été successivement brûlé par le soleil, refroidi par le vent et trempé par la pluie. Je passais ainsi dix à douze heures de la journée exposé à toutes les intempéries de l'atmosphère ; mais rien ne me contrariait tant que l'inaction [52].

Le Puy Violent ne tirait pas son nom du temps qu'il y faisait, mais on aurait pu le croire. Il s'élevait à côté de son jumeau comme la cuspide d'une molaire. À l'est, derrière Delambre, le massif du Cantal, entaillé de cirques glaciaires arides, barrait la vue. À l'ouest, le panorama s'étendait sur les planèzes verdoyantes qui plongeaient dans des vallées convergentes arrosées de cours d'eau, lesquels allaient eux-mêmes s'écouler dans un océan Atlantique invisible, à quatre-vingts lieues de là. Récemment, les géologues en étaient venus à penser que toute cette région avait été jadis occupée par un seul grand volcan. Lorsque le ciel se dégagea, Delambre put en chercher du regard les éclats élimés. Dans la lunette de son cercle, il apercevait les noirs remparts de Salers sur la proéminence basaltique de l'autre côté de la vallée, ainsi que toutes les stations environnantes : son signal de la colline des orgues à Bort, le clocher de Labastide, et sa destination suivante, le signal du château en ruines de Montsalvy, un perchoir silencieux sous un long ciel bas, où l'on ne voyait pas un seul être humain mais seulement quelques faucons qui allaient à la pêche dans le vent, et des vaches qui paissaient sur le flanc des montagnes. La Salers d'aujourd'hui, à la robe rouge acajou, est issue d'un croisement opéré à la fin du XIXe siècle, mais ses aïeules du XVIIIe étaient déjà connues pour leur fromage, la principale source d'exportation de la région. Pendant l'été, les vaches paissaient sur les hauts versants et, chaque soir, pour les protéger des loups, les vachers les ramenaient à l'étable où Delambre les rejoignait pour la nuit [53].

Les gens de l'arrière-pays étaient de beaux individus aux yeux bleus et aux cheveux châtain foncé. Ils prirent Delambre pour un sorcier. Qui d'autre aurait payé une équipe pour transporter quatre arbres de trois toises et demie au sommet du puy Violent, et y construire une pyramide ? Dans ces contrées, quand une vache refusait de donner son lait, quand une charrue cassait dans un champ, quand un voyage tournait mal, le coupable était toujours le mauvais œil du sorcier [54].

Une partie de la mission que le gouvernement avait confiée à Delambre consistait à recueillir des informations, dans toutes les campagnes où il passait, sur l'opinion du peuple par rapport au système métrique. Delambre découvrit que la grande majorité des gens n'avaient jamais entendu parler des nouveaux poids et mesures. Les ouvriers qui construisaient ses signaux ne savaient ni lire, ni écrire, ni compter, et ne parlaient pas français. Cela ne voulait pas dire qu'ils étaient incapables de s'exprimer ou même incompétents ; Delambre les trouvait tout à fait habiles pour ce qui était de la construction de ses pyramides bizarres. Toutefois, lorsqu'il voulait trouver une oreille compatissante, il préférait s'adresser aux « citoyens éclairés » de la région : les magistrats, les officiers d'administration et les personnes instruites. Ces citoyens-là étaient pressés de rentrer dans l'ère nouvelle. Sous l'Ancien Régime, l'Auvergne avait été réglementée par un fatras de codes juridiques ; il arrivait qu'un même village fût partagé pour moitié entre droit romain et droit coutumier. Cet imbroglio juridique venait alimenter la multiplicité des poids et mesures de la région et transformait chaque marché en une arène où se mêlaient « tromperies, déceptions, cautelles et larcins [55] ». C'est du moins ce que croyaient les citoyens éclairés de la région.

Au cours des deux derniers siècles, tout a changé dans cette contrée, les coutumes, les gens, les bêtes et même le terrain et les conditions météorologiques – tout – et, paradoxalement, tout a l'air d'être resté identique. La population de ces régions du Centre est restée stable pendant deux cents ans, même si l'émigration vers les villes a été constante et que les moins de soixante ans ne parlent plus l'occitan. Les Salers se sont multipliées, elles sont devenues plus musclées et plus attrayantes, et les loups ont disparu. Le fromage du Cantal est toujours le pilier de l'économie de la région (après le tourisme), et il est désormais exporté dans le monde entier, sauf aux États-Unis où les inspecteurs de la santé publique l'ont banni, ce qui a donné lieu à des réactions acerbes de la part des Français, qui considèrent que le marché du fromage n'est pas *réellement* mondial. Les hivers sont moins rigoureux maintenant qu'ils ne l'étaient au XVIIIe siècle, même si la grande tempête de 1999 a arraché trois cents millions d'arbres. Et la toute moderne autoroute suit encore le tracé prévu par les ingénieurs de l'Ancien Régime, bien qu'elle soit maintenant revêtue de bitume. En quittant Salers pour rejoindre Montsalvy par la route de l'Intendant, qui est aujourd'hui la départementale 920, Delambre fut pris sous une forte pluie d'orage. C'était, raconta-t-il, comme s'il avait cheminé dans un nuage, « à la lueur des éclairs et au bruit d'un tonnerre continuel[56] ».

À Montsalvy, le 12 décembre, il observa Rodez pour la première fois avec son cercle répétiteur. L'horizon était perdu dans la brume et l'astronome avait du mal à discerner son point de mire. Mais le lendemain, il le vit se dessiner très nettement sur le bleu du ciel : c'était le visage serein, en grès rose, de la Vierge Marie s'élevant sur son piédestal tout en haut de la cathédrale. La statue allait servir de point de jonction entre la chaîne de triangles de Delambre et celle de Méchain. Sur le sommet de la colline située juste au nord de Montsalvy, on peut voir aujourd'hui, en commémoration de l'endroit où Delambre fit ses observations, une table d'orientation finement ouvragée qui indique à la fois Rodez, toute proche, et, au loin, le pic de Nore, la station de Méchain au nord de Carcassonne.

Delambre avait devant lui le dernier bastion de sa partie. Rodez est située sur une petite colline du bassin du Rouergue, aux températures très douces. À mesure que l'astronome descendait vers le sud, la chaleur montait jusqu'à lui. La terre s'allégeait pour devenir une sorte de poudre orange et les maisons jaunes ouvraient leurs fenêtres sur le soleil. Tout à coup, Delambre avait cessé de sentir derrière lui le souffle de l'Atlantique. À la place, il respirait les senteurs de la Méditerranée : les arbres fruitiers, les balles de maïs, les oliviers, la sécheresse de la poussière du sud. Les lézards, dont certains faisaient un pied de long, se faufilaient entre les rochers. Delambre était arrivé dans le Midi. Il avait encore toute la pointe du Massif central devant lui, avec ses montagnes bleutées, et les gorges profondes charriant l'air frais qui en descendait. Mais c'était déjà le sud. Il ne lui restait plus que deux stations, celles qui devaient lui permettre de relier ses triangles à ceux de Méchain[57].

Il s'attendait maintenant à recevoir des nouvelles de son confrère à tout moment, à Rodez ou à Rieupeyroux, tout près de là. Les deux savants n'avaient pas été en contact depuis le printemps, probablement parce que Méchain se dirigeait lui aussi vers Rodez, allant de ville en ville, mais en restant hors d'atteinte des malles-poste. Le 23 août, en faisant ses observations à Rieupeyroux, Delambre aperçut l'un des signaux de Méchain, tout près, au sud. C'était bon signe. Cela signifiait que Méchain et lui fermaient simultanément leurs triangles sur Rodez. Quelle fin glorieuse pour leur mission – la perfection jusque dans l'achèvement de ces six années de compétition et de coopération ! Pressés de terminer leurs mesures, Delambre et Bellet se mirent en route dès le lendemain pour parcourir les dix dernières lieues qui les séparaient de Rodez. En chemin, ils rencontrèrent un voyageur solitaire qui se dirigeait dans la direction opposée à la leur. C'était Tranchot qui venait à leur rencontre. Il en avait fini avec sa mission, expliqua-t-il. Méchain lui avait donné des instructions très précises pour construire une chaîne de signaux de Carcassonne à Rodez, et lui devait suivre juste derrière, pour prendre les mesures géodésiques avec son cercle. Le signal que Delambre avait aperçu quelques jours auparavant était celui que Tranchot avait posé à La Gaste. Méchain n'était pas encore en vue [58].

Deux jours plus tard, le 9 fructidor an V, c'est-à-dire le 26 août 1797, Delambre arriva à Rodez et nota dans son registre cette épigraphe de Virgile, extraite de l'*Énéide* :

> *Hic labor extremus, longarum haec meta viarum* [59].
> Voici le dernier travail et la fin de longs voyages.

Puis, avec Bellet et Tranchot, il gravit les trois cent quatre-vingt-dix-sept marches de l'escalier de la tour de la cathédrale pour aller observer les stations adjacentes. Les statues des quatre archanges montaient la garde à chaque angle. Au centre, sur son piédestal, plus haute que tout autre point à vingt lieues à la ronde, se dressait la statue de la Vierge Marie. Frappée par la foudre en 1588, la statue de bronze avait été remplacée par une sculpture en grès rose comme le reste de la cathédrale. Des révolutionnaires voulaient maintenant la remplacer par une statue de la liberté. D'autres insistaient pour raser complètement la tour, mais la Société populaire locale avait voté pour la transformation de la cathédrale en temple de la Raison. Comme à la basilique de Saint-Denis, on avait conservé les vestiges du passé pour servir une nouvelle cause [60].

Le vent soufflait très fort, l'horizon était dégagé. Les observations furent achevées en deux jours, puis ce furent les préparatifs pour le retour à Paris [61]. Delambre avait presque terminé.

22. LA CATHÉDRALE DE RODEZ

Le clocher Renaissance de la cathédrale de Rodez servit de point de jonction pour les triangles de Delambre et de Méchain. La tête de la statue de la Vierge Marie, qu'ils prirent tous deux pour point de mire, est le point le plus élevé, au centre de la tour (ph. Roman Stansberry).

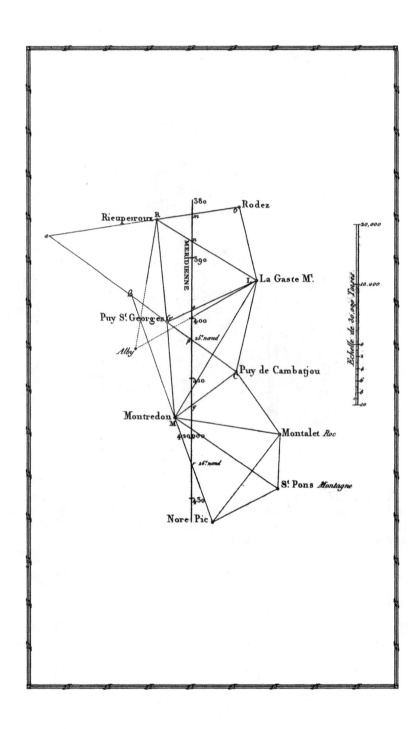

8

Triangulation

« La même erreur, disait-il, se rencontre partout dans
notre science ; les grands points fermement établis en
sont inexpugnables. Les lois naturelles se défendent
assez elles-mêmes, mais l'erreur, poursuivait-il en fixant
un regard sévère sur ma mère, l'erreur, monsieur, se
glisse par les petits trous et les failles que la nature
humaine laisse sans défense[1]. »

Laurence STERNE, *Vie et opinions
de Tristram Shandy, gentilhomme*

Où était donc passé Méchain ?

Au printemps et à l'été 1797, alors que Delambre triangulait les stations du Massif central, et que Tranchot déroulait sa chaîne de
signaux de Carcassonne à Rodez, personne n'avait entendu parler de
l'astronome de la partie sud. Début août, alors qu'il approchait de
Rodez, Delambre commença à ressentir une inquiétude grandissante,
au point de décider de prendre contact avec Thérèse Méchain, à
l'Observatoire. Peut-être savait-elle où se trouvait son mari.

Pendant que Méchain continuait sa lente progression à travers les
lointaines montagnes du sud de la France, son épouse avait quitté la
petite maison du parc de l'Observatoire pour la « grande maison » et
le vaste appartement qui jadis avait été occupé par quatre générations
de Cassini[2]. On le lui avait proposé lorsque son mari était à Marseille,
mais Thérèse, en femme pratique qu'elle était, avait voulu y faire
quelques travaux avant d'emménager, car le logement avait subi
quelques dommages pendant la Révolution. Le jour de son entrée
dans les lieux avait dû être un jour merveilleux pour la famille
Méchain. Le fils aîné, Jérôme Isaac, âgé maintenant de dix-sept ans et
qui avait reçu le prénom de Lalande, son parrain, avait l'intention de

suivre les traces de son père et de faire une carrière d'astronome. Il travaillait déjà à l'Observatoire, comme assistant. Le plus jeune des fils montrait lui aussi des aptitudes dans le domaine scientifique, et la fille était peut-être la plus brillante des trois. Après tout, l'éclipse des Cassini laisserait peut-être le champ libre au clan Méchain pour diriger l'Observatoire pendant plusieurs générations. Mais bien sûr, il faudrait d'abord que leur père achève de poser les fondements d'une lignée honorable.

Thérèse Méchain fut étonnée d'apprendre que son mari n'était pas entré en relation avec ses confrères pour lesquels il avait une profonde estime[3]. Dans sa dernière lettre, datée du 21 juillet, il avait fait savoir qu'il était sur le point de commencer la triangulation de la Montagne Noire, au nord de Carcassonne, et il avait formulé l'espoir d'en avoir terminé avec sa mission pour la fin de l'été. L'été avait passé, et la course, si tant est que cela en fût une, était terminée elle aussi. La seule question maintenant était de savoir si Méchain pourrait encore sauver l'honneur.

Lorsque enfin une lettre de Méchain arriva, l'hiver était déjà là et Delambre, rentré à Paris, préparait la mesure de la base de Melun. La lettre était datée du 10 novembre 1797 et avait été expédiée de la commune de Pradelles où, de son propre aveu, Méchain n'avait pas beaucoup progressé. Le problème, c'était le temps. Au cours des deux derniers mois, il lui avait été impossible de consacrer deux heures de suite à ses observations. Et pendant qu'il attendait que le ciel se dégageât, il n'avait cessé de se tourmenter à propos de ses résultats de Barcelone. Il retrouva son éternelle obsession par rapport à ζ de la Grande Ourse qui, disait-il, l'avait « désespéré et découragé » ; il « regrett[ait] de l'avoir observée au Mont-Jouy[4] ». À présent, il appréhendait également le moment fatidique où il lui faudrait présenter ses résultats à ses confrères. Lorsqu'on combinait les résultats astronomiques et géodésiques de Delambre, on trouvait que pour Dunkerque et Évaux ils s'accordaient à la seconde près. Lorsqu'il faisait la même chose avec ses résultats à lui, il obtenait un écart de presque cinq secondes entre Barcelone et Carcassonne. Certes, son analyse était prématurée et peut-être même n'aurait-il pas dû la faire (les savants ont-ils le droit de se donner un aperçu, même rapide, des résultats finaux alors que l'expédition n'est pas terminée ?) ; mais ces calculs, il les avait faits, et les résultats obtenus l'avaient convaincu de la nécessité absolue de retourner à Barcelone cet hiver-là. Pour cela, il lui fallait l'autorisation des gouvernements français et espagnol, et il craignait fort que Borda s'y opposât.

Delambre ne pouvait-il pas en toucher deux mots au vieux commandant ?

C'était toujours la même vieille obsession, mais le ton était nouveau : il inquiétait. Méchain informa Delambre qu'il était décidé à achever sa mission, quel qu'en fût le prix : « Dans cette conjoncture, je prends le parti de rester encore dans cet affreux exil où je gémis depuis si longtemps, loin de mes autres devoirs, de ce que j'ai de plus cher au monde, de tous mes intérêts. Je sacrifie tout, je renonce à tout plutôt que de rentrer sans avoir terminé ma portion de travail… pour rien au monde, je ne rentrerai avant d'avoir entièrement rempli ma tâche, ou je ne rentrerai jamais, si on ne me permet pas de la terminer. » Méchain ne voyait que deux issues possibles : « Je m'en relèverai, je m'en sens la force ; et je reprendrai l'énergie que je n'aurais pas dû perdre, ou je cesserai bientôt d'exister [5]. »

Pour Delambre, ces mots trahissaient des tendances suicidaires. Par tous les Cassini, où se trouvait donc Pradelles ? Delambre n'était parvenu à localiser cette ville sur aucune carte. Sans doute était-elle située quelque part dans la Montagne Noire, ce qui donnait à penser que, pour la seconde année consécutive, Méchain n'avait pas réussi à terminer ne fût-ce qu'une seule station.

Delambre décida de consulter Borda. Il lui envoya des passages de la lettre de Méchain pour lui donner une idée de l'« état moral » de leur confrère : « Je n'aime pas ces phrases, dit-il, qu'il recouvrera son énergie, ou il cessera bientôt d'exister, et ne rentrera jamais si on ne lui permet pas de terminer. » Pour sa part, l'astronome aurait aimé voir Méchain revenir à Paris pour l'hiver, de façon à pouvoir comparer leurs observations et vérifier réciproquement leurs calculs. Jusqu'à présent, Delambre avait toujours rendu compte à son confrère de tous ses résultats, mais celui-ci s'était toujours refusé à faire de même. « Outre que j'ai réellement ce désir, je pense encore que cette précaution est nécessaire. Si Méchain retourne en Espagne, qui sait s'il en reviendra jamais, et si ses observations retourneront. » Il était essentiel de trouver un moyen de « guérir son imagination et de le rendre à lui-même, à sa famille, à l'astronomie et à ses collègues [6] ». Pour cela, insista Delambre, il leur fallait s'assurer du concours de Mme Méchain.

*

Cet hiver-là, pendant que Delambre faisait trempette dans les eaux thermales d'Évaux, Méchain était resté cloîtré dans le sud, à Carcassonne. Ce fut l'un des hivers les plus froids jamais enregistrés, le canal du Midi avait même gelé. La cité avait été fortifiée à l'époque des Romains et plusieurs fois reconstruite depuis lors. Méchain passa la saison à en mesurer la latitude depuis la tour de l'église Saint-Vincent dans la ville basse, le bourg « moderne » de Carcassonne, qui datait du XIIIe siècle. Les rues y étaient droites et propres, l'hygiène correcte, et on y trouvait un hôpital, un palais de justice et un théâtre. C'était aussi le quartier des drapiers et de ces autres professions qui avaient prospéré depuis que le canal du Midi avait permis de relier l'Atlantique à la Méditerranée. Les astronomes amateurs avaient longtemps hanté la tour de Saint-Vincent. Pendant la Révolution, l'église avait été utilisée à des fins plus prosaïques. On avait transformé la nef en usine de fabrication de chariots d'artillerie, et installé des forges dans les chapelles latérales. Rendue à sa fonction première à la fin des années 1795, la tour était redevenue le site des observations astronomiques. À Carcassonne, Méchain rencontra deux astronomes amateurs qui ne demandaient qu'à l'assister dans ses observations.

Raymond de Rolland et Gabriel Fabre étaient des magistrats de la ville qui partageaient la même passion pour les étoiles. Comme Méchain, les deux hommes approchaient de la cinquantaine et leur vie – professionnelle et familiale – avait été bouleversée par la Révolution. Rolland, fils d'un riche fabricant, était devenu le principal magistrat de la région et avait défendu la révolution de 1789, pour voir son poste supprimé lors des réformes judiciaires de cette année-là. Fabre était le principal auteur du cahier de doléances de Carcassonne, dans lequel on avait réclamé l'uniformité des poids et mesures et fait part d'un certain nombre de projets de lois éclairés. Il était maintenant président du Tribunal criminel, où il avait la réputation d'appliquer la loi en gardant toute sa compassion pour les malheureux. Il avait emprunté à Sénèque, le philosophe et astronome stoïcien, sa devise personnelle « Res est sacra miser », ou encore « un homme qui souffre est un être sacré [7] ».

Les deux hommes accueillirent Méchain chez eux avec respect et compassion. La mission dont il était investi avait un sens pour eux. Ils l'admiraient. Ils étaient de tout cœur avec lui. C'était une formidable opportunité pour deux amateurs comme eux de pouvoir servir d'assistants à l'un des plus grands noms de l'astronomie. Pour Méchain, son séjour à Carcassonne fut la période la plus satisfaisante de sa vie [8]. Le confort dont il jouissait et la sympathie de ses nouveaux amis allaient se combiner pour en faire aussi la plus malheureuse.

À la mi-avril, peu de temps après que Delambre se fut mis en route pour Évaux, Méchain lui adressa une lettre pour l'informer de son intention de se diriger vers la Montagne Noire le mois suivant, ou dès la fonte des neiges. Par temps clair, il pouvait apercevoir la station suivante, le sévère pic de Nore, le point le plus haut du massif. Une dernière fois, il pria Delambre de le laisser étendre ses triangles au nord de Rodez, pour réparer son déplorable manque d'efficacité lors de la campagne précédente[9]. Mais il était trop tard, Delambre avait déjà commencé.

Alors, au lieu de se diriger vers le nord, Méchain décida de rester à Carcassonne jusqu'à la fin de l'été. Il avait trouvé un logement confortable près de chez Fabre, non loin du théâtre municipal. Il allait souvent dîner chez Rolland, dont la femme était une hôtesse charmante. Au milieu de ces amis qui l'entouraient de leur sympathie, Méchain se laissa ronger par la culpabilité.

La recherche de la précision tient de l'obsession. Pour quelle autre raison affûterait-on la lame du savoir jusqu'à la suprême finesse ? Les hommes en quête de précision, disait Zénon, parcourent la moitié du chemin, pour repartir et s'arrêter encore à mi-chemin sans jamais parvenir à destination. En règle générale, nous attendons de nos héros qu'ils possèdent des qualités que nous pourrions leur envier : le courage, la générosité, la perspicacité, l'honnêteté. De Méchain, l'on attendait une forme d'héroïsme plus prosaïque : il s'agissait de sa capacité à focaliser son attention, pendant des jours et des nuits, sur une tâche répétitive, à la poursuite d'un but qui s'éloignait toujours un peu plus. La connaissance scientifique est une récompense qui se retire à mesure qu'on avance vers elle. Ils sont héroïques aussi, ceux qui pratiquent l'abnégation. Et le prix à payer est également très terre à terre : angoisses, doutes abyssaux et minutie excessive. La recherche de la précision tient de l'obsession, et la lame tranchante de la manie de l'exactitude tailladait Méchain de l'intérieur. L'astronome était terrifié à l'idée d'être pris en faute, accusé, blâmé. Ses observations « l'accabl[aient] jour et nuit ». Sans cesse, il voyait se dérouler le film des événements passés[10].

Il avouait être angoissé, mais il refusait de faire part des résultats de ses observations. Il reconnaissait être en proie à une grande souffrance, mais il ne voulait pas en donner la cause. Il apaisait sa conscience en s'accablant de reproches. Chacune des lettres qu'il écrivait à Delambre faisait état de la latitude de Barcelone, sans dire exactement ce qui n'allait pas. Il n'était pas prêt à communiquer ses registres, disait-il, pas même au général Calon, malgré l'aide administrative que son supérieur hiérarchique lui apportait, et bien que celui-ci se fût engagé à ne pas les montrer à d'autres[11]. Méchain s'obstinait dans son refus. Il avait besoin de plus de temps pour ses corrections, disait-il.

L'erreur était la grande ennemie des Lumières, la détestable, l'*infâme* contre laquelle les philosophes avaient engagé une lutte sans merci. Dans ce combat, la science mathématique était l'arme la plus redoutable qu'ils avaient à leur disposition. Pendant quatre millénaires, l'astronomie avait été *la* science des quantités, élargissant sans cesse son domaine à l'ensemble du monde. Le modèle géocentrique de Ptolémée avait été un modèle de raffinement mathématique. Galilée, Kepler et Newton avaient montré que la perfection géométrique de Dieu existait sur la terre comme au ciel. Et maintenant, Laplace et les autres savants du XVIIIe siècle utilisaient l'analyse mathématique pour montrer comment notre système solaire s'était formé à partir des poussières mêmes de la création. En même temps, ils étaient engagés dans une lutte épique pour diriger l'arme de la mathématique contre la société corrompue qui les entourait. Le système métrique était une nouvelle extension de ce programme consistant à faire descendre du ciel la rigueur mathématique afin de réorganiser les plus prosaïques des affaires terrestres.

Pourtant, aucun de ces grands esprits n'avait jamais appliqué à ses propres calculs autant de rigueur qu'aux mouvements du Ciel ou à la forme de la Terre. Ils faisaient la moyenne des résultats, recherchaient les écarts éventuels et se débarrassaient de tout ce qu'ils considéraient comme indigne de la perfection de la nature. La question qu'ils se posaient les uns aux autres n'était pas *à quoi* faut-il faire confiance, mais plutôt *à qui*. Un savant honorable se rendait personnellement responsable de la cohérence de ses résultats, sans toutefois préciser en quoi consistait cette cohérence. Qu'est-ce qui compte comme une erreur ? Et qui décide de quand il y a erreur ? Quel est le degré d'approximation que l'on entend par « assez proche » ? Ni Méchain, ni ses confrères n'auraient pu répondre à ces questions avec certitude. Ils ignoraient tout des statistiques.

Lorsqu'ils prenaient le temps d'y réfléchir, les savants reconnaissaient que les voies de l'erreur étaient multiples, que les chercheurs ne pouvaient exprimer le degré de leur erreur sans avoir d'abord accès à la vérité, et que la vérité se trouvait au bout d'un labyrinthe. Depuis six ans maintenant, Méchain errait dans un dédale peuplé de montagnes et de regrets. Au cœur de son angoisse s'était constitué un amas de doutes. À qui pouvait-il se fier ? Pouvait-il faire confiance à Delambre ? S'il confiait son secret à son confrère, celui-ci ne le trahirait-il pas ? Son confrère lui faisait-il confiance, à lui ? Pouvait-il, lui, se faire confiance à lui-même ? À qui devait-il allégeance ?

De temps à autre, Méchain s'adressait directement à Delambre : « Puis-je toujours me flatter de parler à un ami et absolument à lui seul [12] ? » Par moments, il feignait de faire confiance à son confrère : « C'est entre les bras d'un ami que je me jette, j'espère qu'il ne me les fermera point. Je me confie à lui et seulement à lui. » Plus loin, il implorait sa compassion, son indulgence et son pardon : « Si vous me teniez rigueur, je ne saurais plus quel parti prendre ; ma position serait affreuse [13]. »

Plus loin encore, il suppliait Delambre de tenir secret tout ce qu'il lui avait confié : « Si vous avez encore de l'amitié pour moi, vous jetterez cette lettre au feu [14]. » La lettre a survécu, mais bien cachetée.

*

Pradelles était – et c'est encore – un petit hameau situé à flanc de coteau sur le versant sud du pic de Nore. Le village figurait même sur la carte de Cassini. Il comptait cinq cent soixante et un habitants et douze fois autant de moutons. Avant la Révolution, les villageois avaient rédigé un cahier de doléances, à l'instar de dizaines de milliers d'autres communes, pour exiger un impôt plus juste, une justice plus fiable, la suppression des droits de péage, le retour des états généraux à des époques fixes et périodiques, et la « liberté civile et individuelle de chaque citoyen [15] ». Bref, un petit village de montagne typique de la France rurale.

À Pradelles, Méchain logea chez l'homme le plus riche de la ville, Joseph Louis de Lavalette, sieur de Fabas, un jeune ci-devant dont le manoir de Pailhès est aujourd'hui un hôtel, avec salle à manger et piscine. Au cours des siècles passés, on a déterré plusieurs des cachettes où était recelé le trésor de Fabas, constitué de pièces d'or et d'argent. Durant tout ce temps, la population locale n'a guère changé. La montagne qui domine le village est elle-même dominée de nos jours par une station météorologique grande comme une usine, avec une tour rayée rouge et blanc qui s'élève dans l'air à cent cinquante pieds de hauteur, telle une enseigne géante de barbier. C'est un très bon perchoir pour ceux qui souhaitent voir au loin ou prédire l'avenir, et c'est à dix minutes de voiture de la route pavée – ou à une heure à pied, si l'on préfère faire l'ascension, qui est assez raide. Du sommet, Méchain apercevait la cité de Carcassonne, au sud, le bol rond et bleuté de la Méditerranée, à l'est, et les pics boisés qu'il lui restait à mesurer en allant vers le nord.

On ne peut pas dire que les jours de temps clair soient nombreux dans la Montagne Noire. À l'époque où Méchain y arriva, en octobre,

le sommet était déjà inhospitalier. « Cette malheureuse montagne de
Nore est terrible pour la brume et le froid [16] », écrivit alors Méchain à
ses amis de Carcassonne. À la fin du mois de novembre, l'astronome
se trouvait toujours à Pradelles, lorsqu'en une seule nuit la neige
recouvrit la montagne sur une épaisseur de trois pieds. Ce fut la plus
grande tempête de neige de la décennie. Méchain envisagea de
s'arrêter : « Si le temps ne se rétablit point bientôt, je céderai le terrain
à la neige, aux frimas et aux loups qui n'y sont pas rares [17]. » La
longue dépression qui s'étendait de l'Atlantique à la Méditerranée
était un chenal où s'engouffraient en alternance toutes sortes de vents
qui venaient se heurter aux flancs de la montagne, le cers du sud-ouest
avec sa glaciale froidure, et puis l'autan, ce vent de sud-est qui
réveillait « les douleurs et les affections nerveuses, diminuant les
forces et la vivacité [18] ». Finalement Méchain se replia sur Carcassonne à la mi-janvier, après avoir gravi la montagne plus d'une trentaine de fois. En deux ans de campagne, c'était la seule station qu'il
avait mesurée. Le savant semblait avoir perdu tout intérêt pour sa mission.

Au même moment à Paris, l'Académie des sciences prenait une
décision capitale pour l'avenir du système métrique. Les académiciens réunis décidèrent d'organiser une rencontre entre les plus
grands savants du monde, afin de prendre connaissance des résultats
de la mesure de l'arc et de déterminer enfin la longueur du mètre.
L'idée était de donner au système métrique une sorte d'*imprimatur* de
la communauté internationale, pour démontrer qu'il ne s'agissait pas
là d'une réforme concernant seulement la France, mais vraiment
« tous les peuples, pour tous les temps ». La décision fut prise en
janvier 1798 et la rencontre prévue pour septembre. Cela voulait dire
que les résultats de l'opération devaient être prêts à être examinés
dans neuf mois au plus tard. Cette rencontre devait être la première
conférence scientifique internationale de l'histoire.

Pour qu'elle fût réussie – pour que le mètre provisoire devînt
« définitif » –, il était essentiel que Méchain terminât ses triangles
cette année-là pendant que Delambre mesurait les deux bases, celle de
Melun, pour la partie nord, et l'autre, que Méchain avait déjà préparée, dans le sud. Aux premiers signes du printemps, Méchain réitéra
ses promesses. Il n'avait pas besoin de Tranchot pour terminer les
mesures. Ses amis avaient trouvé quelqu'un du coin pour lui servir
d'assistant, un dénommé Marc Agoustenc. Cette année, il commence-
rait par Rodez et, de là, il prendrait la direction du sud, vers Carcassonne. Il pourrait ainsi mesurer au printemps les grands causses au
climat tempéré, près de Rodez, puis retourner dans la froidure de la

Montagne Noire en été. Toutefois, quand le mois de juin arriva, Méchain n'avait toujours pas quitté Carcassonne.

*

Après plusieurs années, le temps soudain s'était contracté. Delambre se hâta d'aller mesurer la base de Melun, une portion toute droite de la route royale qui est aujourd'hui la nationale 6. Accompagné de Laplace et d'un autre ingénieur en chef de la nation, il était allé en reconnaissance de terrain et avait fait construire deux massifs de pierre de taille comportant chacun un cylindre de cuivre pour marquer avec exactitude le point extrême de la base. Sur chacune des assises, il avait fait ériger une tour en bois de soixante et un pieds. Mais cette plate-forme surélevée ne lui avait même pas suffi à dégager sa ligne de mire, obstruée par la magnifique double rangée de platanes qui bordaient la grand-route. Au cours des six semaines qui suivirent, il fit élaguer quelque six cents arbres pendant que lui-même triangulait les deux extrémités de la base depuis le toit de la ferme toute proche de la Malvoisine. Six ans auparavant, les propriétaires de cette même ferme lui avaient donné l'autorisation de surélever leur cheminée pour observer le château des d'Assy et glisser ainsi le fil de l'histoire de sa vie dans la trame qui allait servir à la création d'une unité de longueur impersonnelle, le mètre. Depuis lors, son bienfaiteur avait été exécuté et le monde avait été mis sens dessus dessous. Maintenant, Delambre et Bellet se retrouvaient à nouveau sur le même toit, occupés à prendre leurs dernières mesures géodésiques [19].

Le matin du 24 avril à onze heures, l'équipe posa la première des règles ultraprécises qui allaient servir à mesurer la base. Les quatre règles – merveilles d'ingéniosité – faisaient chacune deux toises. Elles avaient été confectionnées dans l'atelier de Lenoir et étaient en platine pur, le métal le plus récent et le plus cher qui fût. Borda les avait ensuite calibrées une par une à l'aide d'un pendule à seconde, puis recouvertes d'une autre règle en cuivre pour pouvoir mesurer la différence de dilatation entre les deux métaux avec une précision extrêmement pointue. La façon de procéder était toujours la même : Bellet posait les règles, Tranchot vérifiait l'alignement et le niveau, Delambre lisait la température et chacun consignait ses résultats dans son propre registre. Il y avait un registre supplémentaire, tenu par un grand jeune homme de dix-sept ans aux yeux gris, Achille César Charles de Pommard, le fils de la compagne de Delambre. Lorsque la quatrième règle était installée, on déplaçait la première pour la mettre bout à bout, et l'équipe recommençait. Il fallut toute la première journée pour mesurer cinq cent vingt-huit pieds. Le soir, les trois hommes marquèrent le point où ils étaient arrivés en enfonçant un piquet recouvert de plomb dans un trou fait dans la route, et en marquant l'extrémité de la quatrième règle avec un fil à plomb. Puis ils couvrirent le trou avec de lourdes planches, afin de protéger le marqueur du passage des voitures. Il leur fallut quarante et un jours de travail, de l'aube au crépuscule, pour arpenter les cinq mille quatre cents toises de la base [20].

L'équipe reçut la visite de plusieurs sommités venues observer leur lente progression le long de la base. Lalande vint à cheval de Paris pour y passer une après-midi. Une équipe de savants arriva également le 3 juin pour fêter la fin des mesures. Il y avait parmi eux Louis Antoine de Bougainville, grand voyageur de soixante-dix ans, premier Européen à découvrir Tahiti, ainsi que le tout jeune géographe allemand Alexander von Humboldt ; celui-ci s'apprêtait à partir pour un tour du monde qui allait faire de lui le plus célèbre explorateur de l'époque. Tous deux furent impressionnés par la façon de procéder de Delambre, dont « le caractère personnel inspir[ait] certainement autant de confiance que l'excellence des instruments employés... Il faut ce tempérament calme, cette gaieté tranquille, cette persévérance pour finir un travail qui rencontre tant d'obstacles [21] », écrivit Humboldt à l'un de ses compatriotes.

Les instruments de haute précision compteraient pour rien si l'on ne pouvait se fier à ceux qui les manipulent. Humboldt s'était procuré l'un des précieux cercles répétiteurs de Lenoir pour son tour du monde à lui. Sa première étape serait Barcelone, dont il espérait mesurer la latitude, pour expédier ensuite ses résultats à Delambre. Faire confiance, oui, mais en vérifiant tout de même !

L'étape suivante était la mesure de la base de Perpignan, au sud. Selon ce qui était prévu à l'origine, cette tâche aurait dû incomber à Méchain, puisque la base était reliée à la chaîne de ses triangles ; c'est pourquoi Delambre invita tout naturellement son confrère à rejoindre l'équipe. Méchain refusa. Trois ans auparavant, la Commission n'avait pas voulu lui confier à lui seul la mesure de la base, et elle avait insisté sur le fait qu'il devait d'abord terminer ses triangles. Eh bien, en l'occurrence, il ne les avait pas encore terminés. Et puis il y avait une autre raison. Méchain refusait désormais toute coopération avec Tranchot. Le fait que la Commission avait autorisé l'ingénieur géographe à assister Delambre montrait bien que ses confrères faisaient plus confiance à Tranchot qu'à lui-même. Que toute la gloire lui revienne donc à lui ! Méchain aurait dû lui céder la direction des opérations de la

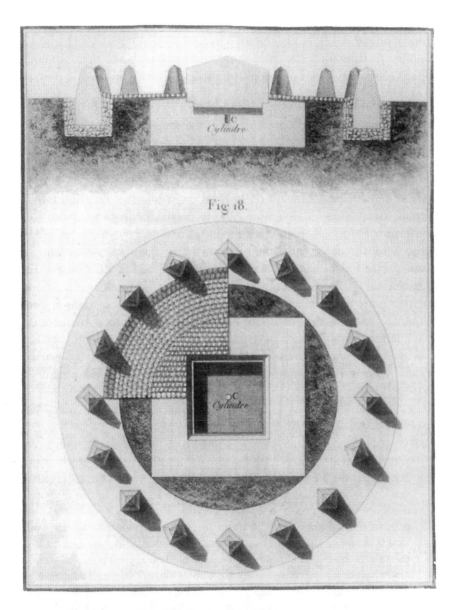

23. La base de Melun

Des pyramides en maçonnerie avaient été placées aux deux extrémités de la base de Melun, une section de dix kilomètres environ de la grand'route Paris-Melun qui se trouve être aujourd'hui la nationale 6. Les pyramides ont été achevées en 1798, juste à temps pour servir aux mesures de Delambre. Elles furent remises en place dans les années 1880, à l'occasion d'une nouvelle mesure de la base. Depuis elles ont été détruites, après avoir été endommagées lors d'un accident de la route (extrait de la *Base du système métrique décimal*, de J.-B.J. Delambre, vol 3, planche VI ; ph. Roman Stansberry).

partie sud depuis longtemps déjà. Au lieu de cela, il avait bâclé sa mission, manqué à ses engagements envers ses confrères et entaché sa réputation. Il ne lui restait plus que la honte. Une honte vive, douloureuse et méritée : « Je ne puis plus après cela me montrer nulle part, et je voudrais être anéanti… [22]. »

*

Thérèse Méchain accepta de prêter son concours pour ramener son époux à la raison. Comme il avait refusé de venir la voir à Paris, elle irait le chercher dans le sud de la France. Et une fois qu'elle l'aurait trouvé, assura-t-elle à Delambre, elle le persuaderait de rejoindre son confrère à Perpignan pour mesurer la base. Elle resterait à ses côtés jusqu'à la fin de sa mission et l'assisterait dans ses observations, comme elle l'avait fait aux jours heureux d'avant la Révolution. En échange, elle ne demandait qu'une seule chose : le monde scientifique parisien était un milieu où les commérages allaient bon train, et personne ne devait savoir que Pierre François André Méchain, membre de l'Académie et coopérateur de la mesure de la Terre, avait été incapable d'achever sa mission sans l'aide d'une femme, fût-elle sa propre épouse. Elle écrivit à Delambre une lettre strictement confidentielle [23].

Paris, le 30 mai 1798

Monsieur,

Vous m'engagez à entretenir mon mari dans ses bonnes dispositions à mettre la dernière main à l'important travail dont vous avez été chargé conjointement. Personne n'est plus intéressé que moi et c'est à cet effet que depuis longtemps je médite de me rendre auprès de lui, de lui porter quelques paroles de consolation et de paix. Plusieurs circonstances forcées m'ont arrêtée jusqu'ici ; enfin je pars à l'instant et vais droit sur Rodez. Je lui en donne avis sans attendre la réponse, afin qu'il ne puisse pas m'arrêter encore. Comme je présume bien qu'il n'est plus à Rodez, je lui demande de m'écrire poste restante et de m'assigner le lieu où je pourrai le joindre. Ne pensez pas que je vais lui faire perdre son temps. Au contraire, mon but est de contribuer à faire accélérer les triangles.
Je lui dis bien affirmativement, qu'il ne fasse pas la folie de recourir en ville pour m'y procurer mes aires, que je ne veux pas lui [faire] perdre un quart d'heure, parce qu'il ne l'a pas à perdre ; que je le verrai sur les montagnes, que je coucherai sous la tente, dans une métairie, que j'y vivrai de fromages et de lait, qu'avec lui je serai bien partout, que le jour, nous travaillerons ensemble et les nuits suffiront à nos entretiens. J'espère [en] l'estime et l'entière confiance qu'il a en moi, je me flatte de dissiper ces idées fâcheuses qui le rongent et le détournent malgré lui de son

objet. Quand je le quitterai, il sera prêt de passer dans vos mains, peut-être même attendrai-je que vous l'ayez joint, et à nous deux nous parviendrons à le régénérer. Vous pouvez juger, Monsieur, si ce trait que j'attends de votre amitié, excitera ma sensibilité, ma reconnaissance. Voilà malheureusement tout ce qui est en mon pouvoir, le dernier de mes efforts pour le bien du service, pour l'intérêt de mon mari, pour la gloire. Ceci est entre M. Borda, qui en approuve beaucoup, vous et moi, je vous prie d'en garder le tout tacite pour tout le monde. Je vais en campagne et l'on ignore l'objet de mon voyage, afin de ne pas prêter à dire : elle est obligée d'aller chercher son mari.

Depuis la lettre du 16 floréal, où il partait pour Rodez, je n'ai pas eu de ses nouvelles. J'ai attendu jusqu'au dernier moment pour tâcher de vous faire savoir si les triangles étaient en effet repris. Je le pense. Dès que je l'aurai joint, je vous informerai exactement de l'état des choses. Nous vous dirons aussi comment il n'a pas encore pu envoyer la procuration de son aide. Tout cela aura un terme.

J'ai l'honneur d'être, avec les sentiments de la plus haute estime, Monsieur, votre très humble et très obéissante servante,

Marjou Méchain[24].

Un mois plus tard, le 7 juillet 1798, dans la ville de grès rose de Rodez, M. et Mme Méchain se retrouvèrent enfin.

De quoi s'entretinrent-ils donc, les époux Méchain, en se revoyant pour la première fois depuis six ans ? Nous l'ignorons. Il n'existe aucun compte rendu de leur conversation, et l'on n'a retrouvé aucune trace des nombreuses lettres qu'ils se sont envoyées au cours de son périple. Ce que nous aimerions savoir, c'est s'il lui a révélé l'objet de ses tourments. Et là encore nous sommes dans l'ignorance la plus totale. Tout ce que nous savons, c'est que Méchain était un homme qui se confessait facilement, et qu'il avait déjà reconnu son erreur devant au moins une personne, Giuseppe Slop. Nous savons aussi que sa femme connaissait suffisamment l'astronomie pour saisir la portée réelle de cette erreur, et nous pouvons penser qu'ayant fait un si long voyage pour le sortir de son exil volontaire et de sa détresse afin de lui faire entendre raison, elle était en droit d'attendre quelques explications. Il est donc très possible que Méchain lui ait parlé. En effet, ses connaissances en astronomie permettaient à Thérèse Méchain de donner sa juste mesure à l'erreur de son mari. Et après tout, ces connaissances-là ne relevaient pas des subtilités de la mathématique, mais bien plutôt d'une bonne compréhension des dangers de l'astronomie d'observation et des enjeux pratiques de l'opération de la méridienne. Or Thérèse Méchain avait l'esprit pratique...

Pourquoi l'astronome n'était-il pas rentré chez lui une seule fois en six ans ? Il n'avait pas si loin à aller. Paris n'était qu'à une semaine de voiture. Delambre, lui, était revenu une douzaine de fois. Certes, sa portion de l'arc était plus proche de Paris, mais il était aussi allé jusqu'à Rodez, puis il était rentré chez lui et s'était encore remis en route pour Perpignan. À côté de cela, en six longues années, Méchain n'avait pas pu se libérer deux semaines pour rendre visite à sa femme et à ses enfants, qui le connaissaient à peine, ou pour venir conférer avec ses confrères, même au plus fort de l'hiver, quand toutes les opérations géodésiques étaient arrêtées. Pourtant, cela lui aurait été plus facile à lui de rendre visite à son épouse qu'à elle d'aller le retrouver.

Et maintenant qu'elle avait fait tout ce chemin, tout ce dont il voulait parler, c'était la manière dont ils s'y prenaient pour mesurer *sa* base sans lui, ou la façon dont Tranchot complotait pour prendre sa place de responsable de la partie sud de l'expédition. Quel mal Tranchot lui avait-il jamais fait d'ailleurs ? L'ingénieur géographe était un homme honnête, doublé d'un géodésien compétent qui s'était durement dépensé pour cette opération. Après avoir travaillé un an avec lui, Delambre n'en disait que du bien. Selon lui, Tranchot était travailleur, précis dans ses opérations de mesure, intelligent, sans jamais se montrer arrogant ; bref, c'était le collaborateur idéal. En outre, Tranchot n'avait jamais fait une seule critique de Méchain en la présence de Delambre. Certes, il n'avait pas le même degré d'instruction que Méchain et il n'était pas aussi doué pour les calculs, mais justement, il fallait être d'autant plus généreux avec lui. Avait-il insulté Méchain ? Avait-il levé la main sur lui ? Méchain avait affirmé que Tranchot était un homme violent et qu'il l'avait un jour menacé. Pour sa part, Tranchot avait reconnu avoir exprimé, une ou deux fois, à Gênes et à Marseille, et avec peut-être certaines « vivacités », son sentiment de frustration devant les atermoiements du savant et la ladrerie dont celui-ci avait fait preuve en serrant les cordons de la bourse pendant l'opération. Eh bien, si Tranchot avait poussé Méchain à reprendre sa mission, il avait eu raison. Si Méchain continuait à faire la tête, il perdrait à jamais tout espoir de se voir reconnu comme il le méritait [25].

Quant à cette erreur à propos de laquelle Méchain ne cessait de se tourmenter, qui était à même de juger ? Elle pouvait venir d'une défectuosité de l'instrument (quoi qu'en pût dire Borda). Elle pouvait également être liée à un problème de formule ou à un défaut dans les tables de correction. Il était même possible que la cause en fût naturelle. En un sens, il était présomptueux de la part de Méchain de tout prendre sur lui. Le fardeau de cette mission, tout comme son succès, était de taille à être partagé par tous. Personne n'était parfait, et il n'y avait pas de quoi avoir honte d'une erreur relativement mineure, commise dans un moment d'inattention. Les confrères de Méchain ne lui en tiendraient pas rigueur, pas même Laplace. Ils n'étaient pas si portés sur la critique qu'ils en avaient parfois l'air. Ils n'avaient aucunement l'intention de remplacer Méchain, ni de désigner quelqu'un d'autre pour terminer son secteur à sa place, du moment que lui le terminait. Simplement, ils voulaient à tout prix voir le travail accompli avant l'arrivée des savants étrangers à Paris, et aussi satisfaire les politiques qui avaient investi des sommes si importantes dans cette opération.

Mais peut-être son refus de rentrer à Paris et les reproches qu'il se faisait n'étaient-ils pour Méchain qu'une façon détournée de rejeter la faute sur les autres. Tout à fait. En s'accusant lui-même d'une faute aussi minime (et commise par inadvertance), il soulignait du même coup la culpabilité de tous ceux qui avaient accepté la Révolution, comme si tous ceux qui vivaient à Paris à l'époque avaient été complices, en quelque sorte, des crimes commis au cours de ces années troubles. Cela n'était pas acceptable. La famille Méchain avait survécu à cette terrible année 1789 qui avait vu mourir les parents de Thérèse et leur maison de l'Observatoire envahie par une foule en colère. Méchain lui-même avait échappé au spectacle des horreurs de 1794, lorsque tant d'hommes et de femmes honnêtes furent envoyés en prison ou à l'échafaud – et qui sait s'il n'aurait pas compté au nombre de ceux-ci ? En fin de compte, les choses n'avaient pas si mal tourné pour la famille Méchain. Ils avaient quitté leur petite maison, mais ils occupaient l'appartement de l'Observatoire (et Cassini était très content dans sa propriété de Thury, il disait lui-même qu'il ne voulait plus rien avoir à faire avec la science). Maintenant que le problème de l'inflation était résolu, le traitement que percevait Méchain avait plus de valeur que l'héritage de Thérèse n'en avait jamais eu [26]. Et les droits et les libertés récemment acquis n'étaient pas à négliger. Alors, pourquoi Méchain s'obstinait-il à se cacher dans ces lointaines villes de province, comme si Paris était contaminé, ou comme s'il pouvait remonter dans le temps ?

Thérèse Méchain voyait bien qu'il souffrait, qu'il était épuisé par tous ses voyages, par le manque d'intérêt et par le poids terrible de sa culpabilité. Mais s'il lui était impossible d'envisager son propre avenir, il devait penser à celui de ses enfants. Il analysait toujours tout sous tous les angles et y réfléchissait encore et encore, jusqu'à se mettre dans tous ses états. Tout cela était tellement contre-productif ! Comme il l'avait écrit à Delambre, leurs souffrances n'étaient rien à côté du sort terrible « des millions d'autres [qui] eussent acheté de toute leur fortune la position dans laquelle [ils se trouvaient], [n'ayant] pas ressenti un seul instant le dévorant besoin qui accablait [leurs] concitoyens [27] ». Alors il n'avait qu'à considérer toutes ces souffrances, terminer sa mission et rentrer à la maison…

Certes, nous ignorons ce que Méchain a dit à sa femme et s'il lui a révélé son secret – *tous* ses secrets, car quel homme peut passer six années loin de son épouse sans accumuler une foule de secrets ? (Et qu'en était-il de ses secrets à elle – ceux d'une femme qui a conspiré avec le collègue de son mari afin de le « passer dans ses mains » ?)

Tout ce que nous savons, nous le savons par triangulation. Toute notre connaissance de la nature, de l'histoire, des relations humaines et même, comme d'aucuns pourraient dire, de nous-mêmes, nous vient par l'entremise d'un tiers. Delambre et Méchain étudièrent la forme de la Terre en mesurant des angles sur une partie de sa surface. Nous, nous étudions la relation qui les unissait en prenant les mesures angulaires des lettres qu'ils se sont adressées l'un à l'autre, ainsi que de celles qu'ils ont écrites à leur maître et à des tiers. Eux-mêmes ont appris des choses l'un sur l'autre par le biais d'une triangulation similaire : un confrère qui triangule la relation entre un mari et sa femme, une épouse celle de son mari avec son confrère et un époux celle de son confrère avec sa femme. Nous apprenons des choses sur nous-mêmes en nous comparant à d'autres, même s'il s'agit de personnes ayant vécu au XVIIIᵉ siècle.

Tout ce que nous savons, c'est que Thérèse Méchain passa les cinq semaines qui suivirent aux côtés de son mari, et que lorsqu'ils se séparèrent dans le triste village de Rieupeyroux, Méchain refusait toujours de rejoindre Delambre à Perpignan. Il avait fait des reproches à son épouse et lui avait même menti. C'est du moins ce qu'elle rapporta à Delambre dans la lettre qu'elle lui adressa, comme promis, en rentrant chez elle, *via* Carcassonne.

> Carcassonne, le 1ᵉʳ septembre 1798
>
> Citoyen,
>
> Après avoir manqué totalement le but de mon voyage et le cœur percé de mille douleurs, je suis en retour pour Paris. Quelques affaires m'ont nécessité à passer par Carcassonne et ayant été voir le Citoyen Fabre, il m'a communiqué votre lettre du 5 de ce mois qui m'a encore jetée dans de nouveaux troubles, et pour dernier effort, je dois au moins vous tirer d'inquiétude. Dans les premiers jours de prairial, je vous avais donné avis de mon départ de Paris, pour me rendre auprès de mon mari. Je vous avais promis de vous en donner des nouvelles aussitôt que j'aurais pu le joindre. Par mille circonstances plus fatales les unes que les autres, nous n'avons été réunis à Rodez que le 19 messidor. Depuis ce temps je l'ai sollicité en vain de vous écrire, de s'entendre avec vous pour passer à la

base de Perpignan. Ne voulant point m'affliger, il me répondait toujours vaguement. Pour la première fois, il a dissimulé avec moi. Ne connaissant rien de ses dispositions, que pouvais-je vous dire ? Je sentais parfaitement mes torts auprès de vous, mais l'état des choses m'en faisait loi. Je sais seulement que le Citoyen Tranchot qui savait bien ce qu'il faisait a eu soin d'écrire dans ce pays-ci, à toutes les connaissances de mon mari, qu'il partait de Paris pour mesurer la base ; cela conformait bien ce qu'il en avait répandu par toute l'année dernière, que la base ne serait point le lot de Méchain, mais bien le sien. J'ai [répondu] à cela, qu'un T. substitué à M. ne pouvait prendre qu'auprès des savants d'auberges, [et] qu'on savait toujours bien qui était l'homme de la chose, qu'il fallait lui passer sur le corps et ne pas perdre pour une pareille niaiserie, le fruit de tant de peines et de sacrifices. J'ai voulu donner un coup de force. J'ai déclaré à mon mari que je ne le quitterais pas avant qu'il n'eût achevé ses triangles et qu'il ne fût réuni à vous. Il a été forcé de m'avouer qu'il renonçait irrévocablement à la base, qu'il laissait la gloire à celui qu'on lui avait préféré, qu'il avait assez dit qu'il ne s'y rendrait qu'autant que l'autre en serait écarté, et que tout prouve que ses services devenaient peu agréables, qu'il ne jouerait plus que le rôle d'assistant et qu'on l'enverrait plutôt à la mort. Je n'ai pas eu la force de le contraindre. Mais pardonnez, je n'ai pas non plus le courage de vous entretenir plus longtemps sur un point qui me tue !

Je m'étais reposée sur la promesse qu'il m'avait faite de vous informer de ses résolutions. J'en ai écrit au Citoyen Borda et j'étais résolue de me dérober au monde entier, ne pouvant plus supporter tous les coups douloureux que l'on porte à mon cœur. Je ne connais à mon mari que des talents et des vertus. Je soutiens et j'atteste que ses moyens, que ses facultés, ne sont nullement aliénés, qu'ils sont toujours les mêmes, que son cœur seulement est vivement ulcéré par les violents outrages d'un homme qui a juré sa perte, qui a juré celle d'une famille entière. J'ai vu mon mari couvert de gloire par l'opinion publique, et vous le dites bien, Monsieur, un instant, celui qui devait être le plus beau de sa vie est celui qui nous conduira peut-être tous au néant. Je ne m'en plains point. Je n'en accuse nullement le sort et nullement mon mari. L'extrême sensibilité de son âme l'a perdu. Il est plus malheureux que coupable.

J'ai obtenu du Citoyen Méchain qu'il ne détromperait pas que ses triangles ne fussent entièrement terminés et qu'il en communiquerait avec vous, [et] avec le Citoyen Borda. C'est tout ce que j'ai pu faire pour la chose. Les intérêts de ma famille me rappellent à Paris, et ne m'ont pas permis de le suivre jusqu'à la fin de ses opérations. J'ai été forcée de m'en séparer et lorsque je l'ai quitté le premier de ce mois, Rodez, Rieupeyroux et Lagaste étaient expédiées. Il lui restait le puy St.-Georges, Montredon, Mont Franc et je crois Montalet. C'est à Lacaune, département du Tarn, que l'on peut à présent lui écrire.

Le Citoyen Fabre se propose de vous assigner le rendez-vous que vous demandez avec lui à Carcassonne. Je souhaite de tout mon cœur que cela ait lieu. Je vais aussi prier mon mari [de] s'y rendre.

J'ai l'honneur d'être avec les sentiments les plus distingués, votre concitoyenne,

Madame Méchain[28].

Elle n'avait pas réussi, disait-elle, à convaincre son époux de rejoindre Delambre à Perpignan. Elle n'était pas parvenue non plus à rester à ses côtés jusqu'à ce qu'il eût terminé ses triangles. Et le plus dramatique, disait-elle encore, c'était qu'elle n'avait pas pu le ramener à la raison. Méchain était resté figé dans son amertume et sa mélancolie. Pourtant, malgré ses sombres pronostics, elle avait réussi à atteindre son objectif principal. La nouvelle de l'imminence de son arrivée avait piqué l'amour-propre de son époux, et lui avait fait quitter Carcassonne pour aller à sa rencontre à Rodez. Et une fois arrivée à Rodez, elle l'avait recentré sur sa mission. Méchain triangulait à nouveau. Si le nom de Thérèse Méchain n'apparaît nulle part dans les registres de l'expédition – une opacité qu'elle a sans doute voulue –, il est cependant très probable que les deux époux aient réalisé ensemble les observations des angles à partir de la cathédrale de Rodez et de la chapelle de Rieupeyroux, les deux stations qui reliaient la chaîne des triangles de Méchain, au sud, à celle de Delambre, au nord[29].

Thérèse Méchain a-t-elle dissimulé quelque chose à Delambre ? Lui a-t-elle caché, à lui, le rôle qu'elle a joué dans le regain d'intérêt de son mari ? Il n'a pas dû être facile pour elle d'agir derrière le dos de son mari, de connivence avec des hommes qu'il considérait comme ses persécuteurs. Elle a dit à Delambre que Méchain avait refusé de se rendre à Perpignan à cause de Tranchot. Et Méchain a écrit à peu près la même chose à son confrère ; mais dans les lettres qu'il a adressées à ses amis de Carcassonne, il a laissé entendre que cela n'était pas tout à fait vrai. Méchain considérait que la base de Perpignan était *sa* base. Aller y retrouver son confrère maintenant, leur disait-il, serait se soumettre à « la direction, [à] la surveillance du citoyen Delambre[30] ».

Pour sa part, Delambre promit à Thérèse Méchain de lui ramener son mari à Paris, quoi qu'il advînt[31].

*

Il ne restait que deux mois avant la conférence internationale, et Méchain avait encore cinq stations à mesurer, ce qui était tout juste possible. Au puy de Cambatjou, il fit ses observations à partir du sommet d'une éminence fertile, qui était alors, comme maintenant, une terre cultivée. À Montredon, il s'installa dans un château fort en ruines envahi par la végétation, qui aujourd'hui sert de lieu de rendez-vous aux adolescents. Au puy Saint-Georges, il se plaça sur les ruines d'une abbaye médiévale, dont les voûtes gothiques tiennent encore sur leurs colonnes, à ciel ouvert – tandis qu'une curieuse table d'orientation installée sur le site en 1907 attire judicieusement l'attention sur le nombre de kilomètres qui séparent les visiteurs de Paris (535), de Tokyo (14 050), de Madagascar (9 285) et de New York (7 350).

Trois stations de moins, deux à emporter. Tout cela était très bien, sauf que l'on était déjà à la mi-septembre, que les savants étrangers commençaient à arriver à Paris, et que les deux stations restantes, Montalet et Saint-Pons, étaient situées sur les aspérités de la Montagne Noire du Haut-Languedoc, où « des malveillants ou gens exaspérés, mal instruits[32] », avaient arraché les signaux que Tranchot avait érigés l'année précédente. Pendant toute la saison, Méchain s'était battu avec les gens du pays autant qu'avec les intempéries. Un signal avait été scié, un autre complètement brûlé, un autre encore avait été démonté pour ses clous, et un autre renversé par une tempête. Dans une petite ville de la région, un plaisantin avait raconté aux paysans que le signal qui se trouvait à proximité était une nouvelle sorte de guillotine, alors les paysans étaient allés le mettre en pièces. Les commissaires du Directoire eux-mêmes avaient l'air de redouter que les signaux pussent être utilisés à des fins secrètes par les ennemis de la République. Pour sa part, Méchain craignait, disait-il, le « fanatisme[33] » de tous ces gens.

Les craintes du savant n'étaient pas sans fondement. Trente-cinq ans auparavant, un jeune géographe de l'équipe de Cassini III, qui était occupé à faire ses observations à partir du clocher d'une église toute proche, avait été tiré en bas de son échelle et pratiquement taillé en pièces par la foule des habitants qui prétendait que sa « sorcellerie » semait la mort parmi les villageois. L'homme parvint à s'échapper, la tête et les mains en sang, mais les consuls de la communauté municipale, sensibles aux manœuvres d'intimidation de la foule, refusèrent de l'aider, tout comme les rares étrangers qu'il rencontra sur son chemin. Il lui fallut attendre la tombée de la nuit pour pénétrer en chancelant dans une petite ville voisine et trouver refuge dans une auberge tenue par la veuve Jullia, où un docteur-chirurgien vint panser ses blessures. Cette histoire, connue de tous les géodésiens, illustrait d'une triste manière la permanence du risque dans ce métier. Le jeune géographe n'était pas un sorcier, bien sûr, mais la sorcellerie dont on l'accusait concernait les chiffres. Quand les arpenteurs venaient mesurer la terre, les paysans avaient des raisons d'avoir peur. Au cours de l'enquête consécutive à l'agression, l'un des villageois avait expliqué que le géographe était « un sorcier qui était venu pour jeter du malheur, et qu'il était un auteur d'impôts, qu'il venait leur augmenter la taille, les ruiner et les faire mourir de faim ». Le tribunal obligea le village à payer des dommages et les meneurs de l'agression furent envoyés en prison. Les curés du pays furent priés d'ordonner à leurs ouailles de laisser les géographes travailler en paix [34]. Mais la méfiance persista. Et le relief hostile de la montagne, depuis longtemps célèbre pour ses bandits de grand chemin, servait désormais de refuge à de nombreux autres fugitifs : prêtres réfractaires, royalistes impénitents, déserteurs de l'armée, insoumis et rebelles de toutes sortes, tous vilipendés comme des bandits.

On en rencontre encore. C'est en effet le pays de José Bové, le syndicaliste paysan à la moustache gauloise dont la révolte contre la mondialisation est célèbre dans le monde entier. Bové vit sur le versant oriental de la Montagne Noire. En 1999 déjà, il avait attiré l'attention des médias internationaux en arrivant à la conférence de l'Organisation mondiale du commerce de Seattle avec un carton de pains de fromage de Roquefort, dont la vente était interdite aux États-Unis au titre des sanctions commerciales prises à l'encontre de l'Union européenne, qui avait décrété l'embargo sur le bœuf aux hormones. En France, Bové était déjà connu pour avoir en partie démonté un McDonald's local, au motif que la nourriture standardisée que l'on y servait, la « mal bouffe », était un affront aux produits régionaux. Le McDo en question est désormais le plus célèbre de tous, et c'est certainement le plus charmant que j'aie jamais vu, avec ses tables en bois laqué, ses nuées d'enfants heureux, ses ados vêtus de cuir et accrochés à leur téléphone portable, et la vue apaisante qu'il offre sur une vallée bucolique. Le message de Bové, lui, n'a pas changé : ce sont les normes qui définissent ce que nous mangeons et ce que nous sommes. Les normes ne peuvent pas nous rendre identiques, mais elles dressent la carte des différences qui nous sont permises. Si Bové et ses copains ont arraché les piquets des champs de semence transgénique et démonté le McDonald's, c'est en grande partie pour les mêmes raisons qui avaient poussé les paysans de 1790 à abattre les signaux géodésiques de Méchain.

En tant qu'agent du progrès dans cette région, Méchain fut contraint de demander une protection officielle pour garantir sa sécurité. Lorsque des malveillants eurent détruit son signal de Montalet pour la quatrième fois, il demanda un détachement de sept gardes nationaux pour surveiller le site. Le roc de Montalet est un sommet escarpé qui s'élève au-dessus des forêts de pins comme les ruines d'une cathédrale. Des myrtilles sauvages poussent tout autour. Une plaque commémore le passage de Méchain et recense fièrement ses démêlés avec les gens du pays. Méchain resta dix jours à Montalet, dormant sous la tente, à la pointe du roc, et griffonnant tous les jours quelques mots à ses amis, les doigts engourdis par le froid. Retranché derrière les gardes nationaux, il retomba dans une mélancolie profonde. Dans ses lettres, il épanchait son cœur : « Je renonce à tout, écrivit-il, j'abandonnerai tout après avoir achevé ma petite tâche [et] exécuté mes derniers projets, s'il y a possibilité [de] trouver dans une retraite quelconque l'obscurité [et] la paix, seuls biens que mon âme flétrie, brisée, puisse désormais goûter [35]. »

Il craignait de perdre la raison. Comment mesurer la Terre quand le sol se dérobe sous vos pieds ? Plus tard, il confierait à Delambre avoir « passé ainsi tout le temps dans la plus cruelle anxiété, n'ayant jamais la tête à rien de ce qu'[il avait] à faire, [se] reprochant sans cesse le passé, le présent [lui] étant insupportable, et tremblant pour l'avenir [36] ».

*

À l'époque, Delambre l'attendait de l'autre côté de la Montagne Noire, à vingt-quatre lieues tout au plus, à vol d'oiseau. Il était arrivé fin juillet à Perpignan avec son équipe afin de préparer la base. Le travail de Tranchot lui avait été très utile là-bas : les bornes avaient été posées tout au long de la grande route en 1796, et la longueur de la base avait déjà fait l'objet d'une mesure à la chaîne d'arpenteur. La grande route [37] passait juste à l'ouest d'une ancienne voie romaine, la Domitienne, empruntée deux mille ans auparavant par Hannibal en route vers l'Italie. Elle avait été ensuite légèrement déviée par les autorités catalanes de Perpignan. Puis, au milieu du XVIIIe siècle, les ingénieurs de l'Ancien Régime l'avaient transformée en une magnifique route royale qui était toute droite de Perpignan jusqu'à Salses, avec des vignobles desséchés à gauche, et les étangs à droite. Lorsque Delambre arriva sur les lieux, les ingénieurs de la République avaient commencé à la renforcer en prévision d'une augmentation du trafic. Encore une centaine d'années et les ingénieurs de l'époque moderne recouvriraient la nationale de macadam, puis d'asphalte..

La géodésie est peut-être une science naturelle dont l'objet est de mesurer les dimensions de la Terre et d'en déterminer la forme, mais c'est aussi une science qui dépend de l'histoire et du travail de l'homme. Pour mesurer la base de leurs triangles, les géodésiens avaient besoin d'une ligne droite. Or, que peut-on trouver de plus droit qu'une voie romaine, ajustée par les arpenteurs du Moyen Âge, rectifiée par les ingénieurs de l'Ancien Régime et peaufinée par les républicains rationalistes ?

Le 6 décembre, Delambre, Tranchot, Bellet et Pommard posèrent la première règle. Parce qu'ils n'avaient pas les moyens de payer des hommes pour garder les règles pendant la nuit (celles-ci étant fabriquées avec le métal le plus précieux du monde), Delambre avait récupéré la voiture de Méchain pour transporter chaque jour l'équipe et ses instruments jusqu'au site, et en revenir. Le site en question était la forteresse de Salses, un bastion imprenable dont la couleur ocre se fondait dans la terre de grès rose. Un voyageur anglais avait dit de cette région que c'était « le pays le plus aride de la terre [38] ». Une chaleur étouffante alternait avec le sirocco. Il fallait protéger les règles contre le soleil, pour éviter la surchauffe et le risque de dilatation. De terribles rafales d'un vent très sec détruisaient leur alignement. Une fois même, des trombes d'eau soudaines forcèrent les savants à chercher un abri. Puis, à la fin du trente-sixième jour, une meute de chiens sauvages attaqua le campement et dérangea les règles, faisant ainsi perdre à l'équipe une journée entière de travail. Tandis que ses assistants travaillaient sous un soleil ardent, Delambre refaisait les calculs, assis dans la voiture, à l'ombre. Il devait appliquer les corrections liées aux défectuosités du thermomètre sur les règles 1 et 2, et compenser le léger défaut du tracé de la route, la présence du pont de l'Agly et les sept toises de dénivellation entre les deux extrémités de la base. Le prix à payer pour la précision était une vigilance continuelle [39].

La mesure de la base de Perpignan dura deux jours de plus que celle de Melun, mais les résultats s'accordaient de façon remarquable – preuve, firent remarquer les savants, que tout le soin nécessaire avait été apporté à la mesure. Le 19 septembre, cette opération fastidieuse étant enfin terminée, Tranchot et Bellet commencèrent à ranger les instruments dans la voiture de Méchain pour rentrer à Paris. « Un obstacle m'arrête malgré moi, écrivit alors Delambre avant d'ajouter : Méchain [40]. »

Lalande avait vu juste lorsqu'il avait écrit à Delambre, un mois plus tôt : « Notre pauvre Méchain ne peut pas finir, c'est à vous seul [de] réparer le malheur de sa maladie. Dans deux mois, ce sera comme depuis un an, et il faudra bien que vous acheviez les stations de Rodez à Carcassonne [41]. » Avec la conférence qui était sur le point de commencer, il n'y avait pas de temps à perdre en ménagements. Lalande voulait que Delambre prît la relève et terminât les triangles de Méchain, sans craindre de le chagriner. Son confrère étant malade, il était de son devoir de privilégier son travail d'astronome avant tout.

En effet, Méchain semblait avoir pris la seule voie honorable pour un savant qui n'avait pas su remplir une mission dont l'objectif était d'atteindre la perfection. Il faisait une dépression nerveuse. Ses lettres restaient inachevées ; elles étaient incohérentes, obsessionnelles. Chaque jour, il inventait une nouvelle raison pour justifier le travail qui lui restait à faire, l'impossibilité dans laquelle il se trouvait de redescendre de la montagne, et son refus – définitif – de rentrer à Paris. À la vérité, écrirait-il plus tard, « quiconque n'avait point à pleurer sur les siens, à craindre la perte de leur liberté et de leur vie, ne pouvait s'affliger d'être éloigné du théâtre de tant de maux ; à moins [de regretter] de ne pouvoir entourer les échafauds [42] ».

Delambre partit pour Narbonne, puis pour Carcassonne, afin d'être le plus près possible de son collaborateur. Le signal de Saint-Pons, la dernière station de Méchain, était situé en un point reculé de la montagne, à trois heures d'une marche pénible à partir de l'ancienne ville abbatiale du même nom [43]. À cheval, il ne fallait qu'une journée pour s'y rendre. Delambre offrit de venir aider son confrère à terminer les observations, s'il le voulait bien. Il pourrait être à ses côtés dans la soirée.

Méchain répondit par retour du courrier. Il lui conseillait de rester à distance. Delambre n'avait pas de temps à perdre à Saint-Pons alors que les savants étrangers l'attendaient à Paris. « Car, lui dit-il, à peine vous reste-t-il à présent le temps suffisant pour faire cette route. Dès que j'aurai achevé la station de Saint-Pons, je reverrai toutes les réductions de mes triangles et les observations, et je ne tarderai pas à vous en adresser les résultats [44]. »

Delambre ne retourna pas à Paris, pas plus qu'il ne se précipita dans la montagne pour terminer les triangles. Au lieu de cela, il proposa poliment une rencontre. Il attendrait que son confrère ait fini, déclara-t-il [45].

Méchain répondit qu'il travaillait aussi vite que possible ; « je ne puis voir à travers les brumes, ni résister contre des ouragans qui renversent tout [46] », ajouta-t-il. Il était arrivé à Saint-Pons au début du mois d'octobre et s'était installé dans le manoir abandonné du Moulinet, à une demi-heure de marche de son signal. Le Moulinet avait appartenu à l'archevêché, avant la Révolution. Le cadre y est spectaculaire. Sur les versants de la montagne, les forêts abondent, et en octobre les feuilles mortes forment un tapis humide autour des rochers moussus. Les renards, les cervidés et les sangliers apparaissent et disparaissent dans les bois, rapides comme l'éclair. Quand la vue est dégagée, on aperçoit depuis le sommet le quart du territoire français, depuis les crêtes déchiquetées de la ligne bleue et blanche des Pyrénées au sud jusqu'à celles, noires et vertes, de l'Auvergne, au nord. Cela ferait un bel endroit pour faire un ermitage, si les affaires du monde le permettaient.

Les jours passaient : dix, vingt, trente, quarante jours... Delambre attendait toujours. Il attendit aussi quand Méchain promit, le 4 octobre, d'envoyer tous ses résultats le lendemain ; une semaine plus tard, il en était toujours à n'expédier que des résumés. Il attendit encore lorsque son confrère lui assura, le 13, qu'il en aurait terminé le lendemain, et que le 19, une lettre arriva pour dire qu'il était occupé à boucler le tout. Il attendait toujours le 22 octobre, lorsque Méchain lui écrivit qu'il serait à Carcassonne le surlendemain, avant de se rétracter le 28 au motif que le muletier avait annulé le voyage parce que durant trois jours une tempête avait inondé les routes [47]. Il attendit parce que les savants étrangers aussi attendaient et que la réputation des Français était en jeu. Il attendit parce que Méchain avait entre les mains des résultats sans lesquels il ne pouvait y avoir de mètre définitif.

Méchain commençait à se trouver à court d'excuses. « J'aurai un plaisir infini à vous revoir, quoique je doive le craindre [48] », écrivit-il. Il continuait à demander à Delambre de partir. « Vous êtes en train de manquer votre moment de gloire, rappela-t-il à son confrère, et votre chance de présenter le fruit de sept années de labeur. » Ce fut cela même qui l'obligea à redescendre de sa montagne. Méchain pouvait risquer sa réputation à lui, mais il n'avait pas le droit de mettre en péril celle de Delambre, surtout lorsque Delambre semblait si disposé à laisser s'échapper son moment de gloire dans le seul souci de le partager avec Méchain. Delambre avait laissé à Méchain le soin de terminer seul sa mission, et, en ce sens, ils s'en étaient acquittés ensemble. C'était une remarquable preuve d'amitié. En se mettant ainsi en retrait, Delambre avait forcé Méchain à descendre de sa montagne.

Les deux astronomes se retrouvèrent à Carcassonne au début du mois de novembre 1798, au domicile de Gabriel Fabre, le juge du Tribunal criminel dont la devise venait de Sénèque : « un homme qui souffre est un être sacré ». Aux yeux de Fabre, personne ne méritait moins son destin que Pierre François André Méchain, « mais il ne dépend pas toujours de nous de maîtriser notre sensibilité [49] », avait-il confié à Delambre deux mois plus tôt. Or Méchain était un homme d'une grande sensibilité.

Pendant trois jours, Delambre s'évertua à convaincre son collaborateur de rentrer avec lui à Paris. À chaque fois, Méchain tentait de se dérober. « Je suis inébranlablement déterminé à ne pas aller à Paris avant l'hiver [50] », avait-il dit et répété autant de fois, et d'autant de façons qu'il en était capable. Et il avait ajouté : « Rien au monde ne me fera changer de résolution [51]. » Il proposait une demi-douzaine d'alternatives à son retour. Il pouvait passer l'hiver à Rodez et faire d'autres mesures de latitude. Il pouvait aussi se retirer dans un ermitage de la montagne et parfaire ses calculs : « Au printemps, je verrai si mon existence peut encore être utile [et] de quel côté [52]. » Peut-être retournerait-il à Barcelone pour vérifier ses mesures de latitude. Il n'avait pas non plus abandonné l'idée d'étendre ses triangles jusqu'aux îles Baléares. À ses amis de Carcassonne, il avoua qu'il regrettait à présent d'avoir refusé le poste qu'on lui avait offert à l'étranger, et que peut-être il irait « chercher fortune d'autre part [53] ». Aucune circonstance ne le ferait rentrer à Paris. Quel accueil pouvait-il espérer là-bas, qui ne fût fait « de reproches, de dédain et de mépris [54] » ? Sa conduite déplorable était déjà connue dans toute la France, fallait-il maintenant en faire étalage devant tous les savants du monde ? « Je n'irai point m'exposer au dernier degré d'humiliation », déclara-t-il. Que tout le crédit de l'opération retombe sur Tranchot (il parlait maintenant de son ancien assistant en disant « mon directeur »). Il accepterait tout châtiment que l'Académie lui infligerait. Il ne méritait pas mieux. Quant à sa famille, elle ne pourrait que voir ses problèmes aggravés par son retour, tant il serait « accablé du poids de [lui]-même [55] ».

Pourtant, une fois descendu de la montagne, quel choix avait-il réellement ? Delambre ne voulait pas rentrer sans les résultats de Méchain, le savant ne voulait pas les lui remettre, et en même temps il ne pouvait pas laisser Delambre reporter plus longtemps son départ. Donc il lui fallait partir.

Si la définition du mètre résultait d'une convention sociale, alors il fallait respecter les conventions sociales. Si deux savants avaient été envoyés en mission pour mesurer la Terre, alors deux savants devaient revenir de cette mission, ensemble. La science est une entreprise collective dont la plus grande réalisation est que chacun « apporte sa contribution ». Si Delambre voulait revendiquer sa part, il lui fallait laisser Méchain apporter la sienne. Il devait ramener le savant à Paris avec lui, avec ses résultats. L'astronome avait encore une dernière carte dans sa manche, et le troisième jour il la joua. Il montra à Méchain une lettre du Bureau des longitudes le pressant de rentrer, et lui promettant de lui donner à son retour la direction de l'Observatoire [56].

Ils partirent début novembre. Delambre avait attendu cinquante jours.

Si les deux astronomes avaient pu mentir sur la date de départ de Méchain au tout début de l'opération, il n'y avait aucun moyen de maquiller la date de son retour. Les savants étrangers attendaient depuis maintenant deux mois. Ce fut Lalande qui annonça triomphalement la nouvelle à ses confrères, le 14 novembre. Il venait de recevoir un courrier : Delambre et Méchain étaient arrivés à la résidence des d'Assy, à Bruyères-le-Châtel. Dès le lendemain, ils seraient dans la capitale [57]. Le dernier triangle avait été fermé.

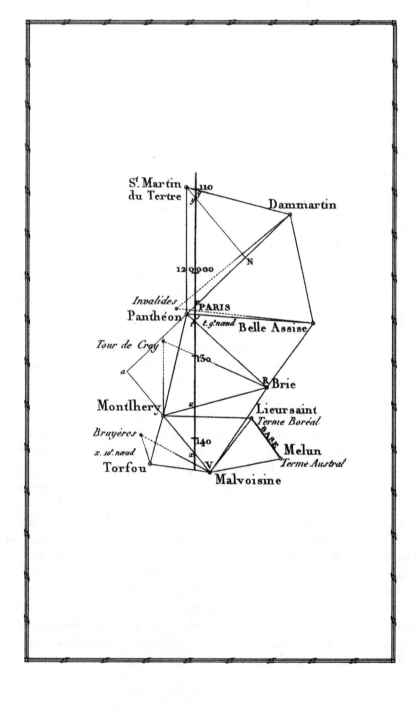

9

L'empire de la science

On réserve surtout des cadeaux magnifiques
Pour ceux qui s'embrouillant dans les mathématiques,
Aux triangles liés avec d'énormes frais,
Qu'ils soient faux ou trompeurs, ne renoncent jamais…
Qu'ont fait les nouveaux poids, les nouvelles mesures ?
À tous nos bons vieillards apporter des tortures.
Pour boire une chopine, auner un long ruban,
Ou réduire et changer les heures d'un cadran,
L'arc du méridien était-il nécessaire ?
On peut très bien auner sans mesurer la Terre ;
Et si ce haut calcul n'est point exempt d'erreur,
Briser longue habitude est mauvaise rigueur[1].

Louis Sébastien MERCIER,
Satires contre les astronomes, 1803

À son retour, Méchain fut accueilli comme un héros. Il eut à peine
le temps de se débarbouiller avant de se retrouver, avec Delambre, au
banquet offert par le président du Directoire, avec le ministre de
l'Intérieur, le ministre des Affaires étrangères et les membres de
l'Académie des sciences au complet, qui étaient tous venus saluer
(même si cela avait pris du temps) les deux astronomes prodigues et
les savants en visite. Méchain se trouva contraint d'accepter leurs sin-
cères félicitations, « qu'ils ont supposé que je devais avoir méritées
en remplissant ma mission[2] », écrivit-il dans l'une de ses lettres. Cela
le chagrinait presque de devoir admettre que tous ses confrères lui
avaient même donné « les témoignages les plus tendres d'amitié »,
auxquels ils avaient ajouté « ceux de satisfaction pour le passé et de
confiance pour l'avenir ». Et ce ne fut pas tout. Dans les jours qui suivirent fut confirmée sa nomination au poste de directeur de l'Observatoire, la distinction la plus honorifique pour un astronome français.

Méchain fut aussi élu président du Bureau des longitudes à titre provisoire. On le couvrait de tant de lauriers qu'il n'osait plus regarder en arrière.

Le savant confia ses doutes à ses amis de Carcassonne : « Les premiers jours sont les plus beaux, ce sont des jours de fête ; ceux qui les suivent sont des jours d'essai... Pourrai-je soutenir la considération dont on veut m'honorer[3] ? »

En son absence, Paris avait changé. Les monuments étaient les mêmes, mais leur âme s'était reconvertie. On aurait pu dire la même chose des Parisiens. Le Panthéon avait été transformé en mausolée national, la vieille noblesse avait cédé la place à des notables, et la famille Méchain avait quitté la petite maison en bordure des jardins de l'Observatoire, où Méchain avait succédé aux Cassini, pour aller s'installer dans les appartements rénovés du bâtiment central. Les enfants avaient grandi. Le plus jeune des garçons était âgé de six ans au départ de son père. Maintenant, il en avait treize et voulait devenir astronome, comme lui. Le fils aîné faisait partie de la commission scientifique qui accompagnait Bonaparte en Égypte, en tant qu'assistant astronome. Pendant sept ans, Méchain avait voyagé loin de sa famille, et durant cet intervalle, ceux qu'il avait laissés derrière lui étaient partis plus loin encore.

*

Après plusieurs mois de retard, la première conférence scientifique internationale[4] pouvait enfin commencer. Les plus grands savants de tous les pays de l'Europe occidentale, c'est-à-dire des nations devenues les alliées de la France par voie de conquête ou par attachement à une prudente neutralité, s'étaient réunis à Paris pour décider ensemble de la longueur du mètre. Ces hommes-là ne se laisseraient pas facilement berner, et par qui le seraient-ils d'ailleurs ?

C'était Laplace, le plus grand de tous, qui le premier avait eu l'idée de la conférence. Elle garantirait, avait-il dit, l'universalité du système métrique. Si la détermination définitive de l'unité de longueur était confiée à une commission internationale, alors on verrait se dissiper toutes les « jalousies nationales[5] » qui persistaient du fait de la décision de calculer le mètre à partir d'une portion d'arc de méridien qui ne traversait que la France. En laissant aux savants étrangers la possibilité de considérer le système métrique comme le fruit de leurs œuvres, on pouvait être certain qu'ils en répandraient l'usage au-delà des frontières. Tout à fait officieusement, pourtant, Laplace avait assuré Delambre que cette réunion de savants n'était qu'une simple

« formalité[6] ». Comme les paramètres de base du système métrique avaient tous été fixés à l'avance, les savants étrangers ne viendraient à Paris que pour entériner des résultats déjà préparés.

Tous les Français ne s'attendaient pas à ce que leurs hôtes fissent preuve de la même docilité. Borda, qui était à l'origine de l'opération de la méridienne, s'était opposé à cette conférence. Si la méridienne avait produit une unité de longueur tirée de la nature, quel besoin avait-on de l'*imprimatur* des savants de toute l'Europe ? La vérité n'avait que faire de porte-parole.

La proposition de Laplace avait toutefois reçu le soutien de deux personnalités influentes. Talleyrand, l'éternel champion de la politique étrangère française, défendait toujours le système métrique en tant qu'outil nécessaire à la diplomatie internationale, même si la France était en position d'ordonner plus que d'implorer. Si Talleyrand avait autrefois suggéré une coopération franco-anglaise sur les nouvelles unités de mesures, son ministère avait maintenant restreint les invitations aux savants qui avaient à cœur « non seulement la gloire des sciences et des arts, mais aussi celle des nations qui voudraient y coopérer[7] ». Manifestement, les Anglais en étaient exclus.

L'autre allié de Laplace était le plus jeune des membres de l'Académie des sciences. D'ordinaire, les jeunes académiciens n'osaient pas intervenir dans les débats de leurs aînés, surtout à propos de questions aussi importantes et un mois à peine après leur élection[8] ; mais Napoléon Bonaparte était à bien des égards un académicien extraordinaire. Tout d'abord, il n'avait jamais rien publié. La principale raison qui pouvait le faire prétendre à une certaine renommée scientifique était qu'il avait passé le test du Corps royal d'artillerie avec Laplace comme examinateur. Il ne pouvait s'enorgueillir d'aucune invention, ni d'aucune recherche un tant soit peu originale. Si Laplace avait proposé sa candidature (au détriment du grand Lenoir, entre autres), c'était dans l'espoir d'allier l'Académie à celui qui promettait de devenir l'homme fort du pays.

Pour sa part, le général Bonaparte avait des ambitions politiques, et les sciences faisaient partie de sa campagne. Il ne s'intéressait d'ailleurs pas seulement aux sciences, mais aussi aux savants. De ses conquêtes italiennes, il avait rapporté l'art de la Renaissance et les tout derniers théorèmes. Lorsqu'il arrivait de son pas assuré aux séances de l'Académie, il était applaudi par les hommes et acclamé par les femmes. Il n'avait rien d'un Méchain, faible et dépéri, tremblant devant les honneurs. Au milieu de la foule qui se pressait après la séance, Delambre avait eu la surprise de voir que le général était déjà de retour à Paris. « J'y suis, pour dîner demain avec vous, si vous le voulez [9] », répondit Bonaparte. À dîner, il étala sa serviette sur la table et commença à faire la figure d'une nouvelle démonstration de géométrie importée d'Italie. « Général, le flatta Laplace, nous nous attendions à tout recevoir de vous, excepté des leçons de mathématiques [10]. » Il était l'homme universel, celui qui mêlait la pensée à l'action, la science à l'amour, les idées de génie à l'élaboration de toutes sortes de projets. Il était heureux comme un enfant d'avoir été élu à l'Académie, et immédiatement après son élection il était intervenu dans les affaires de l'institution. Une conférence scientifique internationale autour du mètre cadrait parfaitement avec sa vision d'une Europe unifiée sous la bannière française.

Les invitations avaient été lancées en juin 1798, à l'intention des savants bataves, danois, suisses, espagnols et italiens, c'est-à-dire, en d'autres termes, à toutes les nations qui constituaient le noyau de la ligue de la neutralité armée, dirigée contre l'Angleterre. Aucun savant anglais, américain, prussien, autrichien ou allemand n'avait été convié.

*

Depuis le début, les Français avaient espéré que l'Amérique, la république sœur d'outre-Atlantique, serait le premier pays à adopter le système métrique. Ils avaient été enchantés de voir Jefferson renoncer à sa préférence pour une unité fondée sur la longueur du pendule au 38e parallèle (près de Monticello) au profit d'un étalon mesuré à partir du 45e parallèle (près de Bangor, dans le Maine), laissant ainsi le champ libre à une coopération trilatérale entre la France, l'Angleterre et les États-Unis [11]. En 1792, une commission de sénateurs américains avait même recommandé de prendre le pendule comme unité de longueur nationale, mais lorsque les savants français marquèrent leur préférence pour un étalon tiré d'une portion de méridien qui ne traversait que la France, Jefferson avait compris que l'internationalisme affiché par les Français n'était qu'un faux-semblant. Le Congrès américain avait alors décidé de reporter l'examen du projet de loi.

Les Français ne renoncèrent pas pour autant à mettre l'Amérique de leur côté. Peu après l'adoption de la loi de 1793 sur le système métrique, le gouvernement envoya le naturaliste Joseph Dombey aux États-Unis pour présenter aux Américains un assortiment d'étalons (provisoires) en cuivre : une règle métrique et un cylindre d'un kilogramme [12]. En janvier 1794, Dombey quitta Le Havre à bord du navire américain *The Soon*. Mais une tempête le détourna vers les Caraïbes et la colonie française de la Guadeloupe, où la situation était plutôt tendue. À partir de là, sa mission alla de mal en pis. Des planteurs de la région le jetèrent en prison, au motif que c'était un émissaire des Jacobins. Relâché après des menaces de violence de la part de ceux qui étaient restés fidèles au gouvernement de Paris, Dombey s'était déguisé en marin espagnol et avait embarqué à bord d'une goélette suédoise, pour finir capturé par des corsaires anglais qui l'escortèrent jusqu'à la prison de l'île de Montserrat. Il y tomba malade et mourut en avril.

Par miracle, les papiers de Dombey et les précieux étalons arrivèrent intacts aux États-Unis (où ils sont encore, conservés au Museum of the National Institute of Standards and Technology), et l'ambassadeur de France, Fauchet, reprit avec enthousiasme la mission de Dombey. Il se déclara ravi d'apprendre la nouvelle de l'instauration du système métrique et certain « qu'un peuple libre et éclairé accueillerait avec plaisir l'une des grandes découvertes de l'esprit humain, la plus belle dans la théorie et la plus utile dans ses applications [13] ». Par « peuple libre et éclairé », il entendait le peuple français. Il espérait aussi que l'adoption du système métrique en Amérique « cimenterait l'alliance politique et commerciale entre les deux nations [14] ». Ses espoirs furent repris en écho par les éditorialistes qui invitèrent tous les Américains, ou du moins tous les Américains instruits, à adopter d'eux-mêmes les nouvelles mesures rationnelles venues de France.

Pendant un temps, on put y croire. Fauchet avait des liens d'amitié avec George Washington, qui était lui-même bien disposé à l'égard de la France ; le Président demanda au Congrès de reconsidérer l'idée du système métrique. Trois de ses précédents messages sur l'état de l'Union avaient déjà souligné l'extrême importance de l'uniformité des mesures. Bien qu'habituellement les répétitions de ce genre fussent presque toujours synonymes de mauvais présage, Fauchet ne perdait pas espoir. Dans une lettre codée renvoyée à Paris, il avait noté que l'adhésion américaine au système métrique pourrait être intéressante pour la France : « N'est ce pas rendre français un peuple comme celui-ci que de l'appeler au partage de nos connaissances, n'est ce pas enfin resserrer ses liens commerciaux avec nous que de l'assujettir à notre système de poids et de mesures, qui j'espère deviendra celui de toutes les nations dont il facilitera les relations et les calculs ? » Il s'inquiétait néanmoins de la « lenteur » des délibérations du Congrès, dont les membres « aim[aient] à mettre des délais dans de pareils changements », surtout maintenant qu'ils savaient que les nouveaux poids et mesures n'étaient que « provisoires [15] ».

Pendant que le Congrès tergiversait et que l'Amérique tentait un rapprochement diplomatique avec l'Angleterre, Fauchet commit l'imprudence de soutenir la « révolte du whiskey », comme s'il s'agissait d'un prélude à une grande révolution jacobine aux États-Unis. Son attitude rendit le Président furieux et entraîna son rappel à Paris. Six mois plus tard, la Chambre des représentants vota l'adoption de nouveaux étalons fondés sur une version modifiée du pied et de la livre anglaise. Il ne s'agissait pas là d'un pied ni d'une livre ordinaires, mais d'étalons déterminés à partir d'expériences scientifiques, et divisibles en unités décimales [16]. Le président de la Chambre insista sur la nécessité de faire passer cette loi. Tant que chacune des anciennes colonies resterait attachée à ses propres unités, le commerce national stagnerait. Cette fois, ce fut le Sénat qui, par son inaction, fit avorter le projet de loi. Peut-être les choses eussent-elles été différentes si Delambre et Méchain avaient pu terminer leur mission en 1794, comme prévu, et si le mètre avait été déclaré « définitif » ; ou encore si Fauchet avait été plus circonspect. Certes, il est difficile d'imaginer ce qui aurait pu épargner aux Américains deux siècles de débats stériles. Jefferson était conscient du problème. Il reconnaissait que le Congrès des États-Unis était dominé par une classe de députés mercantiles hostiles à la France, et inquiets à l'idée de devoir abandonner les unités anglaises coutumières. Sur une question qui touchait d'aussi près leurs intérêts commerciaux, leur opinion serait toujours prédominante [17].

Pour sa part, la Couronne britannique avait tenté de réformer les poids et mesures du pays depuis presque aussi longtemps que la France, avec aussi peu de résultats. Les grandes promesses d'uniformisation des mesures qui figuraient dans la *Magna Carta* avaient été étayées par de solides décrets parlementaires, puis réaffirmées par l'Acte d'union entre l'Angleterre et l'Écosse, sans pour autant parvenir à juguler une diversité aussi confondante que celle des langues de la tour de Babel. Chaque fois que des voyageurs traversaient une paroisse ou un gros bourg, ils devaient apprendre un nouveau vocabulaire, « inconnu de tous les dictionnaires [18] ». Lorsqu'ils s'entretenaient de poids et mesures, apothicaires, orfèvres et lainiers parlaient tous des dialectes métrologiques différents. Le comté de Hampshire comptait à lui seul trois sortes d'acres, et un boisseau dont la contenance variait d'un bourg à l'autre. Cette diversité donnait lieu une multitude de « cabales, retards, fraudes, inquiétudes, bref tout ce qui est contraire à la bonne foi et à la confiance qui devraient toujours régner entre vendeur et acheteur, entre préposé et commettant [19] ». « Des coquins et des tricheurs » contraignaient les pauvres à vendre leur grain dans des boisseaux de grande contenance, et à en utiliser d'autres, plus petits, pour acheter leur pain. Indignés, certains administrateurs condamnaient ce genre de pratiques et leur iniquité, réelle pour ce qui était de la transparence des échanges, même s'il ne faisait aucun doute que les gens du pays les considéraient comme partie intégrante de l'économie du juste prix qui prévalait alors dans la majeure partie de l'Angleterre.

À l'instar de leurs confrères du continent, les savants anglais avaient uni leurs voix pour appeler à l'uniformité des poids et mesures. Depuis John Locke et Christopher Wren, des membres de la Royal Society avaient proposé des unités tirées de la nature, un nouveau « yard », par exemple, qui serait égal à la longueur du pendule battant la seconde à la Tour de Londres (c'est-à-dire 39,2 pouces) [20]. Puis, au XVIIIe siècle, les nouveaux penseurs, que l'on appelait « économistes », soutinrent eux aussi la cause de l'uniformité des mesures, en tant que stimulant pour le commerce.

Enfin, en 1789, un obscur parlementaire nommé sir John Riggs Miller insista pour que la Chambre des communes alignât sa réforme métrique sur celle de la France. Miller convainquit Talleyrand d'accepter que l'expérience du pendule eût lieu en un point choisi conjointement par les savants des deux pays, et il choisit la langue – universelle en Europe – de la Rome antique, pour exprimer un rêve universel et antique.

Una fides, pondus, mensura, moneta, fit una,
Et flatus illaesus totius orbis erit [21].
Une seule foi, un seul poids, une seule mesure et une seule monnaie,
Et la terre entière unie sera en harmonie.

Pour obtenir une certaine harmonie, le plus difficile est d'arriver à ce que tout le monde chante juste. Puisque presque tous les étalons conviendraient de la même façon, à partir du moment où tout le monde était d'accord, chacun préférait que les changements aient lieu chez les autres. Miller se heurta à cet obstacle aussi bien dans son propre pays qu'à l'étranger. Chacun de ses alliés, parmi ses compatriotes érudits, avait sa propre idée de ce qui serait le meilleur étalon. Et sur un plan collectif, le Parlement espérait voir les Français emboîter le pas aux Anglais, surtout maintenant que leur adhésion à la monarchie constitutionnelle allait leur permettre de « s'émanciper des préjugés nationaux [22] ».

Quand les Français passèrent du pendule à la mesure du méridien, cela porta un coup fatal à l'enthousiasme des savants anglais les mieux disposés. Charles Blagden, collaborateur de Méchain pour l'opération franco-anglaise de 1788, vit le nouveau projet Dunkerque-Barcelone comme une tentative évidente d'empêcher tous les autres pays d'avoir leur mot à dire dans la détermination des nouvelles unités [23]. Une fois la guerre déclarée, la presse anglaise commença à se moquer du système métrique en le présentant comme un exemple de plus de l'outrance du rationalisme républicain. La proposition de Miller ne sortit jamais du Parlement.

Le même problème freinait les États germaniques. La mosaïque des principautés, qui avait engendré une multiplication des unités de poids et mesures dans ce qui devait plus tard devenir l'Allemagne, avait également écarté l'idée d'une solution commune [24]. D'ailleurs, les savants allemands préféraient eux aussi le pendule à la mesure du méridien, dont la valeur dépendait, disaient-ils, des personnes à qui elle était confiée, du lieu choisi et des instruments utilisés. C'était précisément ce genre de malaise que la conférence internationale était censée dissiper.

La guerre avait retenu chez eux les savants anglais, américains et ceux des États germaniques, mais les victoires de la France sur le continent allaient rendre impolitique tout refus de se rendre à cette invitation. Bonaparte avait l'Italie sous sa botte. L'occupation française avait reconstitué les Pays-Bas, devenus République batave. L'Espagne avait été contrainte à une fade neutralité. La Suisse avait été rebaptisée République helvétique et la rive gauche du Rhin s'appelait désormais « les départements réunis », « réunis » à la France élargie, d'abord militairement, puis politiquement et maintenant géographiquement, grâce aux travaux géodésiques de Tranchot [25].

Avec des règles métriques et des cartes, les Français allaient bâtir un empire, unissant les outils du commerce à la puissance militaire, sous la forme d'un mètre fondé sur les dimensions de la Terre. Un système métrique utilisé au-delà des frontières nationales ferait de l'économie européenne un bloc continental, pendant qu'une « armée d'astronomes » équipée de cercles répétiteurs inscrirait tous les pays d'Europe sur une seule et même grille de triangulation. Pour reprendre les termes de Delambre : « L'usage du cercle répétiteur s'est étendu à tout le continent ; et l'on peut espérer que [d'ici] peu, toute la surface de l'Europe sera couverte de triangles [26]. » En effet, les Français avaient résolu d'étendre leur toute nouvelle révolution métrique au globe tout entier.

*

Bonaparte ne se trouvait pas à Paris pour la conférence qu'il avait contribué à organiser. Cet Alexandre des Temps modernes, qui voulait conquérir le monde et lui apporter la civilisation, avait quitté la France pour la plus exotique de toutes les expéditions métriques : l'expédition d'Égypte. Au cœur de son armée, composée de cinquante-quatre mille soldats et marins, se trouvait un « Institut » de cent soixante-sept savants, parmi lesquels on comptait des mathématiciens, des naturalistes, des chimistes et des géodésiens. Les membres de cet Institut avaient pour but de servir à la fois une ambition territoriale et les sciences de la terre, en remplissant la mission civilisatrice des Français dans un pays du Levant sous tutelle anglaise et en récupérant l'œuvre de la civilisation antique avec les outils de la science moderne. Parmi ces savants se trouvait Jérôme Isaac Méchain, assistant-astronome de l'abbé Nouet, que Méchain avait formé à l'Observatoire [27]. Le fils de Lenoir faisait également partie de l'expédition, pour réparer le cercle répétiteur si besoin était. Ainsi, tandis que Méchain père triangulait la partie sud du méridien de Paris, Méchain fils dressait la carte d'un empire : de Marseille à Malte et à Alexandrie, puis du Nil jusqu'au Caire. Pendant que le père observait des pyramides en bois dans la Montagne Noire, le fils triangulait celle de Gizeh. Et pendant que le père était en proie à de terribles tourments dans sa retraite monacale de Saint-Pons, le fils se lançait avec un corps expéditionnaire à la recherche des origines de la connaissance scientifique.

Au cours de l'été 1799, une équipe de savants de la commission des sciences et des arts remonta le Nil en direction de Syène (Assouan), ville célèbre pour « le voisinage du tropique et la mesure de la Terre attribuée à Ératosthène [28] ». Là-bas, sur l'île de Philae, où du haut des à-pics de granite rouge se déversaient les cataractes du Nil, les savants inscrivirent leur position sur le mur du temple d'Isis :

R. F.
AN 7
LONGIT. DEPUIS PARIS, 30°34'16"
LATITUDE BORÉALE, 24°1'34" [29]

Parmi les seize noms qui figuraient au-dessous de cette inscription, se trouvait celui du jeune Méchain.

La géodésie n'allait pas seulement coloniser le globe, elle allait aussi coloniser le temps. Les membres du corps expéditionnaire découvrirent en effet le « nilomètre », un escalier creusé dans le mur de quai de l'île voisine d'Éléphantine et qui servait autrefois à donner la mesure des crues du grand fleuve. La comparaison de cet ancien étalon avec le nouveau mètre donnait à penser que le calcul des dimensions de la Terre par Ératosthène était, à 0,4 pour cent près, identique aux valeurs récemment trouvées. Et en remontant encore plus loin dans le temps, jusqu'aux origines de la civilisation égyptienne, trois mille ans plus tôt, les Français firent une découverte plus remarquable encore : les Égyptiens de l'Antiquité semblaient avoir eux aussi défini leurs étalons à partir de mesures géodésiques, et ils s'en étaient servis pour concevoir la Grande Pyramide de Gizeh. Vraiment, il n'y avait là rien de nouveau sous le soleil. Sous l'Ancien Régime, des astronomes avaient déjà avancé l'hypothèse que les Égyptiens avaient calculé leur unité de longueur à partir de la base de la pyramide que l'on disait égale à un cinq centième de degré de la circonférence de la Terre. Maintenant, les savants du corps expéditionnaire avaient la « preuve » que le périmètre de la Grande Pyramide était de mille huit cent quarante-deux mètres, soit, à 0,5 pour cent près, la valeur d'une minute d'arc de méridien terrestre. Un coup d'œil sur le monde antique avait renvoyé aux savants le reflet de leurs propres origines [30].

La conquête de l'Égypte fut un fiasco géopolitique. Nelson détruisit la flotte française à Aboukir, Bonaparte rentra à Paris et il laissa son équipe de géodésiens le long du Nil. En revanche, sur le plan scientifique, l'expédition fut un succès : on y étudia le percement d'un canal dans l'isthme de Suez ; les archéologues français en rapportèrent la pierre de Rosette ; et un accord avec les Anglais permit aux membres de l'expédition – dont le jeune Méchain faisait partie – de rentrer en France en octobre 1801, avec leurs précieux registres.

Pendant ce temps-là, d'autres Français s'occupaient d'étendre encore plus loin le nouveau système. Si la diversité des mesures avait constitué autrefois une entrave au commerce avec les colonies, le système métrique allait, lui, servir à la coordination d'un nouvel empire outre-mer. Sous l'Ancien Régime, les habitants de la Nouvelle-Orléans, à l'époque colonie française, s'étaient plaints des capitaines marchands qui tronquaient souvent les livraisons de farine, de viande, de lard ou de vin. Ceux-ci avaient toujours répondu qu'il ne s'agissait pas de mesures *faussées*, mais simplement *différentes*. Pour ne pas être en reste, les colons leur rendaient la monnaie de leur pièce en trichant sur le poids des marchandises en partance des Amériques, où, disait-on, « l'infidélité et la mauvaise foi [étaient] contagieuses [31] ». La Couronne avait ordonné à *toutes* les parties d'utiliser des étalons communs, remplis à un seizième près de leur poids véritable. Mais les bureaux de mesures officiels, chargés de lever les impôts et de mettre un terme à la contrebande, ne contrôlèrent jamais qu'une faible partie du trafic commercial avec les colonies. En rationalisant le commerce transatlantique, le système métrique allait permettre l'intégration des colonies des Caraïbes à la mère patrie, de la même façon que le mètre allait contrôler le monde.

Déjà la France avait demandé à des navigateurs équipés des cercles répétiteurs de Borda d'aller faire le tour des continents et de dresser la carte du monde. Entre 1785 et 1788, le roi de France avait envoyé La Pérouse explorer la côte pacifique, de l'Alaska à la Californie, et traverser ensuite l'océan pour se rendre en Asie et en Australie. L'explorateur avait renvoyé de grandes quantités de données très précises, avant de disparaître dans l'océan Indien. Entre 1791 et 1794, la République demanda à d'Entrecasteaux de partir à sa recherche. Au cours de l'expédition, celui-ci traça la carte de l'océan Indien et de quelques-uns des archipels de l'océan Pacifique sud, avant de succomber à la maladie [32]. Ce court intervalle avait vu tomber l'empire du mètre, mais cela devait n'être que provisoire.

*

Le projet d'une coordination mondiale reposait sur le caractère « définitif » du mètre. Or, pour déterminer le mètre définitif, il fallait que la précision des calculs fût avalisée par la Commission internationale. En conséquence, celle-ci devait concentrer son attention sur l'exactitude des résultats obtenus par Delambre et Méchain au cours de leur mission.

Mais pour l'heure, Delambre et Méchain n'étaient pas prêts à fournir leurs résultats, du moins pas Méchain. En attendant, donc, pour témoigner de leur souci d'exactitude, les Français offrirent de monter un « théâtre de la précision », supervisé par la Commission. Les deux astronomes devaient se mesurer l'un à l'autre dans une compétition amicale où chacun déterminerait la latitude de Paris. Paris était l'une des latitudes intermédiaires qui avaient été choisies pour décrire la courbure de la Terre sur l'arc de méridien situé entre Dunkerque et Barcelone. Chacun des deux astronomes devait mesurer la latitude de la capitale à partir d'un site qui lui serait propre. Pour Delambre, ce fut le toit du n° 1 de la rue de Paradis, et pour Méchain celui de l'Observatoire, dont il était maintenant le directeur. Les deux hommes devaient ensuite mesurer les angles en observant le Panthéon, et offrir ainsi la « preuve authentique » de l'excellence du cercle répétiteur et de l'expertise des savants qui le maniaient [33].

Le grand dôme était resté essentiellement le même, témoin des prouesses des ingénieurs du roi et de la magnificence des investissements royaux. En revanche, la destination du bâtiment avait changé, et l'on avait opéré quelques légères modifications du décor. L'observatoire en nid-de-pie que Delambre s'était fait installer avait été démoli, et les cinquante-deux mille livres de la statue de la Renommée avaient été jugées trop pesantes pour le dôme. Mirabeau, le premier homme à avoir été « panthéonisé » – et le premier aussi à être « dé-panthéonisé » –, était en passe de l'être à nouveau, sauf que l'on était incapable de trouver son corps. Et l'on s'apprêtait à rendre le même honneur à Descartes, le plus grand savant de France [34].

Delambre et Méchain commencèrent leurs observations le 7 décembre, mais sans y mettre le même enthousiasme. En plus de son fidèle Bellet, Delambre était assisté de Charles de Pommard, fils d'Élisabeth Aglaée Leblanc de Pommard, amie de longue date, grande latiniste, « d'une instruction solide, qui n'avait rien de cette rouille pédantesque qui s'attache aux personnes lettrées [35] ». Elle vivait avec son fils chez Delambre, à son domicile de la rue de Paradis. Celui-ci adorait le jeune homme aux yeux gris et aux cheveux châtains, qui mesurait déjà presque une toise. Il disait de lui qu'il avait « beaucoup d'intelligence et un grand amour pour le travail [36] ». Le jeune homme espérait devenir astronome – ou du moins était-ce le grand espoir de Delambre. Chaque soir de cet hiver-là, tous deux grimpaient sur le toit de leur petit observatoire du Marais pour y observer les étoiles. Et chaque matin Delambre présentait les résultats de leurs observations nocturnes à la Commission internationale.

Méchain était loin d'en faire autant. Il s'accrochait à ses résultats, comme il l'avait toujours fait, et en retour ceux-ci le tourmentaient, comme c'était le cas depuis toujours. Après vingt nuits et cinq cents visées, il annonça qu'il lui fallait tout reprendre depuis le début. Ses résultats étaient incohérents, disait-il. Cette fois, il semblait que ce fût le froid hivernal du nord de la France qui était à blâmer, et non plus la chaleur de la Catalogne. Son assistant semblait incapable de tenir le niveau. Ou peut-être était-ce la correction de la réfraction qui n'allait pas. De toutes les façons, c'en était trop. Il se sentait découragé, désemparé, désespéré. À Delambre, il déclara que, s'il ne finissait pas par obtenir « quelques résultats supportables », il faudrait qu'il « y renon[çât] [37] ». À Borda, il avoua que ses résultats à lui étaient inacceptables, alors que Delambre en obtenait « dont l'accord [était] aussi satisfaisant qu'on p[ût] désirer [38] ».

Le doute qui avait accompagné Méchain partout dans les montagnes du sud de la France l'avait suivi jusqu'à Paris. La mélancolie lui faisait faire des comparaisons qui sapaient sa confiance. Tous les matins, il entendait dire que Delambre avait porté ses résultats aux membres de la Commission. Et chaque soir, il se mettait en quête du « vice caché », dans ses résultats sinon en lui-même [39]. Il commença à éviter ses confrères. Il omettait de se rendre aux séances de l'Académie des sciences et aux réunions du Bureau des longitudes, qu'il était censé présider. Il cessa même de se présenter aux rendez-vous de la Commission internationale. Il déclara être trop occupé à recueillir de nouveaux résultats pour avoir le temps de discuter des anciens [40].

La Commission décida de tenir séance à l'Observatoire, afin de ne pas laisser au savant la possibilité de se dérober. Delambre fut obligé de trouver des faux-fuyants pour couvrir son confrère. Pour faire traîner les choses, il revoyait ses observations longtemps après que les calculs étaient devenus stables. Pendant ce temps-là, Méchain refusait de communiquer ses résultats. Si extrême que fût son angoisse, il insistait pour porter lui-même le fardeau de la précision. Toute autre attitude eût été une façon d'abdiquer. Il n'était pas un quelconque laquais que l'on avait envoyé ramasser les châtaignes, mais un savant à qui l'on avait confié une tâche nécessitant une grande finesse de jugement. Il n'était pas un petit technicien subalterne, mais un émissaire de l'Académie, dont l'intégrité garantissait les observations. Il savait mieux que personne quelles étaient les bonnes observations. C'était à lui seul de décider... Mais lesquelles devait-il choisir justement ? Celles de Mont-Jouy ou celles de la Fontana de Oro ? Fallait-il tout confesser ou admettre l'échec ?

Du fait de l'accumulation des retards, des rumeurs commencèrent à circuler. Les délégués étrangers n'étaient pas aussi dociles que Laplace l'avait supposé. L'astronome danois Thomas Bugge avait été le premier savant étranger à arriver à Paris. Durant trois mois, pendant qu'il attendait Delambre et Méchain, on l'avait empêché de commencer ses propres calculs. L'Académie interdisait expressément à tous les savants de communiquer leurs résultats avant la publication du rapport officiel. Bugge commençait à se sentir manipulé. En privé, il avait entendu Lalande dénigrer toute l'opération, qu'il attribuait au « charlatanisme de Borda [41] ». Trois mois s'étaient écoulés depuis le retour des deux Français, et ceux-ci n'avaient toujours pas rendu leurs registres. Des accusations calomnieuses commençaient à se répandre, selon lesquelles les résultats seraient très décevants et la mission bâclée. Bugge déclara que si la Conférence n'était pas terminée en janvier, il retournerait à ses occupations, dans son pays.

Lorsque des rumeurs circulent dans le monde cosmopolite de la science, elles vont vite et loin. Avec une joie qui ne cachait pas sa malice, un astronome allemand écrivit à Lalande pour lui parler du « scandale de la nouvelle mesure ». Il avait su par Bugge que la valeur que les deux membres de l'expédition avaient trouvée pour la courbure de la Terre n'était apparemment pas plausible, et que leurs résultats géodésiques « ne val[aient] rien, qu'ils [étaient] mal faits, qu'ils ne donn[aient] rien de concluant et qu'ils ne mérit[aient] aucune confiance », ce qui lui faisait « de la peine [42] ». « Ce sont des parties honteuses de l'astronomie qu'il faut bien cacher », avait-il conclu avec une joie à peine déguisée [43]. En France, un obscur astronome amateur écrivit à Delambre du fond de sa province pour lui exprimer ses regrets, ayant appris « avec peine que [son] zèle [et son] habileté dans les travaux de vérification de la méridienne n'[avaient] pas de résultats satisfaisants ». Il ne connaissait pas personnellement l'astronome, mais lui offrit néanmoins la consolation d'entendre qu'il avait été « mal secondé [44] ».

Le mois de janvier passa sans que Delambre et Méchain eussent rendu leurs résultats de la Méridienne. Bugge mit alors sa menace à exécution. À peine eut-il quitté Paris pour Copenhague que la presse parisienne l'accusa de « tourner en ridicule » le projet de réforme [45]. Toutefois, son départ fit réagir Delambre qui cessa de couvrir son confrère et présenta officiellement ses registres le 2 février 1799, devant la Commission internationale. L'épreuve dura toute la journée. Les membres de la Commission passèrent tout en revue, page par page, en s'arrêtant sur chaque station et en posant des questions sur chacune des observations. Finalement, ils approuvèrent presque tout, y compris les résultats dont Delambre lui-même n'était pas certain. Mais, comme disait l'astronome, quand une observation était publiée, elle devenait chose sacrée. En étant si loin du point d'observation, dans l'espace et dans le temps, ce n'était pas une mince affaire que de distinguer entre un résultat erroné et un autre valide. Les membres de la Commission n'eurent pas d'autre choix que de se fier aux registres et d'accepter toutes les valeurs que l'auteur avait tracées de sa plume, sans tenir compte de ce qu'il pouvait en dire après coup. En fin de journée, les triangles que Delambre avait mesurés entre Dunkerque et Rodez, avaient tous reçu l'approbation officielle, tout comme ses calculs de latitude pour Dunkerque, l'extrémité septentrionale de l'arc de méridien [46]. Maintenant c'était au tour de Méchain.

Quelques jours plus tard, Laplace se rendit personnellement à l'Observatoire, pour une visite privée. Il était venu adresser un ultimatum à Méchain. Celui-ci avait désormais dix jours pour rendre *tous* ses résultats. Aucun autre retard ne serait toléré[47].

On imagine aisément la réaction de l'astronome : ses sourcils relevés d'un air suppliant, et ses yeux qui recherchaient une marque de sympathie chez l'homme capable de voir à travers la spirale nébuleuse à partir de laquelle s'est formé le système solaire. Il n'y avait plus moyen d'esquiver. Méchain avait épuisé toutes les excuses, tous les prétextes, toutes les courtoisies de savant. L'heure de son jugement avait sonné. Il accepta de présenter ses résultats sous dix jours, « sans faute », mais à une seule condition : plutôt que de donner les originaux de ses registres – qui étaient, avoua-t-il, extrêmement confus et brouillons – il présenterait le résumé des résultats de chacune des stations, corrigés des formules habituelles[48]. Officieusement, Laplace donna son accord. La Commission avait trop besoin des résultats de Méchain.

Au cours des dix jours qui suivirent, Méchain découvrit qu'une vis mal serrée, sur la lunette inférieure du cercle, avait provoqué l'irrégularité de ses résultats – c'est du moins ce dont il informa la Commission. À présent, les valeurs obtenues commençaient à converger, aussi pouvait-il leur promettre de leur présenter l'ensemble de ses résultats sous dix jours. Ils s'accordaient en effet avec ceux de Delambre, à 0,13 secondes près[49]. C'était là un remarquable exemple de la prouesse de l'observateur. En situant sa position sur la surface du globe à treize pieds près, Méchain avait démontré que, placé entre de bonnes mains, le cercle répétiteur était d'une précision qui n'avait pour seule limite que la patience de l'observateur. Naturellement, la Commission accepta le délai.

Dix jours plus tard, le savant n'était toujours pas prêt à rendre ses résultats. Et dix jours après, il proposa de reporter la séance une fois encore. Finalement, le 22 mars, il présenta les résultats de la triangulation de la partie sud.

Méchain arriva devant la Commission avec le résumé de ses résultats recopiés d'une belle écriture de scribe, et ceux-ci furent soumis aux mêmes épreuves que les registres de Delambre. Les angles de chacune des stations entre Mont-Jouy et Rodez furent passés en revue l'un après l'autre avant d'être officiellement approuvés. Par moments, Méchain trouvait la façon de procéder « un peu sévère[50] ». En fin de compte, la Commission ne put que féliciter Méchain pour la remarquable cohérence de ses triangles. Quant aux résultats sommaires des latitudes de Mont-Jouy et de la Fontana de Oro, ils furent reconnus comme excellents *et* s'accordant parfaitement l'un à l'autre. En fait, ils s'accordaient si bien que, à la demande de Méchain, la Commission internationale décida de laisser de côté ceux de la Fontana de Oro, devenus redondants, et de n'utiliser que ceux de Mont-Jouy [51].

D'un seul coup, le cauchemar disparut. Les angoisses du savant, ses craintes, ses complexes, tout s'évapora, comme si cela n'avait été qu'un fantasme. La Commission internationale avait reconnu son travail comme un chef-d'œuvre de précision astronomique. Il se trouva même un commissaire étranger pour aborder Delambre en privé, et lui demander pourquoi ses résultats n'avaient pas la précision de ceux de Méchain [52]. La roue avait tourné. Méchain avait triomphé.

*

Il ne restait plus qu'à réduire cet enchaînement de résultats à un seul chiffre, la valeur du mètre. Au cours des semaines qui suivirent, chacun des membres de la Commission fit ses calculs indépendamment des autres, suivant sa propre méthode. Le mathématicien Legendre fit preuve de raffinement en utilisant la géométrie elliptique. L'astronome hollandais Jan Hendrik Van Swinden eut recours à des techniques géodésiques traditionnelles. Delambre utilisa des méthodes nouvelles qu'il avait récemment publiées [53].

Borda ne participa pas à ces ultimes calculs. L'inventeur du cercle répétiteur et instigateur de l'opération de la méridienne ne vécut pas assez longtemps pour voir le mètre passer du provisoire au définitif. Il mourut d'une longue maladie, pendant les derniers atermoiements de Méchain. Sous une pluie battante, un cortège de savants de tous les pays accompagna sa dépouille le long d'un chemin boueux pour l'enterrer en bas de Montmartre [54]. Il laissait une énigme en héritage.

Au fil des calculs, il devenait de plus en plus évident que la rumeur était justifiée : quelque chose clochait. Les résultats de l'opération de la méridienne étaient choquants, inattendus, inexplicables. Celle-ci avait donné quelque chose de totalement imprévu : une *authentique découverte scientifique*.

Cela ne faisait pas partie des objectifs de départ. Delambre et Méchain n'avaient pas été envoyés en mission pour faire de nouvelles découvertes. On leur avait demandé d'affiner ce que l'on savait déjà, pour obtenir un plus haut degré d'exactitude. Mais le globe terrestre, ils s'en rendaient compte maintenant, était plus excentrique qu'on le supposait. Fallait-il appeler cela un scandale ou une découverte ?

D'après les résultats obtenus cinquante ans plus tôt au Pérou et en Laponie, confirmés ensuite en France par Cassini III, l'ellipticité de la Terre (ce que les scientifiques d'aujourd'hui appellent son *excentricité*) était approximativement de 1/300 ; cela signifiait qu'aux pôles le rayon terrestre était plus court qu'à l'équateur de 1/300, c'est-à-dire de 0,3 pour cent. En revanche, les résultats de Delambre et de Méchain pour l'arc de méridien situé entre Dunkerque et Barcelone révélaient une ellipticité égale à 1/150, c'est-à-dire qu'elle était en fait deux fois plus importante. Chose encore plus étonnante, quand la Commission releva les mesures des deux extrémités de l'arc et des latitudes intermédiaires de Paris, d'Évaux et de Carcassonne, elle découvrit que la courbure de la surface de la Terre n'était pas régulière, mais qu'elle changeait à chaque segment. C'était là une découverte remarquable certes, mais dont on ignorait totalement le sens.

Manifestement, Méchain fut enchanté de cette petite révolution. Elle l'innocentait, si l'on peut dire. Ses confrères allaient maintenant regretter de ne pas l'avoir laissé poursuivre jusqu'aux îles Baléares ou faire d'autres calculs de latitude. L'expérimentateur qu'il était prit un malin plaisir à déconcerter ses collègues théoriciens, Laplace en particulier. Il affirma en jubilant que « la Terre n'a[vait] pas voulu conformer sa figure aux formules analytiques [des] géomètres, qui voulaient absolument, jusqu'à présent, que ce fût une sphéroïde de révolution parfaitement régulière et d'une densité homogène [55] ». Cet instant-là fut peut-être pour lui le seul véritable instant de bonheur de toute l'expédition. Ce fut aussi l'occasion d'une grande découverte, qu'il rapporta à ses amis de Carcassonne :

> Nos observations ont dit que la courbure était presque circulaire entre Dunkerque et Paris, plus elliptique de Paris à Évaux, bien plus encore d'Évaux à Carcassonne, et que la même ellipticité se soutient de Carcassonne à Barcelone. Aussi, pourquoi celui qui s'est amusé à pétrir notre petit globe dans ses doigts n'a-t-il pas pris garde... voilà ce que c'est que de ne pas s'entendre : il en arrive que, par les lois du mouvement, de la pesanteur, de l'attraction, agents que le Créateur avait peut-être faits avant le reste, par ces lois, dis-je, la Terre mal bâtie comme cela, a bien été forcée de prendre une figure irrégulière, et il n'y a plus de remède, à moins de recommencer [56].

Comme il arrive bien souvent, le progrès avait suivi des méandres pour finalement surgir là où on ne l'attendait pas. Tout à fait inopinément, l'opération de la méridienne avait permis une nouvelle et déroutante découverte. Alors qu'ils croyaient vivre sur une planète ronde comme une orange ou aplatie aux pôles comme une tomate, les géodésiens se retrouvaient maintenant sur une espèce de courge à la peau grumeleuse.

Certes, tout le monde savait que la surface de la Terre n'était pas parfaitement lisse, et que la mer n'était pas partout une mer d'huile. Cela faisait une centaine d'années que les scientifiques avaient découvert que la figure de la Terre n'était pas une sphère parfaite mais qu'elle était aplatie aux pôles. Au cours des dernières décennies, ils avaient même commencé à douter de sa forme ellipsoïdale et à lui préférer l'idée d'un ovoïde de forme complexe. Maintenant ils réalisaient qu'il ne s'agissait même pas d'une figure courbe, bien définie, qui tournerait autour de son axe. Ils découvraient que notre planète était affaissée, gauchie, tordue, déformée. Et s'ils s'en étaient aperçus, c'est parce qu'ils recherchaient la perfection. Observée d'assez loin, la Terre semblait sphérique. En y regardant de plus près, il ressortait qu'elle était aplatie aux pôles. Et vue d'encore plus près, comme l'avaient montré Delambre et Méchain avec un degré de précision remarquable, la Terre n'apparaissait alors même pas assez régulière pour être représentée comme une courbe en rotation dans l'espace. Delambre et Méchain avaient découvert que tous les méridiens n'étaient pas égaux : le méridien de Paris n'avait pas la même longueur que ceux de Greenwich, de Monticello ou de Rome.

Cette surprenante découverte n'était pas complètement inattendue. Laplace lui-même, grand théoricien de la géodésie, s'était déjà demandé si la Terre était réellement un parfait sphéroïde de révolution, comme tous ses modèles le supposaient. Et Roger Boscovitch, le géodésien jésuite qui avait entrepris un levé des États papaux au milieu du XVIIIe siècle, avait aussi émis l'hypothèse que le méridien de Rome n'avait pas la même courbure que celui de Paris. En fait, cette incertitude avait dès le départ constitué l'une des raisons, inavouées, de la nécessité de l'opération de la méridienne, et c'était à cause d'elle que les savants avaient ajouté le calcul de latitudes intermédiaires, mais ils ne l'avaient jamais reconnu : « Quelquefois, pour servir le peuple, on doit se résoudre à le tromper[57] », avait dit l'un d'eux en privé.

Il n'y avait qu'un seul problème. Cette grande découverte infirmait le principe de base de toute l'expédition.

La mission dont Delambre et Méchain avaient été investis était fondée sur l'hypothèse que le méridien de Paris pouvait être pris en lieu et place de tous les méridiens de la Terre pour déterminer une unité de mesure invariable et universelle. À présent, on découvrait que le globe terrestre était trop irrégulier pour servir à sa propre mesure. Certes, les deux astronomes avaient entrepris le levé d'un seul méridien, mais celui-ci était d'une telle irrégularité que l'on pouvait supposer que tous les autres méridiens auraient le même défaut, chacun à sa manière. Dans tous les cas, il ne serait pas simple de faire une extrapolation à partir d'une petite portion de méridien, et c'était précisément ce à quoi ils devaient se livrer maintenant.

En ce sens, les résultats étaient réellement choquants, voire scandaleux. Mais là encore, dans le domaine des connaissances, tout ce qui est vraiment nouveau est presque toujours matière à scandale.

Les membres de la Commission internationale se trouvaient devant un choix difficile. Ils pouvaient extrapoler l'arc Dunkerque-Mont-Jouy au quart du méridien en utilisant soit la nouvelle ellipticité (1/150), soit l'ancienne (1/334) [58]. Ils avaient toutes les raisons de penser qu'une ellipticité de 1/150 donnerait une meilleure description de la portion d'arc qui traversait la France, mais ils savaient que l'autre valeur offrait une image plus plausible de l'ensemble de la courbe formée par la Terre. Ils avaient donc le choix entre cohérence et vraisemblance. Après une discussion animée, ils optèrent pour la vraisemblance en prenant l'ancienne valeur. On avait demandé à Delambre et Méchain d'effectuer une nouvelle mesure du globe terrestre avec une précision suprême et, en fin de compte, le seul facteur réellement déterminant pour l'ultime définition du mètre se trouvait être fondé sur une valeur désormais périmée.

Cette décision eut pour effet de réduire légèrement la longueur du mètre. Le mètre provisoire mesurait 443,44 lignes, alors que le mètre définitif n'en faisait que 443,296. La différence peut paraître négligeable (0,144 lignes ou 0,325 millimètres, c'est-à-dire une épaisseur d'environ trois feuilles de papier), mais c'était beaucoup plus que la marge d'incertitude prévue par Borda. Et de la même façon que les feuilles de papier s'empilent, la différence ici se cumula pour enlever 3,25 kilomètres à la longueur totale du quart de méridien terrestre. Nous savons aujourd'hui que c'était un pas dans la mauvaise direction. Le mètre définitif s'écarte deux fois plus que le mètre provisoire des dimensions de la Terre telles que nous les connaissons désormais. Sept années de travail acharné n'avaient abouti qu'à diminuer le caractère exact de la définition du mètre.

*

La dernière étape consistait à matérialiser le mètre sous la forme d'un étalon physique et permanent. Si le laiton avait été jugé convenable pour le mètre provisoire, il était clair que le mètre définitif ne pouvait s'accommoder que du *nec plus ultra* des métaux. Longtemps dédaigné par les prospecteurs sud-américains qui le trouvaient polluant, le platine était impossible à fondre, difficile à purifier, et presque indestructible. C'est pour cette dernière raison qu'il avait acquis une brillante réputation auprès des savants. Il promettait de durer plus longtemps que le temps. Juste avant la Révolution, on avait découvert qu'un traitement à l'arsenic pouvait rendre le platine suffisamment malléable pour lui donner la forme d'une tabatière ou d'un vase. Après la Révolution, on avait trouvé au nouveau métal une fin plus glorieuse : il devait servir à la fabrication des étalons définitifs du mètre et du kilogramme. La Commission temporaire des poids et mesures consacra un cinquième de son budget à acheter et à traiter une centaine de livres de platine pur. Même ainsi, on faillit en manquer. La dernière expédition en provenance d'Espagne avait été amputée de quinze pour cent et les membres de la Commission eurent beaucoup de mal à compenser cette perte [59].

Ce fut à l'artiste Lenoir qu'il revint de jouer le dernier acte. Le petit homme était alors âgé de cinquante-cinq ans. Ses cercles répétiteurs l'avaient rendu célèbre dans le monde entier. Grâce à eux, il était devenu le pair de tous les meilleurs fabricants d'instruments de Londres. En avril 1799, on lui donna la valeur du mètre définitif et quatre barres de platine pur, avec pour mission de réaliser quatre étalons d'un mètre chacun, exactement. Pour s'acquitter de la tâche, il utilisa un « comparateur » de sa fabrication, grâce auquel il pouvait mesurer un objet à un millionième de toise près – un travail « diabolique [60] ». Des quatre barres, il sélectionna celle dont la longueur se rapprochait le plus du mètre définitif, à 0,001 pour cent près.

La nouvelle règle de platine fut présentée en grande pompe, le 22 juin 1799, aux membres des deux Conseils, afin que les élus du peuple pussent consacrer en même temps la loi des hommes et celle de la nature. Ce fut une cérémonie solennelle, et l'occasion d'entendre des discours d'une portée internationale. Laplace rappela à l'assistance qu'un mètre fondé sur les dimensions de la Terre faisait de chaque propriétaire terrien un « co-propriétaire du monde [61] ». Quant à l'astronome batave Van Swinden, il remercia les Français pour les répliques en fer que les savants étrangers allaient rapporter dans leur pays, afin que les peuples d'Europe pussent « resserrer entre eux les nœuds fraternels qui devraient les unir [62] ».

Il va sans dire que personne ne mentionna l'étonnante découverte relative à l'excentricité de la Terre, ni le retentissement subversif qu'elle avait, a posteriori, sur l'opération de la méridienne. Personne ne parla non plus du fait que l'on devait se hâter de renvoyer les étalons en platine du mètre et du kilogramme dans l'atelier de Lenoir, juste après la cérémonie, pour y apporter d'ultimes modifications, et que ceux-ci ne seraient remis au gouvernement, pour réintégrer leur coffre à trois serrures des Archives nationales, que neuf mois plus tard[63]. La réalisation des œuvres scientifiques, comme l'élaboration des lois et la fabrication des saucisses, est une chose qu'il vaut mieux garder à l'insu du public.

Derrière ces discours grandiloquents, on devinait sans peine une pointe de reproche. Les membres des deux Conseils savaient en effet que le peuple français n'avait pas encore fait siens les nouveaux poids et mesures. Le problème, tout le monde en convenait, n'était pas que les Français restaient au fond d'eux-mêmes fidèles à l'Ancien Régime, mais plutôt qu'ils s'accrochaient à leurs vieilles habitudes. Pour finir, le président du Conseil des Cinq-Cents évoqua tristement la maxime de Jean-Jacques Rousseau : « Les hommes préféreront toujours une mauvaise manière de savoir à une meilleure manière d'apprendre[64]. »

*

Au cours des mois qui suivirent, le corps législatif ordonna aux citoyens de commencer leur apprentissage. La tâche d'instruire le peuple revint principalement à l'Agence temporaire des poids et mesures. Parmi ses membres, on comptait le grand mathématicien Legendre et des administrateurs adeptes de l'économie de marché. Depuis plusieurs années, ils cherchaient à transmettre à leurs concitoyens leur passion pour les nouveaux poids et mesures. Même les bureaucrates sont capables de croire en ce qu'ils font : « Je ne rêve plus que de poids et mesures[65] », avait déclaré l'un d'eux.

Au cours des cinq années précédentes, l'Agence avait distribué des dizaines de milliers d'opuscules destinés à convaincre les citoyens de la simplicité de la nouvelle loi. Certains faisaient une centaine de pages, d'autres étaient de simples feuilles grand format que l'on placardait sur les échoppes. Prieur de la Côte d'Or élabora des échelles graphiques de conversion pour les citoyens capables de les lire. On commercialisa aussi toutes sortes de guides, des almanachs, des « convertisseurs » sous forme de cadrans en papier et des jeux de cartes éducatifs. L'Agence fit également sceller des mètres en marbre dans les murs de certains bâtiments importants de Paris (il en subsiste encore un, rue de Vaugirard, en face du palais du Luxembourg). Un aveugle répondant au nom de Duverny avait même été engagé pour faire passer le message, sous les arcades du Louvre. Celui-ci était simple : la justice était aveugle, les plateaux de la

24. Le cinq de cœur

Cette carte, extraite d'un jeu de cartes de la Révolution, porte le nom de Quintidi,
le cinquième jour de la semaine. Elle nous informe que lorsque le soleil passera
au sud du méridien, il ne sera plus midi, mais cinq heures. Et elle explique : « on
comptera par 1, 2, 3, 4, 5 heures ». Ces cartes à jouer ont été réalisées par Jean-
Pierre Bézu, en 1792, à Château-Thierry, qui s'appelait alors Égalité sur Marne
(Bibliothèque Nationale de France, Paris, Estampes).

balance devaient s'équilibrer, et le système métrique était facile à
utiliser[66].

Pour aider les citoyens à franchir le seuil du nouveau monde
métrologique, l'Agence demanda à chaque département d'établir
une table de conversion entre les anciennes mesures et les nouvelles. Si longues fussent-elles, ces tables étaient loin d'être
exhaustives et bien des poids et mesures de l'Ancien Régime n'y
figuraient pas. Certains administrateurs locaux avouèrent ne pas
être parvenus à localiser toutes les vieilles mesures étalons et
n'avoir fait qu'aborder la multiplicité des mesures agraires. Finale-

ment, ils s'étaient vus contraints de supprimer toute référence aux pratiques anthropométriques qui définissaient la majeure partie des poids et mesures de l'Ancien Régime. L'Agence décida de compiler la centaine de tables obtenues pour en faire un abrégé diffusé à l'échelle nationale, afin que « le Français ne soit plus étranger en France ». Cependant, le vrai danger pour le citoyen français était de ne plus se sentir chez lui dans sa propre paroisse. Si autrefois les citoyens avaient eu besoin d'un dictionnaire pour passer d'une bourgade à l'autre, il leur en fallait désormais un pour passer dans le futur [67].

L'Agence reconnut qu'il n'était pas suffisant de produire des brochures, des étalons en marbre et des tables de conversion ; les vingt-cinq millions de Français et de Françaises que comptait la nation avaient également besoin de pouvoir tenir entre les mains des règles toutes simples. Rien que pour la ville de Paris, il en fallait cinq cent mille. Or, un mois après l'officialisation du mètre comme unique étalon, l'Agence n'avait en magasin que vingt-cinq mille règles. Pour encourager la production, elle passa des contrats avec des fabricants privés et transforma les églises en usines. Elle promit également de récompenser les citoyens qui inventeraient une machine capable de découper des mètres « avec précision et promptitude [68] ». Si l'on ne pouvait pas encore parler de fabrication en série, cela y ressemblait fort [69]. Mais lorsque les citoyens trouvèrent enfin les mètres qu'ils cherchaient, ils découvrirent que parmi les règles utilisées dans une même boutique il y avait une différence d'un millimètre ou parfois plus.

Jusque-là, le système métrique s'appliquait seulement à la ville de Paris. Or, même dans la capitale, la police secrète découvrit des marchands qui vendaient toujours l'étoffe à l'aune, ne fût-ce que parce que leurs clients préféraient l'ancienne mesure, un peu plus longue [70]. Il était impossible de faire appliquer la loi. À chaque fois qu'un commissaire confisquait une aune et déférait le coupable à la justice, le Tribunal criminel le renvoyait à la police, qui ne pouvait que lui infliger une petite amende.

Une histoire circulait cependant, qui était l'exception confirmant la règle. Une femme de la division Le Pelletier rentrait chez elle après être allée acheter de l'étoffe, lorsqu'elle s'aperçut qu'on ne lui avait pas donné une aune de tissu, comme elle le croyait, mais un mètre. Elle se rendit chez le juge Delorme pour porter plainte.

LA FEMME : Monsieur – [71]

LE JUGE *(il l'interrompt)* : – Comment dites-vous ? Je ne suis pas un *Monsieur* !

LA FEMME : – Je vous demande pardon, *Citoyen* ! Dimanche dernier –

LE JUGE *(sur un ton impatient)* : – Qu'est-ce que vous appelez dimanche ? Nous n'avons plus rien de tel maintenant !

LA FEMME : – Je veux dire euh… quintidi de la semaine.

LE JUGE *(en colère)* : – Vous me fatiguez avec vos idioties ! Je ne sais pas ce que c'est une *semaine* !

LA FEMME : – Mais Mons – Citoyen, je veux dire la décade du mois de… d'avril.

LE JUGE *(en colère)* : – Vous recommencez avec vos idioties ! Avril !

LA FEMME : – De floréal, devrais-je dire. J'ai acheté deux aunes.

LE JUGE *(sur un ton furieux)* : – Suffit ! Vous voulez dire un *mètre*. Gardez vos habitudes. Vous avez toujours vos *dimanches*, vos *semaines*, votre mois d'*avril*, vos aunes et vos « *Monsieur* » ! Sortez d'ici ! Vous êtes une aristocrate !

Après septembre 1799, quand le corps législatif eut étendu le système métrique aux environs de Paris, il régna la confusion la plus totale. Les commissaires de police et les inspecteurs des ports insistaient sur le caractère obligatoire de l'utilisation des nouveaux poids et mesures, les acheteurs préféraient les anciennes, et les commerçants se servaient des deux. La situation incitait précisément à tous les abus que le nouveau système était censé éradiquer et elle offrait aux commerçants un moyen de plus pour tricher sur les quantités. *L'Almanach des gourmands*, le premier guide parisien des grands restaurants et de l'épicerie fine, publia un avertissement contre les fraudes éventuelles des bouchers et des boulangers, notamment près du port de Saint-Honoré, car ceux-ci utilisaient les nouveaux poids et mesures pour tromper leurs clients, soit en arrondissant les prix au chiffre supérieur, soit en distribuant des parts plus petites [72].

Les savants ne comprenaient toujours pas comment les gens du peuple pouvaient rejeter les nouveaux poids et mesures. Ceux-ci étaient tirés de la nature et de la raison, et le système en entier formait un ensemble logique. Les membres de l'Agence demandèrent à ses détracteurs de ne pas ergoter sur le nouveau système :

On ne peut attaquer les détails sans mettre en danger tout l'ensemble. L'auteur de l'article désire un nouveau changement dans la nomenclature ; d'autres en demandent dans la mesure naturelle, qui sert de base au système, ils voudraient que ce fût le méridien entier au lieu de la distance du pôle à l'équateur ; d'autres préfèrent le pendule ;

25. L'UTILISATION DES NOUVEAUX POIDS ET MESURES

Ci-dessus (de gauche à droite à partir du haut), de sémillants citoyens républicains montrent comment utiliser correctement le litre, le gramme, le mètre, le double mètre, le franc et le stère (photothèque des musées de la Ville de Paris, ph. Svartz).

d'autres encore renouvellent l'idée d'une arithmétique duodécimale, qui donnerait la facilité de sous-diviser les mesures par tiers et par quarts... La loi a été longtemps méditée, elle est rendue, son exécution est commencée ; de nouveaux changements affaibliraient le respect qui lui est dû... Il faut qu'il ne reste aucun doute sur la bonté de la loi [73].

Malgré la lenteur des progrès accomplis, les savants conservaient l'espoir – cet espoir pérenne que gardent les esprits déjà éclairés – que la génération suivante verrait enfin la lumière. Ils rendirent obligatoire l'enseignement du système métrique dans les écoles de la nation, y compris à l'École normale, qui formait les futurs enseignants [74]. Ils assurèrent à leurs concitoyens que le système métrique ne serait jamais imposé par la force et ne deviendrait jamais l'instrument de la tyrannie. Le système métrique, disaient-ils, « c'est simplement une mesure de police et d'ordre social... Les mots de *bon plaisir* et de *pleine puissance* ne sont pas dans le dictionnaire des peuples qui se servent de leur raison. Si l'on veut obtenir d'eux une obéissance durable, il faut les éclairer et les convaincre [75] ».

Ce credo libéral tenait compte du fait que les chefs de la nation pouvaient fort bien interpréter et influencer l'opinion publique. Ainsi le ministre de l'Intérieur ne vit-il aucun paradoxe dans le fait de déclarer que « l'uniformité des mesures a[vait] été de tous temps le vœu des peuples », et de se vanter en même temps que le système métrique, tel qu'il avait été conçu par les plus grands savants français, « se[rait] un excellent moyen pour former la raison publique [76] ». L'objectif n'avait pas changé : le système métrique devait transformer l'économie française et faciliter l'administration de la France en transformant également le *mode de pensée* des citoyens français, pour en faire des calculateurs rationnels analysant leurs intérêts d'une manière complètement nouvelle. Il n'était guère étonnant que cette transformation fût longue à venir : les gouvernements qui se succédaient, reconsidérant à chaque fois le rôle de l'État dans la vie économique de la nation, la rendaient extrêmement sensible aux changements politiques.

Paradoxalement, la seule façon pour l'État de faire appliquer le système métrique était de réglementer à nouveau les marchés. En 1799, quelques mois après l'introduction du mètre définitif, le gouvernement autorisa toutes les grosses bourgades à avoir leur propre Bureau des poids et mesures. De la même façon que l'État délivrait une licence aux apothicaires pour prévenir les tentatives d'empoisonnement, il allait maintenant donner une licence aux Bureaux des Poids et mesures pour lutter contre la défiance du peuple à l'égard du système métrique, défiance qui empoisonnait le commerce. En retour, chaque bureau privé pourrait demander une somme modique en échange des services rendus. Pour certains, il s'agissait là d'une régression à l'époque honnie des droits féodaux de l'Ancien Régime, et d'une restriction apportée au droit absolu de faire du commerce où bon leur semblait et comme ils l'entendaient. Le Bureau de Paris, dirigé par Brillat et Compagnie, fut traité de « despotique » et de « tyrannique [77] », après qu'il eut envoyé une centaine de soldats à travers les Halles pour en chasser les peseurs à l'ancienne. Les détracteurs du système métrique déclarèrent que sa pratique ne se répandrait jamais si le peuple était contraint de l'utiliser par la force des baïonnettes. Pour leur part, Brillat et Compagnie affirmèrent que tout cela était nécessaire pour rétablir la confiance, instaurer un commerce équitable et empêcher que le système métrique fût exposé à la risée générale [78]. Ainsi les nouveaux poids et mesures furent-ils l'instrument qui permit au gouvernement de ressusciter la vieille distinction, bien connue sous l'Ancien Régime, entre le marché public et régulé (limité dans le temps et dans l'espace, pour permettre l'accès à tous) et le marché libre, sans régulation.

Le système métrique en lui-même ne garantissait pas la liberté du commerce (même si l'uniformité des poids et mesures constitue en général un pré-requis). Il pouvait tout aussi aisément être utilisé pour l'application de l'ensemble de la réglementation commerciale décidée par l'État ; mais dans les deux cas, il était destiné à libérer le commerce de l'emprise des vieilles mesures anthropométriques et de l'économie du juste prix.

Les savants français avaient systématiquement voulu ignorer les motifs rationnels qui étaient à l'origine du rejet général du système métrique par les citoyens ordinaires, notamment les bouleversements apportés aux normes communautaires, assortis de la crainte d'ouvrir les marchés locaux à la concurrence de l'extérieur. Dans bien des cas, il était même impossible de convertir les anciennes unités, car il eût alors fallu distinguer les objets du travail et des matériaux qui avaient été nécessaires à leur fabrication, ce qui naturellement répugnait à de nombreux paysans et artisans, quoi qu'ils eussent à gagner, en tant que consommateurs, de la transparence des échanges.

De fait, les marchands véreux et les paysans ignorants n'étaient pas les seuls à rejeter le système métrique. Les citoyens les mieux instruits de la nation s'accrochaient tout autant à leurs vieux poids et mesures. Les anciennes unités s'étaient insinuées dans le travail quotidien de *tous* les Français, y compris des officiers publics et des professions libérales. Pour qui sait compter, effectivement, les chiffres comptent. De nombreux médecins français, qui venaient de passer d'une « livre médicinale » à une « livre commerciale », s'inquiétaient d'avoir à réapprendre toutes les formules du codex. En 1796, les notaires de province n'étaient pas encore passés aux nouvelles unités. En 1797, des arpenteurs nationaux furent réprimandés pour n'avoir pas utilisé le mètre dans leurs mesures. En 1798, des comptables du Trésor public persistaient encore dans leur refus d'utiliser le système décimal pour leurs calculs. Et en 1799, des administrateurs de la ville de Paris employaient toujours les anciennes unités dans leur correspondance officielle. Même les membres des Conseils continuaient à promulguer de nouvelles lois en mentionnant les anciennes unités, violant ainsi leur propre législation. Pour comble d'ironie, le Bureau central des poids et mesures expédia deux des nouveaux étalons à l'un de ses bureaux de province, en l'informant que le poids total de la caisse était de soixante *livres, poids de marc*[79].

Dans les secteurs de l'économie où le changement de système de poids et mesures impliquait un renouvellement des machines ou une évolution des pratiques bureaucratiques, la résistance était d'une fermeté inébranlable. Dans l'artillerie, l'armée la plus concernée par l'uniformité des mesures et par la précision et la modernité des processus de fabrication, et qui était de surcroît le premier corps d'armée où avait servi Napoléon Bonaparte, il avait été initialement prévu de publier une édition métrique des projets de canons, mais le ministère de la Guerre avait considéré cette opération trop coûteuse. En 1801, il changea son fusil d'épaule, et insista pour que le Comité central d'artillerie adoptât le système métrique. Mais le Comité se plaignait maintenant que les unités métriques allaient mettre à mal l'équilibre mathématique précis entre le poids des boulets de canon et leur calibre, ruinant ainsi l'uniformité du matériel qu'ils avaient eu tant de mal à obtenir[80].

Quant à Bonaparte, il refusa de se mettre au système métrique. Un jour qu'il visitait une fabrique de poudre à canon à Essonnes, il interrogea très longuement et en détail le responsable de la manufacture sur les processus chimiques utilisés. Or, à chaque fois que le responsable lui donnait un poids en kilogrammes, Bonaparte insistait pour avoir l'équivalent en poids de marc. Il ne parvenait pas, disait-il, à penser en unités métriques[81].

*

Devant une telle obstination, le gouvernement chercha plutôt à temporiser, alors même que la situation perdurait. Un an après l'introduction du mètre définitif, il fit un premier compromis. Le 4 novembre 1800, le système métrique fut enfin officiellement reconnu comme seul système de mesures pour toute la République, et la nomenclature méthodique (relative aux multiples et sous-multiples : décimètre, kilomètre, etc.) fut abandonnée. Le mètre était toujours le mètre et son usage serait rendu obligatoire pour toute la nation à partir de septembre 1801. Toutefois, les préfixes grecs et latins qui « effrayaient le peuple [82] » seraient remplacés par les « noms courants ». Après avoir consulté Laplace et Delambre, on redonna au décimètre le nom de palme, au centimètre celui de doigt, au millimètre celui de trait, etc.

L'instigateur de ce compromis n'était autre que Napoléon Bonaparte, qui revenait de l'expédition d'Égypte. Pour honorer le retour de leur confrère, les membres de l'Académie firent frapper une médaille commémorative avec le platine qui n'avait pas été utilisé pour la confection du mètre. De cette façon, dirent-ils, la médaille pourrait « durer presque autant que [sa] gloire [83] ». Treize jours après avoir reçu sa médaille, Bonaparte s'empara du pouvoir par le coup d'État du 18 brumaire – il devait le garder pendant seize ans. L'une des ses premières actions fut de nommer son ancien examinateur du Corps royal d'artillerie, Pierre Simon Laplace, à la tête du ministère de l'Intérieur, avec charge de faire appliquer les lois de la nation et le système métrique. Apparemment, les savants avaient misé sur le bon général. On imagine leur consternation lorsqu'ils apprirent le compromis accepté. Laplace tenta de rassurer ses confrères : le pas en arrière que l'on venait de faire en abandonnant la nomenclature méthodique n'entraînait pas la faillite générale du système. Lalande se moqua : « Laplace entre au ministère de l'Intérieur. Laplace n'est pas à sa place [84]. » Quarante jours seulement après sa nomination, Laplace fut renvoyé et remplacé par le frère de Bonaparte. D'autres retraites allaient sonner.

Les Français n'étaient pas seulement la première nation à avoir adopté le système métrique, ils étaient aussi les premiers à le rejeter.

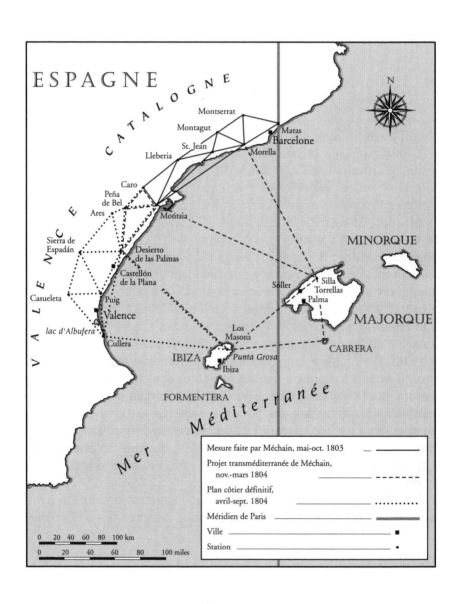

ESPAGNE

CATALOGNE

Montserrat
Montagut
St. Jean
Lleberia
Morella
Matas
Barcelone

Caro
Peña
de Bel
Ares
Montsia

Sierra de
Espadán
Desierto
de las Palmas
Castellón
de la Plana
Söller
Silla
Torrellas
Palma
MINORQUE

Casueleta
Puig
Valence

lac d'Albufera
Cullera
Los
Masons
Punta Grosa
CABRERA
MAJORQUE

IBIZA
Ibiza

FORMENTERA

VALENCE

Mer Méditerranée

Mesure faite par Méchain, mai-oct. 1803

Projet transméditerranée de Méchain,
nov.-mars 1804

Plan côtier définitif,
avril-sept. 1804

Méridien de Paris

Ville

Station

0 20 40 60 80 100 km

0   20   40   60   80   100 miles

N

10

La rupture de l'arc

> « C'est que nous ne sommes réellement bien nulle
> part en ce temps-ci, et que de toutes les faces que prend
> l'idéal (ou si ce mot vous ennuie, le sentiment du
> mieux), le voyage est une des plus souriantes et des plus
> trompeuses. Tout va mal dans le monde officiel : ceux
> qui le nient le sentent aussi profondément et plus amère-
> ment que ceux qui l'affirment. Cependant la divine espé-
> rance va toujours son train, poursuivant son œuvre dans
> nos pauvres cœurs, et nous soufflant toujours ce senti-
> ment du mieux, cette recherche de l'idéal[1]. »
>
> George SAND, *Un hiver à Majorque*

Réchappé de sa mélancolie et de ses idées suicidaires de la Montagne Noire, Méchain avait été élevé au rang céleste de premier astronome de la nation. Honoré par les autorités pour son intégrité scientifique, il avait été accueilli à bras ouverts par une famille aimante et
des confrères qui lui témoignaient beaucoup de déférence. On aura
compris que sa conscience le tourmentait.

Pour expier sa « faute », le savant se plongea dans ses nouvelles responsabilités administratives. Il se plaignit que l'Observatoire avait été
négligé pendant son absence et jura d'en faire le lieu de l'observation
astronomique le mieux équipé du monde. Il acheta des lunettes perfec-
tionnées et décida de l'endroit où elles seraient placées. Il reprit ses
observations célestes, découvrit deux comètes, l'une en 1799 et l'autre
en 1801, et se lança dans l'aventure passionnante de la chasse aux tout
derniers corps célestes connus, de toutes petites planètes appelées
astéroïdes[2]. Malgré tout cela, il était extrêmement malheureux.

Ses amis et confrères étaient perplexes. Méchain avait pour lui tout
ce dont un savant pouvait rêver : une femme capable, un environne-

ment familial chaleureux, le poste le plus important de sa spécialité, le respect de ses pairs, enfin et surtout – on était à Paris après tout – l'appartement somptueux des Cassini et la pleine jouissance des jardins de l'Observatoire. Certains de ses confrères le trouvaient réservé, sévère, caustique même. D'autres prenaient plaisir à le vilipender par-derrière, mais tous s'accordaient pour reconnaître sa parfaite intégrité [3].

Toutes ces marques d'estime ne faisaient que rendre son secret encore plus intolérable. Plus on l'honorait, plus il se sentait indigne et faux – il n'était qu'un imposteur, auteur d'une fraude scientifique aux conséquences désastreuses. Par sa faute, une erreur s'était glissée dans la valeur fondamentale, dans la mesure qui allait servir de base à tous les échanges commerciaux et scientifiques. Ainsi évitait-il ses confrères et se renfermait-il dans son appartement à chaque fois que l'un d'eux venait à l'Observatoire [4].

Dans le même temps, son ancien collaborateur avait eu l'honneur de se voir confier la rédaction du compte rendu officiel de l'expédition. C'était un choix compréhensible. Même si Delambre était de cinq ans son cadet et qu'il avait dix années de moins en tant qu'académicien, il associait à sa formation universitaire un savoir-faire indiscutable, et, de surcroît, il avait accompli le plus gros du travail. Delambre avait prévu de tout publier : le récit de leurs aventures, le tableau complet de leurs résultats, toutes leurs formules et la description des instruments. L'ensemble serait regroupé dans un ouvrage de deux mille pages, en trois gros volumes, dont le titre serait la *Base du système métrique décimal*. Cet ouvrage permettrait de montrer à la face du monde l'exactitude de leurs travaux. Pour pouvoir terminer le premier volume avant la fin de l'année, Delambre avait besoin des résultats originaux de Méchain [5].

Il n'y avait rien d'étonnant à ce que les deux astronomes fussent animés d'un ressentiment réciproque. Leur mission était accomplie, mais ils restaient attachés l'un à l'autre. Delambre avait besoin de l'intégralité des résultats de son confrère et celui-ci avait résolu – par dépit, semblait-il – de n'en donner que le strict minimum, et quand bon lui semblerait. Et personne n'ignorait que Méchain avait pu terminer sa mission grâce à l'aide de Delambre : cela suffisait pour qu'il lui en voulût de sa réussite. De plus, Delambre était devenu un favori du Premier consul – Bonaparte s'était pris d'affection pour lui dès le premier jour, à l'Académie – alors que Méchain lui était presque totalement inconnu [6]. Le savant en voulait à Delambre de la facilité avec laquelle il s'exprimait et de la supériorité que lui donnait sa formation classique. Il éprouvait un certain mépris devant l'aisance avec laquelle ce fils de drapier se mouvait au sein de la nouvelle République.

Le coup porté à leur belle amitié fut rude. Pendant sept ans, les deux savants avaient peiné sur toute la longueur du territoire français, d'abord dans des directions opposées, puis sur des routes convergentes, mais toujours dans un esprit collégial. Mais il avait suffi d'une année dans la capitale pour les rabaisser au niveau des petites rivalités intestines. Paris a ce pouvoir-là. La proximité du pouvoir et de l'argent rend parfois les gens acariâtres. À la fin de l'année 1800, Delambre fut élu président du Bureau des longitudes en alternance, ce qui lui donna théoriquement une supériorité hiérarchique sur Méchain. Une dispute s'ensuivit, pour savoir qui contrôlerait les livres comptables. On remit en question le fait que Méchain pouvait revendiquer officiellement le titre de directeur de l'Observatoire. Le savant écrivit des lettres au ton atrabilaire, dénonçant « le très pédant et outré ambitieux administrateur[7] », qui avait dépassé le terme de son mandat de président du Bureau des longitudes. Il se plaignit d'avoir été réduit à le prier de lui obtenir du bois à brûler et des chandelles. En privé, il parlait de Delambre sur un ton railleur, en l'appelant son « maître absolu[8] ». En public, il menaçait de démissionner si on ne lui donnait officiellement la fonction de directeur de l'Observatoire.

Sous ces dehors couvaient des griefs plus profonds encore. Méchain s'imaginait que Delambre l'avait délibérément privé de tous les honneurs qui lui étaient dus en le reléguant à un rôle secondaire dans l'opération de la méridienne : il s'était approprié les deux tiers des triangles, avait réussi à s'imposer pour le calcul de la latitude du Panthéon et s'était emparé de la mesure des bases, dont celle de Perpignan, qui faisait indiscutablement partie de son secteur à lui[9]. Et Méchain en avait la preuve. À la fin de l'année 1799, il était devenu dépositaire de l'œuvre scientifique de Borda et, de ce fait, il avait eu accès à tous les papiers du chevalier. C'est ainsi qu'il avait découvert la correspondance triangulaire entre Borda, Delambre et sa propre épouse. On imagine la réaction de Méchain – dont on connaît les tendances paranoïaques – lorsqu'il prit connaissance du complot ourdi contre lui pour le faire redescendre de la Montagne Noire, du motif caché de la visite de sa femme à Rodez, de la confidence dans laquelle ils étaient tous les trois, et de leur engagement mutuel à ne rien lui en dire. Ils l'avaient manipulé, traité comme un subordonné, abusé au-delà des limites de l'acceptable.

Avant que Méchain fût pleinement réinvesti de son autorité de directeur de l'Observatoire, Delambre avait gravi d'autres échelons.

En 1801, Bonaparte s'était octroyé, en plus de ses autres titres, celui de président de l'Académie des sciences, ce qui fit de lui le chef suprême de la nation *et* de l'ensemble de ses compétences scientifiques. Son premier geste en tant que président fut de réorganiser l'Académie et de nommer Delambre comme secrétaire perpétuel [10]. Le fils du drapier devenait ainsi l'homme de science le plus puissant de France : successeur de Condorcet, en liaison avec les plus hautes sphères politiques, auteur des éloges et, partant, gardien de la réputation de ses confrères.

Cet état de choses explique en partie pourquoi, le 6 septembre 1801, un membre du Bureau des longitudes (Méchain, selon toutes probabilités) proposa de prolonger la méridienne au-delà de Barcelone, jusqu'aux îles Baléares [11]. L'extension aux Baléares lui tenait à cœur depuis longtemps et le savant insista pour en être chargé. Selon lui, la connaissance que l'on avait de la forme de la Terre en serait améliorée, car on pourrait ainsi ancrer la latitude sud de l'arc de méridien sur une île où les montagnes ne perturberaient pas les observations. Le nouvel arc chevaucherait le quarante-cinquième parallèle et rendrait l'extrapolation au quart de méridien moins sensible à l'ellipticité de la Terre. C'étaient là d'excellents motifs scientifiques pour justifier le bien-fondé de l'expédition, et Méchain acceptait de faire un rapport à ce sujet, à une seule condition – celle de se voir confier la responsabilité du projet.

Pourquoi donc cet homme de cinquante-sept ans, qui venait de retrouver sa famille après sept années de voyages éreintants, voulait-il absolument se charger d'une pareille mission ? Delambre et tous ses confrères insistèrent pour en confier l'exécution à quelqu'un de plus jeune. Méchain était plus utile à Paris, où il avait commencé à accomplir de grandes choses pour l'Observatoire. En outre, le savant se remettait à peine d'un catarrhe violent qui avait failli lui coûter la vie, et que lui-même imputait à de « longs chagrins et [aux] mille contrariétés éprouvées dans [sa] mission et un peu au retour [12] ». Toutefois, plus ses confrères protestaient, plus Méchain s'entêtait. Sa fonction de directeur de l'Observatoire et son statut d'astronome le plus ancien de la nation l'autorisaient à désigner la personne chargée de cette expédition. Et il s'était désigné lui-même.

Méchain avait quelque chose à prouver. Il allait démontrer qu'il n'avait pas besoin de Tranchot pour ses triangulations. Il allait prouver également qu'il pouvait mesurer une portion d'arc aussi importante que celle de Delambre et qu'il n'avait pas besoin de l'assistance de sa femme pour terminer une mission. Par-dessus tout, il allait montrer qu'on pouvait lui faire confiance. Derrière les marques d'approbation de ses confrères, le savant percevait leur scepticisme (c'était leur métier d'être sceptiques). En effet, il n'avait toujours pas rendu ses résultats originaux pour Fontana de Oro, ni transmis ses registres à Delambre. Seule une nouvelle expédition pouvait sauver sa réputation, la chose qui lui tenait le plus à cœur.

Méchain avait d'autres motivations plus secrètes. Le prolongement de la méridienne jusqu'aux îles Baléares lui permettrait de laisser derrière lui la latitude de Barcelone avec ses résultats contradictoires, et d'établir plus sûrement l'ancrage méridional de son arc. Cette tâche-là, il ne pouvait la confier à personne d'autre. Un autre savant pourrait découvrir, en triangulant à partir de Barcelone, que la latitude réelle de cette ville ne correspondait pas aux résultats publiés. Déjà, Alexandre de Humbolt s'y était arrêté en se rendant en Amérique du Sud. L'explorateur était descendu à l'auberge de la Fontana de Oro, et il avait installé son cercle répétiteur sur la terrasse. Il y avait effectué plusieurs observations dans le but de marcher sur les traces de l'illustre Méchain, avait-il rapporté. N'existait-il donc aucun endroit sur terre où celui-ci serait à l'abri des savants fureteurs ? N'y avait-il aucun phénomène naturel qui pût échapper à leur besoin de mettre leur nez partout ? Par bonheur, le jeune géographe allemand n'avait pu consacrer qu'une seule nuit à ses observations, et ses résultats n'avaient pas contredit ceux de Méchain. Il les avait tout de même envoyés à Delambre personnellement, et celui-ci avait relevé quelques petites anomalies [13].

Finalement, toutes ces raisons s'effacèrent devant le seul motif qui vaille réellement en matière scientifique. Le prolongement de la méridienne allait nécessiter de passer au-dessus de la Méditerranée en mesurant un triangle géodésique de presque cent mille toises de côté, alors qu'un triangle ordinaire faisait à peine plus de trente mille toises. Le défi à relever était énorme : il s'agissait de trianguler un terrain totalement inconnu. Méchain le clamait depuis longtemps, l'extension aux Baléares lui tenait « fort à cœur [14] ». C'était un défi auquel il lui était impossible de résister.

Il ne faudrait pas en conclure pour autant que sa mission n'avait aucune utilité pratique. Comme Méchain le fit remarquer fort astucieusement dans la proposition qu'il fit à Bonaparte, l'expédition cimenterait « l'union intime [15] » de la France et de l'Espagne. Les îles Baléares constituaient une position stratégique dans l'ouest de la Méditerranée. En effet, la marine anglaise avait occupé l'île de Minorque en 1798, dans le but d'empêcher Bonaparte d'envahir l'Égypte, et l'Espagne n'avait récupéré l'île qu'en mars 1802, au moment du traité d'Amiens entre l'Angleterre et la France. Ce traité

mettait fin à dix années de guerre et ouvrait les voies maritimes aux
Français. Néanmoins, la paix était précaire, car les deux pays cherchaient déjà à prendre l'avantage l'un sur l'autre. En septembre 1802,
sur les conseils de Delambre et de Laplace, Bonaparte donna son
accord pour cette percée scientifique à l'ouest de la Méditerranée.

*

Ainsi se répétait un épisode de l'histoire des sciences : la première
fois de manière épique, la seconde fois comme une farce à la Don
Quichotte. Au moment de la mise en route de l'expédition, Méchain
se trouvait, comme de juste, dans l'une de ses périodes fastes. Il passa
l'année 1802 à rassembler son équipe. Cette fois, il voulait faire les
choses correctement. Pour entretenir le cercle répétiteur, il recruta un
jeune ingénieur de la marine nommé Dezauche. Pour se munir d'une
couverture diplomatique, il s'attacha un de ses anciens étudiants,
Jean-Baptiste Le Chevalier, qui venait de rentrer d'une année passée
en Espagne, officiellement comme apôtre du système métrique, mais
plus probablement comme espion. Enfin, pour avoir un soutien moral,
Méchain emmena son plus jeune fils, Augustin, un grand gaillard de
dix-huit ans, né à l'Observatoire, et qui avait appris l'astronomie dans
le nid familial [16].

Méchain adapta également son matériel à la difficulté de la mission. Il dota son cercle de nouveaux oculaires plus puissants pour
pouvoir trianguler par-dessus la Méditerranée. Enfin, il se procura
d'énormes réverbères – dont quelques-uns avaient été commandés
tout spécialement à Londres – pour pouvoir faire des observations
plus précises la nuit. Au début de l'année 1803, tout était prêt,
hommes et instruments. Le savant rappela à ses coopérateurs que
« jamais on a[vait] fait et ne fer[ait] une opération aussi vaste, d'une
si grande importance, qui [tenait] les yeux de tous les savants
d'Europe ouverts [et qui serait] livrée à leur critique et à celle des
siècles à venir [17] ».

Comme la fois précédente, avant de partir, le dernier geste de
Méchain fut de remettre un document à quelqu'un. Cette fois, il ne
s'agissait pas d'une procuration – Thérèse Méchain était d'ores et
déjà autorisée à gérer le budget de vingt mille francs destiné à la mission et à diriger l'Observatoire en l'absence de son mari. Il était question des résultats que Delambre attendait depuis trois ans [18] : le compte
rendu des observations géodésiques de Méchain, consignées dans un
style tout à fait neutre, et le même résumé que le savant avait déjà
fourni à la Commission internationale.

Méchain espérait terminer sa mission en six mois et être de retour à Paris dix mois plus tard [19]. Il avait prévu de partir dès les premiers jours de février, de fermer ses triangles avant le début des chaleurs de l'été, de mesurer pendant l'hiver la nouvelle latitude au point le plus méridional, sur l'île d'Ibiza, et de reprendre ses fonctions de directeur de l'Observatoire au printemps. Il avait prévu de tout faire correctement cette fois. Mais les contretemps habituels, aussi inévitables qu'imprévus, l'empêchèrent de quitter Paris avant le 26 avril. Après être passé par Perpignan, il prit le bateau avec toute son équipe et entra dans le port de Barcelone le 5 mai 1803. À partir de là, plus rien ne se déroula comme il l'avait prévu.

En Espagne, rien n'était prêt. Partout il se heurta à de l'obstruction, de l'incompétence et des conspirations. Dès le premier jour de son arrivée à Barcelone, le gouverneur général l'informa que Madrid n'avait pas encore délivré les passeports dont il avait besoin pour voyager dans les îles. Ensuite, il apprit qu'Eurile, le capitaine du brigantin *Prueba* (« essai », en espagnol), qui avait accepté de lui faire traverser les deux bras de mer et de l'assister dans ses mesures, avait été retenu dans le port de Carthagène, sur ordre de Madrid, semblait-il.

Ces obstacles n'étaient pas accidentels, c'est du moins ce que lui apprirent ses amis espagnols. Le père Salvador Ximenez Coronado, directeur de l'Observatoire royal de Madrid, détestait la France et la Révolution française, et il considérait que le système métrique était « une grande charlatanerie » destinée à pervertir la vertu espagnole [20]. Le vice-directeur de l'Observatoire, José Chaix, qui s'était déplacé pour venir aider Méchain, confia au Français que Ximenez Coronado était « ignorant et méchant, l'ennemi mortel des sciences et de ceux qui les cultivent [21] ». De Madrid, il bloquait tout ce qui eût pu être d'une quelconque assistance pour l'expédition. Cette fois enfin, Méchain avait en face de lui une réelle conspiration contre laquelle il lui faudrait lutter.

Sous ces petites intrigues, c'était la menace d'une nouvelle guerre entre la France et l'Angleterre qui ressurgissait [22]. L'Espagne espérait rester neutre, mais il paraissait probable qu'elle serait engloutie dans le conflit de la Méditerranée. Les confrères parisiens de Méchain demandèrent à leurs homologues anglais d'intercéder auprès de la marine et d'obtenir un sauf-conduit pour cette mission pacifique qui devait servir la science. En attendant, Méchain reporta sa traversée de la Méditerranée à plus tard et se mit en route avec son équipe pour descendre le long des côtes de Catalogne, afin de repérer de nouvelles stations dans les montagnes au sud de Barcelone [23].

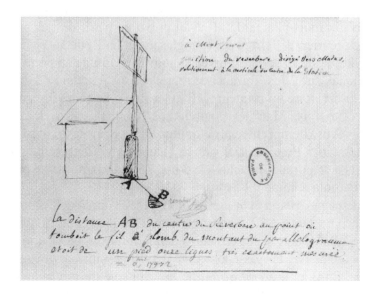

26. UN RÉVERBÈRE AU-DESSUS DE MONTSERRAT.

Le dessin de Méchain montre la position du réverbère placé devant le portique de la petite chapelle Notre-Dame, au sommet de la roche surplombant le monastère de Montserrat, en Catalogne (archives de l'Observatoire de Paris).

En ajoutant une nouvelle chaîne de triangles à la chaîne déjà mesurée, à partir de Montserrat et de Matas, Méchain avait l'intention d'esquiver les latitudes de Mont-Jouy et de la Fontana de Oro. En juillet et en août, dans la chaleur excessive de l'été catalan, l'astronome procéda à la mesure des angles de stations aussi reculées que celle de Montsia, un pic isolé de plus de trois cents toises, au sud, qui marquait la frontière entre la Catalogne et la province espagnole de Valence. Là, sur la montagne bleu cendré qui s'élevait au-dessus des marais couverts de flamants roses du delta de l'Èbre, Méchain fut rejoint par Eurile, et ensemble les deux hommes commencèrent à trianguler leurs stations en remontant vers Barcelone, au nord. Ils passèrent tout l'automne à travailler au milieu de pluies torrentielles et de vents violents. Ce n'était là qu'un effet de la malchance qui s'était abattue sur l'astronome : le doux automne catalan était soudain devenu féroce. Fin octobre, Méchain se retrouva à nouveau au monastère de Montserrat et il profita de la tradition de son hospitalité millénaire pour grimper une fois encore tout en haut de la chapelle Notre-Dame et mesurer les angles à partir du sommet du tuyau d'orgues de pierre (cinq ans plus tard, le monastère devait être détruit par un incendie pendant l'invasion de l'Espagne).

Début novembre il retourna à Barcelone afin de se préparer à nouveau à traverser la Méditerranée [24].

Depuis six mois qu'il était en Espagne, Méchain avait fermé cinq triangles côtiers, mais il ne savait toujours pas si sa mission était réalisable. Pour l'instant, la réalité était plutôt décourageante. La réussite de l'opération dépendait de la possibilité de mesurer un grand triangle qui traverserait les deux bras de mer jusqu'au point extrême de l'arc, sur l'île d'Ibiza. Au cours de sa difficile exploration de la côte catalane dans un sens puis dans l'autre, Méchain s'était ingénié à apercevoir l'île au travers des lunettes qu'il avait à sa disposition. Ses hôtes espagnols lui avaient juré que du sommet de Montsia, il lui serait possible de voir Ibiza aussi clairement qu'en plein jour, mais jusqu'à présent ni lui ni le capitaine Eurile n'avaient été capables de distinguer l'île à travers les pluies et les brumes automnales. Méchain craignait que les Espagnols ne lui eussent menti [25].

Le moment était venu de traverser la mer, et de changer de perspective, afin de s'assurer par lui-même que la chaîne côtière était bien visible de l'île. L'ambassadeur français à Madrid lui avait finalement procuré un passeport. Mais à peine le *Prueba* était-il entré dans le port de Barcelone pour faire monter à bord le capitaine et ses savants passagers et les transporter jusqu'aux îles, que la moitié de l'équipage mourut de la fièvre jaune. Effrayées, les autorités du port ordonnèrent au bateau fantôme de se retirer au large, jusqu'au lazaret, où le bateau et l'équipage seraient mis en quarantaine, avec Eurile, qui s'était courageusement porté volontaire pour reprendre son poste de commandant sur le brigantin contaminé. Méchain pria son ami de n'en rien faire et de rester avec lui à Barcelone, « parce que sa présence ici lui [serait] bien utile [26] ». Eurile répliqua qu'il était de son devoir de rejoindre le brigantin, avec ce qui restait de son équipage.

Dans le sud, l'Andalousie était infestée par la fièvre jaune. Rien que pour la ville de Malaga, on comptait trois cents morts par jour, et la maladie se propageait. Les rumeurs et la panique déferlaient sur la côte. Les citoyens les plus riches de Barcelone se hâtaient de fuir vers l'arrière-pays avant que les portes de la ville fussent fermées. Le gouvernement français déploya un cordon sanitaire tout le long de la frontière, afin de prévenir toute propagation de la maladie. Coincé à Barcelone – à la Fontana de Oro, encore une fois – et ne disposant plus d'aucun fonds, Méchain commençait à sentir le courage lui manquer.

C'était comme dans un cauchemar. Dix ans plus tôt, un soir de décembre, il se trouvait en haut de la tour de Mont-Jouy, occupé à observer un signal sur l'île de Majorque. Puis la guerre et sa blessure avaient servi d'étouffoir à ses ambitions. Maintenant, la guerre et la maladie menaçaient de lui couper la route à nouveau, et son équipe, qu'il avait soigneusement sélectionnée, se mettait à l'abandonner. Trois jours après leur retour à Barcelone, Le Chevalier, l'ancien élève de Méchain, avait filé vers le sud à la recherche d'objets antiques. Puis ce fut le tour de Chaix, qui préféra retourner à Madrid. Tout cela n'était pas seulement causé par la peur de la maladie : les deux hommes se plaignaient en effet que Méchain ne les laissait pas utiliser le cercle répétiteur, même occasionnellement[27].

Le savant n'avait jamais rien compris à l'art de diriger les hommes. Il ne savait pas quand il fallait partager les responsabilités, ou au contraire quand il fallait les assumer. Pour lui, la quête de la précision était comme un passage au purgatoire, où chaque savant devait répondre de ses propres fautes. De plus il était trop absorbé par sa propre autocritique pour permettre aux autres de paraître brillants. Il ne montrait aucune tolérance à l'égard de leurs erreurs, même les plus insignifiantes. Il lui suffisait d'ouvrir une caisse de réverbères mal emballés pour se convaincre qu'il avait eu tort de faire confiance à autrui, ne fût-ce que pour une seule fois[28]. Mais ce qui lui était le plus douloureux, en fait, c'était de se demander s'il pouvait se fier à lui-même.

Vers qui pouvait-il se tourner en ces moments de doute, si ce n'était vers l'homme à qui il en voulait le plus, son collaborateur d'autrefois, Jean-Baptiste Joseph Delambre ? Il laissa échapper de sa plume toute une série de lettres plaintives, toujours aussi pathétiques. L'hiver était rigoureux et les Espagnols ne savaient pas chauffer une maison. Que fallait-il faire ? Quelle stratégie adopter ? Le Bureau des longitudes pouvait-il lui accorder des fonds supplémentaires ? Il proposa même de rentrer à Paris si le Bureau trouvait que ses « faibles moyens » seraient plus utiles dans la capitale. « Voilà, bien franchement, bien sincèrement mes dispositions, mon cher confrère, et je vous les fais connaître sans humeur[29] », écrivit-il encore.

C'était comme si rien n'avait changé, comme si aucun enseignement n'avait été tiré du passé. Son fils et le fidèle Dezauche resteraient avec lui jusqu'au bout. Pour remplacer les assistants qui l'avaient trahi, le savant s'assura le concours d'Agustín Canellas, un moine trinitaire qui se prétendait astronome, sûr de sa valeur et très désireux de jouer un rôle dans cette expédition historique[30]. Plus précieuse était l'aide apportée par le baron de la Puebla, un grand d'Espagne de la région de Valence, astronome amateur. Le baron assura Méchain qu'Ibiza serait visible du sommet de Desierto de las Palmas, sur la côte, au sud de Montsia, dans la province de Valence. Mieux encore, il proposa d'y établir un signal pendant que Méchain mesurerait les angles à partir des îles.

Finalement, au début du mois de janvier 1804, Méchain put arranger le passage de la Méditerranée, avec son fils, à bord de l'*Hypomène*, un brigantin espagnol qui portait le nom d'un jeune héros de la mythologie grecque. Hypomène avait vaincu à la course la rapide Atalante en jetant sur la piste des pommes d'or qu'elle n'avait pu s'empêcher de ramasser. Malheureusement, le passage de Méchain ne fut pas si rapide. La traversée, qui devait être l'affaire d'une seule journée, se transforma en une terrible épreuve qui dura trois jours et où se conjuguèrent, entre deux accalmies, une mer forte et agitée et des vents contraires [31]. Devant l'impossibilité d'entrer dans le port d'Ibiza, l'*Hypomène* s'éloigna vers l'est de l'île jusqu'à l'anse de la Punta Grossa. À peine le brigantin eut-il jeté l'ancre qu'une troupe d'insulaires en armes vint interdire à ses passagers de débarquer et refusa même de prendre une lettre pour le gouverneur, à cause du risque de propagation de la fièvre jaune. La nourriture et l'eau commençaient à se faire rares. Ils n'avaient emporté de vivres que pour deux à trois jours. Leurs efforts pour tenter de sortir de l'anse furent complètement vains. Le capitaine de l'*Hypomène* supplia les habitants de l'île de faire prévenir le gouverneur de la situation dans laquelle ils se trouvaient. Deux jours s'écoulèrent avant qu'on ne leur criât la réponse : l'équipage pouvait couper son bois et recueillir l'eau dans un lieu isolé pendant que le gouverneur examinerait les papiers officiels relatifs à la mission. Ceux-ci furent effectivement transmis, mais non sans avoir été préalablement trempés avec soin dans du vinaigre. Rassuré sur le fait que les voyageurs n'étaient pas infectés, le gouverneur fit savoir qu'il autorisait Méchain et un seul des officiers du brigantin à venir repérer une station sur l'île.

À l'heure actuelle Ibiza est un haut lieu du tourisme international. Bâtie à l'origine par les Phéniciens, la ville blanche s'enroule comme un turban maure autour d'une montagne conique, gardant les yeux de ses maisons cubiques tournés vers l'Afrique. L'intérieur de l'île est une zone montagneuse qui était très faiblement peuplée à l'époque. La pauvreté cohabitait avec une fertilité édénique : figues, amandes, raisins, melons et olives poussaient en abondance. La côte était bordée de palmiers et les flancs des montagnes aux contours déchiquetés étaient recouverts de pins. Mais la mauvaise étoile de Méchain l'avait suivi jusque dans cette île paradisiaque. En grimpant le long d'une sente rocailleuse qui menait au sommet du pic de Los Masons, il tomba de son mulet, se fit une bosse à la tête et se foula le poignet. Il refusa néanmoins de s'arrêter : « Cela n'est rien, et ne m'a pas arrêté un moment. J'en suis bien guéri et vous pouvez en rire à la table de la Fontaine d'Or, ou ailleurs [32] », écrivit-il à Dezauche, qui se trouvait encore à Barcelone. Le pire cependant ne fut pas la blessure physique, mais plutôt la déception qui l'attendait au sommet. On lui avait dit que Los Masons offrait la plus belle vue sur la côte espagnole, et en effet il voyait très distinctement la chaîne de montagnes qui se trouvait à l'ouest, ainsi que la grande île de Majorque au nord. Mais il lui était impossible d'apercevoir le pic de Montsia, la station la plus au sud de sa chaîne de triangles. Indubitablement, les Espagnols avaient menti. Eh bien, il leur ferait un « pied de nez [33] », assura-t-il. Désormais, il ne lui restait plus que deux possibilités dont chacune présentait des difficultés qui lui étaient propres. Il pouvait retourner sur la côte afin de continuer sa chaîne de triangles vers Valence, au sud, avant de trianguler Ibiza, avec cet inconvénient que la chaîne dévierait alors beaucoup à l'ouest du méridien. L'alternative était de construire sa chaîne de triangles en passant d'île en île : de Barcelone à Ibiza *via* Majorque. Évidemment, cela nécessiterait de mesurer plusieurs grands triangles, plus une base à Majorque. De toute façon, quelle que fût la solution choisie, le fait était que la saison propice aux observations de latitude commençait à passer, et qu'il ne restait presque plus rien du budget qui lui avait été alloué.

Les ennuis ne s'arrêtèrent pas là. Lorsqu'il étudia les contours d'Ibiza à partir du sommet de Los Masons, Méchain eut un nouveau coup au cœur. Il ne parvenait pas à apercevoir l'*Hypomène*. Le brigantin avait disparu de l'anse de Punto Grossa, et il ne se trouvait pas non plus à quai dans le port de la ville. Il s'était évanoui, avec son fils et ses instruments. C'en était assez pour maudire le destin. Le savant se prépara à l'éventualité « que le dernier congé [qu'il avait] pris de [sa] famille et de [ses] amis était un éternel adieu [34] ».

À nouveau, il écrivit à Delambre. Peut-être son confrère pouvait-il lui indiquer quel parti prendre ? Que pensait le Bureau des longitudes des deux possibilités qui s'offraient à lui ? Le passage par Majorque avait-il des chances de réussir ? Et pendant qu'il y était, il laissa éclater son sentiment de frustration : « L'enfer et tous les fléaux qu'il vomit sur la terre, les tempêtes, la guerre, la peste et les noires intrigues sont donc déchaînés contre moi ! Quel démon ai-je donc encore à vaincre ! Mais toutes ces vaines exclamations ne mènent à rien, ne font point avancer la besogne [35]. »

À Ibiza, il apprit bientôt que l'*Hypomène* avait mis le cap sur Majorque pour y trouver des vivres. Aussi, se prépara-t-il à partir pour Majorque en attendant la réponse de Paris. Le 27 janvier 1804, il entra dans le port de Palma, la capitale, ville animée qui comptait trente mille âmes et que dominait une imposante cathédrale couleur d'ivoire. Le savant retrouva son fils et ils passèrent presque deux mois ensemble sur cette île que les Romains avaient baptisée l'« île du bonheur ».

Majorque était plus populaire qu'Ibiza et quatre fois plus grande. Au nord, ses sommets montagneux pouvaient atteindre plus de huit cents toises, et lorsque Méchain arriva au cours de l'hiver 1804 ils étaient couverts de neige. Pourtant, au pied des pics blanchis, les plaines jouissaient d'un climat tropical et se couvraient d'orangeraies, d'amandiers, de palmiers, de dattiers, de caroubiers et de plantains. Des temples en ruine étaient éparpillés sur toute la surface de l'île. Au XIIIe siècle, les îles Baléares avaient été à la tête d'un royaume continental dont le Roussillon faisait partie. Le catalan des Baléares reflétait des millénaires d'échanges et de conquêtes, avec un mélange d'expressions venant de divers horizons : de Syrie, de Grèce, des Latins, des Vandales, de l'arabe et du castillan.

C'était vraiment une île magique, un refuge éloigné de la marche du temps. La ville de Palma vivait au rythme de sa Baléarique, « l'horloge du soleil » placée en haut de la tour de l'hôtel de ville de style gothique. La légende voulait que cette horloge eût été apportée sur l'île par des Juifs venus de Jérusalem. Il est cependant plus probable qu'elle ait été achetée par des pères dominicains du XIVe siècle. La Baléarique divisait chaque jour en douze heures dont la durée s'allongeait ou raccourcissait en même temps que les jours. Certains chroniqueurs du XVIIIe siècle considéraient que cette horloge ne convenait guère à une administration rationnelle de la ville, mais ils admettaient néanmoins que les cloches facilitaient l'arrosage des somptueux jardins des habitants de Palma. La normalisation passe aussi par le regard des personnes concernées. Quelques dizaines d'années après le passage de Méchain, l'horloge disparut aussi mystérieusement qu'elle était apparue [36].

En attendant la fonte des neiges, Méchain fit des observations à partir de Palma, avec son fils, et il put assister à une importante éclipse de Soleil. Il lui fallut attendre le mois de mars pour entreprendre la traversée de l'île et se rendre sur la côte nord, dans la ville de Sóller, au milieu d'une vallée fertile couverte d'orangeraies. De là, avec son équipe, constituée de son fils, du capitaine Eurile et d'un groupe de marins, il se rendit à dos de mule jusqu'au plus haut manoir, puis ils grimpèrent à pied jusqu'au sommet du pic de Silla de Torrellas. La pente était raide : l'altitude augmentait de huit cents toises sur une distance côtière qui n'en faisait que mille six cents. Les étages inférieurs des versants étaient plantés d'oliviers que le vent et les cisailles avaient noués ou façonnés pendant des siècles et entourés d'un anneau de pierre pour parer à l'érosion. Plus haut, les forêts de pins avaient été abattues pour fournir des navires à la marine espagnole. Plus haut encore, les escarpements des rochers abritaient les nids des aigles de mer et des vautours barbus, et ces oiseaux volaient en cercle avec appréhension, dans les courants d'air au-dessus. Au sommet, l'équipe trouva des traces de l'expédition de la décennie précédente, lorsque Méchain avait envoyé Gonzalès planter des réverbères en haut de la montagne, avec notamment les piquets qui avaient servi à marquer le tracé du méridien. Tout en bas, les eaux transparentes de la Méditerranée étaient zébrées de rayures bleu pâle qui se perdaient à l'horizon comme les rivières dans la mer. Au nord, ils pouvaient apercevoir Barcelone, et au sud Ibiza. En clair, cela signifiait que l'on pouvait pousser la triangulation au-delà des Baléares, si le Bureau des longitudes approuvait le plan élaboré par Méchain [37].

Le savant avait pratiquement opté pour cette solution, lorsque la réponse de Delambre lui parvint enfin, à la mi-mars, trois mois après sa demande. Le Bureau des longitudes recommandait de suivre le plan côtier. Delambre fit à Méchain une démonstration mathématique pour lui prouver qu'une déviation à l'ouest ne présentait aucun inconvénient pour les résultats.

En outre, le plan côtier ne requerrait qu'un seul grand triangle au-dessus de la mer, tandis que le plan des îles en nécessiterait au moins trois. Enfin, il serait plus facile de mesurer la base le long du littoral que sur une île. Certes, admit Delambre, lui-même était bien loin pour en juger, alors que Méchain se trouvait sur les lieux, aussi le savant devait-il décider seul du plan qui garantirait la meilleure précision : « J'attends avec beaucoup de curiosité et j'apprendrai avec beaucoup d'intérêt la réussite de vos courses dans Majorque [38] », conclut-il enfin.

Méchain s'en remit aux recommandations de son confrère. Au moins la triangulation par la côte était-elle sûre, tandis que toutes les fois qu'il avait mis le pied sur un bateau, les choses avaient très mal tourné. Toutefois, cela revenait à considérer que les deux mois passés à Majorque avaient été du temps perdu. Méchain demanda à son équipe de rassembler son énergie pour entreprendre une dernière expédition de reconnaissance sur la côte sud. Certes, ce serait épuisant, mais il conseillait à ses collaborateurs de ne pas relâcher leur vigilance. Une autosurveillance continue était l'unique rempart contre l'erreur.

> Pour moi, qui ai un peu d'exercice, d'habitude, qui connais un peu tous les moyens à employer, les soins à prendre, j'ai pourtant toujours peur, je me défie de moi-même, je réclame sans cesse les avis, les lumières de mes collègues de l'Institut et du Bureau des longitudes, et rien ne me fait plus de peine que quand on me répond qu'on s'en rapporte entièrement à moi, que personne n'est plus à portée que moi de juger les moyens, [d'en] choisir les meilleurs et de bien faire ; alors je crois qu'on a l'intention de me cracher à la figure. Rien n'est aisé, ni simple, quand on veut faire avec

précision ; et quand on a un peu fait et observé, on en est intimement convaincu… [39].

Au début du mois d'avril 1804, Méchain reprit la mer en direction de Valence, où il espérait se procurer des passeports lui permettant de partir repérer les stations le long de la côte. Six semaines durant, pendant la période de l'année la plus propice aux opérations géodésiques, l'astronome, hôte distingué du baron de la Puebla, attendit ses passeports dans la cité où les flèches des églises aux couleurs éclatantes émergent de l'âcre poussière jaune. Pendant ce temps, ses amis espagnols avaient engagé une lutte bureaucratique avec le diabolique Coronado [40]. Méchain avait hâte de commencer. Le soleil faisait onduler les vapeurs qui se dégageaient de la mer et attirait les miasmes des plaines côtières. La chaleur augmentait chaque jour un peu plus. La saison des maladies approchait. Si le savant ne se hâtait pas de mesurer les stations de la côte, il ne pourrait pas trianguler Ibiza avant l'hiver suivant.

Dès que les passeports furent prêts, vers la mi-juin, Méchain se mit en route. En dix-huit jours, il parcourut environ cent vingt lieues à dos de cheval, accompagné du commandant en second du capitaine Eurile, zigzaguant à travers les vallées, jusqu'en haut des montagnes. La route royale qui menait à Madrid était alors en construction et traversait les plaines sur une distance de douze lieues, avant d'aller se heurter aux montagnes pour devenir un étroit sentier, impraticable pour les voitures et dangereux pour les chevaux. Le long de la côte, les pêcheurs amenaient leur bateau à voile triangulaire, sur le sable, à l'abri des palmiers. Dans les plaines, des systèmes d'irrigation datant de l'époque des Maures alimentaient des champs de coton, des orangeraies et des bouquets de mûriers (pour l'élevage des vers à soie). À l'ouest, les versants de la montagne étaient couverts d'oliveraies en terrasses. Les lézards s'agglutinaient sur les rochers. Certains faisaient un pied et demi de long et paraissaient assez féroces pour intimider les chiens. Au total, Méchain parvint à repérer quatorze stations de plus, avec les deux extrémités d'une base qui longerait le « lac » d'Albufera, un étang d'eau de mer entouré de rizières, regorgeant de flamants roses, de hérons et de nombreux autres oiseaux aquatiques. L'étang, relié à la mer par des écluses, était connu pour son air humide et ses insectes gourmands. Tous les matins, le mur de l'auberge se couvrait de moustiques repus [41].

Méchain écrivit à sa femme qu'il s'était fait rôtir par le soleil et que son visage brûlé était aussi noir que celui d'un Africain, sauf que sa peau partait en lambeaux. La chaleur de l'été atteignait maintenant sa plus haute intensité. Pendant la journée, la vue était bouchée par les vapeurs qu'elle occasionnait. Ils allaient donc devoir utiliser des réverbères et opérer leurs triangulations durant la nuit. À titre de précaution, Méchain prit contact avec l'archevêque de Valence, un homme de grande taille, franciscain à la robe couverte de tabac, qui avait tendance à donner facilement un coup de poing à ses visiteurs au moment où ceux-ci se penchaient pour baiser son anneau pastoral[42]. Méchain lui demanda de bien vouloir donner des instructions aux prêtres de sa province afin de prévenir les paroissiens de la présence de quelques hommes d'allure étrange, munis d'instruments non moins étranges, qui allumeraient des réverbères la nuit au sommet des montagnes. La population était très hostile aux Français et malgré la présence d'officiers castillans, ou peut-être à cause d'elle justement, la petite équipe de Méchain avait reçu des menaces en plusieurs occasions.

Début juillet, l'équipe se dispersa pour opérer les triangulations nocturnes. Elle commença par la ville de Cullera, en bordure sud du lac d'Albufera. Pendant que Méchain installait son cercle répétiteur sur un affleurement rocheux à cent douze toises de hauteur au-dessus des rizières, chacun de ses collaborateurs – le capitaine Eurile, le moine Canellas, le fidèle Dezauche et le jeune Augustin – emmenait son petit groupe de marins jusqu'aux stations environnantes, pour diriger leurs réverbères vers le savant.

Deux semaines plus tard, après que Méchain eut remonté vers l'intérieur en direction de La Casueleta, afin d'y installer un nouveau signal près de l'aqueduc romain, ses collaborateurs repositionnèrent leurs réverbères en haut des stations voisines. Deux semaines s'écoulèrent encore et l'astronome revint vers la côte pour installer son cercle sur une petite hauteur à côté du village du Puig. À nouveau, ses coopérateurs ajustèrent la position des réverbères. On était en août à présent, et la chaleur était à son comble. Plutôt que de loger dans le misérable petit village situé à un quart d'heure de marche par le chemin, Méchain décida d'installer des tentes en haut de la butte, à une trentaine de toises au-dessus de l'air malsain de la côte[43].

La fièvre jaune avait commencé une nouvelle série de victimes. Et avec elle une autre fièvre, que les médecins du XVIIIe siècle appelaient « fièvre tierce ». Déjà, elle avait emporté l'un des marins qui avaient été réquisitionnés pour transporter les instruments. Parti rejoindre Méchain sur la station voisine du Puig, ce marin avait été hospitalisé à Valence, où il mourut quatre jours plus tard. Plusieurs autres membres de l'expédition avaient été affaiblis par la maladie. Un officier qui couchait dans la même tente que Méchain fut pris d'une forte fièvre au beau milieu de la nuit. Il fallut le transporter dès le lendemain dans un monastère de la

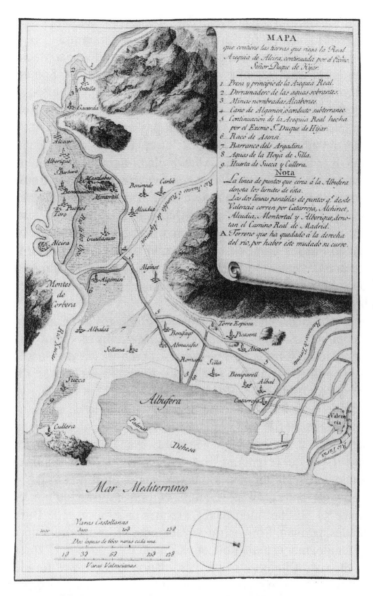

27. Les marais d'Albufera, près de Valence.

La carte ci-dessus est celle de la région où Méchain contracta la malaria. La région qui entourait les marais d'Albufera était occupée par des rizières et l'étang lui-même regorgeait de flamants roses et autres oiseaux aquatiques. Le niveau de l'eau était contrôlé par une écluse qui reliait le « lac » à la Méditerranée. La station la plus au sud était un promontoire rocheux situé près de Cullera (en bas, à gauche). Valence se trouve au fond, à droite de cette carte [le nord est à droite] (Antonio José Cavanilles, *Observationes sobre la historia natural, geografía, agricultura, población y frutos del reyno de Valencia*, Madrid, Imprenta Real, 1795-1797, vol. 1, p. 184 ; ph. Bibliothèque de l'université de Chicago, Special Collections Research Center).

côte, puis le transférer à nouveau dans un lieu plus salubre. Le capitaine Eurile était lui aussi tombé malade, mais il s'était remis.

Il y avait plus frustrant encore : Canellas avait donné à Méchain, par inadvertance, deux semaines de travail supplémentaire. Son erreur de calcul avait été provoquée par un mauvais positionnement du signal et il avait été nécessaire de recommencer les mesures – encore une preuve, s'il en fallait, que Méchain ne pouvait pas compter sur les autres pour faire le travail à sa place. Depuis, le moine, à son tour, était tombé malade. Il avait contracté une « fièvre demi-tierce » et on lui avait fait plusieurs saignées. À cause de tous ces retards, Méchain se trouvait toujours près du Puig à la fin du mois d'août. Il venait d'avoir soixante ans. Dans le petit village au pied de la colline, l'épidémie commençait à reculer, même si l'on comptait encore trois à quatre décès par jour dans la ville de Puzolz, à une demi-lieue de là. Tout en travaillant, la petite équipe pouvait entendre sonner le glas. Le fils de Méchain se trouvait toujours au sommet de La Casueleta. Dans le village voisin de Chiva, le glas sonnait cinq fois par jour.

Dans sa dernière lettre à Delambre – dix pages de sa petite écriture fine, comme des pattes de mouche –, Méchain reconnut qu'il était épuisé : « jusqu'à présent je ne puis rien prouver par des succès et ma mauvaise étoile, ou plutôt la fatalité qui, comme vous le dites, mon cher confrère, paraît attachée à cette entreprise, ne doit me laisser guère d'espoir de la terminer heureusement ». Pourtant, le savant ne craignait ni la difficulté du travail ni la chaleur accablante ; il ne craignait rien, excepté l'échec. Il continuerait jusqu'à ce que la mort l'en empêche, ajouta-t-il – ce qui restait une éventualité possible, étant donné que tout le monde autour de lui était tombé malade et qu'il n'était pas « de fer plus que les autres, ni plus jeune et plus robuste qu'eux, ni plus acclimaté[44] ». Il était même prêt à rentrer en France, si le Bureau des longitudes pouvait trouver un savant pour le remplacer, un qui fût « plus habile, moins maladroit, et plus heureux » que lui. D'après lui, ce ne serait pas difficile. Sa seule consolation, si dérisoire fût-elle, était qu'il n'avait rien à se reprocher. Il avait fait tout ce qui était en son pouvoir pour s'acquitter de sa mission. Comme il l'écrivit à un ami :

> Au reste, je vous avoue que sans désirer la mort, je suis loin de la craindre, que je la verrais sans le plus léger regret s'avancer vers moi, qu'elle me serait bien une faveur du ciel, dans l'état où je suis… Jamais, non jamais, et quoiqu'une grande partie de ma vie se soit écoulée dans le malheur et les larmes, sur les miens et moi-même, jamais dis-je, je ne me suis trouvé dans une si cruelle position, si inquiétante, si déchirante. Cette malheureuse commission dont le succès est si éloigné, beaucoup plus

Vista de la Villa de Onda.

28. VUE SUR LA CÔTE DE VALENCE

Ce panorama de la côte de Valence montre le dernier point de vue qui s'offrit à Méchain lorsqu'il descendit de la Sierra d'Espadán pour rejoindre la ville de Castellón de la Plana [au point « b » de cette figure] (Antonio José Cavanilles, *Observationes sobre la historia natural, geografía, agricultura, población y frutos del reyno de Valencia*, Madrid, Imprenta Real, 1795-1797, vol. 1, p. 184 ; ph. Bibliothèque de l'université de Chicago, Special Collections Research Center).

qu'incertain, sera plus que probablement ma perte, et ce qui est pis encore, celle de ma famille. [Elle sera aussi] mon tombeau et celui de mon honneur[45].

On eût dit que, n'ayant pas trouvé la mort en Espagne lors de son premier voyage, il mettait encore un peu plus de détermination pour y parvenir. Par dépit, il tendit à Dezauche les résultats des dernières observations faites au Puig, de façon à lui permettre de préparer la triangulation de la station suivante. C'était la première fois qu'il confiait le cercle à quelqu'un d'autre. Il demanda à son fils de se rendre à trente lieues de là, vers le nord, pour installer un réverbère sur la montagne d'Arès. Lui-même irait vers l'intérieur jusqu'à la Sierra d'Espadán, un pic couvert de pins, à près de cinq cents toises d'altitude[46].

Trois jours après avoir installé son camp à Espadán, Méchain sentit venir le premier accès de fièvre. La nuit, alors qu'il guettait les signaux lumineux, il fut parcouru de frissons glacés. Son corps tressaillait au rythme des étoiles. Il perdit l'appétit. De toute la semaine, il ne mangea rien et ne but que du thé. La nuit, l'air sec des hauteurs s'emplissait des senteurs des herbes sauvages – romarin, thym, lavande et prosopis. Un soir, vaincu par l'épuisement, il tomba endormi avant que les réverbères ne fussent allumés, et lorsque ceux-ci furent enfin visibles, le gardien, qui était resté au guet, n'osa pas le réveiller. Le lendemain matin, Méchain s'en voulut amèrement de cet échec.

Le 12 septembre, alors qu'il n'en avait pas tout à fait terminé avec ses observations, ses compagnons réussirent à le convaincre de quitter la Sierra d'Espadán. Il avait le visage émacié et les accès de fièvre, s'ils étaient intermittents, n'en étaient pas moins d'une intensité de plus en plus forte. Il accepta d'être transporté à Castellón de la Plana, la capitale de la province, une ville de onze mille habitants, fermée par huit portes, située à moins d'une demi-lieue de la côte et qui se trouvait être la ville natale de son nouvel ami, le baron de la Puebla. En descendant à travers les terres fertiles où l'on cultivait la canne à sucre et le chanvre, Méchain aperçut le clocher octogonal et solitaire de la ville. Une fois arrivé, il alla lui-même demander une chambre à l'auberge. Au début, son état ne paraissait pas grave, mais il passa une nuit horrible. Prévenu par un exprès, le jeune Dezauche quitta la station où il se trouvait et se précipita pour rejoindre son chef dès le lendemain, juste au moment où le baron arrivait de Valence. Ensemble, les deux hommes transportèrent Méchain dans la résidence du baron. C'est là que le savant vécut ses derniers instants, que Dezauche a relatés dans son journal, avec beaucoup de chaleur et de compassion.

> VENDREDI 14 SEPTEMBRE 1804 : Je vais voir monsieur Méchain. Je le trouve assez bien portant, mais excessivement faible, attendu qu'il ne veut rien prendre, pas même du bouillon de poulet et qu'il n'a absolument rien pris de restaurant depuis plus de huit jours.
> SAMEDI 15 SEPTEMBRE 1804 : Je vais promptement voir M. Méchain et le trouve fort bien, gai, mais toujours très faible.
> DIMANCHE 16 SEPTEMBRE 1804 : À neuf heures du matin, un domestique me prie de passer promptement chez Monsieur le baron. Là, on m'apprend que M. Méchain a eu une nuit fort mauvaise : depuis le matin, son esprit bat la campagne. Je vais le voir, il ouvre les yeux très grands et ne me reconnaît pas.
> LUNDI 17 SEPTEMBRE 1804 : À sept heures du matin, je vais voir M. Méchain. Je le trouve dans un accès de fièvre très violent, délirant, battant la campagne, ne sachant ni ce qu'il dit, ni ce qu'il fait et donnant

beaucoup de mal à ceux qui sont auprès de lui pour le tenir dans son lit. À neuf heures arrivent les deux médecins qui l'un et l'autre ne m'inspirent pas beaucoup de confiance pour leur savoir. Ces deux médecins ordonnent du quinquina. Je prends le parti d'écrire à son fils, pour qu'il vienne très promptement. À midi, autre visite des médecins, même état du malade. À deux heures trois quarts de l'après-midi, autre visite des médecins. Mais le malade a été tellement travaillé, et si longtemps, par l'accès de ce matin, qu'il est dans un état d'anéantissement presque total. Alors les médecins reconnaissent enfin que la nature de cette maladie est une fièvre tierce nerveuse. Ils ne m'en disent rien, mais ils s'en vont dans l'antichambre... ils font appeler M. le baron, qui vient me trouver et me prie de passer dans l'antichambre pour entendre ce que les médecins pensent de cette maladie... Alors ces deux animaux me disent que cette fièvre prend un caractère de malignité et qu'ils ne répondent pas que le malade puisse supporter l'accès de ce soir ; qu'alors, pour mettre leur conscience à l'abri, ils m'engagent à le faire confesser. Cette nouvelle produit sur moi l'effet d'un coup de foudre et m'accable... Tâté sur ce chapitre, M. Méchain répondit qu'il ne se trouvait pas assez mal pour cela. Toute la journée, je suis resté presque continuellement seul avec mon malade, l'aidant à se remuer pour uriner, et le portant à la chaise, quand il voulait aller à la selle. D'après le dernier avis [des] médecins... je prends la résolution de passer la nuit moi-même auprès de mon malade, ne voulant pas le confier aux soins des domestiques de M. le baron, qui sont tous gens de la campagne et n'entendent absolument rien à ce qu'il demande.

Depuis quatre heures et demie de l'après-midi, je trouve beaucoup de mieux dans mon malade. Ses idées lui sont revenues, il met de l'ordre dans tout ce qu'il dit, mais il parle très difficilement. À neuf heures du soir, je [lui] fais prendre une dose de quinquina, à dix heures et demie, je lui fais prendre un bouillon et ainsi alternativement... jusqu'à trois heures du matin. Mon malade va toujours de mieux en mieux : point de fièvre, mais... excessivement fatigué... Enfin, à six heures et demie du matin, je le quitte en assez bon état [et] le confie aux soins de M. le baron...

MARDI 18 SEPTEMBRE 1804 : À sept heures et demie, je suis de retour auprès de M. Méchain : il va fort mal et a tout à fait perdu connaissance. Quatre médecins que j'ai fait appeler pour donner leur avis déclarent que la maladie est une fièvre tierce maligne. Après midi, ils disent que c'est une fièvre ardente... Je lui ai fait donner, le soir, l'extrême-onction, attendu que je crains que d'un moment à l'autre, il ne passe. Ensuite on lui applique des vésicatoires et mouches cantharides derrière la tête. On lui met un sinapisme à chaque pied. J'ai prié monsieur Lanusse, commissaire des relations commerciales de France à Valence, de venir promptement ici avec un chirurgien et du quinquina, attendu qu'on n'en trouve point de bon ici.

MERCREDI 19 SEPTEMBRE 1804 : Toute la nuit je suis sur pied à veiller mon malade. Il ne veut absolument rien boire. Il rend sous lui tout aussitôt… Il n'a aucune espèce de connaissance, les yeux à demi-fermés sont jaunes, ainsi que tout le fond de la figure. À six heures du matin, les médecins viennent, ils visitent le malade, lui trouvent les bras tremblants et décident qu'il est apoplectique : toujours point de connaissance, et les yeux hagards et grands ouverts. Il ne veut absolument rien prendre. À dix heures du matin, on lève les trois vésicatoires. Ils ont assez bien pris. On nettoie les plaies et on y met de la poirée avec du miel. À midi, mon médecin… écrit une ordonnance de boisson pectorale fébrifuge anti-nerveuse… Depuis midi, il a eu très peu de connaissance, mais il en a eu, car quand je l'appelais, que je lui disais : « Mon bon ami, buvez, c'est pour votre bien », il ouvrait les yeux à moitié, me regardait, desserrait un peu les dents, assez pour que je puisse le faire boire, avec une cuillère, du quinquina dans de l'eau. À une heure du matin, on vient m'appeler pour dîner. Comme je conservais un peu d'espérance, j'y vais. Aussitôt après mon dîner, je vais voir mon malade. Il était alors deux heures. Quel est mon étonnement ! Je le trouve agonisant avec un râle très fort, les yeux presque tout à fait fermés, la bouche très grande ouverte, la langue très sèche et un accès de fièvre des plus forts qui se soient encore présentés. Je fais sur-le-champ appeler les quatre médecins. Ils viennent et décident qu'il n'y a plus aucun remède à employer et qu'il est déjà presque mort…

À dix heures du soir, nous étions à prendre quelques arrangements relatifs au malheur qui nous menaçait et nous parlions, M. le baron, M. Lanusse et moi, dans une chambre près de celle du malade, lorsque tout à coup, nous voyons entrer Augustin Méchain. Il nous embrasse. Je suis le dernier qui vais l'embrasser et immédiatement après, il me demande où est son père : je lui dis que, pour le moment, il ne peut pas le voir, attendu qu'il a eu toute la journée un accès très fort, qu'il est accablé et qu'en ce moment, il dort. Il demande avec vivacité, une seconde fois, à voir son père, et tous lui répètent que cela n'est pas possible. Alors mon malheureux jeune homme se jette sur un lit qui était là et s'écrie en pleurant : « Où est mon père ? Mon pauvre père ! Je veux voir mon père ! Oh ! Je le vois bien ; voilà son lit : il était ici ; il est mort ! Mon pauvre père ! Je ne vous verrai plus ! » Nous lui assurons tous que son père n'est pas mort, mais qu'il est très malade. Le jeune homme veut coucher dans la maison et j'insiste pour qu'il aille chez monsieur Bigne, où ces messieurs le conduisent.

Alors, je rentre dans l'appartement du père. J'y trouve les médecins qui décid[èrent] qu'il n'avait plus que peu de temps à vivre, mais que pour le faire aller le plus loin possible, il fallait lui mettre une compresse imbibée de vin chaud sur l'estomac et lui humecter les lèvres et la langue, de temps à autre, avec de l'eau et du vin. C'est en effet ce qu'on fit toute la nuit. À minuit, le râle le quitte, le pouls tombe tout à fait, et à cinq heures vingt du matin, le jeudi 20 septembre 1804, 3e complémentaire de l'an XII, il est mort dans mes bras : j'ai reçu son dernier soupir[47].

*

Augustin Méchain tomba malade cette nuit-là. Incapable de trouver le sommeil, il s'effondra au matin. La fièvre était légère, mais il souffrait d'une atteinte nerveuse qui lui faisait bouger les jambes de manière incontrôlable. Il sanglotait dans son lit. Plus tard dans la journée, il eut une autre crise, encore plus violente, et il fallut cinq hommes pour le maintenir en place pendant qu'il hurlait en réclamant son père et sa mère. Il ne put se calmer qu'après avoir été saigné au bras. Dezauche resta toute la nuit à ses côtés, sur un lit de camp.

Les funérailles eurent lieu le lendemain matin. Dezauche avait mis son uniforme de marin. Le cortège était mené par le gouverneur de la province, le baron de la Puebla et les membres de l'expédition. Ensuite venaient des nobles et des officiers espagnols, des Français expatriés et trois cents moines. Sous le portique sculpté de la cathédrale, le cortège fut rejoint par les épouses des nobles et des expatriés, toutes vêtues de noir. Après la messe, on enterra Méchain dans le cimetière attenant à la cathédrale, dans un cercueil de plomb, pour le cas où le gouvernement français ou la famille souhaiteraient rapatrier le corps [48].

Ce que les médecins du XVIIIe siècle appelaient la « fièvre tierce », à cause de la fréquence de ses accès – tous les trois jours –, c'est ce que nous appelons aujourd'hui le paludisme, ou la malaria. À Valence, la maladie était endémique, particulièrement autour des marais d'Albufera, que Méchain avait récemment traversés. Cette affection était connue depuis les temps anciens, et vers la fin du XVIIe siècle, les médecins avaient trouvé un remède palliatif. Il s'agissait d'un extrait d'écorce de quinquina, une espèce originaire d'Amérique du Sud. C'était ce qu'ils avaient donné à Méchain. Malheureusement, la substance active de l'écorce, la quinine, comprenait moins d'un soixantième de quinquina, et, de ce fait, la potion administrée n'était pas toujours aussi efficace qu'elle l'est aujourd'hui [49].

Dans son délire, Méchain s'était montré obsédé par le devenir de sa mission et par... ses papiers. Durant toutes les années qu'avait duré l'expédition, il avait toujours gardé ses manuscrits avec lui, dans une malle. Ces calculs, ces registres et ces notes étaient le résumé de toute une vie consacrée au travail scientifique. Il s'y référait continuellement, les consultait et les mettait à jour régulièrement, à chaque fois qu'une idée nouvelle lui traversait l'esprit. Ces papiers étaient d'autant plus précieux que sa répugnance à imprimer était notoire. Il n'y avait donc rien d'étonnant, pensaient ses coopérateurs, à ce que le savant en eût parlé si souvent au cours de son dernier accès de fièvre [50].

Maintenant que Méchain était mort, ceux-ci n'avaient d'ailleurs pas d'autre choix que d'abandonner la mission et de rentrer à Paris. Avant de partir, toutefois, ils prirent bien soin de prendre les manuscrits avec eux et de ne laisser en dépôt à Valence que quelques-uns des instruments les plus volumineux, à l'intention de la personne qui viendrait à remplacer l'astronome (si toutefois le Bureau des longitudes nommait quelqu'un d'autre). Puis ils rassemblèrent une partie des papiers de Méchain qu'ils réexpédièrent à Paris. Augustin emporta le reste avec lui lorsqu'il embarqua pour son triste voyage de retour.

La nouvelle de la mort de Méchain parvint à Paris le 8 octobre[51]. Augustin rentra quelques semaines plus tard. Sans hésiter, il apporta de lui-même tous les papiers de son père à Delambre. Ce qui avait été envoyé par courrier fut remis à l'astronome par Thérèse Méchain, quatre mois plus tard. L'ensemble représentait plusieurs milliers de pages de formules, d'observations et de calculs, griffonnés, révisés et parfois récrits. En tant que dépositaire de l'œuvre scientifique de Méchain, Delambre avait pour tâche d'examiner tous ces papiers et d'en récupérer tout ce qui était intéressant.

Le reste de la petite collection de livres scientifiques de Méchain fut rapidement vendu aux enchères. Aucun de ses fils n'avait l'intention de poursuivre une carrière scientifique. Et après ce qu'ils avaient vu de la destinée de leur père, qui pouvait le leur reprocher ? La mort de son époux obligea Thérèse Méchain à quitter son appartement de l'Observatoire. Elle s'installa dans le IXe arrondissement et vécut d'une modeste pension[52].

*

Augustin Méchain écrivit une brève notice nécrologique. Il y parlait d'un homme qui était mort « loin de sa patrie, de son épouse et de ses anciens amis », mais qui avait « trouvé dans ses derniers moments toute la consolation que l'on attend de l'amour désintéressé des hommes... entre les bras de ceux qui l'accompagnaient et baigné de leurs larmes ». « Ils étaient ses amis, continuait-il, et ne rougissaient pas de le nommer leur maître. » Son père possédait toutes les qualités essentielles : il était « vertueux, franc, affable, modeste, bon époux, bon père, bon ami, aimant sa patrie, les hommes et les lettres. Ses amis et les sciences le pleur[aient] et leur reconnaissance transmett[rait] sa mémoire à la postérité la plus reculée[53] ».

Dans une notice encore plus courte, Lalande parla du jeune homme à qui il avait fait connaître l'astronomie et qui était mort en martyr de cette science[54].

Ces touchantes notices furent suivies d'un remarquable éloge funèbre, que Delambre fit devant tous les académiciens, en présence de la famille du défunt. Il rendit cet hommage à Méchain en tant que confrère et proche collaborateur d'abord, mais aussi en sa qualité de secrétaire perpétuel. La tradition, qui remontait aux oraisons magistrales du XVIIe siècle, voulait que les éloges funèbres des hommes de science de l'époque fussent plus qu'une énumération de leurs prouesses techniques. Il s'agissait davantage d'un sermon profane où l'on exposait les qualités morales de l'académicien, dont la vie, à l'instar de son œuvre, avait été imprégnée de ses vertus – sacrifice de soi, désintéressement et stoïcisme sincère. Telles étaient les vertus qui permettaient au savant de contribuer à l'accroissement des connaissances et de servir ainsi à la fois la nation et l'humanité, ce qui le faisait accéder à l'immortalité, comme les hommes d'État et les généraux. L'éloge funèbre consolait la famille, rassurait les confrères du défunt sur le caractère sacré de leur vocation et incitait les jeunes à rejoindre le rang. Donner un sens à la mort du défunt, voilà quel était le privilège du survivant – et aussi sa croix.

Delambre décrivit la vie de Méchain comme une longue série de pénibles labeurs et de suprêmes sacrifices, une vie qui n'avait pas été guidée par une ambition exacerbée, mais par un sens opiniâtre du service rendu. Méchain avait des origines modestes, rappela-t-il, mais il s'était élevé à force de travail. La patience qu'il avait montrée dans ses observations et la ténacité avec laquelle il avait réalisé des calculs fastidieux l'avaient amené à découvrir onze comètes. Ces mêmes qualités avaient fait de lui l'homme tout désigné pour accomplir une grande mission : la mesure de la Terre. Delambre n'entourait d'aucun éclat les travaux de Méchain, au contraire, il en soulignait le caractère pénible et assommant.

C'étaient ces mêmes vertus qui avaient permis à Méchain d'achever sa grande mission. Delambre emmena son public sur les traces du savant, en passant par toutes les stations de son chemin de croix. Il raconta son arrestation, le jour de son départ, à la sortie de Paris, l'énergie qu'il avait déployée dans les montagnes de la Catalogne, le fatal accident à la station de pompage, son séjour forcé en Espagne, son combat pour essayer de rentrer en France, ses problèmes avec les ignorants qui détruisaient ses signaux, son retour triomphal à Paris, puis, au moment où la vie promettait enfin d'être tranquille, le sacrifice consenti pour retourner travailler sur le terrain. Delambre ne dit pas que l'œuvre de Méchain était due à son génie, ni à sa créativité intellectuelle. Ce n'était pas possible. Il attribua plutôt sa réussite à une sorte d'entêtement. C'était le côté obsessionnel de Méchain qui lui avait permis de

produire les mesures les plus précises de toute l'histoire de l'astronomie. Pour en avoir la preuve, il suffisait de regarder les efforts répétés
qu'il avait fournis pour confirmer les résultats obtenus pour la latitude
de Barcelone. « Jamais vérification ne fut plus complète, plus satisfaisante, et [par] là même plus inutile [55] », ajouta-t-il.

Delambre reconnaissait que Méchain s'était parfois attardé au cours
de sa mission. De temps à autre, succombant à la mélancolie dont ses
blessures et les terribles commotions qu'avait subies la nation étaient
conjointement responsables, il avait été tenté de poser son fardeau.
Dans ses moments les plus sombres, Méchain avait même envisagé
d'émigrer, tant était douloureuse la pensée de rentrer à Paris, où plusieurs de ses confrères avaient dû faire face à un destin tragique. Pourtant, le même entêtement qui l'avait poussé à terminer sa mission
l'avait aussi amené à rentrer chez lui pour parfaire ses résultats.
Méchain était un martyr de l'interminable quête de la précision, conclut
Delambre, non par souci de gloire personnelle, mais par modestie et à
cause d'un terrible manque de confiance en soi. Il était toujours mécon-
tent de son travail, accumulant sans cesse les observations, rectifiant ses
formules et affinant ses calculs. C'était pourquoi il avait évité d'être
confronté à l'irrévocabilité de la page imprimée, même quand il fut
question de publier les résultats de leur travail commun sur la mesure
du méridien : « Ces observations, ajouta encore Delambre – les plus
exactes qu'on puisse faire en ce genre – ces calculs, où il mettait une
sûreté et une précision que rien n'a surpassé, jamais il ne voulait les
croire assez parfaits, et sans cesse il voulait les retoucher. » Ces scrupules avaient longtemps différé la publication de la *Base du système
métrique* ; mais maintenant que tous les papiers de Méchain se trouvaient entre ses mains, Delambre promit d'en être le fidèle gardien :

> Extraire de ce dépôt tout ce qui pourra contribuer à la gloire d'un confrère
> avec lequel j'ai eu l'avantage d'être lié par une longue suite de travaux qui
> nous ont été communs, sera désormais mon occupation la plus chère, et si
> je n'ai pu réussir à donner de l'astronome distingué que nous avons perdu
> une idée qui réponde à son mérite, aux sentiments dont j'étais pénétré, je
> suis sûr au moins que ce que ce qu'il me sera permis de publier de lui fera
> davantage pour sa mémoire que le discours le plus éloquent [56].

*

C'était un éloge sincère et émouvant. S'il passait sur certains détails
embarrassants, il était néanmoins fidèle à l'esprit du défunt et trouvait
dans la personnalité même de Méchain la source tout à la fois des

succès remportés et des limites auxquelles le savant s'était heurté. La famille exprima sa reconnaissance, et à sa demande Delambre fit publier l'éloge, afin qu'elle pût le distribuer à ses amis [57]. Toutefois, personne ne réclama le corps de Méchain, qui resta au cimetière de Castellón de la Plana.

En janvier 1806, parut le premier volume de la *Base du système métrique*, en même temps que l'éloge de Delambre. L'astronome y rendait un hommage encore plus grand à son défunt collaborateur en le désignant comme responsable de l'expédition. Ce premier volume comportait une préface qui exposait l'historique de l'opération, et un compte rendu des résultats des triangulations entre Dunkerque et Mont-Jouy. La publication des calculs de latitude avait été reportée pour figurer dans le second volume.

Or, entre le jour où Delambre prononça l'éloge de Méchain et celui de sa parution, entre le moment où il écrivit le premier volume de la *Base* et celui de sa publication, l'astronome fit une découverte qui le scandalisa. L'éditeur l'avait tellement pressé de lui apporter le manuscrit du premier volume qu'il avait remis à plus tard la lecture des documents laissés par Méchain. Maintenant, à mesure qu'il les examinait, il découvrait l'écart obtenu entre la latitude de Barcelone et celle de Mont-Jouy ; et il y avait pire encore, bien pire. Delambre s'apercevait de l'effort systématique que Méchain avait fourni pour dissimuler cette anomalie, supprimer certaines observations et récrire les résultats. C'était à la fois une découverte et un scandale, car si cela permettait d'éclaircir bien des mystères sur lesquels Delambre était vite passé dans son éloge et dans sa préface de la *Base*, cela le mettait aussi en face d'un terrible dilemme. Le mètre de platine avait été matérialisé et le système métrique officialisé et rendu obligatoire par la loi. La règle métallique était bien tranquillement installée aux Archives nationales, dans son coffre à trois serrures. Ce n'était pas une règle égale à un mètre, *c'était le mètre* [58]. En quoi cela importait-il maintenant de savoir que les résultats utilisés pour sa fabrication étaient erronés ? Que fallait-il révéler au public ? C'était la question que se posait Delambre.

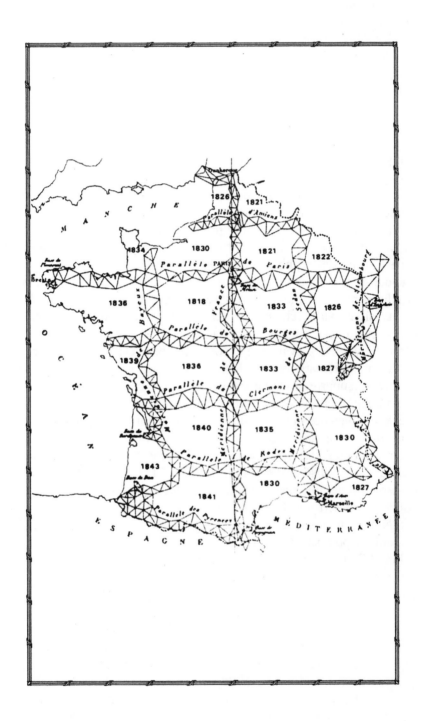

11

L'erreur de Méchain,
la quiétude de Delambre

Et si nous sommes esclaves,
La faute, cher Brutus, n'en est pas dans nos étoiles,
Elle est en nous-mêmes [1].

William SHAKESPEARE, *Jules César*

L'historien ne doit aux morts que la vérité [2].

J.-B.J. DELAMBRE,
Histoire de l'astronomie moderne

Qu'est-ce que l'erreur ? Et qui peut dire à partir de quel moment elle devient trop lourde à porter ?

Delambre comprenait enfin ce qui rétrospectivement apparaissait comme évident. Méchain l'avait abusé, comme il les avait tous abusés, et il l'avait avoué dans presque toutes ses lettres, mais encore eût-il fallu savoir lire entre les lignes. Tout au long de cette expédition, Delambre n'avait jamais cessé de réconforter son confrère, l'assurant que ses observations étaient excellentes et ses résultats aussi valides que les siens propres. De son côté, il mettait les inquiétudes de Méchain sur le compte d'une forme d'autodénigrement associée à un état mélancolique, avec peut-être, en plus, une pointe de jalousie. Puis, quand Méchain avait présenté ses résultats devant la Commission internationale, Delambre s'était dit que son pronostic était juste : les calculs de la latitude de la Fontana de Oro s'accordaient merveilleusement bien avec ceux de Mont-Jouy. Chacun savait depuis toujours que Méchain était un angoissé et un pessimiste à tendance obsessionnelle – des caractéristiques qui faisaient précisément de lui un homme d'une intégrité irréprochable. Ses fausses inquiétudes n'avaient fait que renforcer cette opinion.

À ceci près que Méchain avait truqué les résultats.

Delambre avait juré de faire un compte rendu de leur expédition dans ses moindres détails – « sans la moindre omission, sans la moindre réticence [3] », avait-il dit. Et quand il remit un exemplaire de la *Base* à Napoléon, l'Empereur avait eu ce mot magnanime : « Les conquêtes passent et ces opérations restent [4]. » Le savant était maintenant occupé à rédiger le deuxième volume, consacré à la détermination des latitudes. Cette fois, plutôt que de simplement transcrire les résumés de son collaborateur, il avait décidé d'aller puiser les résultats directement dans les registres originaux de Méchain.

À ceci près qu'il n'y avait pas de registre, mais seulement des bouts de papier volants.

Les manuscrits de Méchain rapportés d'Espagne attestaient de tous ses tourments. De temps à autre, il avait retravaillé les résultats, essayant de les rendre conformes à ses attentes, ou à ce qu'il croyait être les attentes des autres. Il ne s'agissait pas seulement des résultats de Barcelone, loin de là. Méchain avait consigné toutes ses observations sur des « carrés de papier volants », et non sur un carnet relié, avec des pages numérotées. Et il avait tout inscrit au crayon. Delambre nota, non sans une certaine ironie : « Ces carrés peuvent se perdre. Le crayon peut s'effacer [5]. » Plus exactement, les feuilles volantes peuvent être déchirées et le crayon gommé. Parfois, Méchain avait recopié ses résultats sur des pages présentées comme des originaux, alors que les véritables originaux avaient disparu. Dans d'autres cas, il avait gommé des valeurs, ou réécrit au-dessus des chiffres inscrits au crayon [6].

Le travail de Delambre consistait à arranger tous ces chiffres en désordre afin de pouvoir les archiver correctement. Il les repassait tous à l'encre, reliait les feuillets dans l'ordre chronologique et les annotait dans la marge pour en expliquer la provenance. Il reconstituait le périple de Méchain à la manière d'un historien, créant un registre de toutes pièces. Le résultat était aussi révélateur que l'expédition de la méridienne elle-même.

Méchain avait supprimé ou modifié des résultats. Parfois, pour camoufler une anomalie, il avait intégré une série d'observations discordantes à une autre, plus longue, comme si elles avaient toutes été effectuées le même jour, faisant ainsi apparaître des résultats plus cohérents qu'ils ne l'étaient en réalité. Mais le plus souvent, il s'était contenté de se débarrasser des séries d'observations qui ne s'accordaient pas avec ses résultats antérieurs, ou pour lesquelles la somme de ses triangles n'atteignait pas 180 degrés. Une fois, il avait abandonné une série qui lui paraissait anormale, et Delambre avait décou-

29. Le « registre » de Méchain, assemblé et annoté par Delambre

Entre 1806 et 1810, Delambre s'attacha à reconstituer le registre de Méchain en reliant les feuilles volantes sur lesquelles le savant avait consigné ses résultats. Delambre replaça les feuilles dans l'ordre chronologique, et repassa à l'encre tout ce qui avait été écrit au crayon, en indiquant la provenance de chaque document. La page ci-dessus fait état des observations célestes effectuées par Méchain à Mont-Jouy, le 15 décembre 1793. Dans la marge, Delambre a noté : « Voilà bien les changements que M. Méchain a fait à ses angles. Quelle est la raison valable des ces changements, c'est ce qu'il est difficile d'imaginer », puis l'astronome explique que les calculs qui figurent sur cette page ne laissent aucun doute sur le fait que les corrections ne sont pas légitimes et ne servent qu'à faire paraître les résultats plus précis qu'ils ne le sont en réalité (archives de l'Observatoire de Paris).

vert par la suite qu'il s'était simplement trompé dans ses calculs, et que ses observations étaient bonnes.

À mesure qu'il reconstituait les valeurs d'origine, Delambre les notait en marge de son exemplaire personnel de la *Base* (qui se trouve aujourd'hui au musée Karpeles de Santa Barbara, en Californie). Page après page, cet exemplaire répertorie les résultats que Méchain a supprimés ou falsifiés. Le truquage des chiffres s'est peut-être même intensifié à mesure que se rapprochait le rendez-vous avec les membres de la Commission internationale. Pourtant, au milieu de cette vaste supercherie, Delambre nota la paradoxale intégrité de Méchain dans son travail. Jamais le savant n'avait altéré le résultat final de plus de deux secondes, ce qui voulait dire que les modifications apportées étaient mineures, comparées aux erreurs d'incertitudes liées à l'incapacité dans laquelle se trouvait l'observateur de corriger complètement la réfraction atmosphérique. Si Méchain avait falsifié ses observations, ce n'était pas dans le but de changer le résultat final, mais pour se faire valoir, c'est-à-dire pour avoir l'air meilleur que son confrère et rival. Au bas de la page 510, Delambre inscrivit à l'encre :

> Dans toutes les variantes que j'ai notées d'après les manuscrits de Méchain, on ne voit que des quantités dont aucun observateur ne peut répondre. Sans doute, Méchain a eu tort de ne pas présenter et publier ses observations telles qu'il les avait faites et de les modifier de manière à les faire juger plus précises et plus d'accord entre elles. Mais le milieu auquel il avait définitivement fallu s'arrêter n'a éprouvé par là aucune variation sensible et il n'en résulte aucun inconvénient réel, si ce n'est pour l'observateur qui publiant ses angles sans aucune altération sera jugé moins habile ou moins soigneux [7].

Quand il n'avait rien sur quoi s'appuyer, Méchain se raccrochait à ce qui lui paraissait être relativement sûr. Il ressortait maintenant que le savant avait aussi trafiqué les résultats qu'il avait obtenus pour la latitude du Panthéon, dans le but d'arriver à une valeur proche de celle de Delambre. La remarquable convergence de leurs résultats n'avait donc rien de vrai : ce n'était qu'un effet de miroir. En fait, l'ironie du sort a voulu que les observations supprimées par le savant fussent plus proches que les autres de la valeur reconnue aujourd'hui par l'Observatoire de Paris ; mais cela, aucun des deux astronomes ne pouvait le savoir [8].

Pour la latitude de Barcelone, c'était pire encore. Méchain avait été obligé de rester fidèle aux valeurs trouvées pour Mont-Jouy, car il avait déjà envoyé ses résultats à Paris (bien qu'il eût là aussi corrigé après coup les valeurs obtenues au cours de ses observations). En revanche, il n'avait fourni aucune trace écrite de ses résultats pour la Fontana de Oro, et par conséquent il était libre de retravailler indéfiniment ses calculs. La première version, que Delambre considérait par ailleurs comme irréprochable, indiquait un écart résiduel de 3,2 secondes entre la latitude de la Fontana de Oro et celle de Mont-Jouy – il s'agissait de l'anomalie que Méchain avait dissimulée et qui l'avait tant tourmenté pendant dix ans. Or, dans les versions suivantes, le savant avait systématiquement augmenté de trois secondes les résultats de ses observations de la Fontana de Oro pour tenir compte, disait-il, de la largeur de la ligne de mire de sa lunette – une petite manœuvre qui avait permis d'accorder à nouveau les deux latitudes. Toutefois, comme l'a noté Delambre en marge du registre reconstitué, Méchain avait appliqué ses corrections ultérieures de manière incohérente : il avait modifié les valeurs obtenues pour certaines étoiles seulement, et il avait omis de corriger celles de Mont-Jouy. La conclusion était claire. Méchain avait opéré ce réajustement « très spécieux » dans le but de convaincre la Commission de rejeter les valeurs de la Fontana de Oro, non parce qu'elles étaient fausses, mais parce qu'elles étaient d'une exactitude – du moins en apparence – qui les rendait redondantes[9].

Paradoxalement, au milieu de toutes ces manœuvres, Delambre pouvait à nouveau distinguer la part d'intégrité que Méchain mettait dans son travail. En effet, si le savant avait manqué de sincérité à l'égard de la Commission, c'était pour éviter de voir des résultats trafiqués entrer en ligne de compte dans la détermination du mètre. Il avait eu recours à un subterfuge pour épargner aux membres de la Commission un choix douloureux. Il avait menti (même si ce n'était que par omission) pour rester honnête.

Un objectif utopique par sa naïveté : Méchain avait tenté de se sortir du mauvais pas dans lequel il s'était lui-même engagé au cours de sa mission. Il avait essayé de revenir au moment précédant sa constatation de l'anomalie, à l'époque d'avant son accident, avant la guerre. S'il en avait eu le pouvoir, il aurait certainement fait faire marche arrière à la Révolution. C'était d'une certaine façon un effet pervers de la science qui, depuis Francis Bacon, avait promis le retour au bien-être. Parce qu'ils avaient mangé le fruit de l'Arbre de la Connaissance (on pourrait appeler cela l'erreur originelle), les hommes étaient maintenant autorisés à utiliser cette même connaissance pour retrouver le chemin du paradis, à force de travail. Méchain avait péché pour reconquérir son innocence perdue. Il avait essayé d'effacer le passé.

Delambre refusait de le suivre dans cette voie. Il avait garanti aux savants du monde entier qu'il publierait tous les résultats obtenus au cours de cette expédition, et jusqu'ici il avait (en général) tenu parole. Il entreprit donc de tamiser le passé à travers ses doigts méticuleux, d'en ôter tout ce qui était faux, de refaire les calculs de son confrère et d'arriver à une nouvelle série de tables assez fiables pour être publiées. En novembre 1807, dans le deuxième volume de la *Base*, il présenta les résultats de Mont-Jouy en même temps que ceux de la Fontana de Oro. À propos de l'écart de 3,2 secondes, il écrivit : « C'est un fait qui mérite toute l'attention des astronomes [10]. » Il alla même jusqu'à en faire part à la presse étrangère. Delambre avait décidé de traiter l'« erreur » de Méchain comme une découverte et non comme une « affaire ».

Pourtant, il y avait certains aspects de cette histoire que l'astronome voulait garder à l'insu du public. Les profanes n'avaient pas besoin de savoir que Méchain avait trafiqué ses résultats ou menti à ses confrères. Déjà trop de savants doutaient de la précision du mètre et le système métrique comptait assez d'ennemis. La solution qu'il adopta fut de déposer les manuscrits de l'opération de la méridienne aux archives de l'Observatoire, et de l'indiquer dans la *Base*[11]. Le 12 août 1807, dans la salle de réunion octogonale où étaient accrochés désormais les portraits de Delambre et de Méchain, un inventaire en bonne et due forme eut lieu en présence de trois membres de l'Observatoire. Dans une note ajoutée en annexe à l'un des registres reconstitués de Méchain, Delambre avait expliqué les raisons de ses choix concernant les matériaux à publier :

> J'ai tu soigneusement tout ce qui aurait pu altérer le moins du monde la bonne opinion que l'on avait justement conçue de la précision que monsieur Méchain mettait dans tous ses calculs et dans toutes ses observations. S'il a dissimulé quelques anomalies qu'il a craint de voir imputer au manque de précaution ou d'adresse, s'il a eu la faiblesse d'altérer toutes les séries de la Polaire, de ß de la Petite Ourse et de ζ de la Grande [Ourse] à Barcelone, du moins il a fait en sorte que cette latitude ne fût pas comptée dans la détermination du quart du méridien [12].

Trois ans plus tard, après la publication du troisième et dernier volume de la *Base*, Delambre passa à l'étape suivante : il déposa l'ensemble de sa correspondance privée avec Méchain aux archives de l'Observatoire. Néanmoins, il trouva plus « prudent [13] » de mettre toutes ces lettres sous scellés, de façon à en interdire la lecture, sauf si toute l'opération venait à être sérieusement remise en cause.

Toutefois, puisqu'il avait considéré l'anomalie de Barcelone comme une découverte et non comme matière à scandale, Delambre se trouvait dans l'obligation de lui trouver une explication. Plusieurs hypothèses s'offraient à lui. On pouvait rejeter la faute sur les étoiles ou sur la Terre, tenir pour responsable l'instrument ou les méthodes utilisées, ou encore s'en prendre à l'observateur.

Méchain avait attribué la faute aux étoiles, au début du moins. La raison première qui l'avait poussé à revoir la latitude de Barcelone à partir de la Fontana de Oro était la constatation d'une anomalie dans ses résultats de Mont-Jouy, dont ζ de la Grande Ourse était responsable. Il doutait de la valeur des tables de réfraction pour les villes de basse altitude, surtout lorsque les étoiles passaient trop près de l'horizon, ce qui était le cas pour celle-ci. Delambre partageait cet avis et ne l'avait jamais observée. Cependant, même en supprimant les observations de ζ de la Grande Ourse, les résultats de Mont-Jouy et de la Fontana de Oro ne s'accordaient pas. Quant à l'hypothèse émise plus tard par certains astronomes, selon laquelle Méchain se serait trompé parce que ζ est en fait une étoile double, elle ne peut être retenue, car il est aujourd'hui avéré que Méchain en était parfaitement conscient et qu'il se concentrait toujours sur le plus grand corps stellaire : autrement, disait-il, « l'on pourrait supposer [qu'il n'avait] pas fait attention [14] ». Ce n'était donc pas la faute des étoiles.

Pour sa part, Delambre préférait accuser la Terre. Comme il le fit remarquer, l'opération de la méridienne avait permis de vérifier que la forme de la Terre était irrégulière et que tous les méridiens ne faisaient pas la même longueur. En outre, à l'époque où il publia le deuxième volume de la *Base*, on savait qu'une nouvelle mesure du méridien avait eu lieu en Angleterre et qu'elle avait confirmé la présence de ces irrégularités. Delambre émit l'hypothèse que les observations de Méchain en ces deux endroits situés assez près l'un de l'autre avaient été altérées par des accidents de terrain au niveau de l'écorce terrestre ou par la présence de montagnes à proximité. Il pensait que les irrégularités du terrain avaient dévié le fil à plomb que le savant avait utilisé pour définir la verticale du passage de l'étoile au méridien. Cependant, définir la verticale au moyen d'un fil à plomb était doublement ambigu. En effet, celui-ci indiquait la direction de la force de gravité locale, qui variait selon la présence de montagnes dans le voisinage ou selon les irrégularités de la figure de la Terre. En d'autres termes, le fil à plomb ne désignait pas le centre de gravité de la Terre. De plus, un appareil comme le cercle de Borda, qui était effectivement aligné perpendiculairement à la force de gravité locale, ne se trouvait pas forcément à la perpendiculaire de la courbure de la planète en ce point (ou, plus exactement, de la courbe qui reflète le mieux cette courbure). En conséquence, la verticale astronomique n'était pas l'opposé exact de la verticale géodésique, et les observations à partir du cercle auraient dû être corrigées en fonction de cette différence. Cette hypothèse n'était pas nouvelle. Newton lui-même avait tenté d'évaluer l'attraction gravitationnelle des montagnes, et les savants français avaient délibérément choisi un arc de méridien qui allait de Dunkerque à Barcelone pour éviter toute altération liée à la présence des Pyrénées [15].

Delambre supposait maintenant que l'affleurement de Mont-Jouy pouvait être lui-même responsable de l'écart constaté.

De nos jours, la géodésie consiste également à faire le relevé des effets gravitationnels. Les ingénieurs spécialisés en balistique cherchent à déterminer l'influence de l'attraction gravitationnelle des montagnes sur la trajectoire des roquettes. Certaines des cartes qui décrivent les contours du globe sont classées « secret défense ». Sous la surface de la Terre, des processus venus des profondeurs ont chamboulé la planète. Néanmoins, les différences liées à la gravitation ne suffisent apparemment pas pour expliquer un écart aussi important entre deux sites distants de quelques centaines de mètres seulement. Les irrégularités de la Terre n'ont pas un grain aussi fin.

Il restait possible d'incriminer le formidable instrument de Borda, mais Méchain était connu pour le soin maniaque qu'il mettait à installer son cercle [16]. Par ailleurs, il n'y avait pas plus d'éléments pour accréditer la thèse alléchante, certes, et formulée par un historien catalan, du patriote saboteur qui se serait fait passer pour un assistant astronome et aurait trafiqué l'instrument du savant afin de l'empêcher d'obtenir des renseignements sur les défenses de Barcelone. En effet, Méchain avait toujours monopolisé l'usage du cercle. Et puis, s'il avait effectivement employé une méthode de calcul compliquée, exigeant un travail lourd et fastidieux, Delambre, en refaisant tous ses calculs, avait fini par constater la même anomalie.

*

À la fin, Méchain en était venu à s'accuser lui-même – se condamnant ainsi à la honte et aux tourments pour l'éternité. Cette conclusion n'était pas celle de Delambre [17]. Après avoir longuement étudié la question, l'astronome déclara que la latitude de la Fontana de Oro était aussi crédible que celle de Mont-Jouy.

Néanmoins, on peut encore envisager une autre possibilité. Et si rien ni personne n'était à blâmer ? Et si les écarts obtenus n'étaient finalement pas si importants que cela ? En clair, peut-on concevoir l'idée que l'erreur ne provenait ni de la nature, ni des observations de Méchain, mais plutôt de la façon dont il a interprété cette erreur ? Vingt-cinq ans après sa mort, un jeune astronome répondant au nom de Jean Nicolas Nicollet démontra que cette hypothèse était plausible.

Nicollet examina à nouveau les résultats de Méchain en procédant par étapes [18]. Tout d'abord, il décida de laisser de côté les résultats obtenus pour ζ de la Grande Ourse en son passage inférieur, parce que, près de l'horizon, on constatait des erreurs évidentes liées à la réfraction. Ensuite, l'astronome recalcula les autres azimuts à l'aide de tables de déclinaisons plus précises qui avaient été achevées peu avant la mort de Méchain et qui avaient mis à mal la méthode itérative que Delambre et Méchain avaient utilisée pour déterminer les latitudes. Ces deux changements dans la manière de procéder étaient toutefois relativement mineurs, comparés à la façon dont Nicollet reconceptualisa l'interprétation des résultats.

En effet, Méchain et ses contemporains ne faisaient pas une distinction formelle entre la *précision* (la cohérence intrinsèque des résultats) et l'*exactitude* (la mesure du degré de rapprochement des résultats et de la « réponse correcte »). Les deux termes n'ont pas la même portée : des résultats précis peuvent sembler « fiables » – en ce sens que, si l'on procède à une nouvelle mesure, on obtient pratiquement la même chose – sans pour autant être « valables », parce qu'ils s'écartent invariablement de la « réponse correcte ». Bien sûr, dans la pratique, il est extrêmement difficile de faire la distinction entre les deux, du fait que l'on ne connaît pas à l'avance la « réponse correcte ».

L'usage du cercle répétiteur de Borda était censé améliorer la précision en réduisant les erreurs liées à l'imperfection de la perception de l'observateur ou aux défauts de construction de l'instrument, c'est-à-dire le type même des erreurs qui de nos jours passeraient pour aléatoires. Cependant, le cercle était toujours susceptible de générer des erreurs dues à la préparation de l'appareil, c'est-à-dire un type d'erreurs que l'on qualifierait aujourd'hui de constantes ou de systématiques, et qui donneraient des résultats inexacts quel que soit le degré de précision de l'instrument. Les erreurs constantes ne sont pas faciles à détecter, dans la mesure où elles restent constantes. Et cela, Delambre, Méchain et tous les astronomes de l'Ancien Régime le savaient d'une manière intuitive. C'est la raison pour laquelle ils mettaient tant de soin à maintenir des conditions d'utilisation identiques entre plusieurs séries d'observations. Ils n'imaginaient pas que le processus répétitif qui favorise la précision pouvait agir au détriment de l'exactitude. Par exemple, le fait de manipuler l'appareil en permanence pouvait finir par engendrer une usure de son axe central et, à terme, cela risquait d'entraîner une légère déviation par rapport à la perpendiculaire. Pour Nicollet, cette dérive vers l'erreur constante était probablement à l'origine des écarts constatés. Cela expliquait que les résultats obtenus pour chacun des sites étaient plus ou moins cohérents, intrinsèquement (donc précis), tandis que ceux obtenus à partir des observations opérées successivement sur les deux sites devenaient discordants (donc inexacts). N'ayant à sa disposition aucun concept de l'erreur pour lui permettre d'identifier l'origine de la contradiction des valeurs trouvées, Méchain était au supplice.

Assez curieusement, d'après Nicollet, ce furent précisément les tendances obsessionnelles dont souffrait le savant qui permirent de confirmer la cause de la discordance des résultats – et de la corriger. L'astuce consistait à compenser toute déviation de la verticalité de l'instrument en équilibrant les résultats obtenus pour les étoiles qui passaient au nord du zénith (le point le plus haut du ciel nocturne) et ceux des étoiles qui passaient au sud. Du fait que Méchain avait observé un grand nombre d'étoiles supplémentaires, cette tactique était en effet possible.

Pour déterminer la latitude, Méchain avait commencé par calculer la latitude moyenne par rapport à chacune des étoiles observées. Puis il avait fait la moyenne de toutes les moyennes, en leur accordant à chacune la même importance. Il n'y avait rien de plus simple – ou, si l'on veut, de plus naïf. Nicollet procéda différemment. Il étudia d'abord, parmi les étoiles que Méchain avait observées, les résultats obtenus pour celles qui passaient au nord du zénith (passage supérieur), notamment la Polaire et β de la Petite Ourse – pour lesquelles le savant avait fait de nombreuses observations – mais aussi α du Dragon et du Capricorne. Puis il fit la moyenne des latitudes moyennes conclues pour chacune d'elles. Ensuite, il fit la même chose pour les étoiles que Méchain avait observées dans leur passage inférieur (il s'agissait des quelques observations de Pollux et Elnath, en nombre plus limité). Regroupés de cette façon, les résultats avaient l'air de manquer de *précision* : à Mont-Jouy, la latitude moyenne obtenue à partir des observations des étoiles dans leur passage supérieur présentait un écart de 1,5 seconde par rapport à celle qui avait été conclue pour les étoiles observées au passage inférieur. À la Fontana de Oro, la différence était consternante : elle atteignait 4,2 secondes. Toutefois, lorsqu'on combinait les deux moyennes pour chacun des sites, le résultat obtenu paraissait d'une *exactitude* remarquable : la combinaison des observations de latitude pour la Fontana de Oro s'accordait avec celles de Mont-Jouy, à 0,25 seconde près – un résultat stupéfiant et une précision douze fois supérieure aux 3,2 secondes d'écart constatées par Méchain ! En somme, Nicollet avait prouvé qu'il n'y avait aucune anomalie et que la valeur rapportée par Méchain pour la latitude de Mont-Jouy était à 0,4 seconde près (ou encore à quarante pieds près) la même que celle qui découlait de ses observations lorsque les résultats étaient correctement analysés.

Nicollet était un astronome français typique du début du XIXe siècle : un élève de Laplace, très versé dans la théorie de l'erreur. En 1828, quand il révisa les travaux de Méchain, il était âgé de quarante-deux ans et travaillait à temps partiel à l'Observatoire de Paris. Mais ses compétences en statistiques ne lui furent pas d'une grande utilité en dehors de l'astronomie : quelques années plus tard, il perdit toute sa fortune en jouant à la Bourse. Il émigra alors aux États-Unis où ses talents d'astronome et de mathématicien lui valurent d'être nommé responsable de la première expédition géodésique dans les vallées du haut Missouri et du haut Mississipi. Vingt-cinq ans après la vente de la Louisiane aux Américains et la mission exploratoire de Lewis et Clark, Nicollet réalisa les premières cartes détaillées de la région du haut Midwest [19].

Comble de l'ironie, les étoiles que Méchain s'était maudit d'avoir mesurées étaient celles-là mêmes qui prouvaient l'exactitude de ses résultats. Delambre, lui, n'avait observé que la Polaire et β de la Petite Ourse, c'est-à-dire deux étoiles qui passent au nord du zénith, ce qui ne permettait pas de corriger ses résultats après coup [20]. À eux deux, Méchain et Delambre avaient identifié la plupart des sources d'erreur responsables de l'anomalie constatée, à savoir la correction de la réfraction, la verticalité du cercle et la préparation de l'instrument. Ce qui leur manquait, c'était le moyen de s'en libérer. Méchain ne s'était pas réellement trompé ; il s'était simplement mépris sur le sens de l'erreur. Or, grâce à cette méprise justement, il a, par inadvertance, contribué à améliorer notre compréhension de l'erreur et changé à jamais l'idée que nous nous faisions de la pratique de la science.

*

Comment *définir* l'erreur ?
La science moderne accepte l'erreur comme faisant partie de son lot. Elle n'exige pas la vérité de la part de ceux qui la pratiquent, elle leur demande seulement d'être honnêtes. Elle suppose que la vérité finira par émerger d'un effort collectif, du moment que l'honnêteté est là. Certes, les scientifiques d'aujourd'hui mettent toute leur énergie à

trouver la réponse juste, mais quand la théorie et l'expérience correspondent trop bien, la suspicion est de rigueur. Ainsi, le statisticien Ronald Fischer a-t-il conclu que les résultats obtenus par Gregor Mendel lors de ses expériences d'hybridation des pois domestiques pouvaient difficilement être de l'ordre de trois pour un, comme le botaniste l'a prétendu. Il en est de même pour le physicien américain Robert Millikan, qui a obtenu le prix Nobel pour une expérience sur les électrons alors qu'il avait supprimé des valeurs anormales. De Mendel à Millikan – c'est-à-dire entre le milieu du XIXe siècle et le début du XXe – de tels subterfuges étaient courants, même s'ils étaient décriés. Et ils persistent encore aujourd'hui, en dépit du fait qu'on les condamne. À l'époque de Méchain, il s'agissait non seulement d'une pratique courante, mais aussi d'une prérogative accordée au savant. C'était l'erreur qui était vue comme une défaillance morale.

Méchain avait une vision très personnelle de la science. Ses observations, c'était lui qui décidait de les rendre publiques ou de les supprimer, de les garder ou de les détruire. Il ne se sentait aucunement obligé d'étaler son œuvre accomplie sous les yeux d'un public anonyme. Il préférait impressionner ses confrères par sa capacité à approcher la perfection. Consigner ses observations au crayon sur des petits bouts de papier volants lui permettait de peaufiner plus facilement ses résultats. Même après avoir remis son rapport minutieusement rédigé entre les mains des membres de la Commission, il considérait encore que les résultats bruts recueillis au cours de l'expédition étaient sa propriété privée, sa part d'expérience qu'il avait accumulée et qu'il transportait avec lui dans ses malles, quel que fût l'endroit où il se rendait. Ils étaient à la fois l'héritage qu'il laisserait et sa pierre tombale : tout ce qu'il possédait. La vérité est l'apanage de tous, mais l'erreur nous appartient en propre.

La minutie de Delambre était d'une étoffe différente. Pour lui, les chercheurs devaient rendre des comptes à la fois à leurs confrères et à leurs bienfaiteurs. Le gouvernement révolutionnaire avait consacré beaucoup d'argent à cette mission et, en retour, il méritait de recevoir un rapport complet. C'était la raison pour laquelle l'astronome avait consigné ses résultats comme un fonctionnaire de l'État : à l'encre, dans un carnet relié aux pages numérotées, dans l'ordre des observations, avec chacune des pages signée et datée. Il croyait que puisque la République travaillait dans la transparence – votes par appel nominal, lois et procès publics –, la science aussi devait se prêter aux contrôles. Il considérait que ses résultats faisaient partie des biens publics. Tout ce qu'il voulait, c'était que son travail fût reconnu. Par conséquent, il ne cachait rien des anomalies constatées, ni des approximations auxquelles il avait eu recours. Il ne prétendait jamais que ses résultats étaient définitifs. Pour lui, ce qui importait, c'était d'avoir essayé d'être aussi exigeant que possible, et d'avoir produit des résultats suffisamment précis pour résoudre le problème concerné.

Une fois, à la veille de présenter ses tables astronomiques à l'Académie, Delambre avait découvert une petite erreur dans ses calculs, et il avait passé les trois semaines qui avaient suivi à travailler jour et nuit « pour faire disparaître une erreur qu'il savait imperceptible [21] ». Ce fut la tâche la plus rébarbative d'une carrière dont le bilan était déjà monumental, mais quand elle fut terminée, il put remettre ses tables en ayant la conscience tranquille. Par la suite, quand l'un de ses confrères repérait une autre erreur, comme ce fut le cas peu de temps après, Delambre pouvait la reconnaître en public et en toute liberté, et la corriger à nouveau.

Quant à savoir si la perfection existait « Là-Haut », blottie dans le ventre de la nature en attendant la délivrance, c'était une question de théologie et Delambre était païen [22]. Il avait été élevé au sein d'une famille pieuse, instruit par les jésuites, et il avait envisagé d'entrer dans les ordres. Toutefois, il n'était ni croyant ni athée à la manière de son maître Lalande. C'était un stoïcien sceptique pour qui la perfection de la connaissance était hors de portée de l'être humain. Dans ces conditions, pourquoi attendre de lui qu'il produise un mètre parfait ?

Il l'avait toujours su : la mission qui lui avait été confiée était absurde. Il l'avait su lorsqu'il s'était retrouvé à Saint-Denis devant des volontaires irascibles, à devoir expliquer en quoi elle consistait. À ce moment-là, il avait senti qu'au fond il était d'accord avec eux, en partie du moins. Cette mission était réellement absurde. Pourquoi entreprendre de mesurer le monde alors que l'ancien ordre établi partait en fumée, alors que des millions de soldats se jetaient dans la bataille pour y trouver la mort ? Pourquoi vouloir mesurer le monde pour créer une unité de longueur alors qu'il était possible de fixer un mètre étalon par décret ou simplement en se mettant d'accord ? Il était absurde de partir si loin à la recherche de ce qui était si près. Et pourtant, il fallait bien que quelqu'un le fît. Il fallait que quelqu'un s'appliquât à reconstruire le monde. Autrement, il ne subsisterait plus rien après que les soldats auraient fini de s'entretuer et les vandales de rabaisser les clochers à la hauteur des « humbles demeures » des sans-culottes. Il fallait quelqu'un pour construire un ordre nouveau, un canevas pour permettre aux gens de savoir où ils se trouvaient, ce qu'ils faisaient, et d'évaluer le montant de leurs achats et de leurs ventes.

Delambre savait que lorsque la Commission internationale se vantait d'avoir atteint la perfection, ce n'était que du vent. Elle avait prétendu connaître la longueur du mètre avec une précision de 0,0001 pour cent. Delambre reconnaissait maintenant que c'était une précision « à laquelle [ils] ne pouv[aient] encore prétendre [23] ». À présent que la sacro-sainte règle de platine se trouvait en sécurité aux Archives nationales, suffisante et intouchable dans son coffret à trois serrures, il pouvait bien l'admettre, ne fût-ce que par honnêteté. Ainsi donna-t-il, en 1810, dans le troisième et dernier volume de la *Base*, une liste de valeurs plausibles pour l'ellipticité de la Terre, avec les valeurs correspondantes pour le dix millionième du quart de méridien. Il laissa entendre que l'ellipticité de la Terre était probablement plus proche de 1/309 que de 1/334, valeur retenue par la Commission. Il prit également en compte les *deux* valeurs trouvées par Méchain pour la latitude de Barcelone, augmentant ainsi la longueur de l'arc de 0,001 pour cent, et il conclut qu'il conviendrait mieux de donner au mètre une longueur de 443,325 lignes (au lieu de la valeur officielle de 443,296 lignes).

La correction suggérée était minime – même pas l'épaisseur d'une feuille de papier – mais elle témoignait d'une remarquable intégrité. Dix ans seulement après que le mètre eut été déclaré définitif, son principal créateur écrivait dans le compte rendu officiel de l'histoire de sa création que les progrès scientifiques réalisés avaient amoindri sa validité. Pour nous aujourd'hui, une telle démarche constituerait un pas dans la bonne direction, non parce que la nouvelle valeur proposée par Delambre était arrêtée à environ un tiers de ce qui serait admis pour le mètre définitif (après tout, cette nouvelle valeur était encore moins exacte que celle du mètre provisoire de 1793), mais parce que c'était un hommage au caractère éphémère de la connaissance [24].

Delambre ne s'arrêta pas là. Il proposa d'arrondir la longueur du mètre officiel à 443,3 lignes. Cette modification-là aussi pouvait paraître minime, mais la suppression des deux chiffres après la virgule supposait que la précision du mètre était à 0,01 pour cent près seulement. Et Delambre fit remarquer par ailleurs qu'une autre raison justifiait cette révision : 443,3 était une valeur facile à retenir, car elle était composée de deux quatre suivis de deux trois. À ceux qui insistaient encore pour garder la valeur à six chiffres, il suggéra de travailler avec un mètre de 443,322 lignes, pour les mêmes raisons de facilité : cette valeur contenait deux quatre, deux trois et deux deux [25]. Rien n'illustre plus clairement son aptitude à accepter l'arbitraire des étalons conventionnels. Comme il le fit remarquer dans une lettre personnelle à un savant étranger : « On pourra penser tout ce qu'on voudra du degré de précision [que] nous avons pu atteindre, tout ce que je puis assurer, c'est que j'ai exposé avec la plus grande sincérité tous les détails de l'opération, sans la moindre réticence [26]. »

Finalement, Delambre passa plus de temps à écrire l'histoire du mètre qu'à mesurer la France et, en un sens, ce compte rendu l'amena plus loin que l'expédition elle-même. Il l'avait commencé en 1799, après la publication des résultats embarrassants de la Commission internationale. La rédaction du premier volume, paru en 1806, avait donc débuté comme une aventure ; celui de 1807 le plongea dans une histoire qui, selon ce que l'on était disposé à en faire, tiendrait du scandale ou mettrait au jour une nouvelle découverte, et le volume de 1810 se termina par une démonstration de l'immense étendue du champ de la connaissance. Delambre en était même venu à accepter – chose que Méchain n'avait pu faire – l'évanescence des connaissances terrestres. Alors, si tant est que l'on puisse lui reprocher d'avoir été complice des dissimulations de son confrère, il faut savoir qu'il l'a fait pour une raison tout à fait opposée, tout simplement parce qu'il s'était rendu compte que l'essentiel n'était pas d'obtenir une réponse parfaite. En clair, il avait compris que Méchain s'était tourmenté – et qu'il était mort – pour rien. Nous habitons une planète déchue, sans retour possible à l'Éden des origines. Delambre avait décidé de vivre à la surface de la Terre, telle qu'elle était : gondolée, arquée, déformée.

*

En acceptant l'idée de l'imperfection des connaissances terrestres, Delambre s'était donné un nouvel outil intellectuel, d'une très grande portée, dont Méchain et lui-même avaient provoqué l'émergence, par inadvertance, à ceci près que lui seul avait survécu pour en tirer parti. Au cours du siècle précédent, les savants avaient cherché à faire coïncider des résultats imparfaits avec une courbure planétaire qu'ils disaient parfaite. Les géodésiens étaient tombés d'accord sur le fait que la Terre était un ellipsoïde aplati aux pôles, mais ils avaient été incapables de s'entendre sur son degré d'excentricité, qui, de plus, pouvait varier d'un endroit à l'autre. À moins que les résultats fussent erronés, auquel cas il fallait les assumer. Assumer l'idée qu'ils avaient été obtenus par des hommes faillibles (mais exigeants) avec l'aide d'instruments faillibles (mais ingénieux) à la surface d'une planète qui était (peut-être) irrégulière et bosselée. Puis il fallait se demander quelle était la courbe qui correspondait le mieux à la moyenne des résultats des observations et de combien les autres résultats s'écartaient de cette courbe. Ce fut la question que se posa Adrien Marie Legendre[27].

La réponse trouvée – le principe des moindres carrés – est devenue depuis la bête de somme des statistiques modernes. C'est également l'une des plus grandes découvertes de la science, non parce qu'elle a permis de mieux connaître la nature, mais parce qu'elle a permis de mieux connaître l'erreur.

Legendre remisa sa vie privée dans l'obscurité et garda toute la lumière pour ses travaux mathématiques. Contemporain de Laplace et de Delambre, il fut élu académicien à l'âge de trente ans pour ses travaux sur la théorie des nombres. En 1788, il montra aux géodésiens de la jonction des observatoires de Paris et de Greenwich comment corriger la courbure de leurs triangles. Désigné en même temps que Cassini et Méchain pour l'opération de la méridienne, il se retira en faveur de Delambre. Pendant la Terreur, il se cacha pendant quelque temps pour finalement réapparaître avec une épouse deux fois plus jeune que lui. Plus tard, il fut nommé membre du Bureau de l'Agence des poids et mesures et fit partie de la Commission internationale chargée de déterminer la longueur du mètre définitif. Il fut aussi dérouté que les autres par la nouvelle valeur inattendue de l'ellipticité de la Terre (1/150). Cinq ans plus tard – un an après la mort de Méchain –, le progrès scientifique allait faire une nouvelle entrée en scène, par la petite porte encore une fois.

Pendant des siècles, les savants s'étaient cru autorisés à utiliser leur intuition et leur expérience pour publier comme seul résultat de la mesure d'un phénomène celui qui correspondait à leur « meilleure » observation. Au cours du XVIIIᵉ siècle, ils en étaient venus à croire que la moyenne arithmétique de leurs mesures offrait l'aperçu le plus « équilibré » de leurs résultats. Pourtant, nombreux étaient ceux qui continuaient à penser, comme Méchain, que toute mesure s'écartant trop de la moyenne comptait forcément moins que celles qui s'en rapprochaient le plus et que, de ce fait, il était possible de la supprimer sans prendre la peine de s'en excuser. D'ailleurs, même les savants les plus rigoureux ne savaient pas quoi faire lorsqu'ils se trouvaient confrontés à des phénomènes à variables multiples pour lesquels ils disposaient d'observations très contrastées, comme le calcul de la courbure d'une planète non sphérique à partir d'observations faites en des points de latitudes différents, par exemple, ou celui de l'orbite elliptique d'une autre planète, surtout lorsque celle-ci était perturbée. Certains mathématiciens avaient essayé de trouver des règles permettant de contrebalancer les résultats dont l'écart était trop important. Le géodésien jésuite Boscovitch avait proposé une méthode, et plusieurs autres mathématiciens s'y étaient essayés à leur tour. Laplace en avait mis au point une assez compliquée qui était censée minimiser l'écart le plus grand. Mais ces méthodes n'étaient ni pratiques ni appropriées [28].

Legendre proposa une solution plus commode. Il suggéra de prendre comme courbe la plus représentative, celle qui minimiserait le carré de l'écart entre chaque point et cette courbe. Le principe était général et le calcul faisable. C'était un axiome pratique qui aboutissait à une conceptualisation radicale. Le principe des moindres carrés reposait sur l'intuition que le meilleur résultat était celui qui pondérait des données divergentes. Legendre fit observer que la méthode des moindres carrés justifiait également d'opter pour la moyenne arithmétique dans les cas les plus simples.

En 1805, alors que Delambre était occupé à terminer le premier volume de la *Base*, Legendre testa sa méthode sur ce qui était maintenant la collection de résultats la plus célèbre du monde, sur laquelle il réfléchissait depuis que Delambre et Méchain l'avaient déposée devant la Commission internationale. Le mathématicien partit de l'hypothèse que le méridien terrestre traçait une ellipse, puis il appliqua le principe des moindres carrés pour trouver la valeur de l'ellipticité qui minimiserait – comme un fil suspendu à l'attraction des étoiles – le carré de chaque écart de latitude par rapport à l'arc de la courbe tel qu'il avait été défini par les observations de Delambre et de Méchain à Dunkerque, à Paris, à Évaux, à Carcassonne et à Barcelone. Ce faisant, il trouva que les écarts constatés pour les différentes latitudes prises sur cette courbe optimale restaient assez importants pour être attribués à la figure de la Terre et non aux résultats des observations. Dans le troisième volume de la *Base*, Delambre reprit cette analyse : c'était la Terre qui était déformée, non les résultats [29].

Comme le disait Legendre, le gros avantage de sa règle des moindres carrés était qu'on pouvait l'appliquer de façon simple et systématique. Les savants avaient désormais à leur disposition une méthode facile à exploiter pour pondérer leurs résultats. Quelques années plus tard, ce ne serait plus une simple méthode : on lui aurait trouvé un sens.

Quatre ans après Legendre, le grand mathématicien allemand Karl Friedrich Gauss prétendit qu'il utilisait la règle des moindres carrés depuis déjà presque une dizaine d'années (lorsqu'il en parlait, il disait « ma méthode ») [30]. Comme cela arrive fréquemment, cette découverte simultanée n'avait rien d'une coïncidence. Les deux hommes s'étaient penchés sur le même problème de géodésie. Gauss aussi travaillait sur les résultats de l'opération de la méridienne, publiés en Allemagne en 1799. Tous deux lisaient les mêmes auteurs, en particulier Laplace. Cette simultanéité provoqua un conflit d'antériorité : premièrement, parce que chacune des deux parties voulait se voir attribuer le mérite de la découverte et que celui qui arriverait en second courait le risque d'être accusé de plagiat ; deuxièmement, parce que chacun d'eux avait sa propre idée du sens à lui donner. Il ne fait aucun doute que les deux hommes ont élaboré cette règle chacun de son côté, même si effectivement Legendre a été le premier à publier. Et il n'y a pas de doute non plus sur le fait que c'est Gauss qui est parvenu à en dégager le sens profond.

Legendre avait présenté sa règle des moindres carrés comme une méthode pratique et convaincante. Gauss la *justifia* en montrant qu'elle donnait la valeur la plus probable dans des situations où les erreurs étaient réparties selon une courbe en cloche (connue aujourd'hui sous le nom de courbe gaussienne). Cette approche fondée sur les probabilités incita Laplace, en 1810-1811, à montrer que la méthode des moindres carrés présentait des avantages certains : elle réduisait d'autant plus l'erreur que le nombre d'observations augmentait, elle indiquait comment faire la distinction entre les erreurs aléatoires (du domaine de la précision) et les erreurs constantes (du domaine de l'exactitude), et elle donnait la probabilité selon laquelle la courbe choisie avait des chances d'être la meilleure. C'était nouveau. Dans leur quête d'une perfection illusoire, les savants n'avaient pas seulement appris à faire la distinction entre différents types d'erreurs, ils savaient maintenant que l'on pouvait aborder l'erreur avec une confiance quantitative. De 1805 à 1811, on assista à l'émergence d'une nouvelle théorie scientifique qui ne concernait pas la nature, mais l'erreur. Grâce à cette théorie, Nicollet allait pouvoir sauver l'honneur de Méchain – en faisant la différence entre les erreurs aléatoires et les autres, les erreurs systématiques.

Certaines expériences étaient inégales par nature ; d'autres gagnaient à être retravaillées. Certains observateurs se donnaient beaucoup de mal, d'autres manquaient de rigueur. L'intérêt de cette nouvelle approche de l'erreur était que des personnes qui travaillaient ensemble pouvaient commencer à faire la différence entre ces deux formes d'incertitude et se juger réciproquement en utilisant les mêmes techniques impersonnelles qui leur servaient à juger les choses de la nature. C'est à cette époque que Delambre, Laplace et les autres savants français commencèrent à accepter l'idée que leurs collègues anglais venaient d'émettre, à savoir que même les astronomes les plus méticuleux étaient susceptibles de se comporter d'une façon particulière au cours de leurs observations (selon leur temps de réaction, etc.), et que ces idiosyncrasies biaisaient constamment leurs résultats : c'était l'« équation personnelle », comme on a fini par l'appeler. Cette prise de conscience qu'eux-mêmes étaient des instruments faillibles fut suivie de l'élaboration d'un programme visant à domestiquer l'erreur. Les astronomes se mirent à se calibrer les uns par rapport aux autres et à diviser leur travail pour faire la moyenne des influences personnelles[31]. Au cours des décennies qui suivirent, l'astronomie se bureaucratisa. Une équipe de jeunes observateurs (des jeunes gens carriéristes) et une autre de calculateurs (des jeunes femmes sous-payées) s'activaient pour le bénéfice d'un astronome expérimenté qui dirigeait leurs efforts et analysait leurs résultats, qu'il publiait ensuite sous son propre nom.

Si l'on changeait d'approche et que l'on se mettait à regarder le monde à travers le voile de l'incertitude, la science ne serait plus jamais la même ; et les savants non plus. Au cours du siècle suivant, on apprit à gérer l'incertitude. Le domaine des statistiques, qui allait un jour émerger des idées de Legendre, de Laplace et de Gauss, devait transformer les sciences physiques, inspirer la biologie et donner naissance aux sciences sociales[32]. Entre-temps, les « savants » seraient devenus des « scientifiques[33] ».

Méchain a été un savant toute sa vie, et il est mort savant. Les mesures avaient autant de valeur pour lui que pour les autres hommes de l'Ancien Régime – les paysans, les boulangers, et tous ceux qui faisaient pousser le blé, cuisaient le pain ou achetaient des miches sur les marchés. Pour les azimuts comme pour le pain, les mesures exprimaient la *valeur* d'une chose. C'était un acte moral et juste. Pour le savant, la disposition du ciel révélait l'existence d'un plan d'ensemble. Mesurer la Terre et les azimuts des étoiles, c'était entrevoir la place qu'elles occupaient dans cet ensemble, tout comme le poids d'une miche servait à fixer un juste prix pour le pain.

Des hommes comme Delambre, Laplace, Legendre et tous ceux de leur génération avaient un pied dans chaque monde. Je les ai appelés savants, mais le terme leur convient de moins en moins. Ils se trouvaient engagés dans un combat visant à quantifier leur incertitude. Ils se demandaient comment être sûrs de savoir ce qu'ils croyaient savoir. Ils essayaient de se débarrasser des jugements de valeur concernant la nature et de mettre en place un cordon de sécurité autour du sens qu'ils avaient donné à la mesure du globe. Ils s'étaient lancés à présent dans une carrière d'un type très différent. En 1792, Jean-Paul Marat avait été le premier à appliquer l'étiquette de « scientifique » aux savants, lorsqu'il avait raillé les académiciens et leur projet égoïste de mesurer la Terre pour instaurer l'uniformité des poids et mesures. Pour le meilleur et pour le pire, les savants étaient désormais en passe de devenir des scientifiques.

*

Quant à Lalande, il rongeait son frein plus encore qu'il ne l'avait fait sous l'Ancien Régime. C'était le dernier des philosophes, maintenant septuagénaire : un esprit libre qui préférait la monarchie, un athée qui admirait les jésuites, un féministe qui faisait des propositions malhonnêtes aux jeunes femmes, plus laid que jamais et toujours aussi vaniteux. Le nouveau régime montrait peu de patience pour ces contradictions d'un autre âge. Au départ, Lalande s'était réjoui de l'ascension de Bonaparte, tout fier que le général lui donnât du « grand-papa ». Le petit Corse avait étudié l'astronomie avec l'un de ses élèves, et il lui avait écrit dans un style qui se voulait flatteur pour le vieil homme : « Partager une nuit entre une jolie femme et un beau ciel, le jour à rapprocher ses observations et les calculs, me paraît être le bonheur sur terre [34] », lui avait-il confié.

L'amour-propre de Lalande était aussi pur que le platine. Lorsque son catalogue des étoiles en recensa cinquante mille – grâce aux travaux de sa fille et de son neveu –, il publia un énorme manuel sous son propre nom. Passant en revue toutes les personnes qui assistaient à ses cours du Collège de France, il écrivit dans son journal qu'il avait « cinquante-quatre auditeurs, mais [que] Lalande [était] celui qui [l]'intéress[ait] le plus [35] ». À l'été 1798, malgré l'interdiction pour les femmes de faire des ascensions en ballon, il aida la jolie citoyenne Henry, la première femme aéronaute, à monter pour la première fois dans une montgolfière. Au printemps suivant, il voulut visiter l'Allemagne en ballon tout en observant les étoiles au-dessus de la couche atmosphérique – un voyage qui inspira certains :

> Voyez du nain des savants
> La fierté peu commune :
> Il voulait savoir les vents,
> Si l'on parle de lui dans
> La lune, la lune, la lune [36].

L'aérostat ne dépassa jamais le bois de Boulogne et le voyage fut annulé. Lalande était un bon sujet pour les journalistes. Quand un explorateur rapporta qu'il existait une peuplade africaine qui, comme le savant, mangeait des araignées, les journaux conseillèrent à Lalande de passer à « des insectes de distinction [37] ». Lalande était pourtant la preuve vivante que la vanité pouvait servir de nobles causes. Il se moquait de ce que pensaient les gens. Éditeur du *Dictionnaire des athées*, il tenait à jour un tableau d'honneur qui comportait huit cents noms, de Socrate à... Lalande. En 1799, il y inscrivit plusieurs de ses confrères, dont « Buonaparte de l'Institut national [38] ».

Cette initiative-là était risquée. Après le vandalisme révolutionnaire, la piété faisait un retour en force. Des plaisantins prétendirent que si Lalande était devenu athée, c'était par esprit de vengeance, pour avoir été fait si laid : « Remarquez-vous ces jambes frêles et cagneuses, ce petit dos courbé surmonté d'une petite tête de singe, ces traits livides et rabougris, ce front étroit et sillonné et, sous des sourcils presque rouges, ces yeux immobiles et insignifiants [39] ? » Lalande répondit aux insultes par une épigramme :

> Les hommes fous, méchants ou bêtes
> Prouvent que tout est mal dans cet indigne lieu.
> Un scélérat suffit pour renverser les têtes ;
> L'homme ne serait plus s'il existait un Dieu [40].

Ses confrères n'appréciaient pas tous la franchise dont il faisait preuve. Les bouffonneries du savant étaient bien connues et, par ricochet, elles mettaient parfois Delambre dans l'embarras. En effet, l'astronome avait accepté d'être le parrain de la petite-fille de Lalande, Uranie, dont le baptême avait été reporté jusqu'à son retour de mission. À ce moment-là, la petite fille avait sept ans et était tout à fait capable de répondre elle-même aux questions du prêtre. Lorsque celui-ci lui demanda si elle renonçait à Satan et à ses œuvres, elle répondit « j'y renonce ». À la question : renoncez-vous à toutes les vanités de ce monde, elle répondit encore « j'y renonce ». Et lorsque le prêtre lui demanda si elle jurait de vivre et de mourir dans la foi chrétienne, on l'entendit répondre, d'une voix sonore et claire, « j'y renonce ». Tout le monde, dans l'église, éclata de rire, même le prêtre [41].

Un peu plus tard, Bonaparte décida d'acheter la paix à l'intérieur du pays en se réconciliant avec l'Église catholique. Les délicates négociations qui s'ensuivirent allaient aboutir au Concordat de 1802 et finir en apothéose avec la venue du pape à Paris pour le sacre de

Napoléon. Au milieu de ces délicates petites accommodations, Lalande eut la témérité de rééditer son *Dictionnaire*. L'Empereur en fut furieux. On peut toutefois se demander si c'était vraiment l'athéisme de l'ouvrage qui le mettait dans cette fureur. N'y avait-il pas pire encore ? Le *Dictionnaire* osait en effet prêcher la paix. On pouvait y lire : « Or, il n'y a que les philosophes qui puissent propager la science, et peut-être diminuer un jour le nombre des monstres qui gouvernent et ensanglantent la terre, c'est-à-dire, ceux qui font la guerre. La religion en a tant produit, qu'il est permis d'en désirer la fin[42]. »

Du champ de bataille d'Austerlitz, où il venait de remporter sa plus belle victoire, l'Empereur transmit à l'Institut une sévère mercuriale : Lalande était retombé en enfance, l'athéisme détruisait l'ordre moral, et Delambre, en tant que secrétaire perpétuel de l'Académie, devait en convoquer les membres afin de le réduire au silence. Delambre tenta de faire passer pour volontaires les conditions imposées à Lalande, dans le souci de préserver un semblant de liberté intellectuelle tout en se pliant à l'autorité du pouvoir, mais Lalande refusa. En 1806, il publia une autre édition du *Dictionnaire*, mais cette fois le nom de Napoléon n'y figurait pas[43].

Cette année-là, Lalande tomba malade. Atteint d'une phtisie pulmonaire, il continuait à se montrer insupportable, et entre deux respirations il se livrait à des exercices d'autodérision. Dans son dernier testament moral, il écrivit : « Je me suis amusé à dire quelquefois que je croyais avoir acquis toutes les vertus de l'humanité. On a relevé cette phrase avec aigreur, en assurant que je prétendais "posséder toutes les vertus de l'humanité" ; mais j'ai dit "je *croyais* avoir acquis", ce qui est bien différent. Malgré cela, j'ai peut-être eu tort de parler ainsi ; mais ma conscience intime m'en a fait une loi[44]. »

Dans la soirée du 3 avril 1807, après s'être fait lire les journaux par sa fille, il l'envoya se reposer en disant « Retirez-vous, je n'ai plus besoin de rien[45]. » À deux heures du matin, il s'éteignit. D'outre-tombe, il parvint encore à faire sensation. Deux jours après sa mort, en effet, sa famille dut couper court à une rumeur selon laquelle le savant aurait demandé la dissection de son corps et son exposition au Muséum d'Histoire naturelle. Avec lui, le XVIIIe siècle s'éloignait enfin.

*

Ce caractère évanescent, terrestre, de la connaissance, des hommes, des régimes, n'engendrait pas nécessairement la mélancolie. Au contraire, dans un monde où tout était déconcertant, à une époque qui avait conjugué les violences de la Révolution, du Consulat et maintenant de l'Empire, Delambre se sentait heureux, simplement. Cet heureux caractère l'avait accompagné durant tous ses voyages, au cours de toutes les missions qu'il avait accomplies, durant toute sa vie. Cela n'avait rien d'une joie extatique, il s'agissait plutôt du bonheur modeste de l'immersion. Il avait depuis longtemps passé l'âge des illusions. Il pouvait accepter de vivre sur une planète déchue, aux contours irréguliers, dans un monde d'imperfection et d'erreur, parce que grâce au travail collectif de savants honnêtes, cette imperfection pouvait être contenue et l'erreur maîtrisée. En 1806, il écrivit à un ami qui avait beaucoup souffert pendant la Révolution :

> Mais écartons ces souvenirs pénibles, jouissons du présent, comme on peut le faire, quand l'âge des illusions est passé. Il l'est pour moi et ce n'est pas d'aujourd'hui ; cependant je goûte un bonheur si doux, si tranquille, si peu troublé, jusqu'à ce jour, que je devrais redouter l'avenir si j'étais persuadé que tout homme à la fin doit son tribut à la peine et à la douleur. Mais j'aime à me flatter qu'il est des exceptions et j'en espère une pour moi. J'en trouve les motifs dans mon caractère et mon tempérament. Je n'ai connu de passion que celle qui n'a jamais fait de malheureux. Celle du travail. Elle n'est pas diminuée. Je continue de m'y livrer avec ce qui me reste de force [46].

Son visage s'était alourdi, mais son regard était devenu plus vif au fil des années. Ses jambes ne le soutenaient plus aussi bien, mais sa main était ferme. Le voyageur qui jadis avait sillonné la plus grande partie de la France ne pouvait plus désormais traverser la rue. En 1803, il avait contracté une fièvre rhumatismale qui lui avait laissé une démarche claudicante. Il avait beaucoup souffert, mais cela n'avait pas atteint son optimisme fondamental [47].

En 1804, après une liaison de plusieurs années, il épousa Elizabeth de Pommard, la mère de son jeune assistant. Il était alors âgé de cinquante-cinq ans et elle était quadragénaire. C'était une veuve pleine d'entrain qui possédait une propriété bien située à l'ouest de Paris. Ils étaient bien assortis tous les deux. Elle avait lu les poèmes épiques de Virgile en latin, les essais d'Addison en anglais et les *libretti* de Métastase en italien. Pendant les quelques années qui avaient précédé leur échange de consentements, Delambre lui avait prêté de l'argent à un taux d'intérêt peu élevé. Pendant que la famille d'Assy se trouvait dans sa résidence de campagne, Delambre et son épouse occupaient la somptueuse demeure de la rue de

Paradis. Ils y lisaient les auteurs classiques, suivaient les voyages en Amazonie de leur jeune ami Humboldt et rêvaient d'une brillante carrière pour le fils qu'elle avait eu et que Delambre chérissait comme si c'était le sien[48].

Le jeune Pommard, qui autrefois voulait être astronome comme son beau-père, entra finalement à l'École polytechnique pour y étudier les sciences de la terre, les mines et la minéralogie. Deux ans plus tard, il fut nommé auditeur au Conseil d'État. Il mourut en mission à Naples, en 1807, à l'âge de vingt-six ans, laissant inconsolables sa mère et le nouveau mari de celle-ci. Delambre transcrivit en anglais un morceau de poésie grecque, à l'attention de sa femme.

> Ô Amour, si doux et tendres
> Sont tes premiers jours !
> Mais quand notre cœur vient à se rendre
> Tout n'est que peine alentour.
> Loin de la lumière du jour,
> Nous errons dans l'ombre des bois
> Et soupirons la nuit venue,
> Après notre amour perdu.
> Point de douce illusion :
> Des voyageurs errants comme le vent
> Ne vient que déception.
> La voix qui nous appelle souffle
> À la jeunesse en fleur de resplendir,
> Au cœur de se languir ;
> Mais de chagrin le pauvre cœur se brise,
> Enfin rompu de son emprise[49].

Le chagrin est évanescent lui aussi. Et Delambre allait finir par trouver de nouvelles sources de satisfaction sur cette terre. Il passa les vingt dernières années de sa vie à tenir les rênes de la science impériale, dispensant les faveurs, décidant des carrières, disciplinant ses confrères. Il était devenu secrétaire perpétuel de l'Académie, avait succédé à Lalande dans la chaire d'astronomie du Collège de France, faisait partie du Bureau des longitudes et assurait la charge de trésorier de l'université. Il était aussi devenu le premier historien scientifique de la nation. Ses titres honorifiques occupaient plus de la moitié de la page de titre de ses ouvrages. Il était spécialiste du cumul des fonctions, pratique déplorable s'il en fut. Tous ses traitements réunis lui faisaient d'assez bons revenus, mais Delambre n'avait jamais nourri d'ambition matérielle. « Les places sont venues me chercher et j'en ai obtenues que je ne désirais pas[50] », confia-t-il un jour à un ami.

30. Portrait de Delambre, secrétaire perpétuel
de l'Académie des sciences

Delambre quinquagénaire, à l'apogée de sa carrière (archives de l'Académie des sciences, Dossier Delambre, photographie de Charmet).

Être généreux en temps de guerre, honnête sous le régime impérial, et garder en même temps les yeux rivés sur la science alors que tout contribuait à vous en éloigner. C'étaient là les épreuves auxquelles l'intégrité de Delambre avait été soumise. Désormais, l'astronome faisait beaucoup moins d'observations et se concentrait plutôt sur des synthèses de travaux scientifiques. Tout d'abord, il ne lui était plus très facile de se rendre à son observatoire de la rue de Paradis, qu'il avait dû quitter en 1808 pour aller habiter dans le logement de fonction du trésorier de l'université. Après la mort de leur fils, sa femme et lui s'étaient rapprochés encore davantage. Elle avait affiné ses connaissances en mathématiques pour pouvoir aider Delambre dans ses calculs. L'astronome avait un appétit insatiable pour le travail. En 1806, il avait publié de nouvelles tables astronomiques, les plus exactes de l'époque. En 1813 ce fut un *Abrégé d'astronomie*, et un an plus tard son *Astronomie théorique et pratique*, en trois volumes. D'après Gauss, ce dernier ouvrage était plutôt médiocre et « artisanal », simpliste pour l'aspect mathématique, et dépourvu d'élégance conceptuelle. En d'autres termes, ce n'était qu'un manuel d'enseignement [51].

Tout en se tenant à l'écart des intrigues de cour, Delambre s'était rendu utile au régime napoléonien. En 1803, alors que le traité d'Amiens commençait à montrer des signes de faiblesse, Napoléon avait ordonné la réalisation de cartes détaillées des lieux de débarquement possibles sur la côte sud de l'Angleterre. Il voulait aussi savoir quel était le clocher le mieux situé pour superviser l'invasion prévue.

Sur le plan géodésique, personne ne connaissait mieux la côte nord de la France que Jean-Baptiste Joseph Delambre. En une semaine, il réussit à produire un ensemble de tables dressant la liste des sites qui permettraient d'avoir une vision optimale, à partir des observations effectuées lors de l'opération de la méridienne et à partir également des résultats de l'opération de jonction des observatoires de Paris et de Greenwich réalisée en 1788. En tant que fonctionnaire de l'État, il avait le devoir d'utiliser à des fins belliqueuses des résultats scientifiques qui à l'origine étaient destinés à des opérations pacifiques [52]. En revanche, après coup et pendant toute la durée de la guerre, il collabora avec son homologue anglais, sir Joseph Banks, président de la Royal Society, pour sauver leurs confrères respectifs engagés dans le conflit. Banks aida les géodésiens français à revenir d'Égypte, et Delambre fit relâcher tous ses confrères anglais retenus sur le continent. Les nations étaient peut-être en guerre, mais les hommes de sciences ne renonceraient pas pour autant à entretenir des règles de courtoisie. Delambre expédia de nombreux exemplaires de sa *Base du système métrique* en Angleterre, en formulant l'espoir que viendraient des temps plus pacifiques[53].

En 1809, Napoléon ordonna à l'Académie de délivrer des prix pour les meilleures publications scientifiques de la décennie. Pour la classe des sciences appliquées, l'Académie accorda à l'unanimité le prix en question à « l'ouvrage de monsieur Delambre sur la méridienne[54] ». *Delambre* ? Les fils de Méchain voulurent défendre l'honneur de leur père et demandèrent que l'on y ajoutât son nom. L'Académie désigna une commission chargée de se prononcer sur la question. Celle-ci fit observer que si les mesures de latitude avaient été réparties de manière égale entre les deux astronomes, Delambre avait mesuré quatre-vingt-neuf des cent quinze triangles, plus les deux bases. De surcroît, le savant avait affiné toutes les méthodes géodésiques utilisées, vérifié les calculs de latitude faits par Méchain, et rédigé presque en totalité le texte de la *Base du système métrique*. Certes, le nom de Méchain figurait en premier sur la page de titre, mais il était clair que seul Delambre méritait le prix. Delambre méritait peut-être le prix, mais il y renonça. Il décida en effet de soustraire la *Base* à l'examen de la commission, en raison des conflits d'intérêts que cela engendrerait[55].

*

Deux ans plus tard, le système métrique lui-même allait être abandonné. Le calendrier révolutionnaire avait déjà disparu en premier, et le coup de grâce avait été porté par ceux-là mêmes qui l'avaient créé. Au lieu de souder les nations entre elles, le nouveau calendrier avait isolé la France. Au sein même de la nation, tout le monde l'ignorait. Les Parisiens avaient continué à fêter le 1er janvier, et la semaine de dix jours s'était révélée curieusement impopulaire. De son côté, Napoléon Bonaparte avait formulé une autre objection : il voulait faire légitimer son nouveau régime par l'Église catholique et celle-ci exigeait le rétablissement des dimanches et des fêtes des saints. Peu de temps après le sacre, Napoléon avait donc demandé au Sénat de réexaminer le bien-fondé de la réforme. Pierre Simon Laplace, qui avait été catapulté sénateur à vie, admit que le calendrier devait être aboli, en raison de quelques défauts de conception, avait-il dit. Le 10 nivôse de l'an XIV, à minuit, la France était donc revenue au 1er janvier 1806[56].

Les nouveaux poids et mesures issus de la révolution métrique ne durèrent pas beaucoup plus longtemps. Depuis 1801, le système métrique (amputé de ses préfixes grecs) servait de système de mesure officiel, sans avoir pour autant avoir modifié les habitudes des Français. Le gouvernement impérial avait poussé les choses encore plus loin : il avait supervisé la production annuelle de trois cent mille règles, ordonné à la police de punir ceux qui ne respecteraient pas la loi et fait imprimer des instructions complètes sur la façon de distribuer au compte-gouttes le blé, le bois, le vin, l'huile d'olive et les innombrables autres produits de base qui étaient toujours expédiés dans des conteneurs de l'Ancien Régime. Malgré cela, les anciennes unités continuaient d'être utilisées dans les tractations commerciales, sous les yeux des agents d'administration de l'Empire, impuissants devant l'ampleur du phénomène. À plusieurs reprises, ceux-ci s'étaient même trouvés contraints de couper court à des rumeurs selon lesquelles le gouvernement était sur le point d'abroger la loi sur le système métrique.

Ces rumeurs étaient pourtant fondées. En 1805, les savants français, avec à leur tête Laplace, le sénateur, et Delambre, le secrétaire perpétuel de l'Académie, avaient tenté de faire pression sur le gouvernement pour mettre fin à cette sorte de mélange des unités qui selon eux était un outrage à l'administration rationnelle de la France. Le chimiste Chaptal, ministre de l'Intérieur, aida ses confrères à repousser la date fatidique de la décision[57]. Cinq ans plus tard, lorsque le système fut l'objet de nouvelles attaques, les académiciens employèrent une tactique différente. Ils firent l'éloge des conquêtes de Napoléon, qui offraient, disaient-ils, une chance unique de faire du système métrique un langage universel. Laplace adressa une requête à l'Empereur en personne, implorant son ancien élève de garder le principe de la division décimale. Il s'abaissa même jusqu'à lui suggérer d'appeler les unités métriques « Poids et mesures napoléones », si cela pouvait faciliter les choses. Rien n'y fit[58].

Napoléon était occupé à préparer l'invasion de la Russie et il avait décidé de réduire au minimum les bouleversements économiques à l'intérieur du pays. Le 12 février 1812, la France adopta donc les « poids et mesures ordinaires[59] ». L'étalon légal de l'Empire serait toujours défini par rapport au mètre de platine des Archives, mais les poids et mesures de tous les jours seraient approximativement les mêmes que ceux du Paris de l'Ancien Régime. Par exemple, l'unité de longueur serait la « toise », qui mesurerait exactement deux mètres, et que l'on diviserait comme avant en six pieds et douze pouces. En principe, le système métrique continuerait à être enseigné dans les écoles de la nation et à être utilisé dans les travaux publics et le commerce de gros. En pratique cependant, Napoléon venait une nouvelle fois de défaire ce que la Révolution avait établi.

À présent, l'objectif à atteindre était l'uniformité impériale, purement et simplement. Napoléon trouvait trop fantaisiste l'idée révolutionnaire qu'un nouveau langage affecté aux objets du monde matériel permettrait de créer une citoyenneté autonome et égalitaire capable de calculer où était son intérêt. L'Empereur cherchait au contraire à se raccrocher à l'idée d'un gouvernement centralisé. Tous les autres éléments du système métrique furent abandonnés pour servir ce but unique. Benjamin Constant compta parmi les quelques intellectuels français assez courageux pour oser émettre des critiques :

> Les conquérants de nos jours, peuples ou princes, veulent que leur empire ne présente qu'une surface unie, sur laquelle l'œil superbe du pouvoir se promène, sans rencontrer aucune inégalité qui blesse ou borne sa vue. Le même code, les mêmes mesures, les mêmes règlements, et si l'on peut y parvenir graduellement, la même langue, voilà ce qu'on proclame la perfection de toute organisation sociale... le grand mot d'aujourd'hui, c'est l'uniformité [60].

Voilà quel enseignement avait été tiré des vingt dernières années, voilà quelle serait la future mesure du monde. Là où la monarchie absolue s'était autrefois contentée d'un semblant d'homogénéité, les dictateurs modernes aspiraient à l'uniformité *à l'intérieur* et cherchaient à niveler toute différence qui viendrait interférer avec l'allégeance du peuple à leur régime despotique. Condorcet, le défunt optimiste défenseur de la libération, avait naïvement imaginé un monde dans lequel une loi universelle, tirée de la vérité de la nature, pourrait apporter liberté et égalité sans aucune contradiction. Constant, bien vivant mais pessimiste, avait vu comment l'uniformité, soutenue par une mobilisation générale, pouvait supprimer toute différence, dans la pensée et dans les usages. Les deux hommes avaient raison, bien sûr. Leurs aspirations et leurs craintes restent les deux pôles de l'axe autour duquel le monde moderne continue de tourner, mais aucun d'eux n'a mesuré à quel point il serait difficile de parvenir à cette uniformité, pour le meilleur ou pour le pire.

Un tel objectif, aussi redoutable, dépassait même les pouvoirs de Napoléon. Dans tout l'Empire, ses « mesures ordinaires » furent rejetées, comme le système métrique l'avait été avant elles. Pour les peuples des territoires annexés, ces nouveaux poids et mesures n'étaient qu'un moyen de plus pour les amener à accepter de faire partie d'un seul bloc économique continental. À Rotterdam, où le Rhin générait un commerce important, les citoyens ne tenaient aucun compte de l'affichage des tables de conversion des mesures hollandaises en mesures françaises. Le préfet du département y déplorait « le caractère des habitants du département, les idées qu'ils [s'étaient] formées sur le système [61] ». Le ministre de l'Intérieur, en revanche, n'était pas surpris :

il ne savait que trop bien avec quelle ténacité le peuple – qu'il fût français ou hollandais – défendait sa propre façon de faire.

L'échec avive le ressentiment général. La défaite sème l'amertume parmi les alliés. De Sainte-Hélène où il était exilé, Napoléon se répandit en calomnies sur ses anciens confrères, les accusant de lui avoir imposé le système métrique, à lui mais aussi au peuple français. « Les géomètres, les algébristes... crurent qu'il n'était pas suffisant de faire le bien de quarante millions d'hommes, ils voulurent y faire participer l'univers », railla-t-il. Les savants avaient voulu renverser tous les usages, redéfinir toutes les règles, faire des Français des hommes et des femmes à leur image, et tout cela pour une malheureuse abstraction. Ils s'étaient comportés comme des conquérants « grecs ou tartares, qui, la verge levée, veulent être obéis dans toutes leurs volontés, abstraction faite de celles du vaincu [62] ».

*

Delambre accueillit la chute de l'Empire et la disparition du système métrique avec une certaine sérénité. Il s'en remettait au long cours de l'histoire. Au printemps 1814, lorsque les coalisés entrèrent dans Paris, il se trouvait à son bureau.

> Le jour même du siège, malgré la canonnade que j'entendais de mon cabinet, j'ai travaillé tranquillement depuis huit heures du matin jusqu'à minuit. J'étais bien persuadé qu'on ne pousserait pas la folie jusqu'à se défendre bien longtemps, qu'on ouvrirait les portes aux alliés qui se piqueraient de générosité. Quelques jours après, j'ai vu les troupes étrangères couvrir les quais de Paris, passer sous mes fenêtres, remplir toutes les rues et les boulevards... [L]'avenir n'offre pas une perspective bien brillante aux savants, mais ils doivent savoir se contenter de peu. Mes économies m'assureront, je l'espère, un sort indépendant ; la petite fortune de ma femme me garantit une ressource encore plus sûre. Vous savez, mes goûts sont simples, le travail occupe tout mon temps et toutes mes facultés, mon bonheur ne tenait pas à un peu plus d'aisance, j'aurai bien peu de choses à changer à mon train de vie personnel [63].

La chute de l'Empire fit perdre à Delambre plusieurs de ses fonctions, et les trois quarts de son traitement. Il n'en eut guère de regrets, bien qu'à nouveau il dût changer de lieu de résidence pour aller habiter cette fois au 10, rue du Dragon, d'où il lui était commode de se rendre à l'Institut, qui occupait maintenant l'ancien collège des Quatre-Nations. D'ailleurs, Louis XVIII l'avait réintégré dans ses fonctions de secrétaire perpétuel de la nouvelle Académie royale des sciences. Il avait également conservé sa chaire au Collège de France et sa place au Bureau des longitudes. Comme il l'avait expliqué à la nouvelle administration royale, ses confrères astronomes étant restés en dehors de la politique, ils ne devaient pas être mis à l'écart au seul motif que le régime avait changé. Leur neutralité politique (certains diraient leur docilité politique) donnait aux savants le droit de conserver leur poste [64].

Delambre concentrait désormais son attention sur le passé. Ses obligations présentes avaient déjà fait de lui un historien accompli. En un sens, il s'était préparé toute sa vie à le devenir. Il avait passé sa jeunesse enfermé, à protéger ses yeux du soleil en étudiant les lettres classiques et modernes. Tout au long de sa carrière, il s'était plongé dans les textes anciens et avait passé au peigne fin les œuvres des astronomes disparus pour pouvoir comparer leurs résultats avec les siens (vus sous cet angle, les astronomes sont tous un peu des historiens). Depuis qu'il avait été nommé secrétaire perpétuel, il avait écrit des éloges funèbres, des comptes rendus sur les travaux de ses confrères, et un rapport à l'Empereur sur le progrès des sciences au cours des vingt dernières années. Enfin, même la préparation de la *Base du système métrique* l'avait obligé à faire tout un travail de reconstitution historique [65].

Maintenant, il avait décidé de consacrer ses dernières années à l'élaboration d'une histoire complète de l'astronomie, « depuis Hipparque et Ptolémée jusqu'à aujourd'hui [66] ». Un par un, dans l'ordre chronologique, les astronomes y étaient passés au crible des connaissances actuelles, et Delambre dégageait leurs contributions authentiques des conjectures éphémères en vogue à leur époque, pour que son *Histoire de l'astronomie* tînt compte de tout. Cela représentait six volumes, une véritable machine à extraction scientifique de quatre mille pages – et c'était la première grande histoire des sciences [67].

Le fil conducteur en était l'évolution vers la précision : la recherche acharnée de l'exactitude. La méthode de Delambre était empirique : il faisait une lecture attentive des œuvres originales. Il était très sévère envers les historiens qui avaient évoqué un peuple antique dont tous les travaux astronomiques avaient prétendument été perdus. Il n'existait aucune preuve de l'existence de ce peuple. Le savant n'était pas non plus d'accord avec ceux de ses confrères qui croyaient que les Égyptiens de l'Antiquité avaient tiré leur système de poids et mesures des dimensions de la Terre. Il avait montré beaucoup d'intérêt pour l'expédition du Nil, mais il rejetait les conclusions des géodésiens français. Leurs études sur les pyramides avaient débouché sur des projections fantaisistes sur le passé, et celles-ci n'étaient absolument pas justifiables [68].

Le plus grand devoir de l'historien était d'être impartial, et cette impartialité s'appliquait d'abord à son propre pays. Ainsi, dans son chapitre sur Descartes, le plus grand des savants français, Delambre adopta une attitude très critique : « L'historien ne doit aux morts que la vérité, écrivit-il ; ce n'est pas notre faute si Descartes, *en astronomie*, n'a produit que des chimères. » Et il développa sa pensée en montrant avec quelle constance Descartes avait souvent pris de la liberté par rapport à ses propres normes de clarté et de cohérence pour ses travaux de physique. En refusant d'en tenir compte, les admirateurs du philosophe avaient « jeté une espèce de ridicule sur la nation française », ils avaient « renouvelé le souvenir de ces erreurs sur lesquelles [tous auraient] voulu jeter un voile officieux [69] ». Dans l'histoire des sciences, comme dans les sciences elles-mêmes, le progrès n'était possible que si l'on reconnaissait franchement ses erreurs.

Dans ces circonstances, la dernière tâche que Delambre fut chargé d'accomplir en tant que secrétaire perpétuel se trouva être tout à fait appropriée : il s'agissait de superviser la ré-inhumation de Descartes, et de vérifier qu'il s'agissait réellement de lui. Cent cinquante ans plus tôt, le grand philosophe était mort en Suède, où il s'était volontairement exilé. Son corps avait été exhumé peu après pour être rapatrié en France. Depuis lors, ses restes avaient été enterrés dans une église, puis exhumés à nouveau et enfin transposés dans un sarcophage de style égyptien, pour être déposés, pendant la Révolution, au musée des Monuments français (à côté des tombeaux de Saint-Denis), en attendant que les hommes politiques statuent sur son éventuelle entrée au Panthéon. Vers 1819, le Panthéon était redevenu un édifice religieux, les dépouilles de Voltaire et de Rousseau avaient été reléguées dans un endroit discret, et l'inscription « AUX GRANDS HOMMES, LA PATRIE RECONNAISSANTE » avait disparu, cachée par un échafaudage. Descartes, décida-t-on, serait bien mieux dans l'église de Saint-Germain-des-Prés. Delambre assista à l'ouverture du sarcophage et de la petite caisse intérieure sur laquelle on pouvait lire une inscription portant son nom, la date de sa naissance et celle de sa mort. Dedans, il n'y avait pas grand-chose à voir, seulement « l'os de la cuisse ». Le reste était « fort peu remarquable ou tout à fait réduit en poudre [70] ».

On imagine donc aisément l'horreur générale lorsque, deux années plus tard, la Suède fit à la France un précieux cadeau : le crâne de Descartes, son plus grand génie. S'agissait-il d'une terrible erreur ? L'homme enterré à Saint-Germain-des-Prés était-il un imposteur ? Il y avait là encore un mystère à résoudre. Le secrétaire perpétuel était alors âgé de soixante-douze ans et sa santé commençait à décliner. Il rassembla néanmoins toutes les pièces et les résultats des expertises médicales et examina la question avec la même rigueur qu'il avait autrefois montrée pour la science et l'histoire. Et il finit par conclure que le crâne donné en cadeau n'était pas le vrai, lequel était probablement tombé en poussière. En l'absence de preuves matérielles, on ne pouvait se fier qu'à sa capacité de déduction. Et cela devait faire l'affaire [71].

Cette année-là, Delambre prépara soigneusement sa fin à lui. Il ne savait que trop bien ce dont les historiens étaient capables. Il détruisit la plus grande partie de ses papiers personnels. Il mit également de côté sa correspondance avec les savants étrangers, pour permettre à son épouse, après sa mort, de prévenir leurs auteurs qu'ils pouvaient les réclamer ou les faire détruire, afin d'empêcher les confidences échangées de tomber entre des mains indélicates. Il composa aussi une petite autobiographie manuscrite qui servit plus tard de document de base pour la biographie écrite par son élève et dépositaire de son œuvre scientifique, Claude Louis Mathieu, et qui, il le savait, servirait aussi pour toutes les biographies ultérieures [72].

Tout cela faisait partie d'une stratégie bien préparée. Delambre savait pertinemment qu'un jour il ferait l'objet de recherches historiques ; et il fit tout ce qui était en son pouvoir, dans les limites de l'honnêteté, pour donner à ces recherches la forme qu'il souhaitait. Ainsi disposa-t-il les indices relatifs à la véritable histoire du système métrique dans des endroits évidents, annonçant à tous que les registres de l'opération de la méridienne se trouvaient aux archives de l'Observatoire. Il ne détruisit pas les lettres de Méchain, mais il les cacheta et les déposa aux archives, permettant ainsi aux futurs historiens de révéler un secret que lui-même ne pouvait pas divulguer de son vivant.

Jean-Baptiste Joseph Delambre s'éteignit à son domicile de la rue du Dragon le 19 août 1822, à dix heures du soir. Le secrétaire perpétuel de l'Académie fut enterré au cimetière du Père-Lachaise, pour que vive un nouveau perpétuel. Le premier éloge historique de Jean-Baptiste Joseph Fourier fut un hommage à son prédécesseur. Il ne s'agissait pas d'un éloge fait par un savant de l'Ancien Régime, mais plutôt d'un discours prononcé par un scientifique moderne résolu à glorifier la science. Fourier encensa l'opération de la méridienne avec moult exclamations, sans lésiner sur les superlatifs. Il affirma qu'elle était, de mémoire d'homme, la plus grande application des sciences – et pourtant il n'utilisa ce jour-là que les anciennes unités, comme le voulait la loi dans la France de la Restauration [73].

*

Ce sont aussi les morts qui font l'histoire, autant que les vivants. Leurs obsessions trônent sur nos consciences tels des fétiches sur le dessus de nos cheminées. La science n'en veut rien savoir. Elle aime à se voir comme la seule activité humaine dépourvue de toute idolâtrie. Pour elle, le passé s'efface à chaque fois que de nouvelles connaissances viennent balayer le dessus de la cheminée ; mais les erreurs du passé peuvent, autant que ses vérités, orienter le présent dans une nouvelle direction.

À l'heure de sa mort, Delambre n'avait pas encore publié le sixième et dernier volume de son *Histoire de l'astronomie*. Il avait averti ses amis que son *Histoire de l'astronomie au XVIIIᵉ siècle* dirait « toute la vérité ». S'ils trouvaient certaines de ses opinions un peu sévères, il leur faudrait se souvenir que l'histoire et les éloges historiques sont deux choses différentes. Il avait écrit ce livre pour « décharger sa conscience [74] », disait-il. Peut-être était-ce pour cette raison qu'il avait brossé uniquement le portrait d'astronomes défunts et retardé la publication de l'ouvrage jusqu'à sa mort. Cinq ans plus tard, son élève, Mathieu, s'occupa de faire imprimer l'ensemble.

Pierre François André Méchain était l'un des derniers astronomes à y être passés en revue. Ce chapitre-là n'avait rien à voir avec un éloge historique. Delambre avait beaucoup appris sur son collaborateur depuis l'oraison funèbre qu'il avait prononcée dix-sept ans auparavant. Aussi commençait-il par le début : il n'avait jamais été prouvé que Méchain avait fait ses débuts dans l'astronomie en vendant sa lunette astronomique à Lalande pour payer les dettes de son père. L'astronome n'avait jamais été un grand novateur en sciences et avait emprunté à Delambre toutes ses formules pour les calculs de la méridienne. Delambre évitait de mentionner la date exacte du départ de Méchain et se contentait d'affirmer qu'à cause des délais nécessaires à la fabrication des instruments, ils n'avaient pu « partir et entreprendre [leurs] opérations que le 25 juin 1792 », ce qui ne voulait pas dire que *Méchain avait quitté Paris* le 25 juin. Delambre réattribuait également à chacun sa part de mérite dans cette prestigieuse mission : Tranchot, notamment, obtenait la pleine et entière reconnaissance de son travail (l'ingénieur géographe était mort en 1815 en triangulant Montlhéry, la station par laquelle Delambre avait commencé, trente ans auparavant). Le savant revenait également sur l'anomalie de Barcelone : la « funeste résolution », prise alors par Méchain, de ne pas parler des trois secondes d'écart entre les deux latitudes avait fait un mystère de ce que tout autre astronome aurait carrément avoué. Delambre ajoutait encore d'autres révélations : Thérèse Méchain avait été obligée d'intervenir pour obtenir de l'astronome qu'il terminât sa mission ; Méchain avait refusé de rentrer à Paris, jusqu'à ce qu'on lui eût promis la direction de l'Observatoire ; il avait soustrait certains de ses résultats à l'examen des membres de la Commission internationale et s'était obstiné à vouloir repartir en Espagne ; son secret était resté entier jusqu'au retour de tous ses papiers à Paris.

Pourtant, malgré tout cela, Delambre tenait toujours Méchain pour un homme « estimable à tous les égards » et ses lecteurs pouvaient avoir toute confiance dans les résultats de l'opération de la méridienne, que les deux astronomes avaient conjointement mesurée [75].

> Personne, plus que moi, ne peut se flatter d'avoir bien connu Méchain comme astronome. Pendant dix ans, j'ai entretenu avec lui une correspondance très active ; j'ai eu longtemps tous ses manuscrits entre les mains ; j'en ai fait une longue étude ; j'en ai refait tous les calculs qui pouvaient intéresser notre commune opération. J'ai pu m'assurer par ces moyens que Méchain, ami par-dessus tout de l'exactitude, mais en même temps très soigneux de sa réputation, s'était malheureusement persuadé que le cercle répétiteur devait assurer à ses observations un accord et une précision réellement impossibles. Des observations qui présentaient des discordances inévitables, mais qu'il n'avait pas encore rencontrées dans d'autres circonstances, au lieu de le désabuser, ne le portèrent qu'à se défier de son adresse... Cette opinion injuste qu'il prit de lui-même, il craignit de la voir répandre ; il craignit de survivre à sa réputation... Mais il n'en fut pas moins, et n'en sera pas moins un astronome à jamais recommandable [76].

Delambre avait laissé un autre manuscrit. Dans *Grandeur et figure de la Terre*, il recensait toute l'histoire de la géodésie jusqu'à son époque. Il y ajoutait certains résultats que Méchain avait supprimés, afin de « nous dispenser, disait-il, de dévoiler des infidélités dont on nous avait en quelque sorte rendu le complice ». Toutefois, s'il les consignait dans cet ouvrage, c'était aussi pour « la consolation des observateurs qui pourront être un jour chargés d'opérations semblables » et qui pourraient y trouver de quoi se « désabuser de l'idée d'une chimérique perfection que jamais encore les hommes n'ont pu atteindre, et que probablement ils n'atteindront jamais [77] ». De telles révélations furent considérées comme impolitiques par Mathieu, qui se battait alors pour la reprise du système métrique. Il fallut attendre jusqu'en 1912 pour que l'ouvrage fût publié. C'est à cette époque que les archives de l'observatoire de Paris autorisèrent l'ouverture de la correspondance entre Delambre et Méchain, qui resta dormir jusqu'à la fin du XXᵉ siècle, sans avoir été lue [78].

RÉSEAU EUROPÉEN

12

La métrisation du globe

> Je croyais Bonaparte incapable de nuire mais je crai-
> gnais beaucoup le squire
> De combattre le Français je n'avais guère le désir,
> Sur leurs baïonnettes pourtant j'ai cogné, parce qu'ils
> étaient parés
> Pour redresser la tortueuse chaussée tracée par un ivrogne
> anglais[1]...
> G.K. Chesterton, *The Rolling English Road*

L'origine des mesures remonte vraisemblablement à l'aube de l'histoire de l'humanité. Enfin, presque. D'après Flavius Josèphe, historien des *Antiquités judaïques*, l'origine des poids et mesures remonterait à Caïn. Outre qu'il tua son propre frère, le fils maudit d'Adam fut aussi le tout premier géomètre et le tout premier urbaniste. Puis, pour compléter la longue liste de ses péchés, « il détruisit l'insouciance où vivaient précédemment les hommes, par l'invention des mesures et des poids[2] ».

La création des poids et mesures est consécutive à la chute de l'homme : elle est le produit de son invention pour un monde exclu de l'Éden où règnent la pénurie et la méfiance et où le labeur et les échanges sont le lot commun. Créations de la société, les poids et mesures en sont aussi les créateurs. Ils sont l'aboutissement de nombreuses années de négociations sur la manière adéquate de conduire les échanges et réaffirment, par la continuité de leur utilisation, les liens sociaux qui nous unissent. De ce fait, ils définissent ce que nous appelons une transaction honnête.

Amenée par la Révolution française et abrogée sous le premier Empire, la réforme du système métrique a suivi son cours tout au

long des deux siècles passés, pour être adoptée à nouveau par la
France, et étendue à toutes les autres nations de la terre, à l'exception des États-Unis, du Myanmar (ex Birmanie), et du Liberia. En
1821, John Quincy Adams fut consulté au sujet d'une éventuelle
adoption du système métrique par les États-Unis. Adams avait
étudié attentivement la *Base* de Delambre, et il avait beaucoup
d'admiration pour l'opération de la méridienne. Il déclara que la
Commission internationale de 1799 avait fait date dans l'histoire de
l'homme, en ouvrant la voie à un avenir où, dit-il, « le mètre fera
le tour du globe, dans l'usage qu'on en aura et même bien au-delà
de cet usage, dans ses multiples applications ; et il n'existera plus
alors, du pôle à l'équateur, qu'un seul langage des poids et
mesures [3] ». La prédiction d'Adams s'est vérifiée. Le système
métrique, rejeté dans son pays d'origine, est devenu mesure universelle – hormis pour l'Amérique, justement. Comment en est-on
arrivé là ?

Les partisans du système métrique avaient affirmé qu'inévitablement celui-ci triompherait, et cette aura d'inévitabilité avait toujours
été leur argument le plus convaincant. Si tout le monde adoptait le
mètre, alors pourquoi ne pas faire comme tout le monde ? Reste à
savoir comment les adeptes du système métrique sont parvenus à
convaincre le monde de ce caractère inéluctable. Jusqu'en 1950, le
public des conférences du palais de la Découverte, à Paris, entendait
dire régulièrement que les mesures anglo-saxonnes étaient en passe
de « s'implanter » en France [4]. Comment donc le monde a-t-il pu être
convaincu que le système métrique allait triompher ?

Apparemment, la diffusion du système métrique s'est faite dans
le sillage des crises politiques, du moins pour ce qui est de son adoption légale. En France, il fut institué pour la première fois pendant
la Révolution ; dans l'ouest de l'Europe, c'est le premier Empire qui
l'imposa ; ensuite, les nations nouvellement unies de l'Europe du
XIXe siècle l'adoptèrent en signe de souveraineté et l'infligèrent à
leurs colonies par le biais de leurs gouverneurs. Parallèlement, sa
véritable mise en œuvre « sur le terrain » a suivi une évolution beaucoup plus progressive, au même rythme que le progrès social dans
les domaines de l'éducation, de la transformation de l'industrie, du
commerce, des transports, de la bureaucratie et des intérêts professionnels. Dès le début, Adams avait prévu qu'il en serait ainsi. Le
changement d'étalons, avait-il prévu, constituait « l'un des exercices les plus ardus de l'autorité législative ». La rédaction d'un
texte de loi était chose facile, « mais les difficultés liées à sa mise en
application étaient toujours immenses, et s'avéraient souvent

insurmontables[5] ». Or, la mise en œuvre progressive du système dépendait elle-même essentiellement de la volonté politique. Seuls des États souverains possédaient l'autorité nécessaire pour assurer la bonne coordination d'un changement aussi radical dans la vie des citoyens. Sans cette coordination, la conversion perdait presque tout son intérêt. Lorsque Adams écrivit à Jefferson pour lui demander son point de vue sur la question, l'ancien président, qui depuis longtemps avait perdu tout espoir d'une réforme, mit le doigt sur un problème essentiel : « En ce qui concerne les poids et mesures, répondit-il, vous allez tout de suite vous trouver confronté au même dilemme que Solon et Lycurgue, qui ont apporté chacun une réponse différente : faut-il imposer aux citoyens le moule de la loi ou adapter la loi aux citoyens[6] ? »

Toutefois, si la volonté politique est aussi importante pour l'établissement de nouveaux étalons que le niveau de préparation économique ou technique de la nation qui les adopte, le fait de parvenir à un accord dépend autant des mythes que de la science, et plus précisément des mythes relatifs à la science. Que Méchain eût obtenu des résultats contradictoires pour la latitude de Barcelone n'était un secret pour aucun des astronomes du XIXe siècle, et tout scientifique qui se penchait sur une table des constantes physiques voyait bien que le mètre des Archives faisait un tout petit peu moins que le dix millionième de la distance du pôle à l'équateur. En fait, les deux problèmes n'étaient que partiellement liés. Le mètre était imparfait parce que l'hypothèse de base était elle-même imparfaite : la portion d'arc de méridien que Delambre et Méchain avaient mesurée entre 1792 et 1799 n'était pas représentative de la forme générale de la Terre. Conformément aux prédictions de Lalande, le progrès scientifique avait faussé la mesure du mètre. Pourtant, malgré cela, la mission épique des deux astronomes avait été une réussite, non pas parce qu'elle avait donné des résultats exacts, mais parce qu'elle fut épique justement.

En définitive, le rétablissement du système métrique dans la France du XIXe siècle dépendait autant du culte voué à la science que de l'avènement annoncé de la raison, autant aussi de la grandeur du passé que des charmes du futur. Mais le passé et le futur ne pouvaient guère se fondre dans le présent avant que la Révolution française – et avec elle la révolution métrique – eût pris une place honorable dans l'histoire de France. La Révolution de 1830, avec la chute des Bourbons et l'avènement de la monarchie bourgeoise de Louis-Philippe, a rendu ce présent possible. En 1837, le gouvernement rétablit le système métrique, à la fois pour moderniser la France et

pour montrer au peuple que le nouveau régime était le digne successeur de la première grande Révolution. Les deux hommes qui contribuèrent le plus à l'adoption du projet de loi répondirent tous deux
à des motivations complexes. L'un était Charles Émile Laplace, le
fils du grand physicien, qui avait hérité les titres de son père et sié-
geait à la Chambre des pairs. L'autre était Claude Louis Mathieu,
dépositaire de l'œuvre scientifique de Delambre et maintenant
représentant à la Chambre des députés. Leur argument était simple :
le système métrique devait faire de la France, dans les années à
venir, une nation moderne et prospère, et il pouvait être mis en
œuvre immédiatement grâce aux glorieuses réalisations du passé.

L'histoire de la mission de Delambre et de Méchain joua un rôle
déterminant dans cette campagne. Dans le chaos social de l'époque,
ils avaient su conserver un sens de l'exactitude qui était l'exemple
même de ce que la première grande Révolution avait eu de noble.
Les situations inconfortables et cocasses dans lesquelles ils s'étaient
parfois trouvés – avec tous ces gens ignorants et bornés qui les
avaient accusés d'espionnage et de sorcellerie, par exemple – donnaient à penser que l'impopularité du système métrique était fondée
sur un malentendu similaire. Par-dessus tout enfin, l'opération de la
méridienne restait une réalisation monumentale, un véritable morceau choisi de l'héritage révolutionnaire de la France, qui devait
être préservé. En ce sens, la méridienne était un succès politique, à
défaut d'être une réussite scientifique. Finalement, il s'avéra que la
principale qualité de cette expédition résidait dans sa complexité,
qui ne permettait pas de la recommencer aussi facilement qu'on eût
pu recommencer l'opération fondée sur le pendule simple. Ainsi
par son caractère grandiose, par la difficulté qu'elle représentait et
par l'importance de son coût, l'opération de la méridienne avait
établi la longueur du mètre de manière définitive. Le projet de
mesure du méridien qui, dans les années 1790, avait mis à mal la
coopération internationale, en s'aliénant le concours de Thomas
Jefferson et des savants anglais, rendait maintenant le mètre imper-
méable à tout changement. L'expédition des deux astronomes français avait mis le mètre à l'écart des fluctuations du progrès scientifique et en avait fait une réalité de platine, enfermée à clé aux
Archives nationales [7].

La loi de 1837, votée à une majorité écrasante, rendit le système
métrique obligatoire dans toute la France et dans ses colonies à
partir du 1er janvier 1840. La France avait choisi de forcer les
citoyens à accepter le moule de la loi. Lorsque le grand physicien
Gay-Lussac, député à la Chambre, demanda à autoriser également

les unités divisibles par huit, pour simplifier la tâche de ceux qui devaient couper leurs produits en moitiés ou en quarts, un député anonyme lui cria en réponse : « Au contraire, nous voulons changer l'usage qui est mauvais[8]. » Pour certains, la victoire finale du système métrique sonnait le glas de l'Ancien Régime, à la fois sur le lieu de travail et dans les antichambres du pouvoir.

> Bravant la routine et sa haine,
> Dans sa valeur puisant son droit,
> La mesure républicaine
> A détrôné le pied de roi[9].

Toutefois, ce que l'un traite de routine est pour un autre un gagne-pain. Pendant que les députés délibéraient à Paris, une émeute éclata à Clamecy, petite ville de Bourgogne située sur les bords du nouveau canal reliant la Loire à la Seine. Des dockers détruisirent les étalons des mesures décimales et le gouvernement dut faire charger la cavalerie. L'émeute « des boisseaux » n'avait pas tant été déclenchée par la mise en service des nouvelles mesures que par la crainte que ce changement d'unités se fît au détriment des dockers, et n'ouvrît la ville à une concurrence qui eût été désastreuse[10]. Vers 1840, commença à circuler une nouvelle complainte :

> De quoi qu'nous sert c'te loi nouvelle ?
> À c't'heur'nous n' pourrons p'us jamais
> Demander un'liv'de chandelle,
> Pas même un quart'ron de beurr' frais.
> Faudra qu'dans l'épic'rie
> On mett'de vrais sorciers,
> Ou que l'Académie
> Fourniss'des épiciers.

> *Refrain* :
> Ce n'est pas d'nos faiseurs de loi
> L'système
> Décimal que j'aime.
> Viv'les mesur'd'autrefois !
> Au diabl'les nouveaux poids[11].

Cinquante ans plus tard, un prêtre de Corrèze – la région que Delambre avait traversée lors de l'opération de la méridienne – se plaignait toujours que l'usage du système métrique fût encore inconnu dans sa paroisse. En 1900, dans le secteur de la ville natale de Delambre, de nombreux drapiers avaient encore recours aux anciennes mesures. Dans les années 1920, le sud de la France était encore loti suivant des unités qui variaient d'un département à l'autre, selon la qualité du terrain [12].

Pourtant, à cette époque-là, les anciennes mesures étaient à l'agonie. Au fil des décennies qui avaient jalonné le XIXᵉ siècle, la connaissance du système métrique s'était répandue grâce aux écoles, aux villes et aux lignes de chemin de fer. Immigrés et provinciaux envoyaient leurs enfants dans les écoles de l'État pour y recevoir l'instruction publique, et les petites bourgades devenaient le lieu d'un vaste marché de campagne où les fermiers des environs présentaient leurs produits en se conformant aux mesures métriques. La France rurale abandonnait peu à peu ses petits marchés de village pour entrer dans une économie de marché. La Première Guerre mondiale marqua un tournant décisif, pour les questions métriques comme dans bien d'autres domaines. Les jeunes cessèrent de parler patois pour ne plus utiliser désormais que le français. Au cours des décennies qui suivirent, l'électricité arriva jusque dans les campagnes, en même temps que les subventions agricoles. Il fallut presque deux siècles à la France pour opérer une conversion totale, mais aujourd'hui, l'usage du système métrique y est devenu aussi naturel que l'était autrefois celui des anciennes mesures. Dans la foulée, la mentalité du peuple français, elle aussi, a changé.

Les Français sont maintenant tous « éclairés ». Ils considèrent le système métrique comme seul système possible pour leurs poids et mesures, et c'est à peine s'ils se souviennent qu'à une époque il y en eut un autre. Dans les bourgs, les épiciers vendent toujours les haricots à la *livre*, mais ce n'est plus une unité de mesure locale et variable, c'est désormais l'appellation officielle de la moitié du kilo (même si, encore aujourd'hui, les touristes seraient bien avisés de veiller à ce qu'un doigt ne vienne pas subrepticement peser sur la balance). Actuellement, les Français sont plus riches que ne l'étaient leurs ancêtres. Ils sont mieux instruits et savent mieux compter. Ils sont plus calculateurs aussi. Les jeunes gens quittent les campagnes. Les distinctions locales disparaissent progressivement. Un jour, ce sera comme s'ils n'avaient rien connu d'autre que le système métrique.

*

La France ne fut pas le premier pays à se convertir aux nouvelles mesures. À l'époque où fut rétabli le système métrique, vers 1840, cela faisait déjà vingt ans que les Pays-Bas, la Belgique et le Luxembourg l'avaient rendu obligatoire. Cela s'était fait dans la mouvance du premier Empire et de sa chute. La diversité des mesures aux Pays-Bas avait longtemps irrité les administrateurs du royaume. Après l'annexion des territoires hollandais par la France, le système métrique et la révolte populiste avaient gagné le pays. La chute de l'empire menaça ensuite de plonger celui-ci dans le chaos métrique le plus total. Si le peuple hollandais avait eu du mal à accepter la domination française, la monarchie restaurée voyait clairement les avantages de la centralisation de son administration, particulièrement pour un territoire difficile à contrôler et qui prospérait grâce à ses activités commerciales. Vers 1820, Guillaume d'Orange rendit obligatoire l'usage du système métrique décimal dans tous les Pays-Bas. Et quand la Belgique se sépara de la Hollande en 1830, non seulement elle conserva le nouveau système, mais elle en profita même pour revenir à la nomenclature d'origine [13].

Ainsi, tout en devenant un instrument d'unification politique à l'échelle nationale, le système métrique facilitait une forme de commerce international qui – à long terme en tout cas – allait dissoudre l'idée de souveraineté nationale. L'exemple de l'Italie en est une parfaite illustration [14]. L'occupation française avait obligé la péninsule à faire des regroupements géopolitiques plus importants, soumis à l'usage du système métrique, grâce aux étalons que les savants italiens avaient rapportés de la Conférence internationale. La retraite française avait ensuite interrompu le cours d'une réforme qui ne rencontrait guère de succès auprès du peuple italien. Néanmoins, après que les Français eurent réhabilité le système métrique, au XIXe siècle, le Piémont et la Sardaigne s'empressèrent de rendre celui-ci obligatoire dès 1850. Au cours de la décennie suivante, d'autres États italiens suivirent le mouvement. L'adoption d'un système métrique commun fut le premier pas vers la création d'une nation italienne qui se forgea ainsi, étape par étape, entre 1851 et 1870, et qui, en 1863, décréta que les unités métriques seraient désormais les seuls étalons nationaux.

L'exemple de l'Espagne montre comment le système métrique dépassa le cadre de l'unification des nations pour s'étendre à leurs colonies et plus tard aux États indépendants que celles-ci étaient devenues. L'Espagne avait été l'un des premiers pays à être invités à adopter le nouveau système. Après tout, l'arc de méridien avait eu un pied en Catalogne. Le gouvernement avait décliné l'invitation.

La loi espagnole de 1849, qui avait fixé 1852 comme date limite pour l'application du système métrique, avait été modifiée une demi-douzaine de fois. En 1852, le Portugal adopta la même attitude et décida d'étaler la réforme sur dix ans. Entre-temps, le système fut adopté officiellement dans tous les États nouvellement indépendants de l'Amérique latine, notamment au Chili (1848), en Colombie (1853), en Équateur (1856), à Mexico (1857), au Brésil (1862), au Pérou (1862 également) et en Argentine (1863). Certes, chacun des décrets portant sur l'adoption du système métrique dut être réitéré plusieurs fois, et pendant de nombreuses années la population locale conserva l'usage des anciennes mesures, mais tous ces actes officiels lui conféraient un caractère inéluctable, et cette inéluctabilité constitua toujours son principal atout.

Jusqu'alors, la promulgation des diverses lois sur le système métrique avait toujours eu lieu dans le sillage des révolutions et des guerres. À chaque fois, l'impulsion était donnée par un nouveau régime qui cherchait à légitimer son gouvernement. Or, l'adoption du système métrique par le peuple suivit un parcours très différent : elle fut le corollaire à la fois des progrès réalisés dans le domaine de l'éducation, des transports et des échanges commerciaux, et du développement d'une économie monétaire. Vers le milieu du XIXe siècle, on vit apparaître ceux qui cherchaient à coordonner une conversion à l'échelle planétaire.

*

C'était l'époque du développement du commerce international et de la rivalité entre les grandes puissances. Des accords bilatéraux régulaient le commerce entre les États, même lorsqu'ils étaient divisés par leurs alliances respectives. Les groupes professionnels cherchaient à dépasser les frontières, malgré les poussées du nationalisme. Une convention postale internationale signée à Paris en 1863 avait exprimé en grammes le poids des colis postaux à destination de l'étranger. Le globe terrestre était divisé en fuseaux horaires et les continents reliés entre eux par des câbles télégraphiques sous-marins. Les statisticiens organisaient des congrès internationaux – à Bruxelles (1853), Paris (1855), Londres (1860), Berlin (1863), Florence (1867) et La Haye (1869) – pour tenter de convaincre leurs gouvernements respectifs d'adopter le système métrique français [15].

Les vertus des étalons internationaux furent présentées pour la première fois au public à Londres, lors de la grande Exposition universelle de Crystal Palace en 1851. Le jury s'était plaint de ne pas pouvoir décerner les récompenses de façon équitable, en raison de l'immense variété des poids et mesures différents utilisés par les participants. Certains de ses membres avaient fini par conclure que la meilleure solution était d'avoir recours à l'une des pièces exposées, une collection complète de poids, mesures et instruments de pesage présentée par le Conservatoire national des arts et métiers de Paris. Plus tard, lors de l'Exposition universelle de Paris, en 1867, les visiteurs eurent le loisir de se promener dans un pavillon de verre et de fer et d'y admirer la diversité des poids et mesures utilisés dans le monde entier, avec en point d'orgue les étalons prototypes du mètre et du kilogramme. À leur disposition se trouvait un guide de l'exposition, dont la lecture les amenait à la seule conclusion qui s'imposait [16].

Soudainement, le rêve utopique paraissait être à portée de main. Dans les années 1860, l'Angleterre, les États-Unis et les États germaniques semblaient tout prêts à rejoindre le mouvement. En 1863, la Chambre des communes vota, à cent dix voix contre quinze, l'adoption d'une loi qui rendait obligatoire l'usage du système métrique dans tout l'Empire britannique. La session parlementaire prit fin avant le vote de la Chambre des lords, mais un nouveau vote fut programmé pour l'année suivante. En 1866, le Congrès des États-Unis admit légalement l'usage du système métrique, sans toutefois le rendre obligatoire. Les partisans du système espéraient obtenir une conversion totale lors de la session suivante. Enfin, en 1868, le Zollverein allemand – l'union douanière, réalisée sous l'égide de la Prusse, qui contribua à forger l'unité allemande – accepta d'ordonner la mise en application définitive du système à partir du 1er janvier 1872 [17].

Pour la France, c'était là une opportunité majeure – avec des risques en proportion. Tout impatients qu'ils étaient de voir les grandes puissances économiques de la planète adopter leur système métrique, les Français n'en craignaient pas moins de voir ces nations leur imposer des conditions telles que les étalons originaux en perdraient leur valeur. Ils avaient mis tant de passion dans leurs débats pour que l'unité fondamentale fût tirée de la nature, qu'ils avaient peur d'être pris au piège de leur propre discours.

L'épreuve décisive fut donnée par l'Allemagne, nouvelle et dangereuse rivale de la France. Le système métrique intéressait les États allemands pour les mêmes raisons que les Italiens. Il en était exactement comme les savants français l'avaient imaginé : le système métrique était acceptable par tous parce qu'il n'avantageait personne. La Prusse voulait unifier les États allemands tout en les gardant sous sa tutelle. L'État prussien était une grande puissance militaire et administrative, certes, mais il tenait à obtenir le plein accord des riches États industrialisés de l'ouest de l'Allemagne pour réaliser l'unification. En 1861, lorsque l'Autriche, sa rivale, entra en pourparlers avec eux au sujet de l'adoption de poids et mesures communs, les Prussiens refusèrent de participer aux discussions. Puis en 1867 la Prusse triompha de l'Autriche et fut en mesure de se comporter avec plus de magnanimité. Elle accepta de ne pas imposer son propre système de mesures et, à la place, elle proposa d'adopter le système métrique, dont les étalons étaient naturels, neutres et avalisés par la science.

Pouvait-on réellement affirmer que le système métrique était neutre ? N'était-il pas plutôt français ? Et puis, était-il naturel ou historique ? Avait-il été entériné par la science ou par la loi ? Était-il calculé à partir de la mesure de la Terre, ou n'était-ce qu'une règle de platine altérée conservée aux Archives nationales de Paris ?

Toutes ces questions furent soulevées lors du premier congrès géodésique international de Berlin. Les géodésiens présents connaissaient mieux que personne tous les points faibles du mètre. Depuis la publication du troisième volume de la *Base* en 1810, les scientifiques qui avaient pris la relève de Delambre avaient parfait leur connaissance de la figure de la Terre. Chacune des décennies écoulées avait contribué à élargir le fossé entre le mètre des Archives et ce que l'on savait des dimensions de la Terre [18].

En outre, au cours du demi-siècle écoulé, chaque pays européen avait triangulé son propre territoire, dressant la carte du terrain par rapport à l'ellipsoïde de référence qui donnait la meilleure représentation de la courbure de la Terre en cet endroit. C'était comme si chaque pays avait sa propre planète, avec une excentricité qui lui était singulière. Certains d'entre eux – la Prusse en premier – étaient impatients de faire correspondre parfaitement leurs cartes avec celles de leurs voisins. Or, pour ce faire, il fallait disposer d'un étalon commun et avoir mis au point des procédures uniformes. Les Allemands proposèrent d'utiliser la méthode gaussienne des moindres carrés, qui permettrait l'alignement optimal des triangles de chaque nation. En 1861, le général prussien Johann Jakob Baeyer, qui commandait depuis longtemps la cartographie militaire prussienne, avait obtenu l'autorisation de constituer une Association géodésique internationale à Berlin. « Par sa nature, avait-il affirmé à cette occasion, une telle entreprise ne peut être l'œuvre d'un seul État ; mais ce qu'un seul ne pourrait réaliser, plusieurs peuvent y parvenir… Si dans ce but, l'Europe centrale s'unit et participe avec ses forces et ses moyens à cette tâche, une œuvre extrêmement importante et grandiose peut être appelée à voir le jour [19]. »

L'exaltation et le ton solennel de cette harangue rappelaient vivement les appels à l'unité européenne lancés par la France révolutionnaire soixante-dix ans auparavant. Les géodésiens étaient fermement décidés à aligner leurs mesures, afin de vivre, pour ainsi dire, sur la même planète. Leur association devint la première association scientifique internationale [20].

Mais lorsque les Allemands invitèrent le reste du continent européen à rejoindre l'association, la réaction des Français fut très mitigée. Certains voyaient là une occasion de donner un nouveau souffle à la géodésie française, qui persistait à utiliser les vieilles méthodes de Delambre et de Méchain. D'autres regardaient cette initiative comme une manœuvre visant à intégrer les triangles français à une grille de triangulation paneuropéenne, pour remettre en cause le seul véritable étalon, celui des Archives, issu des travaux de Delambre et de Méchain, dont on ne pouvait revoir les résultats qu'« avec réserve et intelligence [21] ». Le gouvernement français refusa d'envoyer des représentants à Berlin. Les relations entre les deux grandes puissances du continent se détérioraient rapidement, et les Français ne voulaient pas voir leur mètre attaqué sur la place publique. Lorsque l'astronome Philippe de Pontécoulant eut l'impudence de proposer à l'Académie de refaire la mesure de la Terre – en réussissant, cette fois –, ses confrères le firent taire aussitôt. La longueur de l'unité de mesure avait été fixée par convention et elle ne devait pas changer, ou alors ce n'était plus un étalon [22].

Les géodésiens étrangers l'avaient bien compris. À Berlin, le général Baeyer et les autres géodésiens de toute l'Europe s'accordèrent sur le fait que le mètre devait rester la mesure étalon, non parce qu'il était tiré de la nature, mais parce qu'il résultait d'une convention. Si l'origine naturelle du mètre était une invention, alors c'était une invention utile. « En effet, disaient-ils, le mètre doit une grande partie de son prestige à l'idée flatteuse pour l'orgueil humain, de pouvoir rapporter les mesures dont l'homme fait journellement usage aux dimensions du globe qu'il habite [23]. » Ils insistèrent néanmoins sur le fait que la longueur du mètre des Archives n'était pas exacte et qu'il serait par conséquent nécessaire de confectionner un nouveau mètre prototype pour le remplacer.

Au cours des soixante-dix années passées, les nations qui avaient adopté le système métrique s'étaient vu contraintes de s'adresser à la France pour calibrer leurs poids et mesures. Cette servitude dotait la France d'un pouvoir de contrôle qui était inconvenant, et le mètre des Archives avait lui-même pâti de ces comparaisons continuelles. En 1837, un savant bavarois avait remarqué que les extrémités de l'étalon prototype étaient rayées, et en 1864 un examen au microscope révéla que sa surface était piquetée. En outre, les chimistes avaient découvert que le platine, que l'on considérait jusqu'alors comme un métal « pur », ne l'était pas en réalité, et que des métaux de la même famille (comme l'iridium, par exemple) entraient dans sa composition et rendaient irrégulière la dilatation de la règle par rapport aux variations de température. En résumé, on avait tout lieu de craindre que la longueur du mètre étalon ne fût plus la même qu'en 1799, et à l'avenir elle serait certainement encore différente. De tout cela, il ressortait que rien n'était plus éphémère que la science avant-gardiste d'autrefois. Les géodésiens de 1867 convinrent que la longueur du nouveau mètre devait différer « aussi peu que possible » que celle du mètre des Archives. En revanche, ils souhaitaient créer une commission permanente et internationale chargée de la confection du nouveau prototype, afin qu'aucune nation ne pût revendiquer de droit sur l'étalon primitif [24].

Cette exigence plaça les Français devant une terrible interrogation : la précision des Allemands allait-elle supplanter celle des Français, comme l'Allemagne était en passe de supplanter la France ? On eût dit que la nation tout entière avait emboîté le pas à Méchain, faisant de son erreur une erreur collective et de sa paranoïa un trait général. Certains savants français, du Bureau des longitudes notamment, y virent une chance de donner à l'étalon métrique une base plus solide, mais le ministre du Commerce rejeta toutes les initiatives visant à le remplacer [25]. À l'Observatoire et à l'Académie, tout le monde était d'accord : le mètre des Archives était dans un état très satisfaisant, et aux yeux de tous il restait le seul étalon-prototype possible. Ils allèrent jusqu'à nier que leurs aïeux de la Révolution eussent voulu un mètre tiré de la nature, ou encore que tous les méridiens fissent la même longueur, ou que la longueur du méridien de Paris pût être mesurée de manière définitive. Ainsi, ils renièrent le principe fondamental du système métrique à trois reprises. Toutefois, ils finirent par conclure qu'il valait mieux inviter leurs collègues étrangers à Paris plutôt que de les voir établir un système concurrent.

Ainsi, soixante-dix ans après que Napoléon Ier eut lancé la première conférence scientifique internationale, Napoléon III, son neveu, décidait d'inviter les savants étrangers à Paris pour une seconde rencontre autour du mètre. Cette fois, les savants vinrent du monde entier, des États-Unis, de l'Angleterre et de l'Allemagne notamment. « Aujourd'hui, avait affirmé le ministre des Affaires étrangères, comme à l'époque déjà éloignée des travaux de la grande Commission des poids et mesures, la participation sur un pied d'égalité complète des savants français et étrangers paraît être le plus sûr moyen de conserver au système métrique son caractère d'universalité, et d'obtenir les types véritablement internationaux, parfaitement conformes à ceux des Archives de l'Empire, susceptibles de servir dans chaque pays à tous les travaux scientifiques, en même temps que de préparer l'adoption générale du système [26]. »

En juillet 1870, deux semaines avant le début des travaux de la Commission internationale du mètre, la guerre franco-prussienne éclata. Les délégués allemands restèrent chez eux, mais le 8 août eut lieu à Paris la première réunion d'un Comité préparatoire, avec les savants délégués de quinze autres nations, dont les États-Unis et l'Angleterre. Au même moment, l'armée française se repliait sur Metz. Étant donné les circonstances, il sembla plus judicieux à tous de ne prendre aucune décision définitive avant que la totalité des délégués fût présente. Puis les Français posèrent la question qui hantait leurs cauchemars scientifiques : leurs invités voulaient-ils réellement créer le nouvel étalon en reprenant la mesure de la surface de la Terre ? Adolphe Hirsch, le délégué suisse, né en Allemagne et coorganisateur de la première réunion de l'association géodésique internationale de Berlin, attendit quelques jours avant de rassurer ses collègues français : « Aucun savant sérieux de notre époque », affirma-t-il, ne saurait envisager un mètre tiré d'une nouvelle mesure de la Terre. Le nouveau prototype serait donc la reproduction exacte du mètre des Archives [27].

La Prusse gagna la guerre. Avec l'abdication de Napoléon III s'acheva le second Empire. Le royaume de Prusse devint l'Empire allemand, et la France, saignée à blanc, redevint une république. Les Français perdirent l'Alsace et la Lorraine, mais ils regagnèrent la démocratie. En 1872, la nouvelle République française invita les savants étrangers à reprendre les travaux de la Commission internationale du mètre. L'Empire allemand envoya plusieurs représentants. Wilhelm Foerster, le délégué principal, était un homme affable et un fervent défenseur de l'harmonie métrique internationale. Pendant près d'un mois, des scientifiques venus d'une trentaine de pays européens et du continent américain discutèrent de la forme et de la composition du mètre de remplacement, ainsi que de la manière de le distribuer à tous. L'atmosphère était très collégiale.

31. LA FABRICATION DU NOUVEAU MÈTRE

Dans l'atelier du Conservatoire national des arts et métiers, des scientifiques se lancent dans la construction du nouveau mètre étalon. Ce prototype définitif ne sera pas terminé avant la fin des années 1880 (extrait de l'*Illustration* [16 mai 1874], p. 316 ; ph. Roman Stansberry).

Tous convinrent que la nouvelle règle devait être autant que possible conforme à l'ancienne, jusque dans ses impuretés : le prototype devait être en alliage de platine à dix pour cent d'iridium. Ils résolurent aussi de construire autant de mètres étalons qu'il y avait de nations représentées, et alors seulement, ils choisiraient celui qui servirait d'étalon primitif : à l'égal des autres, mais supérieur aux autres. Enfin, pour superviser l'ensemble de ces opérations, ils proposèrent de créer un Bureau international des poids et mesures, à titre permanent[28].

La « Convention du mètre », signée en 1875, supervise la réalisation de tous les prototypes internationaux, y compris pour l'électricité, la température, etc. S'ils montrèrent quelques réticences par rapport à la création d'un Bureau international des poids et mesures permanent, les représentants français n'en proposèrent pas moins de fixer celui-ci à Paris, plutôt que de se le laisser ravir par Berlin. Ils proposèrent de l'installer à Sèvres, dans le pavillon de Breteuil, qui avait été presque entièrement détruit lors du récent siège de Paris par les Prussiens et qui fut reconstruit aux frais de la communauté internationale [29].

Il allait falloir encore quinze années de controverses scientifiques – et une querelle à propos de l'alliage de platine iridié, qui faillit se terminer par une nouvelle rupture entre la France et l'Allemagne – pour confectionner les nouveaux étalons suivant les spécifications définies par le Bureau [30]. Dans l'intervalle, presque toutes les nations européennes avaient ordonné l'introduction progressive du système métrique. Lorsque les nouveaux étalons furent terminés, en 1889, le vieux mètre des Archives, qui avait été fabriqué en fonction des résultats de la méridienne de Delambre et de Méchain, perdit son statut de mesure universelle et tomba, comme la toise du Châtelet avant lui, dans les oubliettes de l'histoire. Ce ne fut plus qu'un morceau de métal précieux parmi d'autres, dont la valeur se montait à celle du cours du platine augmentée de celle que la mémoire de l'homme voudrait bien lui accorder. Inutile de dire, néanmoins, que le gouvernement français ne le fit pas fondre ; il le conserva, comme avant, aux Archives nationales, objet ancien parmi tant d'autres, à regarder comme un témoin du passé.

Delambre et Méchain – c'était devenu un mythe maintenant – étaient deux héros partis mesurer la Terre pour en tirer la longueur du mètre, la dix millionième partie du quart de méridien. Leur erreur était oubliée, même si sa matérialisation était toujours là, précieusement conservée. Il avait été décidé de la conserver une première fois en 1889, lorsque la nouvelle règle de platine iridié avait remplacé l'ancien mètre des Archives. On la conserva encore en 1960, lorsque le Bureau international donna une nouvelle définition du mètre par rapport à la longueur d'onde, dans le vide, de la radiation correspondant à une transition spécifique de l'atome de krypton 86, et aussi en 1983, lorsque fut à nouveau défini le mètre comme la distance parcourue dans le vide par la lumière pendant 1/299 792 458 secondes (le temps, unité fondamentale, étant désormais lui-même défini par une horloge atomique). Ainsi la nouvelle mécanique quantique, connue pour son principe d'incertitude, a-t-elle pu une fois encore permettre au Bureau d'avoir un étalon fondé sur la nature, dont les spécifications peuvent atteindre une précision extrême, mais jamais définitive. Chacune de ces nouvelles définitions, y compris la plus récente, a cependant été fixée de manière à préserver la longueur du mètre de 1799, établi par Delambre et Méchain.

La vérité appartient à tous et à personne. Elle fait partie du domaine public et elle est éphémère, autrement il ne s'agirait pas de cette sorte de vérité que l'on nomme vérité scientifique. En revanche, l'erreur est définitive, parce que s'étant produite une fois, elle existe, comme une famille malheureuse, à sa façon à elle. Delambre et Méchain ont construit leur vie autour du mètre : ils ont parcouru le méridien, choisi les stations qu'ils allaient utiliser (sans exclure celles qui faisaient partie de leur sphère privée, comme le château de Bruyères et l'observatoire de la rue de Paradis), ils ont regardé à travers leurs oculaires et ont eu les doigts tachés d'encre à force de calculer les azimuts des étoiles et de la Terre. Le mètre est leur épitaphe, parce que les erreurs que font les gens leur appartiennent en propre. Pourtant, en acceptant leur définition du mètre, nous nous sommes appropriés leur erreur : nous l'avons rendue publique, singulière et vraie. Cette erreur-là fut réellement pour tous les hommes, pour tous les temps.

*

Vers le milieu du XXᵉ siècle, la plupart des pays du monde, à l'exception du Commonwealth et des États-Unis, s'étaient ralliés au système métrique. À chaque fois, l'élément déclencheur avait été une crise politique. Peu après être devenue une république en 1912, la Chine avait annoncé qu'elle passerait au système métrique au cours de la décennie suivante. Or, la loi fut seulement mise en application après la révolution de 1949. La Russie tsariste avait adopté le système métrique à la fin du XIXᵉ siècle, mais ce fut l'Union soviétique qui, en 1922, en rendit l'usage obligatoire. Malgré l'existence d'une législation antérieure, le Japon et la Corée ne se convertirent sérieusement au système métrique qu'après la Seconde Guerre mondiale. En Asie et en Afrique, son entrée en vigueur se fit dans le sillage de la colonisation, puis plus tard dans celui de la décolonisation ; dans les deux cas, l'uniformité des mesures plaisait à ceux qui voulaient légitimer leur domination territoriale et créer une administration nationale, même s'ils ouvraient leurs territoires aux marchés extra-nationaux. C'est ainsi que Jawaharlal Nehru engagea l'Inde dans l'aventure métrique peu après le départ des Britanniques en 1947. À mesure que le système métrique se propageait, il se créait une logique irrésistible qui incitait à rejoindre le réseau métrologique international prédominant [31].

La Grande-Bretagne fut la première grande puissance économique à adopter le système métrique sans être préalablement passée par une crise politique radicale. Cela explique sans doute pourquoi elle fut aussi la dernière à le mettre en œuvre. L'administration britannique de l'époque victorienne s'était concentrée sur l'unification des poids et mesures de l'empire, ce qui en soi était une tâche décourageante. Vers le milieu du XIXe siècle, la diversité locale et les mesures anthropométriques avaient en grande partie disparu, aussi n'y avait-il plus guère de motifs pour inciter Londres à passer du « standard yard » traditionnel à l'étalon « naturel » de Paris[32]. Un groupe de pression antimétrique insistait sur les coûts élevés, la confusion et le mécontentement général que la conversion risquait d'entraîner, et par-dessus tout il accusait d'élitisme les partisans de la réforme, les comparant avec eux-mêmes, qui se présentaient comme des personnes à l'esprit pratique – de bons politiques, en somme, surtout quand ils pouvaient se targuer d'être antifrançais de surcroît. Le grand astronome John Fredrik Herschel exhuma l'erreur cachée de Méchain et l'exposa sur la place publique en accusant le savant français d'avoir été « fourbe et dissimulateur[33] » dans l'histoire des latitudes de Barcelone. Si l'Angleterre tenait vraiment à utiliser un système de mesure tiré de la nature, il lui fallait prendre, disait-il, la longueur de l'axe de la Terre d'un pôle à l'autre. Comme il se trouvait que cette distance était égale à cinq cents millions cinq cent mille pouces, elle fournissait une base tout à fait naturelle pour le pouce impérial. Ainsi, avec un soupçon d'ingéniosité toute britannique, l'ensemble du système actuel pouvait être mis au goût du jour, sans entraîner aucun changement. L'ingénieur William Rankine, quant à lui, écrivit une petite rengaine dans laquelle il attaquait les partisans du système métrique :

> Une équipe d'astronomes s'en alla mesurer la Terre,
> Et un tour de quarante millions de mètres lui trouvèrent ;
> Cinq cents millions de pouces, pourtant, séparent les deux pôles ;
> Alors gardons nos pouces, nos pieds et nos yards, et notre bonne vieille règle[34].

Il fallut attendre 1965 pour que le gouvernement britannique annonçât, à la veille de sa décision sur l'entrée de la Grande-Bretagne dans le Marché commun, qu'il se donnait dix ans pour passer au système métrique. Plus de trente ans ont passé et le processus « d'harmonisation » dure encore, tout comme les protestations. Le 1er janvier 2000 vit l'aube d'une ère nouvelle pour la Grande-Bretagne : les commerçants étaient obligés de vendre désormais leurs produits au kilo ou au mètre. Quelques mois plus tard, Steve Thoburn, épicier à Sunderland dans le nord-est de l'Angleterre, se vit confisquer ses balances pour avoir vendu ses bananes à la livre.

Les tabloïdes anglais sautèrent sur l'occasion pour en faire des gorges chaudes. C'est cette forme de résistance locale qui s'est développée partout en concomitance avec l'introduction du système métrique. Certes, la conversion des Britanniques au système métrique ne nécessite qu'une simple opération de translation d'un ensemble de mesures impersonnelles à un autre, mais même ce léger bouleversement peut être perçu comme une atteinte à la souveraineté nationale. Et en un sens, l'adhésion des Britanniques au système, si longtemps repoussée, résulte effectivement de la perte de leur souveraineté – avec la fin du Commonwealth et l'entrée de la Grande-Bretagne dans la Communauté européenne.

Une fois que les Britanniques se furent engagés à passer au système métrique, les pays du Commonwealth suivirent. En 1970, le Canada annonça qu'il n'attendrait pas son voisin du sud avec qui il entretenait d'importantes relations commerciales. Le gouvernement envisageait une transformation spontanée, amenée grâce à une campagne éducative ponctuée de films d'animations comme *Dix, le chiffre magique*. Il y eut bien quelques protestations devant la prolifération de biens de consommation exprimés en unités métriques (à commencer par le dentifrice), mais globalement les Canadiens furent plutôt étonnés de la bonne volonté, toute « penaude », qu'ils mettaient à accepter le mètre – au point qu'ils en sont venus à tirer une certaine fierté nationale d'avoir adhéré au système alors que l'Amérique ne l'a toujours pas fait [35].

*

Aux États-Unis, le système métrique suscite des controverses depuis peu de temps après la ratification de la Constitution américaine. La section huit de l'article premier accordait au Congrès le pouvoir de « fixer l'étalon des poids et mesures ». Qui aurait alors pensé qu'un sujet aussi banal et quantitatif, en quelque sorte, allait déchaîner autant de passions ? Les industriels et les scientifiques, les mystiques et tous ceux qui militaient pour le mouvement « nativiste », les grincheux et les enthousiastes, les enseignants et les politiques, tous se sont battus autour de la question de la mesure du monde. Jusqu'à présent, les partisans du système métrique sont restés perdants.

Fait paradoxal, c'est précisément la modernité de l'Amérique, son indépendance à l'égard des institutions « féodales », ses origines coloniales et, à partir de là, le caractère *relatif* de l'uniformité des mesures américaines, qui expliquent son incapacité à passer à un système métrique ultramoderne. En tant que grande puissance économique homogène, les États-Unis jouissent déjà de la plupart des avantages liés à l'utilisation d'étalons communs, en matière de coordination notamment, et cela même amoindrit leur motivation à rejoindre le reste du monde métrique. Et malgré les bénéfices économiques que le fait d'adhérer au système rapporterait à long terme, le gouvernement américain reste notoirement redevable aux grands groupes industriels et aux populistes, qui préfèrent le court terme. Les Américains sont les seuls au monde à croire encore que l'on peut se permettre de rester en dehors du système métrique, alors que celui-ci fait partie intégrante de l'économie mondiale [36].

Les États-Unis n'ont d'ailleurs défini leur étalon national qu'en 1830. Ferdinand Rudolf Hassler, un géodésien suisse arrivé en Amérique en 1805 avec l'un des étalons définitifs de la Commission internationale, devint alors le premier directeur du National Bureau of Standards. Il confirma la décision du Bureau de rester fidèle aux mesures anglo-saxonnes. En 1863, un mois seulement après sa création, la National Academy of Sciences commença à faire pression pour obtenir le passage au système métrique. Pourtant, le Congrès se contenta de légaliser le système et de laisser les Américains libres d'adopter ou non les nouvelles mesures – cette approche est toujours d'actualité. Pour reprendre les termes de Jefferson, l'Amérique a préféré faire rentrer la loi dans le moule des citoyens plutôt que l'inverse – au moins lorsque ses intérêts commerciaux sont en jeu [37].

En Amérique comme partout ailleurs, la perspective d'un passage au système métrique avait induit une forte réaction de la part des « nativistes ». L'humoriste Josh Billings s'était moqué de la Convention internationale du mètre, signe annonciateur, selon lui, d'une uniformisation universelle : « Jamais, avait-il écrit, n'a-t-on vu autant d'UNITÉS iMpÉriales, royales, TsaRIQUES, s'UNir de façon aussi UNanime autour d'une cause si UNIformément définie, pour trouver UNe solution si UNIversellement louable [38]. » D'autres considéraient le système métrique comme une abomination. Charles Latimer était un fervent chrétien, brillant ingénieur des chemins de fer et passionné de pyramidologie, qui croyait que le « *sacred inch* » des anglo-saxons était en réalité le « pouce pyramidal » (dont certains supposaient qu'il avait été utilisé comme mesure fondamentale pour la construction de la grande pyramide de Gizeh), et qu'il avait traversé les millénaires pour arriver jusqu'aux États-Unis. Latimer avait aussi un mépris viscéral pour les athées, les Français et le système métrique. Il aurait même préféré une statue de la Liberté mesurée « en pouces anglo-saxons rapportés aux dimensions de la Terre et non en millimètres français [39] ». Sans doute, les arguments avancés contre le système métrique par les industriels et les ingénieurs américains ont-ils contribué à influencer le Congrès dans le mauvais sens, à long terme, mais Latimer était toutefois crédible lorsqu'il se targuait d'avoir empêché l'adoption de la loi sur le système métrique entre 1870 et 1880.

La plus récente campagne américaine en faveur du système métrique commença dans les années 1970, lorsqu'il apparut clairement que les États-Unis seraient le dernier grand pays à lui faire obstacle. En 1971, le National Bureau of Standards publia un rapport intitulé A Metric America : A Decision Whose Time Has Come *, sans même avoir la courtoisie d'ajouter un point d'interrogation. Du fait qu'elle permettrait une meilleure rentabilité et le développement du commerce international, pouvait-on lire, la conversion au système métrique valait bien tout ce qu'elle coûterait, à court terme, aux consommateurs, aux industriels et aux agences gouvernementales. Les multinationales voulaient procéder à l'assemblage de produits constitués de pièces fabriquées dans tous les coins de la planète. Certaines industries, comme l'industrie automobile et celle des boissons alcoolisées notamment, avaient déjà adopté le système métrique. Mais lorsqu'en 1975 le Congrès vota la (Metric Conversion Act), il négligea certains points liés à son application, aux moyens financiers à mettre en œuvre et aux échéances de conversion. Comme le Président Gérald Ford l'annonça dans une allocution mémorable, lors de la cérémonie de signature de la nouvelle loi : pour ce qui est du système métrique, la politique officielle était à « cent lieues de rejoindre l'industrie américaine [40] ».

Les choses n'ont pas changé. Les tentatives du gouvernement pour convertir les inscriptions des panneaux de signalisation des autoroutes en kilomètres ont seulement réussi à agacer la population. Les éditoriaux des journaux raillent les partisans du système métrique, en les traitant de petits dictateurs ou, pire encore, de raseurs. Bob Greene, chroniqueur du Chicago Tribune, a fondé le WAM (We Ain't Metric) **, dont les grands principes sont à la fois simples et éloquents : « Nous sommes contre le système métrique, car nous n'aimons pas cela. Nous ne nous y mettrons pas parce que nous n'en avons pas envie [41]. » Le Metric Board, qui avait été établi pour définir et mettre en œuvre un vaste programme de coordination

---

* L'Amérique métrique : l'heure est venue de se décider [N.d.T.].
** « Nous ne sommes pas dans le système métrique » [N.d.T.].

32. MARCEL DUCHAMP, *TROIS STOPPAGES ÉTALONS*

Sur le tard, l'artiste franco-américain Marcel Duchamp a dit de ces trois stoppages étalons qu'il s'agissait d'une œuvre satirique. Fruit d'une recherche sur la relation entre les étalons universels et la créativité individuelle, l'œuvre inaugura une forme d'art fondée sur l'utilisation d'objets trouvés. En 1913-1914, Duchamp « laissa tomber » un fil à coudre d'un mètre de long à partir d'une hauteur d'un mètre, sur une latte de bois. Il en fixa la forme incurvée avec du vernis et répéta « l'expérience » trois fois. À chaque fois, il découpa dans le bois un gabarit épousant la courbe du « stoppage ». Plus tard, il disposa les gabarits les uns au-dessus des autres et ajouta des règles plates, horizontalement et verticalement, avec l'étiquette « 1 mètre » pour tout commentaire. L'ensemble ne fut terminé qu'en 1953, pour une exposition au musée d'Art moderne de New York. Entre-temps, Duchamp s'était servi des lattes incurvées comme étalons pour concevoir toute une série d'œuvres d'art. Selon l'artiste, c'était la première fois qu'il tentait « d'utiliser le hasard comme technique ». Néanmoins, en y regardant de plus près, on s'aperçoit qu'il n'a pas du tout laissé tomber les fils au hasard ; au contraire, il les a soigneusement disposés sur les lattes de bois. On peut interpréter cette œuvre fascinante de nombreuses façons. Elle bouleverse l'idéal que l'on a de l'exactitude des mesures tout en montrant le rôle joué par les étalons universels dans la création d'œuvres d'art parmi les plus personnelles et les plus singulières qui soient. On peut aussi y voir le « stoppage » de la guillotine (musée d'Art moderne de New York, New York ; © 2002 Artists Rights Society [ARS], New York/ADAGP, Paris/Propriété Marcel Duchamp ; ph. Art Resource).

et d'éducation publique, fut dissous par l'administration Reagan. En
1992, le National Bureau of Standards publia une suite à son premier rapport. Intitulée *A Metric America : A Decision Whose Time
Has Come – For Real*, elle laissait transparaître un certain découra-
gement. Les sondages Gallup estimaient que si la prise de conscience du bien-fondé du système métrique avait doublé entre 1971
et 1991 (passant de 38 à 80 %), le nombre d'Américains en faveur
de son adoption avait chuté de moitié (de 50 à 26 %). Condorcet en
aurait pleuré [42].

Les panneaux de signalisation en kilomètres ont fait long feu et
l'on sert à nouveau le carburant au gallon ; mais tout doucement,
l'Amérique continue de se diriger vers le système métrique. Les
pièces détachées de ses voitures sont dimensionnées en unités
métriques. Ses bicyclettes aussi. Il ne suffit plus que les exportateurs
américains indiquent sur leurs produits les unités anglo-saxonnes
avec leur équivalent en unités métriques, issues d'une conversion
arithmétique qui donne leur valeur réelle, désormais les grands
groupes internationaux exigent que l'on utilise les unités métriques
pour la fabrication des produits.

Curieusement, plus les Américains seront nombreux à utiliser le
système métrique, plus la nation américaine risquera de perdre cette
uniformité des poids et mesures qui lui a permis de rester si longtemps
à l'écart d'un système apparemment superflu. L'exemple le plus dramatique et le plus spectaculaire en est le crash de Mars Climate
Orbiter en 1999. Le temps est-il venu pour l'Amérique de rejoindre
enfin et d'une manière unanime le monde métrique [43] ?

Il ne fait aucun doute que l'économie mondiale fonctionnerait de
manière beaucoup plus efficace si nous parlions tous le même langage, et pourtant le monde en serait plus pauvre, parce qu'il y perdrait de sa diversité. Les étrangers se plaignent souvent – et les
Français avec beaucoup de véhémence – de l'actuelle offensive
américaine de mondialisation capitaliste, au motif que celle-ci
nivelle toutes les différences qui donnent son sel à la vie. Dans ce
cas précis, c'est l'Amérique qui est différente. Tout au long de cet
ouvrage, il est ressorti que les mesures sont le fruit de conventions
sociales, l'aboutissement d'un processus politique. De nombreux
Américains utilisent d'ores et déjà le système métrique dans des
domaines où l'économie opère à l'échelle mondiale, de nombreux
ingénieurs aussi (mais pas tous), ainsi que des physiciens, des scientifiques et autres techniciens. Ces gens-là sont déjà « métriquement
bilingues », ce qui en soi est une bonne chose. Mais les Américains
ne font pas beaucoup d'efforts au quotidien pour abandonner leurs

mesures traditionnelles. Tôt ou tard, viendra le temps pour eux d'abandonner les anciennes unités, non parce que le reste du monde sera passé au système métrique, mais parce que l'Amérique y sera venue.

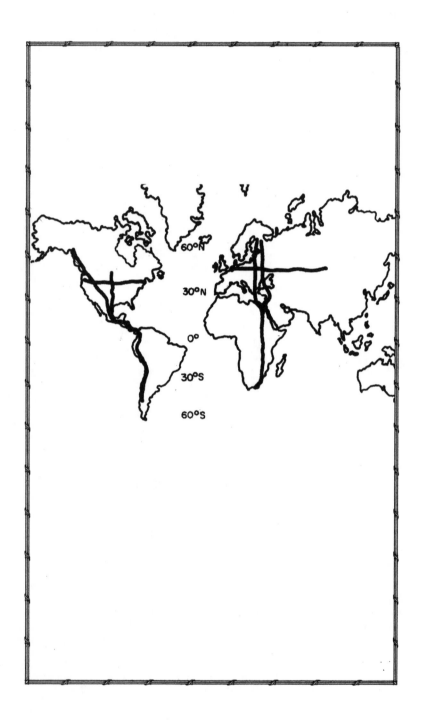

Épilogue

La forme du monde

– Que tu es sot ! Naturellement je n'ai pas besoin de te voir, si c'est ça que tu veux dire. Tu sais, tu n'as rien de particulièrement réjouissant pour les yeux. J'ai besoin que tu existes et que tu ne changes pas. Tu es comme ce mètre de platine qu'on conserve quelque part à Paris ou aux environs. Je ne pense pas que personne ait jamais eu envie de le voir.

– C'est ce qui te trompe.

– Enfin, peu importe, moi pas. Eh bien je suis contente de savoir qu'il existe, qu'il mesure exactement la dix millionième partie du méridien terrestre. J'y pense chaque fois qu'on prend des mesures dans un appartement ou qu'on me vend de l'étoffe au mètre.

– Ah oui ? dis-je froidement.

– Mais tu sais, je pourrais très bien ne penser à toi que comme une vertu abstraite, une espèce de limite. Tu peux me remercier de me rappeler à chaque fois ta figure…

Annie me sourit tout à coup avec une tendresse si visible que les larmes me montent aux yeux.

– J'ai pensé à toi beaucoup plus souvent qu'au mètre de platine. Il n'y a pas de jour où je n'aie pensé à toi. Et je me rappelais jusqu'au moindre détail de ta personne[1].

J.-P. SARTRE, *La Nausée*

La base de Melun, que Delambre avait mesurée au début du printemps 1798, est aujourd'hui cette partie de la nationale 6 qui rejoint l'autoroute A5, au nord-est de Melun, à une cinquantaine de kilomètres de Paris. En 1882, une équipe de géodésiens est retournée à Melun. Ils ont vérifié les pyramides en maçonnerie que Delambre avait fait construire à chacune des extrémités, et les ont transformées en monuments commémorant son travail. Ils se sont toutefois abstenus de refaire la mesure de la base, de crainte, semble-t-il, de remettre en cause l'exactitude du mètre des Archives. Ils ont préféré en calculer la longueur de manière indirecte, par triangulation, et le résultat obtenu fut, à un centimètre près, le même que celui de Delambre. Un écart d'un centimètre sur une distance de dix kilomètres représente un taux d'erreur de 0,0001 pour cent. Quels que soient les progrès réalisés depuis, il est toujours aussi légitime de s'émerveiller du degré de précision atteint par les deux astronomes. Et de mesurer la portée de ce qu'ils nous ont enseigné, par leurs efforts et leurs inadvertances, sur l'erreur humaine.

On dit souvent que la science moderne a privé la nature de son « enchantement » en lui ôtant ses démons et ses divinités et en la rendant mécaniste, incapable de donner à l'homme des leçons de morale et, par-dessus tout, explicable. Mais ayant rompu l'enchantement de la nature en faisant d'elle une entité totalement compréhensible et vide de sens, la science ne pouvait que s'en priver elle aussi. En poussant la mesure jusqu'au dernier degré de précision, les savants découvrirent que l'erreur était inévitable, et qu'en essayant de la corriger ils retourneraient contre eux-mêmes la machine de l'analyse impersonnelle dont ils se servaient depuis longtemps pour étudier la nature. De ce fait, les vocations d'antan auxquelles venaient s'ajouter les vertus personnelles de chacun allaient disparaître pour céder la place à des carrières professionnelles, et l'erreur serait gérée suivant une nouvelle éthique qui viendrait garantir l'exactitude des résultats. Bien sûr, les êtres humains, profanes et spécialistes, trouveront toujours dans la nature matière à des leçons de morale. Et la personnalité des scientifiques compte toujours beaucoup : leur réputation reste leur bien le plus précieux. Mais maintenant, ils évaluent leurs résultats réciproques d'une manière froide et objective. L'erreur est devenue un problème que l'on traite au moyen d'un processus social.

Les monuments commémoratifs de Melun ont disparu, détruits lors d'un accident de la circulation. La campagne française a été transformée par un monde dont l'émergence a été favorisée par le système métrique. La nationale 6 n'a pas dévié d'un pouce de la belle ligne droite tracée par les ingénieurs du roi, traversant d'un seul trait quelques épisodes de l'histoire de France. Après avoir quitté le centre médiéval de Melun, elle prend le nom d'avenue du Général-Patton et passe devant un hôpital et une école catholique en briques rouges du XIXᵉ siècle, avant de filer tout droit, parallèlement à une avenue bordée de bistrots miteux et de stations-service. Ensuite, elle traverse le rond-point de l'Europe, tout engazonné et décoré des drapeaux de tous les pays membres de la Communauté européenne. Le matin où je quittai la ville à bicyclette, la caravane du cirque Zavatta s'y était arrêtée, et trois éléphants d'Inde broutaient sur le bord du rond-point. Au delà, la route nationale traverse le paradis du consommateur du début du IIIe millénaire et passe devant un concessionnaire de BMW aux lignes pures, devant un gigantesque Conforama et toute une série d'autres grandes enseignes de magasins de meubles, de carrelage pour salles de bains, etc. En France, on retrouve le même décor à la périphérie d'une centaine de villes de province. Les médias parisiens se plaignent de la « mondialisation » et les touristes s'extasient devant les étals de légumes des marchés, mais les Français comptent parmi les plus fervents adeptes des grandes surfaces.

Plus loin, le décor change complètement. Passé les grandes enseignes, ce sont de grandes étendues de champs où ondule le colza, que le soleil rend encore plus jaune. Bientôt, ils viendront lécher les bords de la route ombragée par une double rangée de platanes, peut-être bien les mêmes que ceux que Delambre a fait élaguer pour avoir une vue plus dégagée. En rase campagne se dresse une vieille auberge, « À l'attaque du Courrier de Lyon », en souvenir de la célèbre affaire de l'attaque de la malle-poste qui eut lieu tout près de là, en 1796, deux ans avant que Delambre commence ses mesures.

Puis le décor change à nouveau, et la N6 dévie brièvement (sa seule déviation, d'ailleurs) pour passer au-dessus de l'autoroute A5 en longeant les voies du TGV Paris-Lyon. Une zone industrielle se trouve à cet endroit à partir duquel l'air liquide et d'autres produits de haute technologie sont expédiés de par le monde. Passé la Francilienne, la nationale redevient une voie pavée, plus étroite, pour traverser le vieux village de Lieusaint où Delambre arrêta sa base. Lieusaint est aujourd'hui une petite ville des environs de Paris, à une heure de la capitale, en RER. Dans le centre se trouvent une petite église, une boutique de pizzas à emporter et un petit épicier arabe. La population de la ville est en grande partie constituée d'immigrés venus d'Afrique du Nord. Lorsque je suis passé, des enfants jouaient au football sur un terrain vague derrière un mur de briques. Ils m'ont posé des questions sur ma bicyclette et m'ont raconté leur vie à Lieusaint, « le saint lieu ». C'est pauvre, ici, m'ont-ils dit en souriant.

En deux siècles, la France a changé. Les produits français sont expédiés dans le monde entier, et le monde entier vient en France. Le monde a revêtu l'uniforme du langage métrique, et pourtant la France est toujours divisée par des langues et des cultures différentes, comme le reste du monde.

Les créateurs du système métrique croyaient que les êtres humains étaient façonnés, d'abord et avant tout, par leur expérience du monde.

Ils voulaient que les citoyens fussent capables de voir où se trouvait leur intérêt économique, faute de quoi ils ne seraient jamais vraiment libres. Il fallait, croyaient-ils, donner aux gens les outils nécessaires pour traiter le monde matériel d'une façon rationnelle et cohérente, et alors, avec le temps, eux-mêmes deviendraient rationnels et cohérents. Ils voulaient que le système métrique fût à l'origine d'une nouvelle forme de citoyenneté, comme d'aucuns espèrent de nos jours que l'usage de l'internet enseignera de nouvelles vertus politiques aux citoyens de l'ère de l'information. Leur objectif était de faire de la productivité la mesure visible du progrès économique, et du prix la variable par excellence de tous les échanges commerciaux. Sur de nombreux points, leur vision de l'avenir s'est vérifiée. L'euro, monnaie commune européenne depuis 2002, est l'héritier direct du système métrique. Il semblerait que de nos jours le prix ait fini par devenir la mesure de toutes choses.

Toutefois, même les marchés mondiaux qui fixent les cours actuels sont des créations sociales, gouvernées par des institutions humaines et des désirs humains. Et comme les travaux de Delambre et de Méchain l'attestent amplement, même les poids et mesures impersonnels d'aujourd'hui sont le produit de l'ingéniosité de l'homme, des passions humaines et des choix faits par certaines personnes, à certaines époques et en certains lieux. En fin de compte, il n'est aucune façon d'échapper à la sentence de Protagoras, vieille de deux mille cinq cents ans : « L'homme est la mesure de toutes choses. »

Notes

(Pour la liste des abréviations utilisées dans les notes, voir p. 448-450.)

Notes du prologue

1. Lévitique, 19, 35-36.

2. Arthur Young, *Travels during the Years 1787, 1788 and 1789* (Dublin, Gross, 1793), vol. 2, p. 43-44. Pour la diversité des noms des poids et mesures, voir *Aux citoyens rédacteurs de la Feuille du Cultivateur* (Imprimerie de la République, III [1795], Paris, ATPM,), p. 11. Pour la diversité des unités de poids et mesures, voir Ronald Zupko, *French Weights et Measures Before the Revolution : A Dictionary of Provincial and Local Units* (Bloomington, Indiana University Press, 1978), p. 113.

3. KM, Delambre, *Base du système métrique,* vol. 1, page de titre.

4. Pour la comparaison avec la presse typographique et la locomotive à vapeur, voir John Quincy Adams (Secrétaire d'État des États-Unis), « Weights *and* Measures », Sénat américain, 22 février 1821 ; 16e Congrès, 2e Session, Walter Lowrie et Walter S. Franklin éds, *American State Papers : Documents* (Washington, *Gales and Seaton,* 1834), n° 503, vol. 2, p. 656-750 ; voir aussi p. 688.

5. Napoléon, *Mémoires pour servir à l'histoire de France sous Napoléon, écrits à Sainte-Hélène*, écrits par Gaspard Gourgaud et Charles Tristan Montholon (Londres, Bossange, 1823-1824), vol. 4, p. 211.

6. Delambre, *Rapport historique sur les progrès des sciences mathématiques depuis 1789* (Paris, Imprimerie impériale, 1810), p. 68. Delambre, *Base du système métrique décimal, ou Mesure de l'arc du méridien compris entre les parallèles de Dunkerque et Barcelone, exécutée en 1792 et années suivantes, par MM. Méchain et Delambre* (Paris, Baudouin, vol. parus en 1806, 1807 et 1810) ; cité ci-après : Delambre, *Base.* Pour les précédentes histoires du système métrique, voir la bibliographie.

7. AOP E2-9. Commentaire final de Delambre dans le registre de Méchain.

8. Delambre, AOP E2-19, note marginale, lettre de Méchain à Delambre, 7 brumaire an VII [28 octobre 1798].

9. KM, Delambre, *Base*, vol. 1, page de titre.

Chapitre premier

1. Stendhal, *La Chartreuse de Parme* (Paris, Garnier, 1962), p. 31.

2. AML, Conseil municipal, « Délibérations », 21 août 1792. Voir aussi Georges Darney, *Histoire de Lagny* (Paris, Office d'Édition et de Diffusion du Livre d'Histoire, 1994, p. 179). Pour la conversation de Jean Alexandre avec un gendarme près de Lagny, le 4 septembre 1792, voir Pierre Caron, *Les Massacres de septembre* (Paris, Maison du Livre français, 1935, p. 160-161).

3. Pétion, maire de Paris, archives municipales de Lagny, août 1792, Darney, *Lagny*, p. 178.

4. Pour la garde nationale de Lagny, voir AML, Conseil municipal, « Délibérations », août-septembre 1792. Et aussi Darney, *Lagny*, p. 180. Sur Petit-Jean, voir la lettre de Delambre à Mme d'Assy [août 1792], dans Guillaume Bigourdan, *Le Système métrique des poids et mesures* (Paris, Gauthier-Villars, 1901), p. 118-119 ; et aussi la lettre de Petit-Jean à Delambre, reçue le 12 août 1792, dans AOP E2-6, Delambre, « Registre », p. 12.

5. Pour le passeport de Delambre, voir municipalité de Bruyères-Libre, « Certificat », 17 prairial III [5 juin 1795], dans Bigourdan, *Système métrique*, p. 134.

6. Sur Bellet, voir AAS Lavoisier 1967, Lavoisier, « État des ouvriers et coopérateurs… », [1792-1793].

7. Lettre de Delambre à Mme d'Assy, 5 septembre 1792, dans Bigourdan, *Système métrique*, p. 119-122.

8. AAS Fonds Lavoisier Nouvelle Acquisition, p. 30, Lavoisier à Delambre, 28 août 1792.

9. Lettre de Delambre à Mame d'Assy, 5 septembre 1792, dans Bigourdan, *Système métrique*, p. 119-122.

10. *Ibid.*

11. Propos tenus par le Maire, Aublan, Conseil municipal du 16 août 1792, dans Darney, *Lagny*, p. 176.

12. Lettre de Delambre à Mme d'Assy, 5 septembre 1792, dans Bigourdan, *Système métrique*, p. 119-122. En italique dans l'original. Voir AML, Conseil municipal, « Délibérations », 4 septembre 1792.

13. Lettre de Delambre à Mme d'Assy, 5 septembre 1792, dans Bigourdan, *Système métrique*, p. 119-122.

14. AOP E2-6, Delambre, « Registre », 4 septembre 1792, p. 49.

15. Lettre de Delambre à Mme d'Assy, 5 septembre 1792, dans Bigourdan, *Système métrique*, p. 119-122.

16. AML, Conseil municipal, « Délibérations », 4 septembre 1792.

17. Lettre de Delambre à Mme d'Assy, 5 septembre 1792, dans Bigourdan, *Système métrique*, p. 119-122.

18. Pour l'autobiographie de Delambre, voir BI, cote MS2042, p. 408-414, Delambre, « Delambre par lui-même » [1821]. Claude Louis Mathieu, l'élève de Delambre, s'est inspiré de cette autobiographie non publiée pour sa biographie de Delambre dans *Biographie universelle* (éditions Michaud, 1811, p. 304-308). Vulfran Warmé, *Éloge historique de M. Delambre* (Amiens, Caron-Duquenne, 1824). ADSo, 2E21/25, « Acte de mariage de Jean Nicolas Joseph Delambre et Marie Élisabeth Devisme », 27 janvier 1749 ; « Baptême de Jean Baptiste Joseph Delambre », 19 septembre 1749.

19. BMA, cote MS568 (18), Delambre, « Règles ou méthode facile pour apprendre la langue anglaise ». Sur les clubs littéraires, voir AAS, Dossier Delambre,

Résumé des lettres de Delambre à Favart fils, vendu par le cabinet Henri Saffroy en juin 1943. Voir aussi AAS Col. Bertrand 9, Delambre à Favart fils, 20 octobre 1769.

20. Sur la famille d'Assy, voir Jean-Pierre Babelon, « L'hôtel d'Assy, 58*bis*, rue des Francs-Bourgeois », *Paris et Île-de-France, Mémoires* 14 (1964), p. 169-196 ; 16/17 (1965-1966), p. 231-240.

21. BVC MS 99, Lalande, « Journal », 1783. Lalande avait d'abord remarqué Delambre le 10 décembre 1782 ; voir Joseph Jérôme Le Français de Lalande, *Bibliographie astronomique ; avec l'histoire de l'astronomie depuis 1781 jusqu'à 1802* (Paris, Imprimerie de la République, XI, 1803, p. 597).

22. BI, cote MS 2042, Delambre, « Delambre par lui-même » [1821].

23. *Ibid.* Sur l'aide apportée à Lalande, voir AOP Z151 (4) Lalande à [Delambre], 17 décembre 1783. Et aussi « Lalande au rédacteur », *Moniteur* 2 (1er décembre 1789), p. 273.

24. Pour l'observatoire de Delambre, voir CUS, Delambre à Cagnoli, 3 septembre [1788] et 23 novembre 1789. Et aussi Guillaume Bigourdan, *Histoire de l'astronomie d'observation et des observatoires en France*, 2e partie (Paris, Gauthier, 1930, p. 155-165).

25. Sur le procès intenté par Geoffroy d'Assy pour empêcher un boucher d'ouvrir sa boutique dans son quartier dans les années 1780, voir AN, AB XIX 322, d'Assy, 3, 13 septembre 1785.

26. Talleyrand, *AP* 24 (26 mars 1791), p. 397.

27. Pour la première désignation des membres de l'expédition, voir AAS, « Procès-verbaux de l'Académie » 109 (13 avril 1791), p. 321.

28. BNRC Ge DD 2066 (3), Cassini IV, « 2e dialogue », p. 43-45. Donné par Cassini comme la transcription « mot pour mot » de l'échange.

29. BNRC Ge DD 2066 (3), Cassini IV, « Mémoires », p. 72-73 ; « 2e dialogue », p. 25-26.

30. Sur la menace de Roland, voir AP 41 (3 avril 1792) p. 110. Roland a renouvelé sa demande auprès de l'Académie en mai ; voir AN, F12 1288, Roland au Comité d'Agriculture et de Commerce, 19 mai 1792. Les académiciens ont débattu de la crainte que leur inspiraient les objectifs de Roland (AAS, Chabrol 1/71), Borda à Condorcet, [mai 1792].

31. AAS, « Procès-verbaux de l'Académie », 110 (2, 5 mai 1792), p. 138-139. Pour le récit de cette période par Delambre, voir Delambre, « Delambre par lui-même », et aussi Delambre, *Grandeur et figure de la Terre* (Paris, Gauthier-Villars, 1912, p. 205). La division du méridien était provisoire ; voir ENPC, MS726, Delambre, « Mesure du méridien », 19 messidor II [7 juillet 1794].

32. Pour l'arrivée de la Proclamation du roi le 24 juin, voir Delambre, *Grandeur...*, p. 203. Pour son départ le 24 juin, voir AOP E2-6, Delambre, « Registre », p. 2. Voir également le chapitre II.

33. Sur Montmartre, voir Delambre, *Base du système métrique*, p. 23.

34. Sur la vente de la collégiale, voir ADSM, 1Q1047/2, « Une église charpente... », 27 novembre, 11 décembre 1792. Sur la station de Saint-Martin-du-Tertre, voir AOP E2-6, Delambre, « Registre », p. 51.

35. Pour le récit du 10 août par Delambre, voir Delambre, « Registre », AOP E2-6, p. 38. Et aussi Delambre, *Base du système métrique*, vol. 1, p. 29-30. Sur les événements du 10 août à Montmartre, voir AN, F7 4426 « Section du Faubourg-Montmartre », 10 août 1792. F. Braesch, *La Commune du dix août 1792* (Paris, Hachette, 1911, p. 190-214 et 335-346). Marcel Reinhard, *Chute de la royauté, 10 août, 1792* (Paris, Gallimard, 1969), p. 39, p. 388.

36. Sur le conseil municipal local et Petit-Jean, voir Delambre à Mme d'Assy, [août 1792], dans Bigourdan, *Système métrique*, p. 118-119.

37. Sur l'antiroyalisme à Saint-Denis, voir Anne Lombard-Jourdan, « Traque et abolition des marques de religion, de royauté et de féodalité à Saint-Denis après 1789 » ; Bruno Hacquemand, « F.-A. Gautier, organiste de l'abbaye royale, et le vandalisme révolutionnaire à Saint-Denis » ; et Philippe Weyl, « Destruction des tombeaux et l'exhumation des rois à Saint-Denis », dans Roger Bourderon éd., *Saint-Denis ou le Jugement dernier des rois* (Saint-Denis, PSD, 1993, p. 209-264).

38. Delambre, *Base du système métrique*, vol. 1, p. 32. Sur les événements du 6 septembre, voir Delambre à Mme d'Assy, 8 septembre 1792, Bigourdan, *Système métrique*, p. 122-124. Sur Épinay, voir André Clipet, *Épinay-sur-Seine : son histoire* (Paris, Boudin, 1970, p. 46, 165, 262-263 et 268-269).

39. Pour le procès-verbal des événements de Saint-Denis ce jour-là, voir AMSD, CT762 « M. Delambre, deux voitures... arrêtées », 6 septembre 1792. Pour le récit de Delambre, voir Delambre, *Base du système métrique*, vol. 1, p. 32-34. Pour l'histoire de Saint-Denis pendant la Révolution, voir les rapports d'un témoin oculaire, AHAP, R4, Ferdinand Albert Gautier, « Supplément à l'histoire de l'abbaye de Saint-Denis », 1808 ; partiellement reproduit dans J. Guiffrey éd., « La ville de Saint-Denis pendant la Révolution », *Cabinet historique* 20 (1874), p. 280-303 ; 21 (1875), p. 36-53 et 118-134, et particulièrement p. 285 et 293. Sur Saint-Denis et la mairie, voir Michaël Wyss, *Atlas historique de Saint-Denis : des origines au XVIIIe siècle* (Paris, Éditions de la maison des sciences de l'homme, 1996, p. 299-300).

40. Delambre à Mme d'Assy, 8 septembre 1792, dans Bigourdan, *Système métrique*, p. 122-124.

41. Louis XVI, *Proclamation du roi concernant les observations et expériences à faire par les Commissaires de l'Académie des Sciences, pour l'exécution de la loi du 22 août 1790*, 10 juin 1792 (Paris, Imprimerie royale, 1792, p. 2-3).

42. La pinte de Saint-Denis était égale à 1,46 litre et celle de Paris équivalait à 0,93 litre ; voir Alexis Jean-Pierre Paucton, *Métrologie, ou Traité des mesures, poids et monnoies des anciens peuples et des modernes* (Paris, Veuve Desaint, 1780, p. 808). Pour les mesures de Saint-Denis enchâssées dans la basilique, voir Wyss, *Saint-Denis*, p. 62. Pour Amiens, voir Léon Gaudefroy, *Rapport des mesures anciennes en usage à Amiens* (Paris, Camber, 1904, p. 7-8).

43. Paucton, *Métrologie*, p. 7. Pour les efforts des administrateurs royaux, voir Nicolas de La Mare, *Traité de police* (Paris, Brunet, 1719, vol. 2, p. 743). En 1321, 1510, 1576, et 1614, l'approbation des mesures royales par les états généraux avait été suivie de peu d'effet : voir Georges Picot éd., *Histoire des états généraux* (Paris, Hachette, 1872, vol. 2, p. 256-257 ; vol. 3, p. 30 et 204 ; vol. 4, p. 130).

44. Anon, « Poids », *Encyclopédie*, éd. Denis Diderot et Jean Le Rond d'Alembert (Paris, Briasson, 1751-1772, vol. 12, p. 855). Jacques Necker, *Compte rendu au roi* (Paris, Imprimerie royale, 1781, p. 121).

45. Pour les *Cahiers* à l'échelon national, voir Beatrice Fry Hyslop, *French Nationalism in 1789, According to the General Cahiers* (New York, Columbia University Press, 1934, p. 56). La réclamation portant sur « une seule loi, un seul poids et une seule mesure » figurait parmi les doléances de dix-huit des *Cahiers* des paroisses pour la seule région du Forez ; voir Étienne Fournial et Jean-Pierre Gutton éds, *Cahiers de doléances de la province de Forez* (Saint-Étienne, Centre d'études foréziennes, 1974, p. 57, 106, 122, 127, 141, 149, 151, 160, 170, 179, 182, 217, 63, 311, 314, 319, 334 et 353. Saint-Denis fit cette requête dans les cahiers de la région de Paris ; voir Charles Louis Chassin, *Les Cahiers de 1789 et les cahiers du Sénat* (Paris, Suffrage universel, 1875, vol. 4, p. 263-264). Pour Épinay, voir « Épinay-sur-Seine, » *AP* 4, p. 517.

46. Delambre, *Base du système métrique*, vol. 1, p. 33-34.

47. Sur la soirée du 6 septembre 1792, voir Delambre, *Grandeur*, p. 208-210.

48. Sur la proclamation de la Convention nationale, voir *Le Moniteur*, vol. 13 (12 septembre 1792), p. 666. Pour le retrait des scellés sur les voitures de Delambre, voir AMSD, 1D1-1 Registres municipaux, 8 septembre 1792.

49. Sur les volontaires et la suite de l'histoire de Saint-Denis, voir AHAP, R4 Gautier, « Supplément à l'histoire de l'abbaye de Saint-Denis » (1808), p. 218.

50. Alexandre Lenoir, « Notes historiques sur les exhumations faites en 1793 dans l'abbaye de Saint-Denis », *Description historique et chronologique des monuments*, 6e éd. (Paris, Chez l'auteur, X [1802], p. 338-356) ; voir p. 241 pour l'une des versions de la citation, et pour l'autre se reporter à Weyl, « Destruction », p. 245.

51. BMSD S10, David *et al.*, « Rapport des Commissaires nommés par la Commission Temporaire des Arts pour conférer… », 3 ventôse III [21 février 1794].

Chapitre 2

1. Miguel de Cervantes, *L'Ingénieux Hidalgo Don Quichote de la Manche*, Paris, Le Seuil, 1997, t. II, traduction d'Aline Schulman.

2. Pour la date de départ officielle, voir Delambre, *Base du système métrique*, vol. 1, p. 21. Il va sans dire que dans tous les comptes rendus de l'opération, c'est cette date qui figure comme étant la bonne. Pour la suite de dates annoncées par Méchain, se reporter à la lettre de Méchain à Cotte, datée du 28 janvier 1792, dans Joseph Laissus, « Un astronome français en Espagne : Pierre François André Méchain (1744-1804) », *Comptes rendus du 19e Congrès national des sociétés savantes*, Pau, 1969 (Paris, Bibliothèque nationale, 1970, p. 36-59, et particulièrement p. 48-50). ANMN, L2294, J. Gonzales à A. Valdez, 4 juillet 1792. AOP MS1058III, Méchain à Flaugergues, 9 juin 1792. KBD, NKS1304, Méchain à Bugge, 23 juin 1792.

3. AN M.C. Étude XXIII, « Procuration… fait et passé à Paris en la demeure du Sr. Méchain », signé de Méchain, par [Marjou], et le notaire François Brichard, 28 juin 1792.

4. Sur le logement de la famille Méchain, voir BL, « Registres », 17 nivôse an II [6 janvier 1794]. Voir également, AAS, Dossier Méchain, « Certificat de mariage », 4 novembre 1777.

5. Sur la famille Marjou, voir AN, O1 682 « Marjou, valet de garde robe de Monsieur », 6 janvier 1780. Pour le traitement de Méchain, voir AAS, Lavoisier 1042, « Quittances », 10 mars, 15 juin 1792, 1er juillet 1793. Le départ du roi pour les Tuileries avait coûté à Mme Méchain son « patrimoine » ; voir lettre de Méchain à Cotte, 7 janvier 1790, dans Laissus, « Astronome », p. 45-46. Pour la promesse faite par Mme Méchain de s'occuper des travaux d'astronomie de son mari, voir AAS, 1J4 Lalande, « Journal » 28 avril [1793], p. 63. Voir également, BDK, cote NKS1304, Mme Méchain à Bugge, 19 mars 1793. Guillaume Bigourdan, « Le Bureau des longitudes, son histoire et ses travaux, de l'origine (1795) à ce jour », *Annuaire du Bureau des longitudes* (1928) : A1-72 ; (1929) : C1-92 ; (1930) : A1-110 ; (1931) : A1-151 ; (1932) : A1-117 ; et particulièrement (1928) : A34, et (1932) : A26-A27. Pour sa fonction de « concierge », voir Charles Wolf, *Histoire de l'Observatoire de Paris de sa fondation à 1793* (Paris, Gauthier-Villars, 1902, p. 326-328).

6. Pour la façon subtile dont Delambre a lui-même formulé la date de son départ, et l'allégation selon laquelle il était au travail « depuis » le 26 juin, voir Delambre, *Base système métrique*, vol. 1, p. 23. Pour la mention du 24 juin comme date de départ inscrite dans son registre, voir AOP, E2-6, Delambre, « Registre », p. 2.

7. J'ai sérieusement considéré la possibilité de m'être trompé sur la date de départ de Méchain. En général, un document notarié constitue la meilleure preuve de la présence d'une personne donnée dans un endroit et à un moment donnés. Ce document notarié a été joint au registre du notaire François Brichard le 28 juin 1792. On a toutefois quelques raisons de mettre en doute la valeur de preuve de ce document – bien qu'aucune ne semble convaincante. Tout d'abord, le lieu et la date y ont été reportés d'une écriture différente de l'ensemble du texte, et il est presque certain qu'ils ont été ajoutés *a posteriori*. Néanmoins, il y a à cela une explication très plausible : la procuration, qui s'étale sur trois longues pages d'un document juridique standard, assez dense, a été préparée à l'avance au bureau du notaire, en laissant des espaces blancs pour le lieu et la date de la signature. La question est donc de savoir si le lieu, la date et la signature de Méchain y ont été apposés le même jour. Ensuite, il est possible que Méchain ait signé ce document standard avant son départ, laissant son épouse compléter la date et le lieu à sa convenance. Cependant, pour être valable, une signature doit être apposée devant les notaires, et les deux notaires qui ont paraphé le document ont attesté de la date et du lieu de la signature. Enfin, Méchain pourrait avoir quitté Paris le 25 juin et être revenu pratiquement tout de suite après, pour signer la procuration le 28, avant de reprendre sa mission. Cette éventualité permettrait d'accorder une certaine légitimité aux allégations de Delambre, tout en retenant l'authenticité du document notarié. On peut imaginer un scénario plausible qui expliquerait ce rapide aller-retour. En effet, Méchain avait rencontré des difficultés au barrage d'Essonnes, petite ville située à une journée de cheval de Paris, et il n'est pas impossible qu'il ait dû retourner à Paris pour faire établir de nouveaux passeports. Toutefois, Delambre lui-même a rapporté que cet obstacle d'Essonnes n'avait pas contraint Méchain à faire demi-tour, ni à s'arrêter (voir Delambre, *Notice historique sur M. Méchain*, lue, le 5 messidor an XIII [24 juin 1805] (Paris, Baudouin, janvier 1806, p. 13). En outre, l'idée que Méchain aurait choisi cette occasion pour signer une procuration paraît un peu tirée par les cheveux. En somme, il est presque certain que Méchain n'a pas quitté Paris avant le 28 juin ou peu après. En outre, je n'ai trouvé aucun document où Méchain aurait lui-même mentionné la date de son départ. Dans une lettre de 1793, Thérèse Méchain s'est souvenue du départ de son mari à la date du 24 juin 1792, ce en quoi, manifestement, elle s'est trompée, cette date correspondant plutôt à la délivrance de la Proclamation du roi ; voir KBD, cote NKS 1304, Mme Méchain à Bugge, 19 mars 1793. Lalande a rapporté dans son journal que Méchain a quitté Paris pour Barcelone le 25 juin, mais il avait l'intention de publier (et c'est effectivement ce qu'il a fait) son journal comme un document officiel relatant l'histoire de l'astronomie de son temps ; là encore ce document doit être lu comme une source officielle, qui, comme telle, respectait la date antérieure probablement voulue par Méchain. AAS, 1J4, Lalande, « Journal » (25 juin 1792), p. 57 ; Lalande, *Bibliographie astronomique*, p. 717.

8. Pour l'estimation de la durée de l'opération à sept mois, voir KBD, cote NKS1304, Méchain à Bugge, 23 juin 1792. Méchain espérait avoir tout terminé en deux ans : voir lettre de Méchain à Cotte, 28 janvier 1792, dans Laissus, « Astronome », p. 48-50.

9. AOP, MS1058 vol. 3, Méchain à Flaugergues, 10 août 1789.

10. Cassini IV au marquis de B***, dans J.-F.S. Devic, *Histoire de la vie et des travaux scientifiques et littéraires de J.D. Cassini IV* (Clermont, Daix, 1851, p. 123). Pour l'intrusion des « Don Quichotte » au domicile de Méchain à l'Observatoire, voir BML, 26CA6, lettre de Méchain à Cotte, 21 juillet 1789. Voir également Wolf, *Observatoire*, p. 319-323 ; et Bigourdan, « Bureau des longitudes », (1928) : A66.

11. AOP, MS1058 vol. 3, Méchain à Flaugergues, 22 octobre 1789.

12. La principale source d'informations sur le début de la carrière de Méchain, vraisemblablement rédigée à partir des notes de l'astronome lui-même, a été écrite par son ami F.X. Zach, « Méchain », *MC* 2 (1800), p. 96-117. Pour les doutes relatifs au rachat de sa lunette par Lalande, voir ci-après, chapitre 12.

13. Méchain reprit la direction de la rédaction de la *Connaissance des temps* en 1785. Sur l'idée qu'il se faisait de l'importance de la revue, voir « Avertissement », *CT pour 1793* (1791).

14. D'Angiviller à Cassini IV, 7 mars 1783, dans Wolf, *Observatoire*, p. 45-49.

15. Pour le portrait physique de Méchain, voir J.V.L. Devisme, « Méchain », *Histoire de la ville de Laon* (Laon, Le Blan-Courtois, 1822, p. 360-367).

16. Pour l'opération de 1788, voir Jean Dominique Cassini IV, Pierre François André Méchain et Adrien Marie Legendre, *Exposé des opérations faites en France en 1787, pour la jonction des observatoires de Paris et de Greenwich* (Paris, Institution des sourds-muets, 1790, p. 34-36 et 59). Et aussi, Sven Widmalm, « Accuracy, Rhetoric, and Technology, The Paris-Greenwich Triangulation, 1784-88 », dans *The Quantifying Spirit in the Eighteenth Century*, Tore Frängsmyr, John L. Heilbron, et Robin E. Rider éds (Berkeley, University of California Press, 1990, p. 179-206). Suzanne Débarbat, « Coopération géodésique », *Échanges d'influences scientifiques et techniques entre pays européens de 1780 à 1830*, Actes du 114ᵉ Congrès national des sociétés savantes, Paris, 3-9 avril 1989 (Paris, CTHS, 1990, p. 47-76).

17. AOP D5-7, William Roy à Cassini IV, 29 janvier 1789.

18. Cassini IV, « Application du cercle », *MAS* (1789 ; pub. II [1794]), p. 617.

19. Sur la confiance qu'ils avaient en Méchain, voir Cassini IV, Méchain et Legendre, *Opérations Paris et Greenwich*, p. 58-62.

20. Sur le travail de Méchain avec le cercle répétiteur, voir Cassini IV, « Application du cercle », *MAS* (1789 ; pub. II [1794]), p. 617-623.

21. Lettre de Méchain à Cotte, 7 janvier 1790, dans Laissus, « Astronome », p. 45-46.

22. Pour l'affectation de Tranchot au projet de la méridienne, le 27 mai 1792, voir le SHAT, Xem 176, Tranchot, « État des services de feu Monsieur Tranchot », 31 octobre 1815. Sur la collaboration antérieure de Méchain et Tranchot, voir Puissant, « Notice », *CT* (1822), p. 293-297.

23. Young, *Travels,* vol. 1, p. 59. Et aussi Henry Swindburne, *Travels through Spain in the years 1775 and 1776* (Londres, Davis, 1787, vol. 1, p. 3-11).

24. Sur l'interdiction du *Journal de physique*, voir Richard Herr, *The Eighteenth-Century Revolution in Spain* (Princeton, Princeton University Press, 1958, p. 255). Sur Barcelone à cette période, voir Jaume Carrera Pujal, *La Barcelona del segle XVIII* (Barcelone, Casa Editorial, 1951). Pour un témoignage contemporain, voir Rafel d'Amat I de Cortada, Baró de Maldà, *Calaix de Sastre, 1792-1794* (Barcelone, Curial Edicions Catalanes, 1987). Et aussi Arthur Young, « Tour in Catalonia », *Annals of Agriculture*, 8 (1787), p. 235-241.

25. Pour l'étude de la frontière franco-espagnole, voir Josef Konvitz, *Cartography in France, 1660-1848 : Science, Engineering, and Statecraft* (Chicago, University of Chicago Press, 1987, p. 37). Sur l'intérêt des Espagnols pour les techniques géodésiques françaises, voir Antonio Ten, « Scientifiques et Francisés, Dépendances intellectuelles des scientifiques espagnols à la fin du XVIIIᵉ siècle et au début du XIXᵉ », *Échanges d'influences scientifiques et techniques entre pays européens de 1780 à 1830*, Actes du 114ᵉ Congrès national des sociétés savantes, Paris, 1989 (Paris, Comité des travaux historiques et scientifiques, 1990, p. 27-28). Antonio Ten, *Medir el metro : La historia de la prolongatión del arco de meridiano Dunkerque-Barcelona, base del Sistemo Métrico Decimal* (Valence, Universitat de València, 1996, p. 107-119).

26. Sur les relations antérieures de Méchain et de Gonzalès, voir AOP, MS1058, III, Méchain à Flaugergues, 23 avril 1791. Sur l'anticipation de la coopération franco-espagnole, voir, côté français : AMAE Corr. Pol. Espagne 632, B.-C. Cahier [Min. Int.] à Delessart [ministre des Affaires étrangères], 9 mars 1792 ; Borda au [ministre des Affaires étrangères], 28 mars 1792. Côté espagnol, voir AMNM, Leg. 2294/53, Gonzalès à Valdez, 11 juillet 1792. Antonio Ten, « El sistema métrico decimal y España », *Arbor* 134 (1989), p. 101-121.

27. Pour une description des opérations, voir AOP, E2-20, Méchain, « Détails des opérations faites en Catalogne », avril 1793. Et aussi AOP, E2-19, Méchain à Delambre, 14 vendémiaire an IV [4 octobre 1795]. Pour le schéma d'un signal, voir ADOP, L1128, Méchain à Lucia [*sic*], 6 octobre 1793. Pour les rumeurs de Barcelone, voir le baron de Maldà, dans Enric Moreu-Rey, *El naixement del metre* (Palma de Majorque, Moll, 1956, p. 70-71).

28. Pour un brillant exposé de l'ambiguïté des démarcations nationales et géographiques, se reporter à Peter Sahlins, *Frontières et identités nationales*, trad. G. de Laforcade, Paris, Belin, 1996.

29. Pour le compte rendu de leurs procédures par Méchain, voir AMNM, Leg. 2294, Méchain, « Francisco Planez », 7 février 1793.

30. Méchain, dans Delambre, *Base du système métrique*, vol. 1, p. 486.

31. Sur les auberges de la région, voir Joseph Townsend, *A Journey Through Spain in the Years 1786 and 1787* (Bath, Longman, 1814, vol. 1, p. 78). On trouve une description de cette partie des Pyrénées dans Young, *Travels,* vol. 1, p. 56-59 et 626.

32. À propos de l'influence des tensions frontalières sur le déroulement de la mission, voir AOP, E2-19, Méchain à Lalande, 11 ventôse an IV (1er mars 1796).

33. AOP, B4-11, Méchain à Cassini IV, 8 septembre 1792.

34. Pour les plaintes de Méchain à propos de l'indifférence affichée par le peuple à l'égard de sa mission, voir sa lettre à l'Administration des Pyrénées-Orientales, 28 août 1792, dans Pierre Vidal, *Histoire de la Révolution dans le département des Pyrénées-Orientales* (Perpignan, Indépendant, 1889, vol. 2, p. 373-374 ; AAS Fonds Lavoisier 1257, Méchain à Lavoisier, 4 septembre 1792 ; AOP, B4-11 Méchain à Cassini IV, 8 septembre 1792.

35. CNAM, C8, Jumelin au Bureau de consultation, 12 septembre 1792.

36. Jean Charles de Borda, *Description et usage du cercle de réflection* (Paris, Didot, 1787, p. 5). Sur Borda, voir Jean Mascart, *La Vie et les travaux du chevalier Jean Charles de Borda, 1733-1799* (Lyon, Rey, 1919). Sur les relations entre Borda et Lenoir, voir A.J. Turner, *From Pleasure and Profit to Science and Security : Étienne Lenoir and the Transformation of Precision Instrument-Making in France, 1760-1830* (Cambridge, Whipple Museum, 1989).

37. Sur Puig Rodos, voir AOP, E2-19, Méchain à Lalande, 3 brumaire an IV [25 octobre 1795]. Sur les lumières dans la ville, voir baron de Maldà, dans Moreu-Rey, *Naixement del metre*, p. 71-72. Sur l'utilisation des réverbères, voir AMNM, Leg. 2294/74, Gonzalès à Alvarez, 27 octobre 1792.

38. AOP, E2-19, Méchain à Delambre, 14 vendémiaire IV [4 octobre 1795].

39. Pour les fossiles et les tombes, voir Townsend, *Journey through Spain*, vol. 1, p. 127-129.

40. Townsend, *Journey through Spain*, vol. 1, p. 128. Et aussi, sur la forteresse de Mont-Jouy, voir Swindburne, *Travels*, vol. 1, p. 71-75 ; Young, « Tour in Catalonia », p. 235-241 ; *Military Museum : Montjuich Castle* (Barcelone, Graistudio, 1997) ; Pedro Voltes Bou, *Historia de Montjuich y su castillo* (Barcelone, Ayuntamiento de Barcelona, 1960, p. 129-143) ; Estanislau Roca, *Montjuïc, La muntanya de la ciutat*, 2e éd. (Barcelone, Institut d'Estudis Catalans, 2000).

41. La question de l'extension de l'arc de méridien aux îles Baléares avait été soulevée avant le départ de Méchain ; voir AOP, MS1058, III, Méchain à Flaugergues, 9 juin 1792. L'idée avait d'abord été proposée par José de Mendoza, savant espagnol qui se trouvait à Paris et qui avait aidé les académiciens français à préparer l'opération ; voir Ten, « Sistemo métrico ». Pour le rapport de Borda, voir *AP* 53 (25 novembre 1792), p. 583. Pour la demande de Méchain concernant des lunettes plus puissantes, voir AOP, B4-11, Méchain à Cassini IV, 8 septembre 1792. Pour le compte rendu de Gonzalès sur son excursion à Majorque, voir AMNM, Leg. 2294, Gonzalès à Valdez, 16 janvier 1793 ; et aussi AOP, B4-10, Gonzalès à Méchain, 21 septembre 1803. Pour les priorités de Méchain, voir ENPC, MS1504, Méchain à Borda, 13 février 1793.

42. Sur l'observatoire et les méthodes de Méchain, voir AOP, E2-19, Méchain à Delambre, 12 vendémiaire an IV [4 octobre 1795]. Voir également les registres comme AOP, E2-20.

43. Sur l'importance de la latitude, voir Delambre, *Base du système métrique*, vol. 2, p. 158.

44. AOP, E2-20, Méchain, « Détails des opérations faites en Catalogne », avril 1793. Pour la satisfaction de Méchain par rapport à ce qu'il avait réussi jusque-là, voir AOP, E2-19, Méchain à Borda, 10 janvier 1794.

45. AMNM, Leg. 2294, Planez à [inconnu], 16 février 1793. Voir aussi, AMNM, Leg. 2294, Gonzalès à Valdez, 16 et 29 janvier, 16 février, 23 mars 1793. Méchain avait promis qu'il laisserait ses hôtes espagnols essayer le cercle, mais seulement après que lui-même eut terminé toutes ses mesures, AMNM, Leg. 2294, Méchain à « Planez », 7 février 1793.

46. Pour une description de l'hiver, voir ENPC, MS504, Méchain à Borda, 13 février 1793.

47. Delambre, *Notice historique sur M. Méchain*, p. 16.

48. *Diario de Barcelona* 2 (17 janvier 1793), p. 66-67. À cette époque, le passage d'une nouvelle comète intéressait toute la communauté internationale, et celle-ci fit l'objet d'un article (par l'intermédiaire de Lalande) dix mois plus tard dans le *The Times* du 3 octobre 1793 (Londres). Voir le rapport de Méchain, publié beaucoup plus tard : « Comète de 1793… lu le 10 nivôse an XIII [31 décembre 1804] », *MI* 6 (1806), p. 290-309.

49. AMAE Barcelone 20, Aubert au Citoyen Ministre, 20-23 février 1793. Pour un récit de l'épisode des pirates par Méchain, voir AOP E2-19, Méchain à Delambre, 23 février 1793. Pour un récit de cet épisode par un autre témoin oculaire, voir Maldà, *Calaix de Sastre*, vol. 2, p. 67-68. Sur l'incident lui-même et la cause de la guerre, voir Philippe Torreilles, *Perpignan pendant la Révolution (1789-1800)* (Perpignan, Schrauben, 1989, vol. 2, p. 3).

50. AOP E2-19, lettre de Méchain à Delambre, 23 février 1793.

51. AOP E2-19, lettre de Delambre à Méchain, 31 mars 1793.

52. Gonzalès s'est plaint dans une lettre à Valdez (Gonzalès à Valdez, 19 février 1793, AMNM Leg. 2294). Méchain a envoyé un condensé de ses résultats (ENPC, MS504 Méchain, « Correspondance et observations », janvier-février 1793).

53. Pour le rappel des collaborateurs de Méchain, voir BMCF, Fonds Chazelle, Méchain à Lavoisier, 6 mars 1793.

54. Pour la guerre sur le front sud, voir Alain Degage, « Les principaux aspects de la stratégie des armées françaises des Pyrénées-Orientales durant la guerre franco-espagnole (1793-1795) », *L'Espagne et la France à l'époque de la Révolution française (1793-1807)*, éd. Jean Sagnes (Perpignan, Presses Universitaires de Perpignan, 1993, p. 11-31). Lluís Roura i Aulinas, *Guerra Gran a la Ratlla de França, Catalunya dins la guerra contra la Revolució Francesa, 1793-1795* (Barcelone, Curial,

1993). Pour l'ordre, donné à Méchain, de quitter le port, se reporter aux AN, F17 1326, dossier 18, Méchain à Lavoisier, 11 mai 1793.

55. Pour un récit rétrospectif de l'accident par Méchain, voir AOP, E2-19, Méchain à Lalande, 12 floréal an IV [1er mai 1796]. On trouve un premier et vague compte rendu dans une lettre écrite à Lavoisier, le 11 mai 1793 (AN, cote F17 1326, dossier 18). D'après Méchain, l'accident se serait produit le 1er mai 1793 ; voir ENPC, cote MS1504, Méchain à Borda, 10 janvier 1794. Sur la pompe, voir Townsend, *Journey through Spain*, vol. 1, p. 134-135.

56. AOP, E2-19, lettre de Méchain à Lalande, 19 ventôse an III [9 mars 1795].

57. Sur la décision des autorités espagnoles de retenir Méchain en Espagne du fait que la guerre avait éclaté, voir AMNM, Leg. 2294, 116-117, note du consulat, n.d.

58. AN, F17 1326 dossier 18, Méchain à Lavoisier, 11 mai 1793. La lettre n'est pas écrite de la main de Méchain.

59. Sur les espoirs que nourrissait Thérèse Méchain quant au retour de son mari, voir KBD, NKS1304, Mme Méchain à Bugge, 19 mars 1793. Sur ses inquiétudes, voir AAS, Fonds Lavoisier 1229 (2), Lavoisier à Méchain [15 juin 1792] ; Lavoisier à Méchain, 15 juin 1793, dans CUL, MS4712 ++ Lavoisier, « Registres de l'Académie des sciences », 1792-1793. Voir également AAS, Lavoisier 1228, Lavoisier à Mme Méchain [mi-juin 1792].

60. Lettre de Lavoisier à Méchain, 29 juin 1793, dans CUL, MS4712 ++ Lavoisier, « Registres de l'Académie des sciences », 1792-1793.

61. Sur la garantie des fonds par Lavoisier lui-même, voir AAS, Fonds Lavoisier, 972 Lavoisier, « Au nom de Antoine Laurent Lavoisier » [juin 1793].

62. AAS Fonds Lavoisier 1229 (2), Lavoisier à Méchain [15 juin 1793]. Voir également Lavoisier à Méchain, 15 juin 1793, dans CUL, MS4712 ++, Lavoisier, « Registres de l'Académie des sciences », 1792-1793.

63. AAS Fonds Lavoisier 1229 (2) Lavoisier à Méchain [15 juin 1792].

64. AAS Fonds Lavoisier 1228 (45), Lavoisier à Lakanal [mai-juin 1793].

Chapitre 3

1. T. Pynchon, *Mason & Dixon* (Paris, Seuil, 2001, traduit par Christophe Claro et Brice Matthieussent).

2. Mercier, *Le Nouveau Paris* (Brunswick : n. p., 1800, vol. 3, p. 44).

3. Pour la station de Saint-Martin, voir AOP, E2-6, Delambre, « Registre », p. 57.

4. Pour l'histoire de Belle-Assise, voir ADSM, 30Z216, Froment, « Monographie de la commune de Jossigny », 1888.

5. Pour la vue de Bruyères, voir Delambre, *Base du système métrique*, vol. 1, p. 137. Pour les observations qu'il y a faites sous l'Ancien Régime, voir Bigourdan, *Astronomie d'observation*, p. 170-172.

6. Pour l'entreposage des anciens poids et mesures au Panthéon, voir Lavoisier, « Rapport sur le local destiné... pour les poids et mesures », septembre 1793, dans *Œuvres de Lavoisier* (Paris, Imprimerie impériale, 1862-9183, vol. 6, p. 690). Il existe une certaine ambiguïté quant au fait qu'il s'agisse du Panthéon ou de l'église Sainte-Geneviève, toute proche.

7. *Journal de la Montagne* (28 messidor II [16 juillet 1794]), p. 647, cité dans *Le Panthéon : Symbole des révolutions*, Centre canadien d'architecture (Picard, Tardy, France, 1989, p. 133-136). Sur les modifications apportées au Panthéon, voir Antoine Quatremère de Quincy, *Rapport fait au directoire du département de Paris, 13 novembre 1792 sur l'état actuel du Panthéon* (Paris, Ballard, 1792).

8. Antoine Quatremère de Quincy, *Rapport fait au directoire du département de Paris sur les travaux entrepris, continués ou achevés au Panthéon français* (Paris, Ballard, [1794], p. 17-18, 6-7). Pour l'observatoire offert à Delambre, voir AOP, MS1033B, Delambre, « Plan de la lumière du dôme du Panthéon français », [janvier 1793].

9. AOP, E2-19, Delambre à Méchain, 31 mars 1793, reçue à Barcelone en juin 1793.

10. BN, Rés Ye 3641, Lalande, *Article pour les cahiers dont les 36 rédacteurs sont priés instamment et requis expressément de faire usage* [Paris, éditeur inconnu, 1789].

11. Sur la jeunesse de Lalande, voir Julien Raspail, « Papiers de Lalande », *La Révolution française* 74 (1921), p. 236-254. Sur son œuvre, voir Jean-Claude Pecker, « L'œuvre scientifique de Lalande », *Jérôme de Lalande (1732-1807)*, éd. Pecker (Bourg-en-Bresse, Société d'Émulation de l'Ain, 1985, p. 12-16).

12. Pour l'annonce de la comète, voir Lalande, *Réflexions sur les comètes qui peuvent approcher de la Terre* (Paris, Gibert, 1773). Pour le commentaire facétieux, voir BN, Vz 1695, [Pierre Hourcastremé], *Dissertation sur les causes qui ont produit l'espèce de contradiction...* (Paris, Pougin, [1791], p. 29). Pour l'effet produit sur les femmes, les gens de la campagne, et pour les ventes de pain azyme, voir lettre de Condorcet à Voltaire, 16 mai 1773, dans Voltaire, *Voltaire's Correspondence*, éd. Théodore Besterman (Genève, Institut et Musée Voltaire), lettre D18372. Simon Schaffer, « Authorized Prophets : Comets and Astronomers after 1759 », *Studies in Eighteenth-Century Culture* (1987), p. 45-74.

13. Friedrich Melchior Grimm, *Correspondance littéraire,* éd. Maurice Tourneux (Paris, Garnier, 1877-1882, vol. 10 [avril 1773], p. 235-238).

14. Pour le premier voyage en Angleterre de Lalande, en 1763, voir Lalande, « Journal d'un voyage en Angleterre », éd. Hélène Monod-Cassidy, *Studies on Voltaire and the Eighteenth Century* 184 (1980), p. 5-116. Sur l'expédition en montgolfière, se reporter à Seymour Chapin, « What Better Way to Go to Gotha : Lalande, Blanchard, and the Balloon », *Griffith Observer* 47 (novembre 1983) p. 2-19. Sur Lalande et les francs-maçons, voir Louis Aimable, *Le Franc-maçon, Jérôme Lalande* (Paris, Charavay, 1889, p. 22-38).

15. Constance de Salm-Reifferscheid-Dyck, *Éloge historique de M. De La Lande* (Paris, Sajou, 1810, p. 33).

16. Lalande, « Testament moral », dans Aimable, *Lalande,* p. 52.

17. Lettre de Voltaire à Lalande, 6 février 1775, dans Voltaire, *Correspondance,* D19323.

18. Lettre de Voltaire à Lalande, 11 juin 1770, dans Voltaire, *Correspondance,* D16404.

19. Denis Bernard Quatremère-Disjonval, *De l'aranéologie* (Paris, Fuchs, 1797, p. 141-142).

20. Pour la taille de Lalande, voir CUS, Lalande, « Passeport », 19 prairial VI [7 juin 1798]. Pour Piery, se reporter à la correspondance entre Lalande et Louise Élisabeth Félicité Pourra de la Madeleine du Piery, dans les « papiers de Lalande », BYU. Jérôme Lalande, *Astronomie des dames* (1re éd. 1785 ; 2e éd. Paris, Cuchet, 1795 ; éditions ultérieures en 1806, 1817, 1820, 1841, 1900).

21. Lalande, « Journal », 1763, dans jules Claretie, *L'Empire, les Bonaparte et la cour* (Paris, Dentu, 1871, p. 231).

22. Lalande, « Mémoires de Lalande », Salm-Reifferscheid-Dyck, *La Lande,* p. 43-44. Pour ses excuses, voir BNR, NAF4073 Lalande à Sophie Germain, 4 novembre 1797.

23. Pour les inscriptions aux cours de Lalande, voir BVC, MS99, Lalande, « Journal », 1777-1807.

24. Jérôme Lalande, *Abrégé de navigation* (Paris, Chez l'auteur, 1793, p. 3). Pour ses sentiments familiaux, voir Lalande, « Testament moral », dans Aimable, *Lalande*, p. 52.

25. BYU, Lalande à Piery, 1er messidor an II [9 juin 1794].

26. BYU, Lalande à Piery, 12 août 1788.

27. Sur le catalogue des étoiles, voir Lalande, *Bibliographie astronomique*, p. 681-682, 690-694.

28. Pour le travail qui a valu son prix à Méchain, voir Méchain, « Recherches sur les comètes de 1532 et 1661 », *Mémoires de mathématiques et de physique* (Paris, Moutard, [1782], 1785, p. 397).

29. BDK, NKS1304, Lalande à Bugge, 16 juin 1788.

30. Pour l'observation du passage de Mercure, voir AAS, « Procès-verbaux de l'Académie des sciences » 105 (1786), p. 276-278. ; Delambre, *Histoire de l'astronomie au XVIIIe siècle*, éd. Claude Louis Mathieu (Paris, Bachelier, 1827, p. 564-565). Curtis Wilson, « Perturbations and Solar Tables from Lacaille to Delambre : The Rapprochement of Observation and Theory », *Archive for the History of the Exact Sciences* 22 (1980), p. 54-304, et particulièrement p. 268-296.

31. Delambre, « Joseph Jérôme Lefrançais de Lalande », *Biographie universelle* (éd. Michaud), p. 612.

32. Pour le rapport fait par Lalande sur le passage de Mercure, voir Lalande, « Sur la théorie de Mercure », *MAS* (1786), p. 272. Sur les autres observateurs, se reporter à Messier, « Observation du passage de Mercure », *MAS* (1786), p. 121-124.

33. Sur les raisons qui ont fait manquer à Méchain le passage de Mercure, voir BML, 26CA6, Méchain à Cotte, 8 mai 1786.

34. CUS, Delambre à Cagnoli, 23 novembre 1789. Sur Laplace, voir Charles Coulson Gillispie, *Pierre-Simon Laplace, 1749-1827 : A Life in Exact Science* (Princeton, Princeton University Press, 1997). Pour le rapport concernant la candidature de Delambre au prix de l'Académie des sciences, voir « Rapport de Cassini IV, Lalande et Méchain », 5 juillet 1788, AAS, « Procès-verbaux de l'Académie des sciences » 107 (1788), p. 176-179.

35. Lalande, *Bibliographie astronomique* [1792], p. 703.

36. La preuve que Delambre et Méchain ont observé les étoiles ensemble se trouve dans le dossier Méchain, AAS, Méchain à Delambre, 29 septembre [1785/1786]. Pour la demande d'intercession auprès de Méchain faite par Delambre à un ami, voir CUS, Delambre à Cagnoli, 23 novembre 1789.

37. AAS, dossier Méchain, Méchain à M. l'abbé de Lambre [Delambre], 29 septembre [1785/86].

38. Delambre, « Lui-même. »

39. Pour les débats pré-révolutionnaires sur la réforme, voir Henri Pigeonneau et Alfred de Foville éd., *L'Administration de l'agriculture au Controle général des finances, 1785-1787, Procès-verbaux et rapports* (Paris, Guillaumin, 1882), p. 127-128, 324-326, 378, 404. Pour les premières propositions faites au sein de l'Académie, voir AAS, J.-B. Le Roy, « Procès-verbaux de l'Académie des sciences » 108 (27 juin, 14 août 1789), p. 171, 207. Pour les propositions faites par Prieur avant la Révolution, voir BEP, Prieur 4.2.4.1, Prieur, « Mesure universelle, Extrait du *Journal encyclopédique* » (1785), p. 491. Pour ses propositions ultérieures, voir Prieur à Louis XVI, avril 1790, dans Georges Bouchard, *Un organisateur le la victoire : Prieur de la Côte-d'Or* (Paris, Clavreuil, 1946), p. 458-59. Voir également Claude-Antoine Prieur-Duvernois, *Mémoire sur la nécessité et les moyens de rendre uniformes dans le royaume toutes les mesures* (Causse, Dijon, 1790). Pour une étude des

différentes propositions faites sous l'Ancien Régime, voir Ronald Zupko, *Revolution in Measurement: Western European Weights and Measures since the Age of Science* (Philadelphie, American Philosophical Society, 1990).

40. Tillet et Abeille, *AP* 11 (6 février 1790), p. 466-486. Tillet et Abeille ont cité la proposition de Lalande et repris un extrait de son article paru dans le *Tribut de la Société nationale des Neuf-Sœurs*, 1 (1790), p. 7-16 ; *AP* 11 (6 février 1790), p. 486-487. La seule copie restante de ce volume du *Tribut* a apparemment disparu de la BN.

41. Talleyrand, *AP* 12 (9 mars 1790), p. 106. On retrouve les mêmes termes dans la proposition de Condorcet, BI, MS833. Talleyrand a également admis avoir consulté des « hommes de l'art », voir Talleyrand, *Mémoires* (Paris, Bonnot, 1989, vol. 1, p. 134).

42. Pour l'ancienne toise de Paris, voir Charles Wolf, « Recherches historiques sur les étalons de l'Observatoire », *Annales de chimie et de physique*, 5e série, 25 (1882), p. 5-112.

43. Sur les unités de poids, voir A. Birembaut, « Les deux déterminations de l'unité de masse du système métrique », *Revue d'histoire des sciences,* 12 (1959), p. 25-54.

44. Sur Stevin, voir René Taton, « La tentative de Stevin pour la décimalisation de la métrologie », *Acta metrologiae historicae*, éd. Gustav Otruba (Linz, IIIe Congrès international de la métrologie historique, Linz, 1983, p. 39-56). Sur Vauban, voir Sébastien Le Prestre de Vauban, « Description géographique de l'élection de Vézelay », *Projet d'une dixme royale* (Paris, Alcan, 1933). Sur Lavoisier, voir Lavoisier, *Traité élémentaire de chimie* [1789], dans *Œuvres*, vol. 1, p. 248-251. Sur la simplicité des calculs, voir Laplace, « Mathématiques », *Séances des Écoles normales [de l'an III], Leçons* (Paris, Reynier [1795], vol. 1, p. 10-23). Sur le caractère naturel du système décimal, voir [René Just Haüy], *Instructions sur les mesures déduites de la grandeur de la Terre*, 1re éd. (Paris, Imprimerie nationale, II [1794], p. XXVII-XVIII).

45. Sur la base 12, voir A. G. Le Blond, *Sur la fixation d'une mesure et d'un poids lu à l'Académie des sciences, 12 mai 1790* (Paris, Demonville, 1791). Voir également Rollin, 12 frimaire an II [22 novembre 1793], in *PVCIP*, vol. 3, p. 88 et 90-91. Pour la base 8, voir Guéroult, *Observations sur la proposition faite par le citoyen Prieur* (Paris, Guérin [1796-1797], p. 5). Pour les bases 2 et 4, voir CNAM, R14, Leturc aux citoyens agents, 4 fructidor an III [21 août 1795]. Pour la base 11, voir l'opinion de Lagrange, dans Laplace, « Mathématiques », *Écoles normales*, vol. 1, p. 23. Pour les attaques visant les partisans des bases 7 et 11, voir Charles Étienne Coquebert [de Montbret], « An Account of a New System of Measures Established in France », *Journal of Natural Philosophy* 1 (août 1797), p. 195.

46. Le Blond, *Sur la fixation d'une mesure* (12 mai 1790).

47. Louis Sébastien Mercier, *Le Nouveau Paris* (Brunswick, 1800, vol. 3, p. 44).

48. Pour les diverses propositions du XVIIe siècle fondées sur l'utilisation du pendule, voir la lettre d'Isaac Beeckman à Marin Mersenne, 7 octobre 1631, dans Mersenne, *Correspondance du P. Marin Mersenne* (Paris, Beauchesne, 1932-1938, vol. 3, p. 209-210) ; Christian Huygens, *Horologium Oscillatorium* (Paris, Muguet, 1673, sect. 4, prop. 25). Pour les tentatives au XVIIIe siècle, voir Turgot à Messier, 3 octobre 1775, dans Étienne François Turgot, *Œuvres* (Glashütten im Taunus, Auvermann, 1972, vol. 5, p. 31-33) ; Turgot à Condorcet [1775], dans *Correspondance inédite de Condorcet et de Turgot 1770-1779*, éd. Charles Henry (Paris, Charavay, 1883, p. 234-235) ; Keith Michael Baker, « Science and Politics at the End of the Old Regime », dans *Inventing the French Revolution : Essays on French*

Political Culture in the Eighteenth Century (Cambridge, Cambridge University Press, 1990, p. 153-166).

49. Talleyrand, *AP* 12 (9 mars 1790), p. 104-108. Talleyrand et Miller communiquaient régulièrement ; voir Y. Noël et René Taton, « La réforme des poids et mesures, Origines et premières étapes (1789-1791) », *Œuvres de Lavoisier, Correspondance*, éd. Patrice Bret (Paris, Académie des sciences, 1997, vol. 6, p. 339-365) ; John Riggs Miller, *Speeches in the House of Commons upon the Equalization of the Weights and Measures of Great Britain* (Londres, Debrett, 1790).

50. BI, MS883, fol. 34, Condorcet, « Sur une mesure commune », non daté. Jefferson travaillait en étroite collaboration avec le mathématicien David Rittenhouse et l'horloger Robert Leslie. Pour un aperçu des premiers efforts américains en faveur de la réforme du système métrique, voir Julian P. Boyd, « Report on Weights and Measures », dans Thomas Jefferson, *The Papers of Thomas Jefferson*, éd. Julian P. Boyd (Princeton, Princeton University Press, 1950, vol. 16, p. 602-617). Voir également C. Doris Hellman, « Jefferson's Efforts toward the Decimalization of United States Weights and Measures », *Isis* 16 (1931), p. 265-314. En 1785, James Madison avait lui aussi proposé de définir un étalon de mesure à partir du pendule ; voir la lettre de Madison à James Monroe, 28 avril 1785, dans *The Writings of James Madison*, éd. Gaillard Hunt (New York, Putnam, 1901, vol. 2, p. 142-143). Pour les débuts de la participation du gouvernement américain aux opérations relatives au système métrique, voir Sarah Ann Jones, *Weights and Measures in Congress : Historical Summary*, National Bureau of Standards, Publication M122 (Washington, GPO, 1936).

51. *AP* 15 (8 mai 1790), p. 439 ; voir (*Proclamation du roi sur le décret de l'Assemblée nationale du 8 mai 1790*), le 22 août 1790 (Paris, Imprimerie royale, 1790). Pour la réaction de Miller, voir Miller, *Speeches* (1790), p. VIII-IV et XIV.

52. Jefferson au président de la Chambre des représentants, 4 juillet 1790, Jefferson, *Papers*, vol. 16, p. 653. Voir son premier rapport (First Report, avril 1790), son deuxième rapport (Second Report, 20 mai 1790), et son rapport final (Final Report, 4 juillet 1790) ; Jefferson, *Papers*, vol. 16, p. 623-648. Pour ses premières préférences, voir Jefferson à Leslie, 27 juin 1790, Jefferson, *Papers*, vol. 16, p. 576. Pour les préférences de Paris, voir Brisson, « Essai sur l'uniformité de mesures » (14 avril 1790), *MAS* (1790), p. 722-726.

53. [Laplace], « Discours », 4 messidor an VII [22 juin 1799], dans Delambre, *Base du système métrique*, vol. 3, p. 585. Le discours n'est pas signé, mais il a été lu par Laplace ; voir Bigourdan, *Système métrique*, p. 160-166.

54. Borda, « Rapport à l'Académie des sciences », 19 mars 1791, *AP* 24 (26 mars 1791), p. 379 et 394-397.

55. Sur les débats relatifs à la géodésie, voir Jean-Jacques Levallois, *Mesurer la Terre : 300 ans de géodésie française* (Paris, Presses de l'École nationale des ponts et chaussées, 1988). Mary Terrall, *The Man who Flattened the Earth : Maupertuis and the Science in the Enlightenment* (Chicago, University of Chicago Press 2002). Voir aussi Mary Terrall, « Representing the Earth's Shape : The Polemics Surrounding Maupertuis's Expedition to Lapland », *Isis* 83 (1992), p. 218-237. Rob Iliffe, « Aplatisseur du monde et de Cassini », *History of Science* 31 (1993), p. 335-375. John L. Greenberg, *The Problem of the Earth's Shape from Newton to Clairaut : The Rise of Mathematical Science in Eighteenth-Century Paris and the Fall of « Normal » Science* (Cambridge, Cambridge University Press, 1995).

56. Fontenelle, « Physique », dans *HAS* 1 (1674, publié en 1733), p. 178. Voir également d'Alembert, « Pendule », *Encyclopédie*, vol. 12, p. 294.

57. Condorcet au président de l'Assemblée nationale, et Borda, « Rapport », dans *AP* 24 (26 mars 1791), p. 379, 394-397.

58. BLL Add. Manuscripts, MS33272, fol. 97-98, Charles Blagden à Joseph Banks, 8 septembre 1791. En italique dans l'original.

59. Jefferson, « Memorandum to James Monroe », avant le 4 avril 1792, Jefferson, *Papers*, vol. 27, p. 818-822. Jefferson reçut de Condorcet une copie de la loi qui privilégiait le méridien de Paris ; il la traduisit lui-même, et répondit pour « exprimer son désaccord » ; voir Condorcet à Jefferson, 3 mai 1791, Jefferson à Short, 28 juillet 1791, Jefferson à Condorcet, 30 août 1791, Jefferson, *Papers*, vol. 20, p. 353-360 et 686-691 ; vol. 22, p. 98-99.

60. Le nouveau budget de Borda s'élevait à 300 000 livres ; voir AN, F12, 1289 [Académie des sciences], 19 mars 1791. Le décret du 20 août 1790 avait fixé le budget total de l'Académie à 93 458 livres ; voir *PVCIP* 1, p. 260, n. Pour les contrats passés avec les fabricants d'instruments, voir AN, F12, 1289, Borda à Pavé (ministre de l'Intérieur), 12 brumaire an II [2 novembre 1793]. Pour un portrait physique de Lenoir – il mesurait moins d'un mètre cinquante – voir CNAM, R6, « Étienne Lenoir, Certificat de résidence », 22 floréal an II [11 mai 1794]. Sur les ouvriers de l'atelier de Lenoir, voir AAS, Lavoisier 1967, Lavoisier, « État des ouvriers et coopérateurs » [1793].

61. Mercier, *Le Nouveau Paris*, vol. 3, p. 44.

62. Jean-Paul Marat, *Les Charlatans modernes, ou Lettres sur le charlatanisme académique* (Paris, éditeur inconnu, 1791, p. 40).

63. Sur les motifs de Borda, voir Delambre, *Grandeur*, p. 202-203 et 213 ; et aussi Lalande, *Bibliographie astronomique*, p. 718. Sur ceux de Laplace, voir Laplace, « Mathématiques », *Écoles normales*, vol. 5, p. 203-214.

64. BN, Vz 1695, [Pierre Hourcastremé], *Dissertation sur les causes qui ont produit* (Paris, Pougin [1791], p. 18-19). Pour l'évolution de la forme de la Terre au cours des temps, voir Laplace, « Mathématiques », *Écoles normales*, vol. 5, p. 212. Pour les autres objections formulées contre le méridien de France, voir AN, A34 1037, « Observations sur le rapport relatif au choix d'une unité de mesure », non daté ; AN, AFII 67, plaque 496, Guéroult, *Observations sur le nouveau système des poids et mesures* (Paris, Rousyef, II [1794]).

65. Pour les objections formulées par Lalande, voir *AP* 11 (6 février 1790), p. 486-487.

66. Delambre, 14 avril 1793, dans Bigourdan, *Système métrique*, p. 128-130.

67. Pour le passeport de Delambre, voir ADSe, 3AZ259, Destournelles, Coulenbeau, « Extrait des registres des délibérations du Conseil général », 15 avril 1793. Le passeport lui-même a été délivré le 24 avril ; voir BMA, Archives Rév 2K10, Delambre, « Pétition », 9 août 1793. Voir le récit de Delambre dans Delambre, *Base du système métrique*, vol. 1, p. 41-42. Pour les lettres aux communes, voir BMA, 1953 (17) Delambre à [?], 31 mars [1793].

68. Pour le dossier de Delambre, voir BMA Archives Rev 2K10, Delambre, « Pétition », 9 août 1793.

69. AOP, E2-6 Delambre, « Registre », p. 127. AOP, MS1033c, Garcia à Delambre, 7 juin 1793.

70. De Watten à Bayonvilles, voir AOP, E2-6, Delambre, « Registre », p. 132-198. AAS Cabrol 120/121, Delambre à Lavoisier, 11 et 16 juillet 1793. Delambre, *Base du système métrique*, vol. 1, p. 44.

71. CUS, Delambre à Amélie Lefrançais, 22 août 1793.

72. Pour les espoirs de Lalande concernant l'élection de son neveu, voir CUS, Lalande à Delambre, 28 juillet [1793].

73. AAS, Lavoisier 1128 (41), Lavoisier à Delambre [août 1793]. Voir l'annonce de la suppression de l'Académie, faite par Lavoisier à Delambre, aux AAS, Bertrand Col. 4, Lavoisier à Delambre, 23 juillet 1793.

74. BNRC, Ge DD 2066 (3), Cassini IV, « Mémoires, 2ᵉ dialogue », p. 31. Sur les tentatives pour sauver l'Académie, voir *PVCIP*, t.II, p. 240-260. Pour l'Académie en général, voir Roger Hahn, *L'Anatomie d'une institution scientifique : l'Académie des sciences de Paris, 1666-1803*, trad. A. Lichnerowicz, Université de Paris, 1993.

75. Le « mètre provisoire » a d'abord été réclamé par Roland ; voir *AP* 41 (3 avril 1792), p. 100. La demande a été présentée au Comité d'instruction publique par Arbogast, « Rapport », juillet 1793, *PVCIP*, t. II, p. 9-20. Cette demande était fondée sur un rapport établi par Borda, Lagrange et Monge pour l'Académie des sciences, rapport transmis au comité le 29 mai 1793. Pour la législation relative au mètre provisoire, voir *AP* 70 (1ᵉʳ août 1793), p. 70-74 et 112-118 ; BN, Le38 2501, Arbogast, *Sur l'uniformité et le système général des poids et mesures* (Paris, Imprimerie nationale, 1793).

76. Pour les estimations de Borda, voir AAS, Chabrol 1/71, Borda à Condorcet [mai 1792].

77. Pour les besoins du cadastre, voir Jean-Baptiste Jollivet, *Rapport et projet de décret sur une nouvelle et complète organisation de la contribution foncière*, 21 août 1792 (Paris, Imprimerie nationale, 1792), p. 151-181. Pour le calcul du mètre provisoire, voir AAS, « Procès-verbaux de l'Académie » 110 (19 janvier 1793), p. 327-335 ; paru sous le titre « Fait à l'Académie des sciences, sur l'unité des poids et mesures et sur la nomenclature de ses divisions », par Borda, Lagrange et Laplace, dans le *Recueil de pièces relatives à l'uniformité des poids et mesures* (Paris, éditeur inconnu, 1793), CUL, QC89. F8A16.

78. CUS, Lalande à Delambre, 2 frimaire an II [23 novembre 1793].

79. Pour Amiens, voir AAS, dossier Delambre, Delambre à Lavoisier, 18 août 1793. AOP, MS1033c, Delambre, « Méridien de France (Partie du Nord) » [1793-1794].

80. [Delambre], « Proposition d'un citoyen », *Affiches du Département de la Somme* 28 (9 juillet 1791), p. 120-121. Pour la position occupée par Delambre au sein de la Société, voir BMA, Archives Rév. 315 (1), « Société des amis de la Constitution », 16 avril 1791. Delambre ne s'est pas rendu une seule fois à Amiens entre 1782 et 1790, voir à ce sujet Bigourdan, *Astronomie de l'observation*, p. 169.

81. [François Noël Babeuf], *Affiches du Département de la Somme* 29 (16 juillet 1791), p. 125 ; 30 (23 juillet 1791), p. 128 ; dans M.-J. Foucart, « Un aspect inconnu de Babeuf à l'été charnière de 1791 », *Société des antiquaires de Picardie* 62 (1989), p. 371-379.

82. Pour les traitements accordés aux membres de la mission, voir AAS, dossier Delambre, Delambre à Lavoisier, 18 août 1793. Delambre, « Mesure du méridien, dépense faite par Delambre », 26 floréal an III [15 mai 1795], Observatoire de Paris, *Longueur et temps* (Paris, Observatoire de Paris, 1984) ; Delambre, *Grandeur*, p. 281.

83. Delambre à Lavoisier, 13 frimaire an II [3 décembre 1793], Bigourdan, *Système métrique*, p. 132.

84. Jacques Soyer, « Un acte de vandalisme dans le département du Loiret en l'an II », *Bulletin de la Société archéologique et historique de l'Orléanais* 18 (1917), p. 99-106.

85. Pour Châtillon, voir AOP, E2-6, Delambre, « Registre », p. 270.

86. Lagrange [CPM] à Delambre, 8 nivôse an II [28 décembre 1793], dans Bouchard, *Prieur*, p. 461. Voir également Lagrange au Comité de salut public, 8 nivôse an II [28 décembre 1793] ; et Carnot et Lindet, 9 nivôse an II [29 décembre 1793], dans Bouchard, *Prieur*, p. 461-462.

87. Pour la demande d'un délai par Delambre, voir ENPC, MS724, Delambre à [Lagrange, CPM], 13 nivôse an II [2 janvier 1794]. Delambre, *Base du système métrique*, vol. 1, p. 48.

88. KM, Delambre, *Base du système métrique*, vol. 1, p. 48. Delambre a noté dans la marge qu'il s'agissait de Prony. Voir aussi Bigourdan, *Système métrique*, p. 133 ; ENPC, MS724, la Commission des poids et mesures à la Commission des subsistances, 15 nivôse an II [4 janvier 1794].

89. Denis Lottin, *Recherches historiques sur Orléans* (Orléans, Jacob, 1838, vol. 4, p. 195 et 427-428).

90. Pour l'estimation de 1 200 lieues faite par Delambre, voir Delambre, « Mesure du méridien, dépense faite par Delambre », 26 floréal an III [15 mai 1795], Observatoire de Paris, *Longueur et temps*. Voir aussi ENPC, MS726, Delambre, « Mesure du méridien », 19 messidor an II [7 juillet 1794].

91. AOP, E2-6, Delambre, « Registre », 3 pluviôse an II [22 janvier 1794].

92. Delambre, *Base du système métrique*, vol. 1, p. 49. Voir également ENPC, MS724, Ministère de l'Intérieur à Prony, 18 nivôse an II [7 janvier 1794].

93. AN, AF II 67, plaque 496, Prieur, Barère, Carnot, Lindet, Billaud-Varenne, « Le Comité de salut public, considérant combien... », 3 nivôse an II [23 décembre 1793]. Pour la version publiée, voir *RACSP*, t. IX, p. 600. On notera que Delambre, dans la *Base du système métrique* (vol. 1, p. 50), désigne comme signataires les trois radicaux qui ont été exécutés (Robespierre, Couthon, et Collot-d'Herbois), plutôt que les trois ingénieurs du parti modéré (encore en vie ceux-là) qui ont réellement signé l'ordre (Prieur, Carnot et Lindet). L'astronome a toutefois modifié cette inexactitude délibérée, dans une note écrite en marge ; voir KM, Delambre, *Base du système métrique*, vol. 1, p. 50.

94. AOP, E2-19, Delambre à la Commission des poids et mesures, 4 pluviôse an II [23 janvier 1794].

95. Pour l'arrestation de d'Assy, voir AN, F7 4722, Comité de sûrété générale, « Geoffroy d'Assy », 6 pluviôse an II [25 janvier 1794].

Chapitre 4

1. Pascal, *Pensées sur la religion*, éd. Louis Lafuma, *Œuvres complètes*, Le Seuil, 1963, 60-294, p. 507.

2. AOP, E2-19, Méchain à Lalande, 19 ventôse an III [9 mars 1796]. On trouve des nouvelles de Méchain dans une lettre de Lalande à [Delambre], CUS, 28 juillet 1793. Pour les effets de la chaleur sur le cercle, voir AOAB, Cart. 88, Méchain à Oriani, 2 avril 1795.

3. Jaume Carrera I Pujal, *La Barcelona del segle XVIII* (Barcelone, Casa Editorial, 1951, v. 1). Maldà, *Calaix de Sastre*, vol. 2, p. 91-93. Torreilles, *Perpignan*, vol. 2, p. 62-63.

4. Sur le salaire de Méchain, voir AAS, Lavoisier 1228 (36), Lavoisier à Méchain, 6 octobre 1793. Pour la déférence témoignée par Méchain à l'égard de l'ancienne Académie, voir AOP, E2-19, Méchain à Borda, 10 janvier 1794. Sur les craintes qu'a Méchain de se voir évincé, voir AOP, E2-19, Méchain à Borda, 10 janvier 1794. Pour les conjectures de Delambre sur les raisons de son exclusion alors que Méchain était épargné, voir Delambre, *Grandeur*, p. 214.

5. Pour la rumeur selon laquelle Méchain aurait reçu de l'étranger des propositions intéressantes, voir KM, *Base du système métrique*, vol. 1, p. 52. Pour la correspondance concernant les fonds dont disposait Méchain, voir CUL, MS4712 ++, Lavoisier, « Registres de l'Académie des sciences », 1792-1793.

6. Pour la proposition de Delambre, voir ENPC, MS724, Delambre, « Mesure du méridien », 19 messidor an II [7 juillet 1794].

7. ADPO, L1128, Gauderique Costaseca *et al.*, « Extrait des registres de la municipalité de Valmagnne [*sic*] », 7 octobre 1793.

8. Pour l'aide de Llucía, voir ADPO, L1128, Méchain à Llucía, 6 octobre 1793.

9. Lalande, Pingré, Chabert, Cassini IV et Méchain, « Rapport », 4 juin 1791, dans Antoine Albitreccia, *Le Plan terrier de la Corse au XVIII* siècle (Paris, PUF, 1942, p. 74).

10. Méchain, cité par Delambre, dans sa *Base du système métrique*, vol. 1, p. 430. Delambre note que les résultats relatifs au Puig de l'Estelle ont été consignés par Tranchot ; voir KM, Delambre, *Base du système métrique*, vol. 1, p. 429-435. Dans le registre E2-19, AOP, Delambre note que Méchain a donné les corrections à Tranchot sans fournir d'explication sur le comment ou le pourquoi de leur utilisation. Voir également, Delambre, *Grandeur*, p. 280.

11. Sur la transmission par Tranchot, à l'armée française, des résultats concernant la latitude des forteresses espagnoles, voir Henri Marie Auguste Berthaut, *Les Ingénieurs géographes militaires, 1624-1831 : Étude historique* (Paris, Imprimerie du service géographique, 1902, vol. 1, p. 172). Il m'a été impossible ici de localiser les documents d'origine qui sous-tendent cette affirmation. Berthaut ne cite malheureusement presque jamais ses sources, et il y a quelque chose de contradictoire dans sa façon de relater les faits. Il affirme notamment que Tranchot a transmis ces plans à Dugommier en l'an IV, mais Dugommier est mort en l'an II. En outre, ces plans n'auraient été d'aucune utilité en l'an IV, puisque à cette époque les Français occupaient déjà la plupart des places fortes et que la paix avait été signée en l'an III. Il n'en reste pas moins que Berthaut était un historien extrêmement fiable et compétent, qui travaillait exclusivement à partir de documents d'archives du Dépôt de la guerre, auquel il eut accès sans réserve pendant de nombreuses années. Une grande partie de ces documents a été égarée depuis. L'essentiel de son récit a donc de fortes chances d'être avéré, même s'il subsiste des incertitudes quant aux dates et à la forme prise par cet espionnage.

12. Pour Méchain à Puig Camellas, voir Delambre, *Base du système métrique*, vol. 1, p. 429-445.

13. Pour les nouvelles reçues par Lalande, voir CUS, Lalande à Delambre, 3 frimaire an II [23 novembre 1793].

14. ADPO, L1128, Tranchot (au Puig de l'Estelle) à [Llucía], 3 novembre 1793. Tranchot cite les mots que Méchain lui avait écrits dans sa lettre, qui a été égarée.

15. ADPO, L1128, Tranchot à [Llucía], 3 novembre 1793.

16. Llucía, dans Vidal, *Pyrénées-Orientales*, vol. 3, p. 46.

17. Pour l'interdiction d'envoyer les résultats, voir AOP, E2-19, Méchain à Borda, 10 janvier 1794. Pour les ordres donnés par Ricardos, voir Delambre, *Notice historique sur M. Méchain*, p. 18.

18. Sur Dugommier, voir Arthur Chuquet, *Dugommier, 1738-1794* (Paris, Fontemoing, 1904). Sur les batailles de 1793-1794, voir Joseph Napoléon Fervel, *Campagnes de la Révolution française dans les Pyrénées-Orientales* (Paris, Dumaine, 1861, vol. 2, p. 210-211).

19. AOP, E2-19, Méchain à Borda, 10 janvier 1794. Il existe deux exemplaires de cette lettre ; aucun ne la restitue en entier et chacun contient des éléments qui ne se trouvent pas dans l'autre : le premier se trouve aux AOP (E2-19, Méchain à Borda, 10 janvier 1794) et le deuxième à l'ENPC (MS1504, Méchain à Borda, 10 janvier 1794).

20. Pour la mesure de la latitude de Barcelone, Méchain a reconnu plus tard avoir été « estropié du bras droit » et avoir dû « agir avec le secours des autres », AOP, E2-19, Méchain à Lalande, 4 messidor an IV [22 juin 1796].

21. Pour les triangulations de Mont-Jouy, voir Delambre, *Base du système métrique*, vol. 1, p. 503. Pour le temps qu'il faisait le 16 mars, voir *Diario de Barcelona* 77 (18 mars 1794), p. 305.

22. Pour les tensions à Barcelone, voir Roura I Aulinas, *Guerra Gran*, p. 75 ; Hess, *Eighteenth-Century Spain*, p. 311-312.

23. Pour le départ de Barcelone, voir BUP, MS168.1, Méchain à Slop, 6 septembre 1794. Pour la foudre, voir AOAB, Cart. 88, Méchain à Oriani, 2 avril 1795.

24. SHAT, B4 112, Dugommier à La Unión, 28 prairial an II [16 juin 1794].

25. SHAT, B4 112, Dugommier à La Unión, 15 messidor an II [3 juillet 1794].

26. La Unión à Dugommier [juin-juillet 1794], dans J. Delbar, « Le comte de La Unión », *Études religieuses*, 47 (1889), p. 235-254 ; 48 (1889), p. 57-85, 278-298 et 428-450 ; citation dans vol. 48, p. 287.

27. Delbrel, « Notes du Conventionnel Delbrel », 27 brumaire an III [17 novembre 1794], *Revue de la Révolution* 5 (1885), p. 53.

Chapitre 5

1. Charles de Secondat de Montesquieu, *Esprit des lois*, [1750], dans *Œuvres complètes* (Paris, Garnier, 1875, vol. 5, p. 412-413).

2. Marie Jean Antoine Nicolas de Caritat de Condorcet, *Observations... sur le 29ᵉ livre de l'Esprit des lois* [1793], dans *Œuvres* (Paris, Didot, 1847, vol. 1, p. 376-381).

3. Pour l'appel à l'utilisation du nouveau système métrique, voir les *RACSP*, t. IX (30 novembre 1793), p. 63. Pour la persistance de la diversité des mesures jusqu'en 1794, voir AN F12* 208, le Min. Aff. Étr. au Comité des subsistances, 30 nivôse an II [19 janvier 1794].

4. Daryl Hafter, « Measuring Cloth by the Elbow and Thumb : Resistance to Numbers in France of the 1780's », *Cultures of Control*, éd. Miriam Levin (Amsterdam, Harwood, 2000, p. 69-79).

5. Pour un exemple de la diversité des mesures anthropométriques entre les régions à la fin de l'Ancien Régime, voir Jean-Baptiste Galley, *Le Régime féodal dans le pays de Saint-Étienne* (Paris, Imprimerie de la Loire républicaine, 1927, p. 315-316 et 326). Pour les mesures anthropométriques masquées par d'apparentes unités abstraites, voir Alfred Antoine Gandilhon, *Département du Cher : Cahiers de doléances du bailliage de Bourges* (Bourges, Tardy-Pigelet, 1910, p. 768 et770).

6. Witold Kula, *Measures and Men*, traduit par R. Szreter (Princeton, Princeton University Press, 1986). Le terme « anthropométrique » désigne tout ce qui est relatif aux mensurations du corps humain ; ici, dans l'emploi qui en est fait par Kula, il s'agit de mesures dérivées des besoins de l'homme. Voir également l'article de Marc Bloch, « Le témoignage des mesures agraires », *Annales d'histoire économique et sociale*, 6 (1934), p. 280-282.

7. Galley, *Régime féodal*, p. 282.

8. Pour l'argument selon lequel la création d'unités agraires uniformes et abstraites améliorerait la productivité, voir Bureaux de Pusy, *AP* 15 (8 mai 1790), p. 440. Pour une étude plus récente et plus complète de la productivité agricole sous l'Ancien Régime, voir Philip T. Hoffman, *Growth in a Traditional Society : The French Countryside, 1450-1815* (Princeton, Princeton University Press, 1996). Néanmoins cette étude, si complète fût-elle au plan quantitatif, nous apprend peu de

choses sur la productivité agricole – en dehors des fermes « modernes » où l'on a conservé des traces écrites des résultats de l'exploitation – ou sur les échanges qui ont constitué la majeure partie des premières transactions modernes. Pour une analyse différente, voir Jean Peltre, *Recherches métrologiques sur les finages lorrains* (Lille, Atelier de reproduction des thèses, 1977).

9. Young, *Travels*, vol. 2, p. 44-46.

10. Galley, *Régime féodal*, p. 307.

11. Pour la définition scientifique des mesures « naturelles », voir Maurice Crosland, « "Nature" and Measurement in Eighteenth-Century France », *Studies on Voltaire and the Eighteenth Century* 87 (1972), p. 277-309.

12. Raymond de Roover, « The Concept of the Just Price : Theory and Economic Policy », *Journal of the History of Economic Thought* 18 (1958), p. 418-434.

13. Sur Notre-Damme-de-Lisque et les pratiques similaires qui avaient cours dans l'Europe de l'Ancien Régime, voir Kula, *Measures and Men*, p. 194-195.

14. *Département de l'Yonne, Cahiers de doléances du Bailliage de Sens*, éd. Charles Porée (Auxerre, Imprimerie coopérative ouvrière « l'Universelle », 1906, p. 177-178). Pour l'aveu fait par l'officier d'administration, voir Robert Vivier, « Contribution à l'étude des anciennes mesures du département d'Indre-et-Loire », *Revue d'histoire économique et sociale*, 14 (1926), p. 180-199, surtout p. 196 ; 16 (1928), p. 182-227.

15. Sur l'économie de l'Ancien Régime, voir Judith Miller, *Mastering the Market : The State and Grain Trade in Northern France, 1700-1860* (Cambridge, Cambridge University Press, 1999, p. 4-36). Voir également Steven L. Kaplan, *The Bakers of Paris and the Bread Question, 1700-1775* (Durham, Duke University Press, 1996). Sur la distinction entre le principe du marché et le marché comme lieu d'échanges, voir Steven L. Kaplan, *Provisioning Paris : Merchants and Millers in the Grain and Flour Trade during the Eighteenth Century* (Ithaca, Cornell University Press, 1984, p. 47-48 et 68-69). Voir également, Kula, *Measures and Men*, p. 71-78.

16. Borda, *AP* 70 (1er août 1793), p. 117-118. Voir ma « Note sur les mesures ».

17. Lavoisier, « Éclaircissements historiques sur les mesures des anciens », non daté, *Œuvres*, vol. 6, p. 703.

18. Condorcet, *Esquisse d'un tableau historique des progrès de l'esprit humain*, p. 285 (numérisé sur www.gallica.fr) ; K.M. Baker, « An Unpublished Essay of Condorcet on Technical Methods of Classification », *Annals of Science* 18 (1962), p. 99-123 ; Gilles-Gaston Granger, « Langage universel et formalisation des sciences : un fragment inédit de Condorcet », *Revue d'histoire des sciences* 7 (1954), p. 197-219. Louis Marquet, « Condorcet et la création du système métrique décimal », dans *Condorcet, mathématicien, économiste, philosophe, homme politique*, éd. Pierre Crépel et Christian Gilian (Paris, Minerve, 1989, p. 52-62). Sur Condorcet en tant que spécialiste d'économie politique, voir Emma Rothschild, *Economic Sentiments : Adam Smith, Condorcet, and the Enlightenment* (Cambridge, Harvard University Press, 2001). Sur le langage rationnel tel que le voyaient les philosophes des Lumières, voir Michel Foucault, *Les Mots et les Choses. Archéologie des sciences humaines*, Gallimard, 1966.

19. Condorcet, *Mémoires sur les monnaies* (Paris, Baudoin, 1790, p. 3).

20. [Prieur], ATPM, *Notions élémentaires sur les nouvelles mesures*, 1re éd. (Paris, Imprimerie de la République, IV [1795], 1, 3-4).

21. BEP, Prieur 4.2.3.2 Prieur, « Motifs », non daté [1794].

22. BEP, Prieur 4.2.3.3 Prieur, « Chez un peuple », non daté. Et aussi Prieur, *Nouvelle Instruction sur les poids et mesures*, 2e éd. (Paris, Du Pont, IV [1795-1796], p. 26-31).

23. ATPM, *Aux citoyens rédacteurs*, p. 9-10.

24. Sur l'élimination des patois, voir Patrice Higonnet, « The Politics of Linguistic Terrorism and Grammatical Hegemony during the French Revolution », *Social History* 5 (1980), p. 41-69. Dans sa fameuse dénonciation du vandalisme, l'abbé Henri Grégoire, qui mena campagne contre les patois, est passé directement de l'uniformité métrologique à l'uniformité linguistique ; voir Grégoire, *AP* 96 (31 août 1794), p. 154.

25. Romme, « Rapport sur l'ère de la République », *PVCIP* 2 (20 septembre 1793), p. 442. Au début, Romme avait donné à chaque mois le nom d'une vertu républicaine. Les saisons ont été proposées par le poète Fabre d'Églantine. Gilbert Romme *et al.*, Convention Nationale, *Calendrier de la République française* (Paris, Imprimerie nationale, an II [1793]).

26. Pour les doutes formulés par Lalande à propos de la semaine de dix jours, voir NYPL *KVR 756, Lalande, préface à Cubières, *Le Calendrier républicain, poème en deux chants*, 3ᵉ éd. (Paris, Mérigot, an VII [1798-99], p. 5).

27. La première proposition de décimalisation du temps fut lue devant la Convention par Borda, *AP* 53 (5 novembre 1792), p. 583-585. AN F17 1135 Anonyme, *Rapport sur les questions relatives au nouveau système horaire* (Paris, Baudelot et Eberhart, pluviôse an II [janvier 1794]) ; J. de Rey Pailhade, « La montre décimale de Laplace », *Revue chronométrique* 60 (1914), p. 34-37 et 51-56.

28. Pour la division du cercle en 400 degrés, voir BN Le38 2501, Borda *et al.*, *Sur le système général des poids et mesures* (Paris, éditeur inconnu, 1793), envoyé au CIP le 29 mai 1793. Certains marins étaient partisans de cette réforme ; voir Charles Pierre Claret de Fleurieu, *Voyage autour du monde* (Paris, Imprimerie de la République, an VIII [1798], vol. 4, p. III-VIII, 1-130). D'autres étaient sceptiques et doutaient de son acceptation par l'ensemble des marins ; voir Jean-François de Galaup La Pérouse, *Voyage de La Pérouse*, éd. L.-A. Milet-Mureau (Paris, Imprimerie de la République, 1797), p. XXX-XXXI.

29. Sur les tables logarithmiques décimales, voir BI MS883 fol. 38, Condorcet, sans titre, non daté. Prony, « Éclaircissements sur un point d'histoire des tables trigonométriques », *MI* 5 (an XII [1803-1804]), p. 67-93 ; I. Grattan-Guinness, « Work for the Hairdressers : The Production of Prony's Logarithmic and Trigonometric Tables », *Annals of the History of Computing* 12 (1990), p. 177-185. Lorraine Daston, « Enlightenment Calculators », *Critical Inquiry* 21 (1994), p. 182-202. Il y eut également des propositions visant à rationaliser la température, que l'on mesurait à l'époque sur l'échelle de Réaumur (de 80 degrés) et d'autres préconisant l'adoption de l'échelle centésimale du suédois Celsius. AN F17 1135, Cotty à CPM, 30 prairial an II [18 juin 1794].

30. Sur les exemptions militaires, voir Lavoisier, « Rapport et projet de décret sur la réquisition des ouvriers », 1793, dans *Œuvres*, t. VI, p. 665-669. Voir également la demande d'exemption de Bellet, présentée par Delambre dans les *PVCIP*, 2 (21 septembre, 1ᵉʳ octobre 1793), p. 452, 520 et 527-529.

31. Sur les efforts de Lavoisier pour sauver l'Académie, voir lettre de Lavoisier à Lakanal, « Observations sur l'Académie des sciences », 17 juillet 1793, *Œuvres*, t. VI, p. 621-22. Sur la tentative de Borda pour sauver Lavoisier, voir AN F17 4770, Borda et Haüy, « Extrait de registre des délibérations de la CPM », 28 frimaire an II [28 décembre 1793] ; reçue le 2 nivôse an II [22 décembre 1793], et dont le Comité de sûreté générale a refusé de tenir compte, le 29 frimaire an II [18 janvier 1794]. Sur l'épuration des membres de la Commission, voir *PVCIP*, 3, p. 233-242.

32. Delambre, *Grandeur*, p. 213.

33. BEP, Prieur 4.2.1.3, Prieur, « L'uniformité des poids et mesures » [1794].

34. AN F7 4722, Chalandon et Wibert, « Aujourd'hui… d'Assy », 12 pluviôse an II [31 janvier 1794]. Pour la mise sous scellés de la demeure des d'Assy, voir AN F7 4722, Chalandon et Wibert, « D'Assy », 19 frimaire an II [9 décembre 1793]. Sur l'arrestation de d'Assy, voir AN F7 4722, Comité de sûreté générale, « Geoffroy d'Assy », 6 pluviôse an II [25 janvier 1794].

35. Pour le retour de Delambre à Paris, voir Delambre, « Mesure du méridien, dépense faite par Delambre », 26 floréal an III [15 mai 1795], dans *Longueur et temps*, Observatoire de Paris. Pour l'attestation de son lieu de résidence, voir AN F12 1289, Borda et Haüy (CPM) à Paré (Min. Int.), 23 frimaire an II [13 décembre 1793] ; Min. Int., « Certificat », 27 frimaire an II [17 décembre 1793] ; Min. Int. à Borda, 29 frimaire an II [19 décembre 1793].

36. AN F7 4666, Hevaud et Wibert, « Delambre », 11 ventôse an II [1er mars 1794] ; et aussi 13 pluviôse an II [1er février 1794].

37. Delambre, *Base du système métrique*, vol. 1, p. 52.

38. Le commentaire de Lagrange a été rapporté par Delambre dans sa « Notice sur la vie et les œuvres de M. le comte J.-L. Lagrange », Lagrange, *Œuvres* (Paris, Gauthier-Villars, 1867), vol. 1, p. XL.

39. AN W410, Fouquier, « Jugement qui condamne », 4 messidor an II [22 juin 1794] ; « Procès-verbal d'exécution de mort », 21 messidor an II [9 juillet 1794]. Ciffinat, « Noms », 21 messidor an II [9 juillet 1794]. Pour un compte rendu des accusations formulées contre les prisonniers du Luxembourg, voir Henri Wallon, *Le Tribunal révolutionnaire*, 2e éd. (Paris, Plon, 1900, vol. 2, p. 332-364, et particulièrement p. 347-349).

40. Pour les séjours ultérieurs de Delambre à Paris, voir AN, F7 4722, d'Assy, 17 prairial an II [5 juin 1794] ; 23 prairial an II [11 juin 1794]. Delambre « Réclamation », 21 nivôse an III [10 janvier 1795], extrait du catalogue de Terry Bodin, *Autographes*, septembre 2000. Pour la remarque sur les tragédies, voir CUS, Delambre au cit. Charles (prof. physique), 27 vendémiaire an III [18 octobre 1794].

41. Devic, *Cassini IV*, p. 187. Voir aussi Wolf, *Observatoire*, p. 338-346.

42. AN, F17 1065, « Les astronomes de l'Observatoire de la République au CIP », 26 vendémiaire an II [17 octobre 1793]. Sur la collaboration avec les élèves-astronomes, voir Cassini IV, Nouet, Villeneuve et Ruelle, « Extrait des observations », *MA* (1786), p. 314-317.

43. AAS, 1J4, Lalande, « Journal », p. 64. Voir également AN, F17 1065, les professeurs de l'Observatoire à la Convention nationale, 1 ventôse an II [19 février 1794].

44. Sur l'Observatoire pendant la Révolution, voir Wolf, *Observatoire*, p. 353-359. Voir également Devic, *Cassini IV*, p. 170-221. Pour le mandat d'expulsion, voir Perny, « Billet », 4 octobre 1793, dans Claude Teillet, « Cassini IV, témoin de la Révolution », *Actes du colloque de Clermont : La Révolution dans le Clermontois et dans l'Oise*, 7-8 octobre 1989 ([Clermont], GEMOB, 1990, p. 72).

45. L'original de l'accusation portée contre Ruelle a été égaré, mais celle-ci a été rapportée dans les *PVCIP*, t. IV (27 thermidor an II [14 août 1794]), p. 941. Pour l'invitation faite à Delambre, voir *PVCIP* 4 (9 fructidor an III [26 août 1794]), p. 984.

46. Sur le Bureau, voir Henri Grégoire, *Rapport sur l'établissement du Bureau des longitudes, séance du 7 messidor an III* [25 juin 1795] (Paris, Imprimerie nationale, messidor an III [juin 1795]).

47. Pour la requête formulée par Ruelle, qui demandait à être libéré pour aller voir sa femme, domestique des Cassini depuis de nombreuses années, et son fils de six ans qui était mourant, voir AN, F7 4775 (4), Ruelle à la Commission des administrations civiles, 24 vendémiaire an III [15 octobre 1794] ; AN, F17 1065, Lalande au CIP, 29 vendémiaire an IV [21 octobre 1795].

48. Jean Dominique Cassini IV, « Mon apologie à un de mes confrères », [1795-1796], dans *Riens qui vaillent* (Paris, éditeur inconnu, 1842, p. 70). Cassini IV a néanmoins fait une apparition lors de l'une des premières réunion du Bureau, le 25 juillet 1795 ; voir Bigourdan « Bureau des longitudes » (1928), A, p. 16-18. Sur les prières de Delambre, voir Delambre, « Réponse à la note » [1796], dans Bigourdan, « Bureau des longitudes », (1928), A41.

49. Cassini IV, « Mon apologie », [1795-1796], p. 63-76.

50. Lalande, « Testament moral » dans Amiable, *Lalande*, p. 50, 53. Sur l'admission des femmes au Collège et dans le corps enseignant, voir BVCS, MS99, Lalande, « Journal 1790 » et le 5 mai 1791. Sur son gilet pourpre, voir BYU, Lalande à Piery, 23 juillet [1788]. Sur son parapluie, voir BYU, Delambre, Dossier 8, Delambre à Lalande, 7 mai 1792. Lalande cessa d'écrire son journal en 1793-1794, par mesure de prudence, pour le cas où la police révolutionnaire viendrait saisir ses papiers ; voir AAS, Dossier Lalande, Synopsis de Lalande, « Journal, 1756-1807 ».

51. Lalande à Amélie, 9 octobre 1793, dans Raspail, « Lalande », p. 243. Sur le fait qu'il était protégé par son athéisme, voir l'article « Lalande » de Sylvain Maréchal, dans *Dictionnaire des athées* (Paris, Grabit, an VIII [1799-1800], p. 227).

52. Delambre, « Lalande », *Biographie universelle* (éd. Michaud), p. 613. Du Pont, « Discours prononcé... aux obsèques de Joseph Jérôme de Lalande », *Moniteur* 103 (6 avril 1807), p.11-12. Voir aussi [Du Pont] à Lalande, 24 août 1793, dans le Dossier Lalande, AAS, Synopsis de Lalande, « Journal, 1756-1807 » ; pour les éloges funèbres, se reporter aux annotations dans la marge de son « Éloge de Bailly », *Décade philosophique*, 30 pluviôse an III [18 février 1795] BNR, Fr 12273.

53. Raspail, « Lalande » p. 243. Voir aussi BN, Rés 3640 [Lalande], *L'éther, ou l'Être suprême élémentaire [et pneumatique]* (Paris, Petits Augustins, 1796).

54. CUS, Lalande au président du Tribunal criminel, 8 vendémiaire an IV [30 septembre1795].

55. CUS, Lalande à [un inconnu], 25 mars 1797. Pour la progression de son catalogue, voir BYU, Lalande à Piéry, 1er messidor an II [19 juin 1794] ; APS, Lalande à Hassler, 12 octobre 1794. Pour les quarante et un mille étoiles, se reporter à Lalande, *Bibliographie astronomique*, p. 781.

56. Pour le passeport de Delambre, voir « Municipalité de Bruyères-Libre, "Certificat... Delambre", 17 prairial an III [5 juin 1795] », dans Bigourdan, *Système métrique*, p. 134. Apparemment, Delambre avait un cousin qui avait émigré et cela pouvait avoir des conséquences fâcheuses pour lui-même ; voir CUS, J.B.J. Delambre à [son cousin] Delambre, notaire, 7 floréal, aucune indication de date [vers 1800]. Sur ses observations en avril-mai 1795, voir Bigourdan, *Astronomie d'observation*, p. 170.

57. *PVCIP* 6 (19 floréal an III, [8 mai 1795]), p. 187. Sur la participation de Delambre à la réforme du calendrier, voir *PVCIP* 6 (20, 29 germinal, 19 floréal an III [9, 18 avril, 8 mai 1795]), p. 180-188. Sur le point de vue de Delambre quant à l'impossibilité de concilier le début de l'année avec l'équinoxe, voir AOP, Z137 (2), Delambre (alors à Bruyères-Libre) à Romme [1795] ; Delambre, *Astronomie théorique et pratique* (Paris, Courcier, 1814, vol. 3, p. 696). Pour la question de fond, se reporter à Michel Froeschlé, « Le calendrier républicain correspondait-il à une nécessité scientifique ? », *Scientifiques et Sociétés pendant la Révolution*, Actes du 114e Congrès national des sociétés savantes (Paris, Comité des travaux historiques et scientifiques, 1990, p. 454-465) ; Bruno Morando *et al.,* « Le calendrier républicain », *Astronomie* (juin 1989), p. 269-274.

58. SHAT, 3M4, Calon à Méchain, 13 pluviôse an III [1 février 1795]. Numa Broc, « Un musée de géographie en 1795 », *Revue d'histoire des sciences*, 27 (1974), p. 37-43. Patrice Bret, « Le Dépôt général de la guerre et la formation scientifique

des ingénieurs-géographes militaires en France (1789-1830) », *Annals of Sciences* 48 (1991), p. 113-157 ; Berthaut, *Ingénieurs géographes*.

59. Pour le recours à Delambre, voir SHAT, 3M4, Calon à Delambre (alors à Bruyères-Libre), 12 brumaire an III [2 novembre 1794]. Sur le fait que Calon croyait Delambre en prison, voir Delambre, *Grandeur*, p. 216.

60. Pour la loi du 18 germinal instituant le système métrique, voir Prieur, *Rapport sur les moyens*, lu devant la Convention nationale le 25 fructidor an III [11 septembre1794] (Paris, Imprimerie nationale, vendémiaire an IV [septembre-octobre 1794]). Prieur, *PVCIP* 5 (11 ventôse an III [1er mars 1795]), p. 551-563. La loi du 1er vendémiaire an IV [23 septembre 1795] rendit l'usage du mètre obligatoire à Paris, dans les trois mois, soit le 1er nivôse an IV [22 décembre 1795]. Sur la tiédeur des partisans de la décimalisation du temps, se reporter à Lagrange, *PVCIP* 3 (29 ventôse an II [19 mars 1794]), p. 605-606.

61. AN, AFII 67 plaque 496, Prieur, « Arrêté relatif aux poids et mesures », 12 prairial an III [31 mai 1795].

62. AOP, E2-19, « Extrait du registre des délibérations du CIP », 18 floréal an III [7 mai 1795]. Voir également *PVCIP* 6 (12 prairial an III [31 mai 1795]), p. 244-245, p. 247.

63. AOP, E2-19, Prieur à Delambre, 14 prairial an III [2 mai 1795].

64. AOP, E2-19, Delambre à Méchain, 12 frimaire an IV [3 décembre1795]. Voir aussi Delambre, *Grandeur*, p. 217.

65. ENPC, MS726, Delambre, « Mesure du méridien », 19 messidor an II [9 juillet 1794] ; *PVCIP* 5 (8 prairial an III [27 mai 1795]), p. 236. Ses confrères membres des diverses commissions ont pris position en faveur de Delambre ; AN, F17 1135, ATPM, « Rapport présenté au CIP », 29 floréal an III [18 mai 1795] ; « Projet d'arrêté du CIP » 8 et 12 prairial an III [27 et 31 mai 1795].

66. Sur l'équipement de Delambre, voir BMR, Tarbé XXI/137, Delambre, « État des dépenses pour la mesure de la méridienne », 1er ventôse an V [19 février 1797]. Son nouvel assistant se nommait Plessis et avait peu d'expérience dans le domaine de l'astronomie.

67. Sur Bourges, voir AOP, E2-1, Delambre, « Reprise des opérations », messidor an II [juin 1795] ; KM, Delambre, *Base*, vol. 1, p. 210.

68. Émile Mesle, *Histoire de Bourges* (Roanne, Horvath, 1988, p. 247-249).

69. Sur le pélican de Bourges, voir AOP, E2-6, Delambre, « Registre », p. 279 ; AOP, E2-19, Delambre à Méchain, 12 frimaire an IV [3 décembre 1795].

70. Pour les dépenses de Delambre, voir BMR, Tarbé XXI/137, Delambre, « État des dépenses pour la mesure de la méridienne », 1er ventôse an V [19 février 1797].

71. Pour la demande de fonds à Calon, voir SHAT, 3M4, Calon à Delambre, 26 thermidor an III, 14 et 22 vendémiaire, 29 brumaire an IV [13 août, 6 et 15 octobre, 20 novembre 1795]. Pour le grade de Delambre, voir AOP, MS1033C, Delambre à Méchain, 17 fructidor an III [3 septembre 1795]. Pour celui de Méchain, voir AOP, E2-19, Méchain à Delambre, 8 thermidor III [26 juillet 1795].

72. AOP, E2-19, Lettre de Delambre à Méchain, 12 frimaire an IV [3 décembre 1795]. En italique dans l'original.

73. Christophe Sauvageon, vers 1700, dans Bernard Edeine, *La Sologne : contribution aux études d'ethnologie métropolitaine* (Paris, Mouton, 1974, p. 193).

74. Legier, « Traditions et usages de la Sologne », *Mémoires de l'Académie celtique* 2 (1808), p. 206. Sur le dindon, voir Sauvageon, vers 1700, dans Edeine, *Sologne*, p. 681-683.

75. De Vouzon à Sainte-Montaine, voir Delambre, *Base*, vol. 1, p. 180-204. Voir aussi AOP, E2-6, Delambre, « Registre », p. 336-361.

76. Delambre, *Base,* vol. 1, p. 203-206 ; AOP, E2-6, Delambre, « Registre », p. 312-335.

77. Delambre, *Base,* vol. 1, p. 115 ; voir aussi Hélène Richard, « Dans le cadre de la "méridienne verte" », *Bulletin de la Société archéologique de Puiseaux* 29 (1999), p. 40.

78. Sur l'exactitude des résultats pour la Sologne, voir Delambre, *Grandeur,* p. 235.

79. Pour les questions formulées par Delambre, voir AOP, MS1033C, Delambre à [Méchain], 13 fructidor an III [3 septembre 1795].

Chapitre 6

1. Goethe, *Les Souffrances du jeune Werther,* traduit par Henri Buriot Darsiles (Paris, F. Aubier, 1954).

2. BUP, MS168.1, Méchain à G. Slop, 14 juin 1794. Pour les contacts antérieurs entre Slop et les Français, voir la lettre de Lalande à G. Slop, BUP, MS167.11, 21 octobre 1792. Voir aussi BUP, MS168.1, Dépôt de la marine à G. Slop, 2 mars 1778 ; Josepho Slopio de Cadenberg [G. Slop], *Theoriae cometarium* (*Pizzornius, Pise,* 1771).

3. BUP, MS168.1, Branacci à G. Slop, 20 juin 1794. Pour le récit de cette période, voir BUP, MS168.1, Méchain à G. Slop, 21 juin 1794. Voir également Oriani à Piazzi, 12 novembre 1794, dans la *Correspondenza astronomica fra Guiseppe Piazzi e Barnaba Oriani* (Milan, Heopli, 1874, p. 31-32).

4. Sur la famille Slop, voir F. Menestrina, « L'astronomo Giuseppe G. Slop e la sua famiglia », *Studi Trentini di scienze stroriche* 26 (1947), p. 3-24 et 127-150.

5. BUP, MS168.1, Méchain à G. Slop, 2 août 1794.

6. BUP, MS168.1, Méchain à G. Slop, 4 octobre 1794. On peut supposer que Méchain s'était confié à .G. Slop parce que toutes les lettres suivantes laissent entendre que l'astronome pisan était au courant, et qu'il connaissait également les résultats de Mont-Jouy. Voir BUP, MS168.1, Méchain à G. Slop [27 septembre 1794].

7. BUP, MS168.1, Méchain à G. Slop, 4 octobre 1794. On peut supposer que Méchain avait fait promettre à G. Slop de garder le silence car il lui avait demandé de brûler ses lettres. Il est toutefois fort improbable que G. Slop en ait brûlé une seule, car il n'y a pratiquement aucune interruption dans leur correspondance hebdomadaire.

8. Pour l'arrivée de Méchain à Gênes, voir BUP, MS168.1, Méchain à G. Slop, 12 juillet 1794. Fin octobre, Méchain logeait encore à l'auberge du Lion d'Or, sur la Piazza de Scolopi ; voir AOP, B4-10, Oriani à Méchain, 22 octobre 1794.

9. Sur Gênes pendant la période qui a précédé la Révolution, voir Lalande, *Voyage en Italie,* 2ᵉ éd. (Paris, Desaint, 1786, vol. 8, p. 292-390) ; René Boudard, *Gênes et la France dans la deuxième moitié du XVIIIᵉ siècle* (Paris, Mouton, 1962, p. 77-80 et p. 173-176) ; Pietro Nurra, « Genova durante la rivoluzione francese : un conspiratore : il patrizio Luca Gentile », *Giornale storico della Liguria,* nouvelle série, 4 (1928), p. 124-131.

10. Sur la visite de Bonaparte, voir Napoléon Bonaparte, *Correspondance de Napoléon I* (Paris, Plon, 1858, vol. 1, p. 54-55 et 61-64) ; Théodore Jung, *Bonaparte et son temps, 1769-1799* (Paris, Charpentier, 1883, vol. 2, p. 438-440) ; Pietro Nurra, « La missione del Generale Bonaparte à Genova nel 1794 », dans *La Liguria nel Risorgimento* (Gênes, Dalla sede del Comitato, 1925) ; Ramsay Weston Phipps, *The*

Armies of the First French Republic (Londres, Oxford University Press, 1931, vol. 3, p. 231-232).

11. BUP, MS169.15, Tranchot à F. Slop, 16 août 1794. Pour l'opinion de Méchain sur la chute de Robespierre, voir BUP, MS168.1, Méchain à G. Slop, 9 août 1794.

12. BUP, MS169.15, Tranchot à F. Slop, 25 octobre 1794.

13. BUP, MS169.15, Tranchot à F. Slop, 11 octobre 1794.

14. BUP, MS168.1, Méchain à G. Slop, 2 août 1794.

15. Sur le sentiment de frustration éprouvé par Tranchot, se reporter à la lettre de Tranchot à F. Slop, BUP, MS169.15 [novembre 1794].

16. BUP, MS168.1, Méchain à G. Slop, 9 août 1794.

17. BUP, MS168.1, Méchain à G. Slop, 2 août 1794.

18. BUP, MS168.1, Méchain à G. Slop, 10 septembre 1794.

19. BUP, MS168.1, Méchain à G. Slop, 25 août 1794.

20. BUP, MS168.1, Méchain à G. Slop, 25 août 1794.

21. BUP, MS168.1, Méchain à G. Slop, 20 septembre 1794.

22. BUP, MS168.1, Méchain à G. Slop, 20 septembre 1794.

23. BUP, MS168.1, Méchain à G. Slop [27 septembre 1794].

24. Pour les discussions relatives à la nomination de Méchain, voir BUP, MS168.1, Méchain à G. Slop, 4 octobre 1794. Méchain avait eu des nouvelles de Calon : SHAT, 3M4, Calon à Méchain, 13 vendémiaire an II [4 octobre 1794]. On trouve un autre commentaire dans une lettre de Méchain à G. Slop datée du 18 octobre 1794, BUP, 168.1.

25. BUP, MS168.1, Méchain à G. Slop, 18 octobre 1794.

26. BUP, MS168.1, Méchain à G. Slop, 4 octobre 1794.

27. Pour les nouvelles émanant de Lalande, se reporter à la lettre de Méchain à G. Slop, datée du 4 octobre 1794, BUP, MS168.1. Pour les espoirs de Lalande concernant le retour prochain de Méchain, voir AAS, 1J4 Lalande, « Journal », p. 69-70.

28. BUP, MS168.1, Méchain à G. Slop, 18 octobre 1794.

29. BUP, MS168.1, Méchain à G. Slop, 20 septembre 1794.

30. Pour les préparations de Tranchot, voir BUP, MS169.15, Tranchot à F. Slop, 25 octobre 1794.

31. AOAB, Cart. 88, Méchain à Oriani, 2 octobre 1794. Sur le séjour d'Oriani à Paris en 1786, voir A. Mandrino, G. Tagliaferri et P. Tucci, *Un viaggio in Europa nel 1786 : Diario di Barnaba Oriani* (Milan, Olschki, 1994, p. 145, 147, 152 et 154).

32. Boudard, *Gênes*, p. 308 ; AOP, C6-6, Méchain, « À Gênes sur la terrasse de l'hôtel du Grand Cerf », 16 octobre 1794. Méchain savait que Zach avait fait ses observations à partir de la même terrasse, en 1787 ; voir AOAB, Cart. 88, Méchain à Oriani, 27 décembre 1794. Zach rendit également visite à Méchain lors de son séjour en Italie ; voir BI, MS2042 fol. 323, Delambre, « Zach, Journal de Gotha » [1810].

33. AOP, B4-10, Oriani à Méchain, 22 octobre 1794.

34. SHAT, 3M4, Calon à Méchain, 13 pluviôse an III [1er février 1795].

35. Sur les raisons avancées par Méchain pour justifier de la nécessité d'un délai, notamment sa proposition d'utiliser le pendule, voir BUP, MS168.1, Méchain à G. Slop, 2, 9 et 16 août 1794. Méchain s'inquiétait de ce que son projet de corriger la réfraction pouvait être vu comme un prétexte pour différer son retour en France ; voir AOAB, Cart. 88, Méchain à Oriani, 5 novembre 1794.

36. BUP, MS168.1, Méchain à F. Slop, 25 octobre 1794.

37. BUP, MS168.1, Méchain à G. Slop, 22 novembre 1794.

38. AOAB, Cart. 88, Méchain à Oriani, 20 novembre 1794.

39. BUP, MS168.1, Méchain à G. Slop, 6 décembre 1794.

40. BUP, MS168.1, Méchain à G. Slop, 17 janvier 1795.

41. BUP, MS168.1, Méchain à G. Slop, 7 février 1795.

42. Pour une nosologie contemporaine de la mélancolie, voir Philippe Pinel, *Traité médico-philosophique sur l'aliénation mentale ou la manie*, Slatkine reprints, 1981.

43. Sur l'affirmation selon laquelle l'un des confrères parisiens de Méchain avait « remué ciel et terre » pour empêcher le pendule de lui parvenir – il pourrait s'agir de Lalande –, voir AOAB, Cart. 88, Méchain à Oriani, 12 février 1795. Pour la vente du cercle, voir AOAB, Cart. 88, Méchain à Oriani, 12 et 28 février, 5 et 14 mars, 2 avril 1795.

44. Sur la réfraction, voir AOAB, Cart. 88, Méchain à Oriani, 27 décembre 1794. Et aussi BUP, MS168.1, Méchain à G. Slop [27 septembre 1794]. Méchain a fait ces observations avec la coopération de Francesco Pezzi, capitaine du génie et professeur de mathématique à l'université de Gênes. Pezzi était aussi mêlé au mouvement anti-oligarchique ; Nurra, « Genova durante la rivoluzione », p. 124-131. Les résultats de Barcelone furent publiés dans *Ephemerides astronomicae anni 1795* (Milan, Galeatrium, 1794), Méchain, « Éclipses de Soleil et occultations d'étoiles », p. 81-83. Méchain avait relevé une erreur de typographie dans la latitude de Mont-Jouy, qui aurait dû être de 41°21'45", et non de 41°21'25" ; voir AOAB, Cart. 88, Méchain à Oriani, 29 novembre 1794, 2 avril 1795.

45. Esteveny quitta Gênes le 22 décembre 1794 et arriva à Paris le 25 janvier 1795 ; voir AOAB, Cart. 88, Méchain à Oriani, 27 décembre 1794 ; BUP, MS168.1, Méchain à G. Slop, 17 janvier 1795 ; SHAT, 3M5, Calon à Méchain, 13 pluviôse an III [1er février 1795] ; AN, F12 1288, Ginguieni, « Rapport », 22 pluviôse an III [10 février 1795].

46. AOAB, Cart. 88, Tranchot à Oriani, 27 décembre 1794, 2 avril 1795.

47. BUP, MS169.15, Tranchot à F. Slop, 4 avril 1794.

48. BUP, MS168.1, Méchain à G. Slop, 4 octobre 1794.

49. SHAT, 3M5, Calon à Méchain, 13 pluviôse an III [1er février 1795].

50. BUP, MS168.1, Méchain à G. Slop, 4 avril 1795.

51. Sur la façon dont Tranchot avait suivi l'évolution de la guerre, voir BUP, MS169.15, Tranchot à F. Slop, 8 novembre 1794, 21 février 1795, 24 ventôse, an III, [14 mars 1795], 4 avril 1795. Phipps, *Armies of the first French Republic*, vol. 3, p. 234-236.

52. Bonaparte à Oriani, 5 prairial an IV (24 mai 1796), dans Napoléon Bonaparte, *Correspondance*, vol. 1, p. 491-492. Sur le fils de Slop, voir Menestrina, « Slop ».

53. Sur l'hypothèse selon laquelle Méchain se dirigerait vers le nord, voir Delambre, *Base*, vol. 1, p. 61.

54. BUP, MS168.1, Méchain à G. Slop, 4 octobre 1794. Sur les projets de Calon pour Tranchot, voir Berthaut, *Ingénieurs-géographes*, p. 164.

55. AOP, E2-19, Méchain à Lalande, 13 thermidor an III [31 juillet 1795]. Sur le fait que Méchain s'est plaint auprès de Delambre, voir AOP, E2-19, Méchain à Delambre, 8 thermidor an III [26 juillet 1795].

56. SHAT, 3M4, Calon à Méchain, 28 thermidor an III [15 août 1795].

57. Sur l'arrivée de Méchain à Perpignan, voir BML, Méchain à Calon, 13 fructidor an III [30 août 1795]. Pour l'histoire du cabriolet, voir Delambre, *Grandeur*, p. 216.

Chapitre 7

1. William Blake, *Milton*, édité et traduit par Pierre Leyris (Paris, José Corti, 1999).

2. AOP, E2-19, Méchain à Delambre, 8 thermidor an III [26 juillet 1795].

3. AOP, MS1033c, Delambre à [Méchain], 13 fructidor an III [3 septembre 1795].

4. AOP, E2-19, Méchain (Perpignan, Estagel) à Delambre, 12-23 vendémiaire IV [4-15 octobre 1795].

5. Sur la répugnance de Méchain envers la page imprimée, se reporter à Delambre, *Notice historique sur M. Méchain*, p. 30.

6. AOP, E2-19, Delambre à Méchain, 12 frimaire an IV [3 décembre 1795].

7. AOP, E2-19, Delambre à Méchain, 12 frimaire an IV [3 décembre 1795].

8. AOP, E2-19, Delambre à Méchain, 12 frimaire an IV [3 décembre 1795].

9. Sur le passage de Delambre à Paris, voir AAS, 1J4, Lalande, « Journal » (22 frimaire an IV [13 décembre 1795]), p. 73. Voir également, AN, F17 3702, Delambre au Min. Int., 28 frimaire an IV [19 décembre 1795]. Sur les élections à l'Académie, voir les *PVCIP*, 6, p. 832-836. Méchain fut élu membre de la section d'astronomie, en même temps que Lalande, au premier tour, grâce à des manœuvres de couloir ; les quatre autres sièges, réservés pour le second tour de vote par les élus du premier tour, furent attribués à Le Monnier, Pingré, Messier et Cassini IV. Delambre fut donc élu membre de la classe de mathématiques au second tour, bien que lui-même convînt que ce n'était pas la section appropriée pour lui. Voir Delambre, « Lui-même ».

10. CUS, Lalande à Delambre, 2 pluviôse an IV [22 janvier 1796].

11. Sur les observations de Delambre à Dunkerque, voir Delambre, *Base*, vol. 2, p. 249-296 ; AOP, E2-16, Delambre, « Registre Méridien de France, Partie du nord », vol. 2 ; AOP, MS1033c, Delambre, « Hauteur du pôle à Dunkerque » [1795-1796] ; Delambre à [?], 2 pluviôse an IV [22 janvier 1796], dans Adolphe Desboves, *Delambre et Ampère* (Amiens, Hecquet, 1881, p. 32-33).

12. Delambre, *Grandeur*, p. 239-240.

13. *Ibid.*, p. 279.

14. AOP, MS1033c, Delambre à Méchain, 17 fructidor an III [3 septembre 1795].

15. AOP, E2-1, Delambre, « Reprise des opérations », 9 fructidor an III [26 août 1795].

16. AOP, E2-19, Méchain à Delambre, 12 floréal an IV [1er mai 1796]. Méchain interrogea Lalande sur les observations faites par Delambre en mars, notamment sur les résultats obtenus pour les autres étoiles, voir AOP, E2-19, Méchain à Lalande, 11 ventôse an IV [1er mars 1796].

17. AOP, E2-19, Delambre à Méchain, floréal an IV [mi-mai 1796] ; dans cette lettre, Delambre reconnaît avoir reçu le courrier de Méchain, daté du 12 floréal an IV [1er mai 1796].

18. AOP, E2-19, Delambre à Méchain, floréal an IV [mi-mai 1796].

19. SHAT, 3M4, Calon à Méchain, 26 thermidor an III [13 août 1795]. Sur le coût de la vie, voir AOP, E2-19, Méchain (lettre écrite de Perpignan et d'Estagel) à Delambre, 12-23 vendémiaire an IV [4-15 octobre1795].

20. AOP, E2-19, Méchain à Lalande, 1er ventôse an IV [1er mars 1796]. Sur le sujet délicat du salaire de Tranchot, voir SHAT, 3M4, Calon à Méchain, 9 nivôse an IV [30 décembre 1795]. Sur l'inflation des salaires, voir BL, « Procès-verbaux », 22 pluviôse an IV [11 février 1796].

21. BML, Méchain à Calon, 13 fructidor an III [30 août 1795].

22. Cet hiver-là, Méchain se débarrassa d'abord de Décuve, puis de Bouvet, voir BA, MS P2100, Méchain à Calon, 5 ventôse an IV [24 février 1796].

23. Pour Forceral, voir AOP, E2-19, Méchain (lettre écrite de Perpignan et d'Estagel) à Delambre, 12-23 vendémiaire an IV [4-15 octobre1795].

24. AOP, E2-19, Méchain à Lalande, 3 brumaire an IV [25 octobre 1795].

25. Gaston Jourdanne, *Contribution au folklore de l'Aude* (Paris, Maisonneuve, 1973, p. 28) ; pour les *sinagries*, voir p. 22. Sur le folklore local d'aujourd'hui, voir ADAu, D°2441, Roger Antoni, *Rennes-le-Château ou la Mystification biblique* (Montréal, Chez l'auteur, non daté).

26. On trouve une description contemporaine des auberges de la région dans Young, *Travels*, vol. 1, p. 40-50.

27. Sur les voyages en montagne dans la région à la même époque, voir Serge Biffaud, *Naissance d'un paysage. La montagne pyrénéenne à la croisée des regards, XVIᵉ-XIXᵉ siècles* (Tarbes, Mauran, 1994).

28. Pour Alaric et Tauch, se reporter à AOP, E2-19, Méchain à Lalande, 1ᵉʳ ventôse an IV [1ᵉʳ mars 1796].

29. Pour les préparatifs concernant la base de Perpignan, voir AOP, E2-19, Méchain à Lalande, 1ᵉʳ frimaire an IV [22 novembre 1795], 28 prairial an IV [16 juin 1796]. Pour l'autorisation de faire construire les pyramides par les ingénieurs de l'armée, voir SHAT, 3M4, Calon à Méchain, 26 messidor an IV [14 juillet 1796] ; SHAT, 3M5, Calon à Méchain, 5 thermidor, IV [23 juillet 1796]. Les confrères de Méchain refusèrent de le laisser prendre la mesure de la base, comme il souhaitait le faire, à l'aide du pendule, voir à ce sujet SHAT, 3M4, Calon à Méchain, 28 fructidor an III [14 septembre 1795]. Sur l'usage de la chaîne d'arpenteur et le rôle de Tranchot dans la construction des pyramides, voir AOP, E2-19, Méchain à Delambre, 9 germinal an VI [29 mars 1798].

30. AOP, E2-19, Méchain à Lalande, 1ᵉʳ ventôse an IV [20 février 1796].

31. AOP, E2-19, Méchain à Lalande, 12 floréal an IV [1ᵉʳ mai 1796].

32. Sur la proposition faite par Méchain d'augmenter sa part de travail, voir AOP, E2-19, Méchain à Delambre, 21 frimaire an V [11 décembre 1796].

33. Sur les latitudes intermédiaires, voir AOP, E2-19, Delambre à Méchain, 8 fructidor an IV [25 août 1796] ; AOP, E2-19, Borda à Méchain, 14 messidor an IV [2 juillet 1796].

34. AOP, E2-19, Méchain à Delambre, 3 ventôse an V [21 février 1797].

35. AOP, E2-19, Borda à Méchain, 14 messidor an IV [2 juillet 1796].

36. AOP, E2-19, Borda à Méchain, 12 frimaire an VI [2 décembre 1797].

37. AOP, E2-19, Delambre à Méchain, 17 floréal an V [6 mai 1797]. Voir également AOP, E2-19, Delambre à Méchain, 5 nivôse an V [25 décembre 1796].

38. AOP, E2-19, Delambre à Méchain, 12 frimaire an IV [3 décembre 1795].

39. AOP, E2-19, Méchain à Lalande, 12 floréal an IV [1ᵉʳ mai 1796].

40. AOP, E2-19, Delambre à Méchain, 8 fructidor an IV [25 août 1796]. Voir également AOP, E2-6, Delambre, « Registre », p. 20. Pour la tour du clocher de Morlac, voir Delambre, *Base*, vol. 1, p. 74 ; et aussi ADC, 1L629, Delambre, « Morlac », 26 fructidor an IV [12 septembre 1796] ; Baudat, « Au citoyen président, » [1796-1797] ; Delambre à Baudat, 16 vendémiaire an VI [7 octobre 1797] ; ADC, 1L646, « Renseignements sur les édifices non aliénés servant à l'exercice des cultes », X [1801-1802] ; « Cher Morlac », dans *Cahiers de doléances, région Centre* (Dijon, Coloradoc, 1995, vol. 3, p. 32-33) ; BMR, Tarbé XXI/137, Delambre, « État des dépenses pour la mesure de la méridienne », 1ᵉʳ ventôse an V [19 février 1797].

41. Pour Arpheuille, voir Delambre, *Grandeur*, p. 236.

42. Pour les observations de Delambre à Evaux, voir AOP, E2-19, Delambre à Borda, 4 pluviôse an V [23 janvier 1797] ; AOP, MS1033c, Delambre, « Évaux », V [hiver 1796-1797] ; AOP, E2-6, Delambre, « Registre », p. 55-98 ; Delambre, *Base*, vol. 1, p. 250-251.

43. Sur l'erreur de Cassini III, voir SIDL, MSS420A, Delambre à [Calon], 27 frimaire an V [17 décembre 1796]. Sur la bonne volonté que mettait Delambre à faire part de ses résultats à Méchain, voir AOP, E2-19, Delambre à Méchain, 27 ventôse an V [17 mars 1797].

44. AOP, E2-19, Delambre à Méchain, 27 ventôse an V [17 mars 1797].

45. AOP, E2-19, Delambre à Borda, 4 pluviôse an V [23 janvier 1797].

46. SHAT, 3M5, Calon à Méchain, 14 ventôse an V [4 mars 1797]. Pour la demande de fonds, voir SIDL, MSS42A0A, Delambre à [Calon], 27 frimaire an V [17 décembre 1796] ; SHAT, 3M5, Calon à Delambre, 19 frimaire, 5 nivôse, 10 et 17 pluviôse, 2 ventôse an V [9 et 25 décembre 1796, 29 janvier, 5 et 20 février 1797]. Le grade militaire accordé aux membres de l'expédition n'avait pas permis de diminuer les charges qui pesaient sur eux. Seuls les officiers en stationnement près de la frontière pouvaient recevoir leurs rations, et Delambre avait été obligé de reconnaître qu'il en était aussi loin qu'il était possible de l'être ; AOP, E2-19, Delambre à Méchain, 5 nivôse an V [25 décembre 1796] ; CUS, Raynal Rouby à Delambre, 25 ventôse an V [13 mars 1797].

47. CUS, Lalande à Delambre, 17 mars 1797. Voir aussi CUS, Lalande à Delambre, 1er mars 1797.

48. AOP, E2-19, Delambre à Méchain, 5 nivôse an V [25 décembre 1796]. Sur l'utilisation de ses propres revenus, voir AOP, E2-19, Delambre à Borda, 4 pluviôse an V [23 janvier 1797].

49. Sur la théorie de l'époque concernant la géologie de l'Auvergne, voir Harladur Sigurdsson, *Melting the Earth : The History of Ideas on Volcanic Eruptions* (New York, Oxford University Press, 1999) ; Carl Gustaf Bernhard, *Through France with Berzelius : Live Scholars and Dead Volcanoes* (Oxford, Pergammon Press, 1985) ; G. Poulett Scrope, *Memoir on the Geology of Central France* (Londres, Longman, 1827, p. 120-123).

50. Johannel (commissionnaire de pouvoir exécutif du canton d'Herment) à Boutarel, 9 messidor an V [27 juin 1797], dans Philippe Bourdin, *Le Puy-de-Dôme sous le Directoire : Vie politique et esprit public* (Mémoires de l'Académie des sciences et belles-lettres de Clermont-Ferrand, Clermont-Ferrand, 1990), p. 268. Sur le séjour de Delambre à Herment, voir Delambre, *Base*, vol. 1, p. 79 ; AOP, E2-6 Delambre, « Registre », p. 115-117 ; Ambroise Tardieu, *Histoire de la ville, du pays et de la baronnie d'Herment* (Marseille, Laffitte, [1866]).

51. Frances Gostling, *Auvergne and Its People* (New York, Macmillan, 1911), p. 112-114. Sur la controverse à propos du signal de Bort, voir AOP, E2-19, Delambre à CPM, 8 messidor an V [26 juin 1797] ; Delambre, *Base*, vol. 1, p. 79-80 ; Bort-les-Orgues, *Histoire et tourisme* (Bort-les-Orgues, OTSI, 1985, p. 45 et 85-97).

52. Delambre à Lalande [thermidor an V ; août 1797], dans Lalande, *Bibliographie astronomique*, p. 780-781.

53. Sur l'agriculture du Cantal au XVIIIe siècle, voir Albert Rigaudière, *Études d'histoire économique rurale au XVIIIe siècle* (Paris, PUF, 1965, p. 12-14) ; Jonathan R. Dalby, *Les Paysans cantaliens et la Révolution française, 1789-1794* (Clermont-Ferrand, Université de Clermont-Ferrand, 1989, p. 74).

54. Sur le fait que Delambre était pris pour un sorcier, voir Lakanie, « Mémoires », 22 floréal an V [11 mai 1797], extrait des archives d'Aurillac et reproduit sur le site internet de Gilbert Coudon, http//gilbert.coudon.chez.tiscali.fr/delambre.htm. Sur l'opinion générale quant à la sorcellerie dans la région, se reporter à Gostling, *Auvergne*, p. 239-247 ; Cit. Legrand, *Voyage fait en 1787 et 1788 dans la ci-devant haute et basse Auvergne* (Paris, Imprimerie des Sciences et Arts, III [1795], an I, p. 30-36).

55. Legrand, *Voyage*, vol. I, p. 100. Sur la demande de compte rendu de l'opinion que les provinciaux avaient du système métrique, voir AN, F12* 2103, ATPM à Delambre, 3 fructidor an III [20 août 1795]. En raison de l'analphabétisme des ouvriers, Delambre se trouvait dans l'incapacité de présenter des quittances à Calon ; voir DLSI, MSS420A, Delambre à [Calon], 27 frimaire an V [17 décembre 1796].

56. Sur l'orage, voir Delambre, *Base*, vol. 1, p. 86. Sur les routes d'Auvergne, voir Franck Imberdis, *Le Réseau routier de l'Auvergne au XVIIIe siècle* (Paris, PUF, 1967).
57. Sur les lézards et la région, voir Young, *Travels*, vol. 1, p. 28.
58. Sur l'observation du signal « de Méchain » par Delambre, voir Delambre, *Base*, vol. 1, p. 82. Delambre a noté qu'il n'avait pas eu de nouvelles de Méchain depuis le printemps ; voir AOP, E2-19, Delambre à CPM, 8 messidor an V [26 juin 1797]. Pour les instructions données à Tranchot, voir AOP, E2-19, Méchain à Tranchot, 21 messidor an V [9 juillet 1797].
59. Delambre, « Registre », p. 157. Extrait de l'*Énéide*, de Virgile.
60. Sur la tour de la cathédrale de Rodez, voir Louis Bousquet, « Contribution à l'histoire du clocher de la cathédrale de Rodez », *Procès-verbaux de la Société des lettres, sciences, et arts de l'Aveyron* 29 (1924), p. 146-150. Jacques Bousquet, « La cathédrale de Rodez sous la Révolution : Philosophie du vandalisme », *Revue du Rouergue* (1989), p. 177-205.
61. Sur le départ de Delambre pour Paris, voir BL, « Procès-verbaux, » 4e jour complémentaire V, 9 vendémiaire an VI [20, 30 septembre 1797]. Tranchot a quitté Rodez le lendemain.

Chapitre 8

1. Laurence Sterne, *Vie et opinions de Tristram Shandy*, traduit par Charles Mauron (Lausanne, Éd. Rencontre, 1962, vol. 1, chap. XLIV).
2. Pour l'emménagement de Thérèse Méchain dans les appartements de l'Observatoire, voir lettre de Méchain à Jeaurat, 17 floréal an VIII [7 mai 1800], dans Bigourdan, « Bureau des longitudes » (1930) ; A86-88, A96-97. Et aussi BL, « Procès-verbaux », 27 messidor an III [15 juillet 1795], 17 nivôse an IV [7 janvier 1796], 2 floréal an IV [6 avril 1796].
3. Sur l'étonnement de Thérèse Méchain par rapport au fait que son époux n'avait pas écrit à ses confrères, voir AOP, E2-19, Mme Méchain à Delambre, 20 thermidor an V [7 août 1797].
4. AOP, E2-19, Méchain à Delambre, 25 germinal an V [14 avril 1797].
5. AOP, E2-19, Méchain (Pradelles) à Delambre, 20 brumaire an IV [10 novembre 1797].
6. AOP, E2-19, Delambre à Borda, 4 frimaire an VI [24 novembre 1797].
7. Sur les astronomes amateurs de Carcassonne, voir ADA, 3K3, « Éloge pour Fabre », (anonyme), *Mémorial du département de l'Aude* 58 (1810), p. 37-45 ; Dougados, *Le Dernier Juge-Mage... de Carcassonne : Raymond de Rolland* (Carcassonne, Pomiés, 1856) ; Gilbert Larguier *et al.*, *Cahiers de doléances audois* (Association des amis des archives de l'Aude, Carcassonne [1989]). Sur l'église Saint-Vincent, voir Juliette Costeplane, « L'église Saint-Vincent de Carcassonne au XVIIIe siècle », *Bulletin de la Société d'études scientifiques de l'Aude* 81 (1981), p. 95-102 ; Swindburne, *Travels*, vol. 2, p. 367-372.
8. Pour l'évocation par Méchain de cette période de sa vie, se reporter à la lettre de Méchain à Rolland, 9 nivôse an X [30 décembre 1801], dans Dougados, « Lettres de l'astronome Méchain à M. Rolland », *Mémoires de la Société des arts et des sciences de Carcassonne* 2 (1856), p. 74-130, notamment p. 123. Méchain logeait chez le « Cit. Comelerand, traiteur, près la Comédie ou la porte des Casernes » ; voir AOP, E2-19, Méchain à Delambre, 13 vendémiaire an VII [4 octobre 1798].
9. Pour sa demande d'extension de la partie qu'il avait à mesurer, voir AOP, E2-19, Méchain à Delambre, 27 ventôse an V [17 mars 1797].
10. AOP, E2-19, Méchain à Delambre, 25 germinal an V [14 avril 1797].

11. Pour la promesse faite par Calon de ne pas montrer les résultats, voir SHAT, 3M4, Calon à Méchain, 28 thermidor an III [15 août 1795]. Sur la demande d'un délai supplémentaire pour revoir les résultats, voir AOP, E2-19, Méchain à Delambre, 3 ventôse an V [21 février 1797].

12. AOP, E2-19, Méchain à Delambre, 3 ventôse an V [21 février 1797].

13. AOP, E2-19, Méchain à Delambre, 27 ventôse an V [17 mars 1797].

14. AOP, E2-19, Méchain à Delambre, 3 ventôse an V [21 février 1797].

15. Larguier, *Cahiers audois*, p. 185-189. Jean-Louis Bonnet, « Le Cabardès : Population et ressources aux XVIIe et XVIIIe siècles », *Bulletin de la Société d'études scientifiques de l'Aude* 79 (1979), p. 89-96 ; André David, *La Montagne Noire* (Carcassonne, Bonnafous, 1924).

16. Méchain à Rolland, 2 brumaire an VI [23 octobre 1797], dans Dougados, « Lettres de Méchain », p. 74.

17. Méchain à Rolland, 4 frimaire an VI [24 novembre 1797], dans Dougados, « Lettres de Méchain », p. 78. Sur l'orage, voir Claude Joseph Trouvé, *Description générale et statistique du département de l'Aude* (Paris, Didot, 1818, p. 148).

18. Dr Astruc, dans Claude Ignace Barante, *Essai sur le département de l'Aude* (Grareng, Carcassonne, brumaire an XI [octobre-novembre 1802], p. 100-102).

19. Pour les préparatifs de la base, voir AN, F17 1135, CIP, 23 thermidor an III [10 août 1795] ; CIP à la Commission des travaux publics, 10 vendémiaire an IV [2 octobre 1795] ; ENPC, MS724, ATPM à Prony, 27 thermidor an III [14 août 1795] ; CUS, Lalande à [CPM], 4 fructidor an III [21 août 1795]. Sur l'élagage de l'arbre, voir Delambre, *Base*, vol. 1, p. 84-85 ; AOP, E2-7, Delambre, « Registre », p. 168-192. Pour les dernières mesures de Delambre, voir AOP, E2-7 Delambre, « Registre », p. 168-192 ; Delambre à Buache, 29 pluviôse an VI [17 février 1798]. Voir le rapport sur la mesure de la base dans *Décade philosophique* 27 (30 prairial an VI [18 juin 1798]).

20. Sur les nouvelles règles, voir Borda, « Expériences sur les règles qui ont servi à la mesure des bases », dans Delambre, *Base*, vol. 3, p. 313-336. Pour les divers registres relatant la mesure de la base, voir AOP, E2-3, Tranchot, « Base de Melun », floréal-prairial an VI [mai-juin 1798] ; AOP, E2-2, Pommard, « Base de Melun », floréal-prairial an VI [mai-juin 1798] ; « Method Employed Between Melun and Lieusaint in France », (anonyme) *Philosophical Magazine* 1 (1798), p. 269-274.

21. Humboldt à Zach, 3 juin 1798, dans E.T. Hamy, éditeur, *Lettres américaines d'Alexandre de Humboldt, 1798-1807* (Paris, Guilmoto, [1905], p. 2-4).

22. AOP, E2-19, Méchain à Delambre, 9 germinal an VI [29 mars 1798].

23. Sur la promesse faite par Thérèse Méchain à Delambre, voir AOP, E2-19, Mme Méchain à Delambre, 12 floréal an VI [1er mai 1798].

24. AOP, E2-19, Mme Méchain à Delambre, 11 prairial an VI [30 mai 1798].

25. Note jointe par Delambre au dossier AOP, E2-19, Méchain à Delambre, 7 brumaire an VII [28 octobre 1798]. Delambre avouait n'avoir jamais compris l'hostilité de Méchain envers Tranchot, même si Tranchot lui-même avait reconnu avoir eu un jour quelques « vivacités » à l'endroit de Méchain.

26. Sur l'affirmation selon laquelle la situation financière de la famille Méchain se serait améliorée pendant la Révolution, voir Delambre, *Notice historique sur M. Méchain*, p. 31.

27. AOP, E2-19, Méchain à Delambre, 19 fructidor an VI [5 septembre 1798].

28. AOP, E2-19, Mme Méchain à Delambre, 15 fructidor an VI [1er septembre 1798].

29. Méchain ne quitta Carcassonne pour Rodez qu'au début de messidor [mi-juin], c'est-à-dire bien après avoir été mis au courant des intentions de son épouse ; voir AOP, E2-19, Fabre à Delambre, 3 thermidor an VI [21 juillet 1798]. Thérèse

Méchain retrouva son mari à Rodez le 7 juillet, et elle le quitta le 18 août à Rieupey-roux. C'est pendant ce laps de temps que Méchain fit ses observations pour ces deux stations. L'astronome fut également assisté par Agoustenc. Voir le registre de Méchain, AOP, E2-10.

30. Delambre à Rolland, 5e jour comp. an VI [21 septembre 1798], dans Dougados, « Lettres de Méchain », p. 85.

31. Pour la promesse de ramener Méchain à Paris, voir Delambre, « Méchain », *Astronomie au XVIIIe siècle*, p. 761.

32. Lettre de Méchain à Rolland, 19 fructidor an VI [5 septembre 1798], dans Dougados, « Lettres de Méchain », p. 82.

33. AOP, E2-19, Méchain à Delambre, 19 fructidor an VI [5 septembre 1798]. Sur la confusion entre le signal et un échafaud dressé pour la guillotine, voir AOP, E2-19, Fabre à Delambre, 15 frimaire an VI [1er septembre1798]. Sur les soupçons portés par les commissaires du Directoire, voir AN, F17 1135, commissaire du Directoire de Lacaune à l'administration du département du Tarn, 2 fructidor an V [19 août 1797] ; commissaire du Directoire de Montredon à Admin. du dépt. du Tarn, 5 fructidor an V [22 août 1797]. Méchain dans Delambre, *Base*, vol. 1, p. 306-307.

34. Jeanne Bardou (p. 18), dans Rémy Cazals, *Autour de la Montagne Noire au temps de la Révolution, 1774-1799* (Carcassonne, CLEF, 1989, p. 11-20). Bardou rapporte ce que ses deux domestiques lui ont raconté des mésaventures de Pierre de Lalande (aucune relation connue avec Jérôme Lalande).

35. Delambre à Rolland, 5e jour comp. an VI [21 septembre 1798], dans Dougados, « Lettres de Méchain », p. 87. Sur les gardes nationaux à Montalet, voir ADT L210, commissaire de Lacaune, 29 thermidor, VI [16 août 1798] ; L266 *ibid.*, 11, 14 et 17, fructidor, 2e jour comp. an VI [28 et 31 août, 3 et 18 septembre 1798].

36. AOP, E2-19, Méchain à Delambre, 19 fructidor an VI [5 septembre 1798].

37. Sur la route de Perpignan, voir ADPO, L1105, Saussine, « Dépt. des Pyrénées-Orientales, Ponts et Chaussées », 18 nivôse an VI [7 janvier 1798]. Et aussi Jacques Freixe, « Tracé de la voie Domitienne de Narbonne à Gerona », *Revue d'histoire et d'archéologie du Roussillon* 2 (1901), p. 387-405 ; 3 (1902), p. 202-216 et 285-317 ; Pierre Ponsich, « Les voies antiques du Roussillon et de la Cerdagne », dans *Les Routes du sud de la France : De l'antiquité à l'époque contemporaine*, Colloque Montpellier, 1985 (Paris, CTHS, Paris, 1985, p. 91-105).

38. Swindburne, *Travels*, vol. 1, p. 2.

39. Pour la base de Perpignan, voir AOP, E2-6, Delambre, « Registre », p. 255-318 ; AOP, E2-4, Pommard, « Base de Perpignan, » thermidor-fructidor an VI [août-septembre 1798] ; AOP, E2-5, Tranchot, « Base de Perpignan », thermidor-fructidor an VI [août-septembre 1798]. Pour les résultats, voir *ASPV* 21 (21 brumaire an VII [11 novembre 1798]), p. 492. L'adéquation entre les deux mesures était principalement liée aux corrections apportées, voir Levallois, *Mesurer la Terre*, p. 64.

40. ENPC, MS724, Delambre à Prony, 4e jour comp. an VI [20 septembre 1798].

41. CUS, Lalande (qui se trouvait alors à Gotha) à Delambre, 19 août 1798.

42. AOP, E2-19, Méchain à Delambre, 19 fructidor an VI [5 septembre 1798].

43. Sur la petite route de montagne qui menait à Saint-Pons, qualifiée d'« extrême-ment difficile » au XVIIIe siècle, voir J. Sahuc, *Saint-Pons : Dictionnaire topogra-phique et historique* (Paris, Rés. Universis, 1993, p. 12-13). Toutefois Méchain reconnut que ce n'était qu'à trois heures de cheval de la ville ; voir AOP, E2-19, Méchain à Delambre, 29 fructidor an VI [15 septembre 1798].

44. AOP, E2-19, Méchain à Delambre, 9 vendémiaire an VII [30 septembre 1798].

45. Le 17-18 vendémiaire an VI [8-9 octobre 1798], en attendant la réponse de Méchain, Delambre, assisté de Bellet et de Tranchot, mesura l'angle compris entre le

mont Alaric et Saint-Pons, à partir de Narbonne, voir AOP, E2-6, Delambre, « Registre », p. 319.

46. AOP, E2-19, Méchain à Delambre, 13 vendémiaire an VII [4 octobre 1798].

47. Sur les atermoiements de Méchain, voir AOP, E2-19, Méchain à Delambre, 19 et 29 fructidor, 4ᵉ jour comp. an VI, 9, 11, 13, 15, 22 et 28 vendémiaire, 1 et 7 brumaire an VII [5, 15 20 et 30 septembre, 2, 4, 6, 13, 19, 22 et 28 octobre 1798].

48. AOP, E2-19, Méchain à Delambre, 19 fructidor an VI [5 septembre 1798].

49. AOP, E2-19, Fabre à Delambre, 15 fructidor an VI [1ᵉʳ septembre 1798].

50. AOP, E2-19, Méchain à Delambre, 29 fructidor an VI [15 septembre 1798].

51. AOP, E2-19, Méchain à Delambre, 4ᵉ jour comp. an VI [20 septembre 1798].

52. AOP, E2-19, Méchain à Delambre, 19 fructidor an VI [5 septembre 1798].

53. Méchain à Rolland, 19 fructidor an VI [5 septembre 1798], dans Dougados, « Lettres de Méchain », p. 83.

54. AOP, E2-19, Méchain à Delambre, 4ᵉ jour comp. an VI [20 septembre 1798].

55. AOP, E2-19, Méchain à Delambre, 11 vendémiaire an VII [2 octobre 1798].

56. Sur la proposition de poste de directeur de l'Observatoire, voir Delambre, « Méchain », *Astronomie au XVIIIᵉ siècle*, p. 763.

57. Lalande les attendait à Paris pour le 15 novembre, mais ils n'arrivèrent pas avant le 17 ; voir BL, « Procès-verbaux », 24 brumaire an VI [14 novembre 1798].

Chapitre 9

1. Louis Sébastien Mercier, *Satires contre les astronomes* (Paris, Terrelonge, an XI [1803].

2. Méchain à Rolland, 6 frimaire an VII [26 novembre1798], dans Dougados, « Lettres de Méchain », p. 90, 88. Le président du Directoire était le chef du pouvoir exécutif.

3. Méchain à Rolland, 6 frimaire an VII [26 novembre 1798], dans Dougados, « Lettres de Méchain », p. 90.

4. Pour les statuts de la première conférence scientifique internationale, voir Maurice Crosland, « The Congress on Definitive Metric Standards, 1798-1799 : The First International Scientific Conference ? », *Isis* 60 (1969), p. 226-231. Le meilleur compte rendu de la conférence est celui de Thomas Bugge, publié en danois et immédiatement traduit en allemand sous sa direction, sous le titre : *Reise nach Paris in den Jahren 1798 und 1799* ; traduction de Johann Nicolaus Tilemann (Copenhague, Brummer, 1801). Une version anglaise sortit peu après, dans laquelle les passages sur le système métrique furent supprimés : *Travels in the French Republic*, traduction de John Jones (Londres, Phillips, 1801). Cette traduction a fait l'objet d'une récente réédition, dans laquelle les passages sur le système métrique ont été rajoutés (*Science in France in the Revolutionary Era*, éd. Maurice Crosland (Cambridge, MIT Press, 1969).

5. CUS, Laplace à [Delambre], 5 pluviôse an VI [24 janvier 1798].

6. Laplace à Delambre, 10 pluviôse an VI [29 janvier 1798] dans Yves Laissus, « Deux lettres de Laplace », *Revue d'histoire des sciences* 14 (1961), p. 285-296. Pour une référence indirecte au débat sur la proposition de Laplace et sur les objections de Borda, voir *ASPV* 1 (1 et 5 pluviôse an VI [20 et 24 janvier 1798]), p. 334-335.

7. Discours adressé à la République cisalpine [Piedmont], 5 juillet 1798, dans Kula, *Measures and Men*, p. 71.

8. Sur l'élection de Bonaparte à l'Académie, le 25 décembre 1797, voir M.E. Maindron, « Bonaparte, membre de l'Institut national », *Revue scientifique de*

la France 1 (1881-82), p. 321-338. Sur Bonaparte et les sciences, voir l'excellente étude de Joachim Fischer, *Napoleon und die Naturwissenschaften* (Stuttgart, Steiner, 1988).

9. *Clef du Cabinet*, 3 floréal an VI [22 avril 1798], dans *Paris pendant la réaction thermidorienne et sous le Directoire*, François-Alphonse Aulard éd. (Paris, Cerf, 1898-1902, vol. 4 p. 596).

10. *Narrateur universel*, 24 frimaire an IV [14 décembre 1797], dans Aulard, *ibid.*, vol. 4, p. 490-491.

11. Sur le revirement de Jefferson à propos de la mesure de la latitude, voir Jefferson à William Short, 26 juillet et 26 septembre 1790, dans Jefferson, *Papers*, vol. 17, p. 281 et 528. Sur l'optimisme affiché au début par les Français à propos de Jefferson et de la participation des Américains, voir *Loi relative à l'établissement de nouvelles mesures pour les grains* (Paris, Imprimerie nationale, 1790, p. 9). Sur l'opinion de Jefferson à propos de la coordination franco-anglaise, voir Jefferson à Rittenhouse, 20 et 30 juin 1790, dans Jefferson, *Papers*, vol. 16, p. 542-553 et 587-588. Pour le Sénat américain, voir « Committee on Weights and Measures », 5 avril et 18 décembre 1792, dans *Debates and Proceedings in the Congress of the United States*, Joseph Gales éd. (Washington, Gales and Seaton, 1834-1856, vol. 3, p. 117-118 et 621-622). Au fil du temps, Jefferson acquit la certitude que les Français avaient agi par égoïsme en choisissant le méridien. [Voir Jefferson au Dr Patterson, 11 septembre et 10 novembre 1811, dans Thomas Jefferson, *The Writings of Thomas Jefferson*, H.A. Washington éd. (New York, Derby and Jackson, 1859, vol. 6, p. 11 ; vol. 13, p. 95-108).

12. Sur la mission de Dombey, voir *PVCIP*, t. III (11, 13, 21 et 29 frimaire, 5 nivôse an II [1er, 3, 11, 19 et 25 décembre 1793]) p. 54, 64, 136, 197 et 211 ; *RACSP*, t. 9 (21 et 26 frimaire an II [11 et 16 décembre 1793]), p. 321 et 436-437 ; Yves Laissus, « Note sur le deuxième voyage et la mort de Joseph Dombey, » *Comptes rendus du 94ᵉ Congrès national des sociétés savantes, Histoire des sciences* (Paris, Bibliothèque nationale, 1970, p. 61-79).

13. Joseph Fauchet, ministre plénipotentiaire de la république française, à M. Randolph, secrétaire d'État, 15 thermidor an II (2 août 1794). (Fenno, Philadelphie, [1794]). Voir aussi APS, Fauchet à Rittenhouse, 10 septembre 1794.

14. Fauchet à Randolph, 15 thermidor an II [2 août 1794], dans *3ᵉ Congress, 2ᵉ Session*, 8 janvier 1795, n° 60, dans *American State Papers : Documents*, Walter Lowrie et Walter S. Franklin éds (Washington, Gales and Seaton, 1834, vol. 1, p. 115-116). Pour les réactions dans la presse, voir « Foreign Literature, France, » *American Monthly Review*, anonyme (février 1795), p. 195-198.

15. Fauchet au commissaire du Département des relations extérieures, 26 nivôse an II [15 janvier 1795], dans *Annual Report of the American Historical Association* 2 (1903), p. 544-546. Pour les messages sur l'état de l'Union, voir Washington au Congrès, 8 janvier 1790 et 25 octobre 1791, dans Gales, *Congress of the United States*, vol. 1, p. 968-972 ; vol. 3, p. 11-16. Sur les bonnes dispositions de Washington, voir Washington au Congrès, 8 janvier 1795, dans Gales, *Congress of the United States*, vol. 4, p. 809.

16. Sur la fin des débats au Congrès, voir Harrison, « Weights and Measures », House of Representatives, 14 et 19 mai 1796, dans Gales, *Congress of the United States*, vol. 5, p. 1376-1383 et 1405. Sur la réaction de Fauchet par rapport à la « révolte du whiskey », voir « Mémoire sur les États-Unis d'Amérique, » 24 frimaire an IV [15 décembre 1795], dans *Annual Report of the American Historical Association* 1 (1936), p. 85-131 ; John J. Reardon, *Edmund Randolph : A Biography* (New York, Macmillan, 1974, p. 307-315).

17. Jefferson respectait l'opinion du Congrès sur la question métrique : voir Jefferson à John Rutherford, 25 décembre 1792, dans Jefferson, *Papers*, vol. 24, p. 783.

18. Miller, 6 février 1790, *Speeches*, p. 17-18.

19. Cuthbert Clarke, *A New Complete System of Weights and Measures* (Édimbourg, chez l'auteur, 1789, 6). Voir la longue liste des tentatives d'uniformisation des mesures pour la période comprise entre 1200 et 1730, en annexe, dans Miller, *Speeches*, p. 29-40. Pour l'essai tenté au XVIIIe siècle, voir House of Commons, *A Report from the Committee Appointed to Enquire into the Original Standards of Weights and Measures in this Kingdom* (Londres, Whiston, 1758). Pour l'Écosse, voir lord John Swinton, *A Proposal for Uniformity of Weights and Measures in Scotland* (Édimbourg, Elliot, 1779). Pour les autres plaintes pour fraude, voir Hubert Hall et Freida Nichols, *Select Tracts and Tables : Books Relating to English Weights and Measures, 1100-1742* (Londres, Offices of the Society, 1929, p. 7-51). Pour un aperçu de l'histoire des poids et mesures en Angleterre, voir R. D. Connor, *The Weights and Measures of England* (Londres, Her Majesty's Stationery Office, 1987).

20. Pour la définition du « yard » par rapport à la longueur du pendule, voir John Whitehurst, « An Attempt Toward Obtaining Invariable Measures », non daté, dans *The Works of John Whitehurst* (Londres, Dent, 1792, p. IV). Pour les économistes, voir James Stueart, « A Plan for the Introducing an Uniformity of Measures over the World » [écrit vers 1760 et publié pour la première fois en 1790], dans *Works* (Londres, Cadell, 1805, vol. 5, p. 379-415).

21. Renerus Budelius, *De Monetis* (1591), cité dans Miller, *Speeches*, p. 52. Sur la demande de Miller, Talleyrand ajouta « dans le lieu qui sera jugé respectivement le plus convenable » dans la proposition de loi à l'Assemblée nationale ; voir Miller, *Speeches*, p. XIV-XV.

22. John Rotheram, *Observations on the Proposed Plan for an Universal Standard of Weights and Measures in a Letter to Sir John Sinclair, M.P.* (Édimbourg, Creech, 1791, p. 10). De la même façon, les Anglais espéraient que les Américains les suivraient dans cette voie ; voir Rotheram, *Observations*, p. 35-36 ; George Skene Keith, *Tracts on Weights, Measures, and Coins* (Londres, Murray, 1791).

23. Pour Blagden, voir BLL, Add. MS33272/97-98, Charles Blagden à Joseph Banks, 8 septembre 1791. Pour la réaction dans la presse anglaise, voir « New System of Weights and Measures », *The Times* (Londres), 1er octobre 1798. Pour les débats au Parlement, voir T.C. Hansard éd., *The Parliamentary History of England from the Earliest Period to the year 1803*, 28 (1789-1791), col. 297, 315-323, 874-875 et 876-879.

24. Pour le scepticisme allemand à l'égard de la réforme, voir Frederich Johann Lorenz Meyer, *Fragmente aus Paris* (Hambourg, Bohn, 1798, vol. 2, p. 265-283). La Commission des poids et mesures envoya des étalons aux grands centres de commerce allemands comme Hambourg afin de leur permettre d'établir des tables de conversion, voir p. 279 ; sur les objections des savants allemands par rapport au projet du méridien, voir p. 268-269.

25. Delambre avait recommandé Tranchot pour le projet de carte des États allemands ; voir CUS, Delambre à [Prony ?], 7 fructidor an IX [25 août 1801]). En quelques jours, on décida de lui confier la tâche, et Tranchot se mit en route (SHAT, 3M401, Tranchot au général Andeossy (Dépôt de la guerre), 8 fructidor an IX [15 septembre 1801].

26. Delambre, *Rapport historique*, p. 9 et 77-78.

27. Pour le rôle joué par Isaac Méchain auprès de Nicolas Auguste Nouet, l'ancien moine qui avait été l'assistant de Cassini IV sous l'Ancien Régime, voir Jean Joseph Marcel, *Histoire scientifique et militaire de l'expédition française en Égypte* (Paris, Dénain, p. 830-836, vol. 4, p. 57). Pour le lien entre Méchain et Nouet, voir KBD,

NKS1304, Méchain à Bugge, 1ᵉʳ vendémiaire an X [23 septembre 1801]. Pour l'aspect géographique de l'expédition, voir Anne Godlewska, « The Napoleonic Survey of Egypt : A Masterpiece of Cartographic Compilation and Early Nineteenth-Century Fieldwork », *Cartographia* 25 (1988), p. I-XIII et 1-171, notamment p. 17-22 ; Anne Godlewska, « Map, Text, and Image : The Mentality of Enlightened Conquerors : A New Look at the *Description de l'Égypte* », *Transactions of The Institute of British Geographers* 20 (1995), p. 5-28 ; Ghislain Alleaume, « Entre l'inventaire du territoire et la construction de la mémoire : L'œuvre cartographique de l'expédition d'Égypte », dans *L'Expédition d'Égypte, une entreprise des Lumières, 1798-1801*, Patrice Bret éd. (Paris, Hachette, 1998, p. 279-294) ; Antoine Tramoni, « Du plan terrier de la Corse à la carte de l'Égypte : La géographie des militaires », dans *Bonaparte et les îles méditerranéennes et l'appel de l'Orient*, Actes du colloque d'Ajaccio, p. 29-30, mai 1998, *Cahiers de la Méditerranée* 57 (1998), p. 87-99 ; Yves Laissus, *L'Égypte, une aventure savante* (Paris, Fayard, 1998). Muséum national d'Histoire naturelle, *Il y a 200 ans, Les savants en Égypte* (Paris, Nathan, 1998).

28. Fourier, dans E.F. Jomard, « Description de Syène et des ses cataractes », *Description de l'Égypte* 1 (Paris, 1821, p. 121). Voir également Nouet, « Observations... Haute-Égypte », *Décade égyptienne* 3 (an IX [1800-1801]), p. 15-16.

29. « R.F. [République française] » : Marcel, *Expédition française en Égypte*, vol. 5, p. 53. Pour les comptes rendus de Nouet, voir « Rapport... Alexandrie », « Mémoire... du Kaire, 11 messidor an VII [29 juin 1799] », « Rapport... styles, 21 messidor an VII [9 juillet 1799] », « Position... points de l'Égypte », « Observations... Haute-Égypte », « Position... des pyramides », *Décade égyptienne* 1 (an VII [1798-99]), p. 165-182 ; 2 (an VIII [1799-1800]), p. 129-158, 226-231 et 267-271 ; 3 (an IX [1800-1801]), p. 7-27 et 101-110.

30. Sur le nilomètre, voir Girard à Le Père, 30 thermidor an VII [17 août 1799], dans *Courrier de l'Égypte* 37 (29 fructidor an VII [15 septembre1799]), p. 3 ; Pierre Simon Girard, « Résumé des deux mémoires sur le nilomètre de l'île d'Éléphantine et l'ancienne coudée des Égyptiens », *Mémoires de l'Institut des sciences morales et politiques*, 7 vendémiaire an X [29 septembre 1801], p. 63-74 ; Marcel, *Expédition française en Égypte*, vol. 4, p. 494-497. Pour l'hypothèse des astronomes de l'Ancien Régime sur le lien entre les pyramides et la définition d'une unité de mesure, voir Jean Sylvain Bailly, *Histoire de l'astronomie ancienne* (Paris, De Bure, 1781, p. 77-85 et 167-176). Voir également Paucton, *Métrologie*, p. 6-7 ; Paucton, *Explication de l'hiéroglyphie du grand principe de la nature consacré dans les pyramides d'Égypte* (Paris, Desaint, 1781, p. 345-347). Laplace lui-même y avait apporté sa caution ; voir Laplace, « Mathématiques », *Écoles normales*, vol. 5, p. 203. Pour les conjectures des savants du corps expéditionnaire sur le périmètre de la Grande Pyramide, voir E. Jomard, *Mémoire sur le système métrique des anciens Égyptiens* (Paris, Imprimerie royale, 1817).

31. AN, Colonies C8A 59, Thomassin de Farret, « Projet pour le commerce des colonies », 1752. Voir également AN, Colonies A23, Conseil supérieur de Louisiane, 1ᵉʳ avril 1715 ; Arrêté du Conseil supérieur, 19 juillet 1725 ; Arrêté du Conseil d'État de Roy, 1ᵉʳ mars 1744 ; AN, Colonies C88 12, Jean-François Pierre, « Mémoires pour l'établissement d'un poids public », 1767.

32. Pour La Pérouse, voir La Pérouse, *Voyage de La Pérouse*, p. 286-287 ; Fleurieu éd., *Voyage autour du monde*, vol. 4, p. III-VIII et 1-130. Pour l'usage du cercle de Borda pendant l'expédition de d'Entrecasteaux, voir Élisabeth Paul Édouard Rossel éd., *Voyage de d'Entrecasteaux* (Paris, Imprimerie impériale, 1808, vol. 1, p. 33 et p. 594-599 ; et vol. 2).

33. Méchain à Rolland, 6 frimaire an VII [26 novembre 1798], dans Dougados, « Lettres de Méchain », p. 90.

34. Sur le Panthéon à cette époque, voir [W.F. Blagdon], *Paris As It Was and As It Is* (Londres, Baldwin, 1803, vol. 2, p. 140). Voir également Meyer, *Fragmente aus Paris*, vol. 1, p. 166-182.

35. Warmé, *Delambre*, p. 29.

36. AOP, E2-8, Delambre, « Méridienne, Partie du nord, Observations » [1798-1799]. Delambre essaya en vain de faire embaucher le jeune Pomar [*sic*] comme assistant à l'Observatoire, le 23 avril 1798 (voir Bigourdan, « Bureau des longitudes » [1928], A17-18) ; Delambre à Humboldt, 22 janvier 1801, dans Humboldt, *Briefe aus Amerika*, p. 120.

37. AOP, E2-19, Méchain à Delambre, 6 nivôse an VII [26 décembre 1798]. Méchain estimait que l'observation de la latitude de Paris devait incomber à lui seul, pour compenser le fait que Delambre avait eu une part de travail plus importante, mais Delambre avait gentiment insisté pour mener des observations en parallèle ; voir Delambre, *Grandeur*, p. 222.

38. AOP, E2-19, Méchain à Borda, 7 nivôse an VII [27 décembre 1798].

39. *Ibid.*

40. Voir Delambre, « Méchain », *Astronomie au XVIIIe siècle*, p. 762.

41. Archives du Danemark, F6, 1087, Bugge au secrétaire d'État danois, 17 novembre 1798, traduit du danois par Arne Hessenbruch. Cette lettre fut écrite la veille du retour à Paris des deux astronomes. Bugge considérait également Lalande comme le plus grand égotiste et le plus grand charlatan de tous les astronomes ; voir BLL Add. MS8099, Bugge à Banks, 19 novembre 1798. Bugge compta pendant longtemps parmi les correspondants étrangers de Méchain, et il avait beaucoup de respect pour le savant. Il fut aussi très impressionné par la précision du cercle répétiteur, lorsque Méchain lui en fit enfin la démonstration. Bugge, *Science in France*, p. 205-206. L'Académie avait bien prêté attention à l'arrivée des savants étrangers, mais elle ne les avait invités à aucune séance officielle avant le 28 novembre 1798, soit deux semaines après le retour de Delambre et de Méchain ; *ASPV* 1 (16 vendémiaire et 6 frimaire an VII [7 octobre et 26 novembre 1798]), p. 476 et 496-497. Pour l'interdiction faite aux savants de publier leurs estimations, voir *ASPV* 1 (16 prairial an VI [4 juin 1798]), p. 403.

42. Zach à Lalande, 28 mai 1799, dans Bigourdan, *Système métrique*, p. 240-241.

43. Zach à Lalande, 3 décembre 1798, dans Bigourdan, *Système métrique*, p. 240.

44. AAS, Dossier Delambre, Margelay (Montluçon, département de l'Allier) à Delambre, 18 floréal an VII [7 mai 1799].

45. *La Décade philosophique* 15 (30 pluviôse an VII [18 février 1799]), p. 372.

46. Pour l'exposé des résultats de Delambre, voir ENPC, MS726, Trallès, Van Swinden, Laplace, Legendre, Delambre, « Observations relatives à la mesure de la méridienne… du citoyen Delambre », 14 pluviôse an VII [2 février 1799].

47. Sur le marché passé entre Laplace et Méchain, voir AOP, E2-19, Méchain à Delambre, 18 pluviôse an VII [6 février 1799].

48. Ce sont du moins les résultats que l'astronome a donnés à la Commission.

49. Pour l'observation de la latitude de Paris faite par Méchain, voir AOP, E2-19, Méchain à Delambre, 17 pluviôse an VII [15 février 1799]. Voir aussi Delambre, « Méchain » *Astronomie au XVIIIe siècle*, p. 762.

50. Méchain à Rolland, 6 germinal an VII [26 mars1799], dans Dougados, « Lettres de Méchain », p. 93. Pour l'exposé des résultats de Méchain, voir ENPC, MS726, Legendre, Van Swinden, Prony, Méchain, Ciscar, Laplace, Trallès, « Tableau des observations pour le calcul du méridien… du citoyen Méchain », 21 ventôse an VII [11 mars 1799]. La Commission internationale a effectivement rejeté cer-

taines des observations de Méchain ; voir KM, Delambre, *Base du système métrique*, vol. 1, p. 501.

51. Sur la mise à l'écart des calculs relatifs aux observations de la Fontana de Oro, voir la note de Delambre [ajoutée vers les années 1805-1810] qui se trouve à la fin du « Registre des observations astronomiques fait au Mont-Jouy et Barcelone en 1792 et 1793 » (Méchain, AOP E2-9).

52. Pour la critique des résultats de Delambre, voir Delambre, *Grandeur*, p. 223. Le commissaire en question étant Bugge, la réflexion a dû être faite à une date antérieure.

53. Pour les nouvelles méthodes de calcul de Delambre, voir Delambre, *Méthodes analytiques pour la détermination d'un arc du méridien*, 11 germinal an VII [31 mars 1799] ; pour celles de Legendre, se reporter à sa *Méthode pour déterminer la longueur exacte du quart du méridien*, 9 nivôse an VII [29 décembre 1798] (Paris, Crapelet, an VII [1799]).

54. Sur les funérailles de Borda, voir Bougainville, « Borda », *La Décade philosophique* 16 (10 ventôse an VII [28 février 1799]), p. 434-38.

55. Méchain à Rolland, 22 floréal an VII [11 mai 1799], dans Dougados, « Lettres de Méchain », p. 101.

56. *Ibid.*

57. [Blagdon], *Paris As It Was*, vol. 2, p. 141. Cette réflexion appartient probablement à Lalande. Pour les hypothèses avancées par Laplace à propos de la forme de la Terre, voir Laplace, « Mémoire sur la figure de la Terre » (1783, publié en 1786), dans *Œuvres complètes de Laplace* (Paris, Gauthier-Villars, 1878-1912, vol. 11, p. 3-32) ; Laplace, « Mathématiques », *Écoles normales*, vol. 5, p. 213. Pour la timide justification des calculs de latitudes intermédiaires, voir l'évolution subtile entre la première et la dernière version de la lettre envoyée par Lavoisier, dans AAS, Lavoisier 1228 (36), Lavoisier à Méchain, 6 octobre 1793. Dans cette lettre, Lavoisier insiste d'abord sur le fait que les latitudes intermédiaires seront « plus utiles » pour identifier les « irrégularités de la figure du monde » que pour « établir les nouvelles mesures » ; puis il change de discours pour faire simplement remarquer qu'elles « serviront à identifier » les irrégularités en question. Lavoisier a également supprimé l'allusion au fait que c'était Laplace qui avait tenu à faire les calculs de latitudes intermédiaires.

58. Pour l'excentricité de la Terre, voir Laplace, *Traité de mécanique céleste* (Paris, Crapelet, an VII [1799], vol. 2, p. 138-145). Laplace dans BL, « Procès-verbaux », 19 frimaire an VIII [10 décembre 1799].

59. C'est Lalande qui avait fait connaître ce précieux métal aux Français ; voir Lalande, « Lettre sur un métal appelé platine », *Journal des sçavans* (janvier 1758), p. 46-59 ; Donald McDonald et Leslie B. Hunt, *History of Platinum and Its Allied Metals* (Londres, Johnson Matthey, 1982, p. 179-193) ; W.A. Smeaton, « Platinum Sales Problems in the French Revolution : Janety Writes to Sir Joseph Banks », et « Bertrand Pelletier, Master Pharmacist : His Report on Janety's Preparation of Malleable Platinum », *Platinum Metals Review* 12 (1968), p. 64-66 ; 41 (1997), p. 86-88. Sur le budget alloué pour l'achat des vaisseaux de platine, voir AAS, Lavoisier 167, Lavoisier, « État des ouvriers » [1793]. Sur le déficit constaté dans la quantité de métal envoyée (78 marcs retranchés des 500 annoncés), voir Guyton, « Rapport », *ASPV* 1 (21 thermidor an VII [8 août 1799]), p. 610-613. Sur les manœuvres secrètes des derniers jours précédant la Conférence, afin de récupérer du platine, voir les Archives du Danemark, F6 1087, Bugge au secrétaire d'État danois, 17 novembre 1798.

60. Méchain à Rolland, 22 floréal an VII [11 mai 1799], dans Dougados, « Lettres de Méchain », p. 103. Il s'agissait du second comparateur de Lenoir, plus précis que

le premier ; voir Delambre, « Mètre définitif », *Base du système métrique*, vol. 3, p. 691-698 ; Taylor, *Pleasure to Profit*). Sur les étalons, voir C. Wolf, « Recherches historiques sur les étalons de l'Observatoire », *Annales de chimie et de physique*, 5ᵉ série, 25 (1882), p. 5-112. Les trois autres règles de platine furent attribuées à l'Académie des sciences, au Conservatoire des arts et métiers, et au cadastre. Des règles en laiton de longueur identique furent envoyées aux différents départements ainsi qu'aux principaux ministères. On distribua des règles en fer aux savants étrangers.

61. [Laplace], « Discours », 4 messidor an VII [22 juin 1799], dans Delambre, *Base du système métrique*, vol. 3, p. 581-589.

62. Van Swinden, dans Delambre, *Base du système métrique*, vol. 3, p. 648. Les membres de la Commission internationale avaient reçu l'assurance que les savants étrangers tiendraient le rôle principal lors de la cérémonie. En sa qualité de responsable de l'opération, Méchain avait espéré avoir l'honneur de présenter les résultats, mais il se plia aux exigences des autorités. D'ailleurs il n'avait jamais été très porté sur les discours en public (KBD, NKS1304, Méchain à Bugge, 10 brumaire an VIII [1ᵉʳ novembre 1799] ; Méchain à Rolland, 22 floréal an VII [11 mai 1799], dans Dougados, « Lettres de Méchain », p. 103.

63. Sur les délais de retour des étalons une fois terminés, voir *ASPV* 2 (16 nivôse et 6 germinal an VIII [6 janvier et 27 mars 1800]), p. 76 et 128.

64. Baudin, « Réponse », 4 messidor an VII [22 juin 1799], dans Delambre, *Base du système métrique*, vol. 3, p. 651, citation de J.-J. Rousseau.

65. Coquebert de Montbret à Alexandre Brongniart, 1794, dans Isabelle Laboulais-Lesage, *Lectures et pratiques de l'espace : L'itinéraire de Coquebert de Montbret, savant et grand commis d'État, 1755-1831* (Paris, Champion, 1999, p. 299).

66. Pour la liste des opuscules distribués par le gouvernement, voir AN, F12 1237, ATPM, « État des différents ouvrages », 10 vendémiaire an IV [2 octobre 1795]. Pour les schémas, voir [Prieur], *Échelles graphiques pour la comparaison de l'aune de Paris avec le mètre* (Paris, Imprimerie de la République, thermidor an III [juillet-août 1795]). Il y eut d'innombrables guides imprimés par des sociétés privées pour aider les citoyens à se familiariser avec les nouvelles mesures (voir Cit. Bonnin, *Vocabulaire étymologique des poids et mesures de la République française* (Paris, Fournier, an VII [1799]) ; Pierre Periaux, *Tableau comparatif des mesures républicaines avec les anciennes* (Rouen, éditeur inconnu, an VII [1799]) ; C.F. Martin, *Le Régulateur universel des poids et mesures* (Paris, Guyot, 1807). Pour un almanach national presque officiel, voir *Le Manuel républicain* (Paris, Didot, an VII [1799], p. 76-82). Sur les convertisseurs-cadrans en papier, voir BNR, Estampes, IA mat 3a Leblond, « Cadrans logarithmiques adaptés aux poids et mesures, » 16 pluviôse an VII [4 février 1799]. Pour les jeux de cartes, voir BNR, Estampes, Kh383, nᵒ 227, Bézu, « Jeu de 52 cartes historiques », (Égalité-sur-Marne, éditeur inconnu [1792]). Pour le mètre en marbre, voir Fernand Gerbaux, « Le mètre de marbre de la rue Vaugirard », *Bulletin de la Société historique du VIᵉ arrondissement de Paris* (1904), p. 1-72. Sur l'instructeur aveugle, voir AN, F17 1237, ATPM, « Tableaux », an III-IV [1794-1796].

67. François Gattey, *Tables des rapports des anciennes mesures agraires avec les nouvelles*, 2ᵉ éd. (Paris, Michaud, 1810, p. 6). Pour la table de conversion de la ville de Paris, voir Min. Int., *Tables de comparaison entre les mesures* (Paris, Imprimerie de la République, an IX [1800-1801]). Pour le sentiment d'impuissance chez les administrateurs locaux qui s'occupaient de la conversion des mesures locales, voir ADSM, L259, « Rapport au département par la CPM », 26 ventôse an VI [16 mars 1798], ADSM L260, Seine et Marne, « Registre des séances de la Commission temporaire des poids et mesures », 30 pluviôse an VI-25 pluviôse an VII [18 février

1798-13 février 1799] ; ADSM, François de Neufchâteau (Min. Int.), *Instruction sur les nouvelles mesures pour les terrains* (Paris, Imprimerie de la République, fructidor an VI [août-septembre 1798]).

68. ATPM, *Avis instructif sur la fabrication des mesures de longueur à l'usage des ouvriers* (Paris, Imprimerie de la République, an III [1795]). Sur la pénurie de règles, voir AN, F12 7637, « Rapport sur le nombre de mètres à envoyer dans chacune des sections de Paris » [1795] ; AN, F17 1237, ATPM, « État des mesures linéaires entrées en magasin, » 14 brumaire an IV [5 novembre 1795]. En définitive, le coût de fabrication de la quantité de règles nécessaires pour l'ensemble du territoire français devait s'élever à onze millions de francs. Le gouvernement avait budgétisé moins de deux pour cent de cette somme (BEP, Prieur 4.4.6.2 [Prieur], « Aperçu des dépenses de l'établissement des nouvelles mesures » [1794-1795]. La différence était censée être compensée par la mise en vente de règles par des sous-traitants privés. Sur les tentatives visant à encourager la production, voir AN, F12 1289, CPM à Paré (Min. Int.), 18 ventôse an II [8 mars 1794] ; voir également, AN, F17 1237, ATPM, « Tableau sommaire des engagements contractés », 12 thermidor an IV [30 juillet 1796]. Sur la réquisition d'un presbytère pour la fabrication des règles, voir BEP Prieur [pas de cote], Feras et Cornu à Prieur, 21 pluviôse an II [9 février 1794].

69. Sur les essais de fabrication en série, voir AN, F12 1310, « Extrait des registres du Comité de salut public », 27 floréal an III [16 mai 1795] ; AN, F12 1311, ATPM à [Atelier de perfectionnement], 8 floréal an IV [26 avril 1796]. Pour une étude plus complète de la fabrication en série des armes et des règles métriques, voir Ken Alder, *Engineering the Revolution : Arms and Enlightenment in France, 1763-1815* (Princeton, Princeton University Press, 1997, p. 253-291). Étienne Lenoir compta parmi ceux qui reçurent un prix pour la conception de leur machine ; AN, F4 2556, ATPM, « Comptes », an IV [1795-1796]). Pour l'imprécision de la longueur des règles, voir Meyer, *Fragmente aus Paris*, vol. 2, p. 279-280.

70. Sur les préférences des acheteurs, voir Dupin, « Rapport », dans Aulard, *Thermidorienne*, 4 (25 février 1798), p. 556-557 ; voir également 5 (30 décembre 1798), p. 98-99 et aussi p. 108-109, 287, 477-478, 576, 579 et 632. Sur le sentiment d'impuissance éprouvé par les commissaires et les inspecteurs de police, voir AN, F12* 215, ATPM au Min. de la Police, 9 messidor an IV [27 juin 1796] ; AN, F17 1135, Min. de Police générale au Min. Int., 21 vendémiaire an VI [12 octobre 1797] ; ADSe, VD* 429, Bureau central de Paris, *Avis, mesures de capacité pour les liquides, 22 brumaire an VIII* [13 novembre 1799] (Paris, Lottin, an VIII [1799]). Pour un aperçu de la pagaille qui régnait au sein du ministère de la Police et des diverses divisions administratives pour l'application de cette loi, se reporter à ADSe, VD* 2421, 2486, 2073, 2075, 4037, 4065, pour l'an IV, l'an V et l'an VI [1795-1798].

71. Meyer, *Fragmente aus Paris*, vol. 2, p. 282-283.

72. Pour la loi sur l'utilisation générale des nouveaux poids et mesures, voir Min. Int., *Proclamation du directoire exécutif*, 28 messidor an VII [16 juillet 1799]. Pour le sentiment de frustration des commissaires et inspecteurs de police, voir éd. François Alphonse Aulard éd., *Paris sous le Consulat* (Paris, Cerf, 1903, 1 [novembre-décembre 1799], p. 65 ; 2 [12 septembre 1801], p. 521). Pour les avertissements relatifs aux tricheries sur les quantités, voir *Almanach des gourmands* 7 (1809), p. 196-198.

73. ATPM, *Aux citoyens rédacteurs*, p. 5-6. Voir l'original dans la *Feuille du cultivateur* 38 (9 messidor an III [27 juin 1795]), p. 227-228.

74. Pour l'École normale, voir Laplace, « Mathématiques », dans *Écoles normales*, vol. 5, p. 201-219. Le système métrique avait reçu un accueil mitigé dans les

écoles publiques ; voir Y. Marec, « L'arithmétique révolutionnaire à Rouen (1789-99) », *Études normandes* 3 (1980), p. 69-83.

75. ATPM, *Aux citoyens rédacteurs*, p. 1, 18-19.

76. François de Neufchâteau (Min. Int.), « Emploi des nouvelles mesures », 12 fructidor an V [29 août 1797], in *Recueil des lettres circulaires, instructions, discours et autres actes publics émanés du Cen. François de Neufchâteau* (Paris, Imprimerie de la République, VII [1799]), 1, p. XLII-XLIV.

77. Emmanuel Pérès, *Rapport... relative aux peseurs publics*, 21 vendémiaire an VIII [12 octobre 1799] (Paris, éditeur inconnu [1799]). Pour la loi sur les Bureaux des poids et mesures du 27 brumaire an VII [17 novembre 1798], voir Bigourdan, *Système métrique*, p. 186-187. La loi fut développée et étendue à toutes les grosses bourgades le 7 brumaire an IX [29 octobre 1800], puis plus tard le 16 juin 1808 ; voir éd. Désiré Dalloz, *Jurisprudence générale* (Bureau de la jurisprudence générale, 1845-1870, vol. 35, p. 983-985). Pour l'analogie avec le poison, voir Monseignut, *Opinion sur le projet... concernant l'établissement des peseurs publics*, 23 fructidor an VII [9 septembre 1799] (Paris, Imprimerie de la République, an VII [1799]).

78. Au sujet de l'intervention de l'armée sur les marchés, voir A.B.J. Guffroi, *Avis civique contre un projet liberticide* (Paris, Everat, vendémiaire an VII [septembre-octobre 1798], p. 12). Pour la défense du Bureau de Paris, voir Brillat, Binot, Pelletier, *Mémoire des citoyens nommés pour administrer les Bureaux de poids public du département de la Seine* (Paris, Bailleul [1799]). Et aussi Brillat, Binot et Pelletier, *Réponse des administrateurs du poids public... aux calomnies de Joseph Guffroi* (Paris, éditeur inconnu, fructidor an VII [août-septembre 1799]). Cela faisait des années que Brillat soutenait le projet (BEP, Prieur 4.5.10, Chef de la 4e division du Min. Int. au Bureau des poids et mesures, 13 pluviôse an V [1er février 1797] ; Brillat au Min Int., 16 frimaire an VI [6 décembre 1797].

79. Sur les médecins, voir Vincent Jean Paul Biron, *Rapport fait à la Société de médecine de Paris, 21 et 27 pluviôse an X sur l'application des nouveaux poids et mesures* [10 et 16 février 1802] (Paris, Brasdor et Pelletier, an X [1802]). Sur les notaires et les comptables, voir Reveillière-Lépeaux *et al.*, 7 pluviôse an IV [27 janvier 1796], dans Antonin Debidour éd., *Recueil des actes du Directoire exécutif* (Paris, Imprimerie nationale, 1910-1917, vol. 1, p. 492) ; Aulard, *Thermidorienne* 5 (août-septembre 1798), p. 99. Min. Int. à Admin. centrale des départements, 21 brumaire an VII [11 novembre 1798], dans François de Neufchâteau, *Recueil des lettres*, vol. 1, p. 273-275. Sur les membres des conseils, voir AN, F12* 210, ATPM au Conseil des Anciens, 14 nivôse an IV [4 janvier 1796]. Pour la caisse contenant les étalons et l'indication de son poids en unités de mesures anciennes, voir Louis Marquet, « Anciennes mesures, anciens poids », *Amis du vieux Saint-Étienne* 36 (1957), p. 9.

80. Sur les revirements de l'artillerie, voir SHAT, 4c3/2, F.M. Aboville, « Mémoire », 1er nivôse an IV [21 décembre 1795] ; général Drouan, « Mémoire », 3 vendémiaire an V [24 septembre 1796] ; Min. Guerre au Comité central d'artillerie, 19 vendémiaire an X [10 octobre 1801] ; inspecteur général des Finances au général Songis, 25 fructidor an XIII [11 septembre 1805] ; Comité central d'artillerie, « Observations », 29 mars 1806. En 1822, l'artillerie n'avait pas encore commencé les conversions métriques (voir « Mémoire », auteur inconnu, 1822).

81. Sur le fait que Bonaparte utilisait les anciennes mesures plutôt que les nouvelles, voir BN, Pièce 8-D3 MON-36, musée de l'Histoire de France (Paris), *Le Mal de changer : Les Français et la révolution métrique*, exposition, Archives nationales, 1er juin-31 août 1995 (Paris, Presses artistiques, 1995, p. 10).

82. APS, Lalande à [Fabroni], 16 décembre 1801. Pour les consultations de Delambre et de Laplace, voir *Le Moniteur* 41 (11 brumaire an IX [2 novembre

1800]), p. 157. Loi du 13 brumaire an IX [4 novembre 1800], dans Bigourdan, *Système métrique*, p. 190-191.

83. Sabatier *et al.*, 5 brumaire an VII [27 octobre 1799], dans Maindron, « Bonaparte », p. 326. Voir également McDonald, *Platinum*, p. 181-182.

84. Lalande, dans Claretie, *Empire*, p. 234. Pour la déclaration de Laplace assimilant la réforme des poids et mesures au républicanisme du nouveau régime, voir Laplace aux Administrations centrales et municipales, 30 brumaire an VIII [21 novembre 1799], dans François de Neufchâteau, *Recueil des lettres*, vol. 3, p. 103. Sur son empressement à abandonner la nouvelle nomenclature, ce dont il avait rejeté la responsabilité sur Prieur, voir Laplace à Chaptal (Min. Int.), 3 février 1804, dans Bigourdan, *Système métrique*, p. 192.

Chapitre 10

1. George Sand, *Un hiver à Majorque*, Paris, H. Souverain, 1842.

2. Sur les travaux d'astronomie de Méchain, voir Méchain à Chaptal, dans *Le Moniteur* 98 (28 messidor an IX [17 juillet 1801]), p. 1232. Voir également Méchain, *MC* (mai 1800), p. 290-311. Sur son état d'esprit, voir Méchain à Rolland, 18 fructidor an VII [4 septembre 1799], 16 messidor an VIII [5 juillet 1800], dans Dougados, « Lettres de Méchain », p. 105-109 et 115-117.

3. Sur les critiques que l'on faisait de Méchain hors de sa présence, voir Bugge, *Travels*, p. 247-248, et Delambre, « Méchain », *Astronomie au XVIIIe siècle*, p. 765.

4. Sur le repli de Méchain sur lui-même, voir Delambre, « Méchain », *Astronomie au XVIIIe*, p. 763.

5. Delambre espérait que la *Base* serait publiée en trois volumes et terminée dans l'année ; voir AAS, Dossier Delambre, Delambre à Petit-Genest, 20 prairial an VII [18 juin 1799]. Méchain savait qu'il ne participerait pas beaucoup à la rédaction de la *Base* (voir KBD, NKS1304, Méchain à Bugge, 2 brumaire an IX [24 octobre 1800] 1er vendémiaire an X [23 septembre 1801].

6. Sur leur coopération au sein des commissions qui jugeaient les travaux d'astronomie, voir *ASPV* 2 (11 germinal an VIII [1er avril 1800] 21 brumaire an X [12 novembre 1801]), p. 129 et 429-430. Sur Delambre et Bonaparte, voir Delambre, « Lui-même ». Sur Méchain et Bonaparte, voir KBD, NKS1304, Méchain à Bugge, 2 brumaire an IX [24 octobre 1800].

7. Méchain à Rolland, 18 floréal an IX [8 mai 1801], dans Dougados, « Lettres de Méchain », p. 120. Il y eut même une époque où le personnel attaché au Bureau des longitudes ne faisait plus suivre le courrier de Méchain lorsque celui-ci était adressé à « Monsieur le Directeur » ; voir KBD, NKS1304, Méchain à Bugge, 2 brumaire an IX [24 octobre 1800]. En fait, Delambre avait été nommé « administrateur » du Bureau, et non président, ce qui justifiait donc sa place au sein de cette institution, où il resta un peu plus d'un an et non deux comme Méchain l'a prétendu.

8. KBD, NKS1304, Méchain à Bugge, 1er vendémiaire an X [23 septembre 1801]. Sur les chamailleries à propos du bois et des fournitures, voir BL, « Procès-verbaux », 19 vendémiaire an X [11 octobre1800]. Sur la menace de démission, voir Méchain à Rolland, 18 floréal an IX [8 mai 1801], dans Dougados, « Lettres de Méchain », p. 120.

9. Sur son sentiment d'avoir été lésé, voir KBD, NKS1304, Méchain à Bugge, 10 brumaire an VIII [1er novembre 1799]. Delambre découvrit que Méchain était au courant de tout lorsque lui-même, à son tour, devint le dépositaire de l'œuvre scientifique de Méchain, en 1805 ; voir la note que Delambre a écrite dans la marge (vers

1810) sur la lettre du 4 frimaire an VI [24 novembre 1797], adressée à Borda (AOP E2-19).

10. Sur la première élection de Delambre au poste de secrétaire (à titre provisoire) de l'Académie le jour où Bonaparte fut élu président, voir *ASPV* 2 (1ᵉʳ germinal an VIII [22 mars 1800], 11 et 25 pluviôse an XI [31 janvier, 14 février 1803]), p. 126, 625 et 629. La présidence de l'Académie a toujours été (elle l'est d'ailleurs restée) une fonction renouvelée par roulement et en grande partie honorifique, même si Bonaparte en a profité pour réorganiser l'Institut en une classe de sciences mathématiques (maths, physique, astronomie, géographie et arts mécaniques) et une classe de sciences physiques (chimie, sciences de la vie et médecine). Delambre fut élu secrétaire perpétuel pour la partie mathématique, et Cuvier pour les sciences physiques. Le nouveau règlement de Bonaparte stipulait que le secrétaire perpétuel devait être élu par la classe concernée, et sa nomination « proposée » au Premier consul pour être confirmée, ce qui l'assimilait à un « cadeau » de Bonaparte. En privé, Delambre fit remarquer que cette ingérence dans le mode de fonctionnement autonome de l'Académie était une nouveauté avec laquelle il n'était pas tout à fait d'accord (Delambre, « Lui-même »).

11. Pour la proposition visant à relancer le projet de prolongation jusqu'aux Baléares, voir BL « Procès-verbaux », 19 fructidor an X [6 septembre 1801]. Pour le rapport de Méchain, voir AN, F17 3712, [Méchain], « Rapport au Consul sur la continuation des mesures de la méridienne de France depuis Barcelone jusqu'aux îles Baléares » [septembre-octobre 1802] ; Antonio E. Ten, « Le problème du 45ᵉ parallèle et les origines du système métrique décimal », dans *Scientifiques et sociétés pendant la Révolution et l'Empire*, 114ᵉ Congrès national des sociétés savantes, 1989 (Paris, CTHS, 1990, p. 441-452).

12. Méchain à Rolland, 10 floréal an VIII [11 mai 1799], dans Dougados, « Lettres de Méchain », p. 114. En mars-avril 1801, son état avait été jugé « alarmant » (voir *ASPV* 2, (6 germinal et 1ᵉʳ prairial an VIII [27 mars et 21 mai 1800]), p. 128 et 169. Le jeune savant auquel pensait Delambre était Henry, un élève de Lalande qui s'occupait alors de la triangulation de la Bavière ; voir Lalande, *Bibliographie astronomique*, p. 701, 704, 791 et 868. Voir également Delambre, *Grandeur*, p. 223-224.

13. Humboldt fut très heureux de voir que ses résultats s'accordaient à peu près avec ceux de Méchain ; voir CUS, Humboldt à Delambre, 23 floréal an VII [12 mai 1799]). Il les compara également dans une lettre adressée à Zach, du 12 mai 1799, dans Humboldt, *Die jugendbriefe Alexander von Humboldts, 1787-1799*, Ilse Jahn et Fritz G. Lange éds (Berlin, Akademie-Verlag, 1973, p. 671-672). La détermination de la latitude effectuée par Humboldt le 8 janvier 1799 donna 41°23'28" et 41°22'59", résultats comparables à ceux de Méchain (41°22'47"), que celui-ci avait indiqués au géographe dans une lettre adressée à lui personnellement, ce qui laisse entendre que Méchain connaissait son intention de déterminer la latitude de Barcelone à partir de la Fontana de Oro ; voir le commentaire de Delambre sur les valeurs trouvées, SBB, Autgr. J1792 (3), Delambre à Humboldt, 10 novembre 1807. Les résultats furent publiés en 1810 dans un ouvrage en deux volumes dédié à Delambre ; voir Alexandre de Humboldt et Jabbo Oltmanns, *Recueil d'observations astronomiques, d'opérations trigonométriques et de mesures barométriques* (Paris, Schoell, 1810, vol. 2, p. 3-6).

14. Méchain à Rolland, 6 frimaire an VII [26 novembre 1798], dans Dougados, « Lettres de Méchain », p. 91.

15. AN, F17 3712, [Méchain], « Rapport au Consul sur la continuation de la mesure de la méridienne de France depuis Barcelone jusqu'aux îles Baléares » [septembre-octobre 1802]. Pour l'approbation de la mission par l'État, voir BL, « Procès-verbaux », 5 vendémiaire an XI [27 septembre 1802]. Sur l'intérêt porté au projet par

Laplace et Bonaparte, voir le point de vue de Zach, très probablement fondé sur des informations émanant de Lalande ; KBD, NKS1304, Zach à Bugge, 19 janvier 1803.

16. Pour le recrutement de Le Chevalier, voir BML, 26CA6, Méchain à Le Chevalier, 25 ventôse an XI [16 mars 1803]. Sur la mission qui lui fut confiée, voir AN, F17 3712, Le Chevalier au ministre de l'Intérieur [Chaptal], 8 ventôse an XI [27 février 1803]. Pour les relations antérieures de Méchain avec Le Chevalier, voir KBD, NKS1304, Méchain à Bugge, 1er vendémiaire an X [23 septembre 1801]. Sur la carrière d'astronome de Le Chevalier et ses relations avec Méchain, voir Bigourdan, *Astronomie d'observation*, p. 137-140. Sur les activités troubles de Le Chevalier à Madrid en 1796-1797, voir Camille Pitollet, « Comment fut accueillie en Espagne la première ambassade française en faveur du système métrique », *Archivo de investigaciones históricas España* 1 (1911), p. 457-473. Sur Augustin Méchain, voir KBD, NKS1304, Méchain à Bugge, 1er vendémiaire an X [23 septembre 1801]. Le fils aîné de Méchain, Isaac, rentré d'Égypte sans encombre, avait renoncé à l'astronomie – bien qu'il eût lui-même découvert une comète – pour lui préférer une carrière de commissaire pour les relations commerciales aux Dardanelles ; voir Méchain à Rolland, 5 jour comp. an VI, 12 brumaire, 30 prairial an VIII et 18 germinal X [21 septembre 1798, 3 novembre 1799, 19 juin 1800 et 8 avril 1802], dans Dougados, « Lettres de Méchain », p. 86, 110-111 et 125.

17. Méchain à Dezauche, 6 germinal an XII [27 mars 1804], dans [Dezauche], « La dernière mission de l'astronome Méchain, 1804 », *Revue rétrospective* 15 (1891), p. 145-168, citation p. 156. Sur les réverbères anglais, voir AN, F17 3702, Méchain au ministre de l'Intérieur, 8 pluviôse an XI [28 janvier 1803].

18. Pour le rapport de Delambre stipulant que Méchain a rendu ses résultats à la dernière minute, juste avant son départ, se reporter à SBB, J1792 (3), Delambre à Humboldt, 10 septembre 1807.

19. Pour la durée prévue de l'opération, voir KBD, NKS1304, Méchain à Bugge, 2 ventôse an XI [21 février 1803]. Pour la date du départ, prévue au 1er février, voir KBD, NKS1304, Zach à Bugge, 19 janvier 1803. Pour la date réelle du départ, voir BL, « Procès-verbaux », 6 floréal an XI [26 avril 1803]. À l'origine, Méchain avait l'intention de mesurer la longueur du pendule à Bordeaux, mais il abandonna cette idée pour gagner du temps. Il embarqua pour Barcelone à partir de Montpellier.

20. Pour les retards occasionnés à Barcelone, voir AN, F17 3712, Le Chevalier au ministre de l'Intérieur [Chaptal], 25 floréal an XI [5 mai 1803]. Eurile était à Paris pendant les préparatifs de l'expédition ; voir, AN, F12 3712, Méchain, « État de position », 12 frimaire an XI [3 décembre 1802].

21. Coronado à Godoy, 29 décembre 1796 et 6 janvier 1797, dans Pitollet, « Comment fut accueillie en Espagne », p. 565-570.

22. AOP, B4-9, Chaix à Méchain, 14 août 1804. Chaix avait également été l'assistant de Méchain pendant une brève période, lors de la première expédition de 1792. Gonzalès aussi l'avait mis en garde contre Coronado (voir AOP, B4-10, Gonzalès à Méchain, 24 septembre 1803. Le Chevalier, qui avait eu des démêlés avec Coronado en 1796-1797, le considérait aussi comme responsable de tous les empêchements ; voir AOP, MS1054, Le Chevalier au ministre de l'Intérieur, 20 janvier 1806.

23. CUS, Lalande (au nom du Bureau des longitudes) au ministre des Affaires étrangères [Talleyrand], 5 messidor an XI [24 juin 1803]. Gonzalès ne pensait pas que Méchain eût beaucoup à craindre des Anglais ; voir AOP, B4-10, Gonzalès à Méchain, 30 juillet 1803.

24. Sur la petite incursion de Méchain le long de la côte espagnole, voir la lettre de Méchain à Delambre, 30 vendémiaire an XII [23 octobre 1803], dans Guillaume Bigourdan, « La prolongation de la méridienne de Paris, de Barcelone aux Baléares, d'après les correspondances inédites de Méchain, de Biot et d'Arago », *Bulletin*

astronomique 17 (1900), p. 348-368, 390-400 et 467-480, et particulièrement p. 352-356. Les résultats géodésiques relatifs à cette partie de l'opération ont été publiés dans *Recueil d'observations géodésiques, astronomiques et physiques,* Jean-Baptiste Biot et Dominique François Jean Arago (Paris, Courcier, 1821, p. 1-40).

25. Pour l'accusation de mensonge formulée par Méchain, voir Méchain à Delambre, 15 pluviôse an XII [5 février 1804], dans Bigourdan, « Prolongation », p. 364. Ibiza est effectivement visible de Montsia par temps clair.

26. Méchain à Delambre, 15 frimaire an XII [7 décembre 1803], dans Bigourdan, « Prolongation », p. 357.

27. Sur la dispersion des membres de son équipe, voir Méchain à Delambre, 15 frimaire an XII [7 décembre 1803], dans Bigourdan, « Prolongation », p. 359. Les Espagnols, dont Cini, commandant en second du capitaine Eurile, refusèrent de monter la garde auprès des réverbères. Les Français (Le Chevalier en particulier) furent agacés de se voir ainsi refuser toute possibilité d'effectuer des observations (Méchain à Dezauche, 4 vendémiaire et 28 pluviôse an XII [27 septembre 1803 et 18 février 1804], dans [Dezauche], « La dernière mission », p. 145-147 et 151-152).

28. Pour les réverbères mal emballés, voir Méchain à Dezauche, 4 vendémiaire an XII [27 septembre 1803], dans [Dezauche], « La dernière mission », p. 145-147.

29. Méchain à Delambre, 30 vendémiaire an XII [23 octobre 1803], dans Bigourdan, « Prolongation », p. 356.

30. Sur Canellas, voir Méchain à Dezauche, 28 pluviôse an XII [18 février 1804], dans [Dezauche], « La dernière mission », p. 151-155.

31. Sur la traversée entre la côte espagnole et Ibiza, voir Méchain à Delambre, 4 pluviôse an XII [25 janvier 1804], dans Bigourdan, « Prolongation », p. 361 ; Méchain à Dezauche, 4 pluviôse an XII [25 janvier 1804], dans [Dezauche], « La dernière mission », p. 147-149.

32. Méchain à Dezauche, 4 pluviôse an XII [25 janvier 1804], dans [Dezauche], « La dernière mission », p. 147-149. Sur Ibiza, voir André Grasset de Saint-Sauveur, *Voyage dans les îles Baléares et Pithiuses, fait dans les années 1801, 1802, 1803, 1804 et 1805* (Paris, Collin, 1807, p. 249-287) ; Christian Augustus Fischer, *A Picture of Valencia*, traduit par Frédéric Shoberl (Londres, Colburn [1803], 1808, p. 290-297).

33. Méchain à Dezauche, 15 pluviôse an XII [5 février 1804], dans [Dezauche], « La dernière mission », p. 149-150.

34. *Ibid.*

35. Méchain à Delambre, 4 pluviôse an XII [25 janvier 1804], dans Bigourdan, « Prolongation », p. 363.

36. Sur la Baléarique, encore appelée horloge du soleil, voir Grasset de Saint-Sauveur, *Baléares*, p. 97-99 ; Alexandre de Laborde, *Itinéraire descriptif de l'Espagne*, 2ᵉ éd. (Paris, Nicolle, 1809, vol. 4, p. 441) ; Fischer, *Valencia*, p. 272 ; Sand, *Hiver à Majorque*.

37. Sur l'éclipse, voir Méchain, « Mémoire sur l'éclipse de Soleil du 20 pluviôse an XII », 10 février 1804, *CT pour l'an XV* (pub. frimaire an XII [novembre-décembre 1804]), p. 476-482. Pour un résumé de l'expédition de Gonzalès à Majorque en décembre 1792, voir AOP, B4-10, Gonzalès à Méchain, 24 septembre 1803.

38. Delambre à Méchain, envoyée le 5 ventôse an XII [25 février 1804], et arrivée à Las Palmas le 22 ventôse an XII [13 mars 1804], dans Bigourdan, « Prolongation », p. 390-391.

39. Méchain à Dezauche, 6 germinal an XII [27 mars 1804], dans [Dezauche], « La dernière mission », p. 155-157. Pour l'attitude de déférence de Méchain envers les membres du Bureau, voir Méchain à Delambre, 16 germinal an XII [6 avril 1804],

dans Bigourdan, « Prolongation », p. 391-393 ; courrier au Bureau des longitudes, BL « Procès-verbaux », 7 floréal an XII [7 mars 1804].

40. Sur les risques occasionnés par les retards et les machinations tramées par Coronado, voir AOP, B4-10, Gonzalès à Méchain, 24 septembre 1803. Sur Valence, voir Fischer, *Valencia*, p. 46-48 et 200-204 ; Swinburne, *Travels*, vol. 1, p. 153-154 ; Alexandre de Laborde, *Voyage pittoresque et historique de l'Espagne* (Paris, éditeur inconnu, 1806, vol. 1) ; Laborde, *Itinéraire*, vol. 1, p. 175-250 ; Richard Twiss, *Travels through Portugal and Spain in 1772 and 1773* (Londres, Robinson, 1775, p. 201).

41. Pour la reconnaissance du terrain, voir Méchain à Delambre, 11 fructidor an XII [29 août 1804], dans Bigourdan, « Prolongation », p. 396-400 et 467-470. On trouve une description des voyages dans la région à cette époque de l'année chez Twiss, *Travels*, p. 213-214.

42. Sur les coups de soleil de Méchain, voir Méchain à [Thérèse Méchain ?], 4 messidor an XII [23 juin 1804], dans Bigourdan, « Prolongation », p. 393-394. Sur les réverbères, voir Méchain à Delambre, 11 fructidor an XII [29 août 1804], dans Bigourdan, « Prolongation », p. 396-400 et 467-470. Pour un portrait de l'archevêque trois ans après, voir François Arago, « Histoire de ma jeunesse, » *Œuvres complètes*, 2ᵉ éd. (Paris, Legrand, Pomey et Crouzet, 1865, vol. 1, p. 32 et 37).

43. Pour les opérations effectuées cet été-là, voir Méchain à Delambre, 11 fructidor an XII [29 août 1804], dans Bigourdan, « Prolongation », p. 396-400 et 467-470. Sur l'erreur de Canellas, voir Ten, *Medir el metro*, p. 155.

44. Méchain à Delambre, 11 fructidor an XII [29 août 1804], dans Bigourdan, « Prolongation », p. 400 et 467.

45. AAS, Dossier Méchain, Méchain à Jaubert, 13 messidor an XII [2 juillet 1804].

46. Pour une description d'Espadán par Méchain, voir Delambre, *Notice historique de Méchain*, p. 24. Pour la région alentour, voir Townsend, *Journey through Spain*, vol. 3, p. 96-98.

47. Dezauche, « Journal » [1794], dans [Dezauche], « La dernière mission », p. 159-168. Laborde, *Itinéraire*, p. 284. L'auberge où Méchain fut conduit tout d'abord s'appelait l'Auberge du Lion ; c'était la seule auberge convenable de la ville.

48. Pour une copie du certificat de décès de Méchain, qui se trouve dans le registre de la paroisse de Castellón de la Plana, voir AAS, Dossier Méchain, « Don Pedro Méchain », 14 septembre 1804.

49. Sur le diagnostic de la malaria à la fin du XVIIIᵉ siècle, voir Vicq d'Azyr et Jeanrol, « Rapport... au sujet de l'épidémie qui a régné à Villeneuve-lès-Avignon », *Histoire de la Société royale de médecine* (1776), p. 213-225. Pour un traité plus largement répandu, traduit dans les principales langues européennes, et publié régulièrement depuis le début du XVIIIᵉ siècle, voir James Lind, *Essai sur les maladies des Européens dans les pays chauds*, édité et traduit par Thion de La Chaume (Paris, Barrois, 1785). Voir également l'abrégé dans J.-L. Alibert, *Traité des fièvres pernicieuses*, 3ᵉ éd. (Paris, Crapelet, 1804). Sur l'histoire de la malaria en Espagne, voir Leonard Jan Bruce-Chwatt et Julian de Zulueta, *The Rise and Fall of Malaria in Europe : A Historico-Epidemological Study* (Oxford, Oxford University Press, 1980, p. 123-128).

50. Sur l'obsession de Méchain à propos de ses papiers, voir Delambre, *Notice historique sur M. Méchain*, p. 28.

51. Sur la nouvelle de la mort de Méchain, voir *ASPV* 3 (16 vendémiaire an XIII [8 octobre 1804]), p. 138.

52. Sur la vente de la bibliothèque de Méchain, voir BN, Delta 49306, *Catalogue des livres et instruments du feu M. P.Fr.And. Méchain*, vente du 4 floréal an XIII

[24 avril 1805] (Paris, Bleuet, an XIII [1805]). Sur les problèmes de la famille Méchain après la mort du savant, voir AN, F17 1541, Jaubert au ministre de l'Intérieur [Champagny], 18 ventôse an XIII [9 mars 1805]. Sur les efforts de Thérèse Méchain pour obtenir une pension, voir AN, F17 1541, Mme Méchain au ministre de l'Intérieur Champagny, reçue le 3 nivôse an XIII [24 décembre 1804] ; Min. Int. à Mme Méchain, 11 ventôse an XIII [2 mars 1805] ; Min. Int. « Rapport à Sa Majesté l'Empereur », 24 pluviôse an XIII [14 février 1805] ; Napoléon, « Décrète ce qui suit… Méchain », non daté. Finalement la pension s'éleva à 1 500 francs par an, dont un tiers devait revenir à la fille de Méchain à la mort de sa mère.

53. AOP, E2-21, Augustin Méchain, « Notice » [1804-1805].

54. Pour la notice de Lalande, voir Lalande, « Nécrologie », *Le Moniteur* 22 (7 nivôse an XIII [28 décembre 1804]), p. 78. Voir également baron de la Puebla, « Nachtrag zu Méchains Biographie », *MC* (1805), p. 367-369.

55. Delambre, *Notice historique sur M. Méchain, lue, le 5 messidor an XIII* [24 juin1805] (Paris, Baudouin, janvier 1806, p. 19).

56. Delambre, *Notice historique sur M. Méchain*, p. 30. Delambre publia effectivement quelques-uns des résultats de Méchain, qu'il avait trouvés dans ses papiers ; voir *ASPV* 3 (22 pluviôse an XIII [11 février 1805]), p. 180.

57. Sur la publication de l'éloge, voir BA, MS2038, Delambre à Baudouin, 21 janvier 1806.

58. Pour un témoignage de l'époque attestant d'une part la pression exercée sur Delambre afin qu'il termine son manuscrit au plus vite, et d'autre part le fait que s'il avait effectivement déjà reçu la première partie des papiers de Méchain, il ne les avait toujours pas examinés, voir UAA, MS074, Delambre à Van Swinden, 10 ventôse an XIII [1er mars 1805]. Delambre lui-même affirme n'avoir pas reçu les papiers de Méchain à temps pour la publication du premier volume ; voir Delambre, *Base du système métrique*, vol. 2, p. v-x. Pour un témoignage ultérieur, voir Delambre, *Grandeur*, p. 224. Sur le mètre et ce qu'il signifiait, voir Ludwig Wittgenstein, *Philosophical Investigations*, traduit par G.E.M. Anscombe, 2e. éd. (Oxford, Blackwell, 1963, section 50). Voir également Saul Kripke, *Naming and Necessity* (Cambridge, Harvard University Press, 1972).

Chapitre 11

1. William Shakespeare, *Jules César*, acte I, scène 2.

2. Delambre, *Histoire de l'astronomie moderne* (Paris, Courcier, 1821, vol. 1, p. XLI). L'astronome parle de Descartes, voir note 69.

3. Delambre, *Rapport historique*, p. 68.

4. KM Delambre, *Base*, vol. 1, page de titre. Comme on ne sait pas très bien quand Delambre a remis la *Base* à Napoléon, il pourrait s'agir du moment où les trois volumes ont été publiés, en 1810 ; voir BA, MS2038, Delambre à Baudouin, 21 janvier 1806. Delambre s'est délibérément abstenu de dédicacer la *Base* à l'Empereur, afin de ne pas passer pour un flagorneur ; voir Delambre, « Lui-même ».

5. AOP, E2-9, commentaire de Delambre ajouté à la fin du registre.

6. Sur les modifications apportées par Méchain, voir AOP, E2-9, 23 janvier 1793. Dans l'un des cas, Delambre pouvait affirmer avec certitude que les résultats avaient été recopiés, à cause de la façon dont ils étaient disposés. Pourtant, Méchain avait ajouté en haut et en bas de la page les heures auxquelles les observations avaient été faites, détails qui ne servaient à rien d'autre qu'à donner l'impression qu'il s'agissait d'un original.

7. KM, Delambre, *Base*, vol. 1, p. 510. Pour les annotations de Delambre sur le travail de Méchain, voir KM, Delambre, *Base*, vol. 1, p. 289-510. Pour les modifications des résultats de St-Pons, voir p. 345. Pour Carcassonne, Méchain a supprimé seize séries d'observations, ce qui l'a amené à un résultat final de 1,91'; voir p. 374. Delambre cite également un exemple où les résultats présentés à la Commission internationale ont été corrigés de 2 secondes, sans aucune explication plausible ; voir p. 386. Delambre a aussi corrigé quelques coquilles et apporté de temps à autre quelques petites modifications à ses équations.

8. Sur la latitude de Paris, à l'époque et aujourd'hui, voir Delambre, *Grandeur*, p. 222, et Bigourdan, *Système métrique*, p. 154.

9. Voir commentaires de Delambre, AOP, E2-9, et aussi KM, Delambre, *Base*, vol. 1, p. 484. Voir également AOP, MS1033b, Anonyme [Tranchot ?], « Pour Delambre seul » [vers 1807-1809]. Méchain publia une version abrégée des résultats obtenus pour Barcelone, voir *CT pour l'an XII* (Paris, an X [1801-1802]), p. 242-243.

10. Delambre, *Base*, vol. 2, p. 619 ; Delambre, « Auszug aus einem Briefe », 1er février 1808, *MC* 18 (mai 1806), p. 45-49. Sur son engagement à publier tous les résultats, voir Delambre, *Base du système métrique*, *CT pour l'an 1808* (1807), p. 463-466.

11. Pour le dépôt des manuscrits, voir Burckhardt, Biot et Bouvard, « Dépôt des manuscrits à l'Observatoire impérial », 12 août 1807 ; et Bouvard, Burckhardt et Arago, « Dépôt », 19 septembre 1810, dans *Base du système métrique*, vol. 3, p. 698-704. Delambre déposa les manuscrits en deux fois, car il souhaitait en utiliser une partie pour rédiger le troisième volume de sa *Base*. Toutefois, contrairement à ce qui a été publié lors du second dépôt de 1810, la version manuscrite mentionne que les lettres de Méchain ont été placées sous scellés. Voir l'original aux AOP, D5-38, « Dépôt », 26 septembre 1810.

12. AOP, E2-9, derniers commentaires de Delambre figurant dans le registre de Méchain.

13. Delambre (vers 1810), note ajoutée dans la marge, AOP, E2-19, Méchain à Delambre, 7 brumaire an VII [28 octobre 1798].

14. AOP, E2-19, Méchain à Lalande, 11 ventôse an IV [1er mars 1796]. Sur l'allégation selon laquelle l'étoile double aurait pu gâcher les résultats de Méchain, voir Jean Nicolas Nicollet, *Mémoire sur un nouveau calcul des latitudes de Mont-Jouy... lu à l'Académie des sciences le 10 mars 1828* (Paris, Huzard-Courcier [1828]), et aussi *CT pour 1831*, p. 58-77. Méchain avait déjà fait remarquer que ζ de la Grande Ourse était couplée à une autre étoile (voir Méchain, *MC* 8 [novembre 1803]), p. 455. Sir George Airy, l'astronome royal anglais, a eu l'occasion de l'observer quelques années plus tard avec le cercle répétiteur que Méchain avait vendu aux Milanais et il fut alors à même de résoudre le problème de l'étoile double (George Airy, « The Figure of the Earth », *Encyclopaedia Metropolitana* [Londres, Fellowes *et al.*, 1845], vol. 5, p. 230). Sur la question de la réfraction, se reporter à Delambre, « Auszug aus einem Briefe », 1er février 1808, *MC* 18 (1808), p. 45-49. Delambre pensait que les observations faites par Méchain constituaient la preuve que les tables de Bradley étaient erronées ; voir Delambre, *Base*, vol. 2, p. 595.

15. Sur les conjectures de Delambre, voir Delambre, *Base*, vol. 2, p. 618-619. Méchain lui-même craignait de voir ses observations altérées par la proximité des Pyrénées (AOP, E2-19, Méchain à Lalande, 3 brumaire an IV [25 octobre 1795]. Le baron von Zach, astronome allemand, ami de Méchain, s'appuya sur l'expérience de Méchain à Barcelone pour affirmer que l'on avait là la preuve de l'attraction gravitationnelle des montagnes (voir Franz Xaver Zach, *L'Attraction des montagnes et ses effets sur les fils à plomb* [Avignon, Seguin, 1814], p. 19). À l'époque, les géodésiens

firent remarquer que l'attraction liée au relief de la région aurait dû être responsable d'un écart dans la direction opposée : voir Joseph Rodriguez, « Observations on the Measurement of Three Degrees of the Meridian », *Philosophical Transactions*, 102 (1812), p. 344.

16. Il a été dit que Méchain avait vendu son cercle aux astronomes milanais afin de se débarrasser d'un instrument devenu défectueux. Cette hypothèse paraît improbable. En effet, Méchain leur a laissé la possibilité de choisir entre ses deux cercles et les Milanais ont opté pour le vieux cercle à 360° plutôt que pour le tout nouveau cercle décimal de 400°, qui est précisément celui que Méchain avait utilisé presque tout le temps ; voir Delambre, *Base*, vol. 3, p. 503-504. Sur la vente du cercle aux Milanais, voir AOAB, Cart. 88, Méchain à Oriani, 12 février 1795. Pour la théorie d'une conspiration catalane, voir Moreu-Rey, *Naixement del metre*, p. 91-92.

17. Sur la position de Delambre par rapport aux résultats de la Fontana de Oro, voir Delambre, *Base*, vol. 2, p. 620. Les résultats de Mont-Jouy paraissent exacts, selon les critères d'aujourd'hui. En 1931, un astronome catalan a mesuré la latitude de Mont-Jouy à partir du même endroit exactement, en employant les méthodes de réduction utilisées au XVIIIe siècle, et il a trouvé pour latitude : 41°21'44,62", ce qui fait une différence de 0,44 secondes seulement par rapport aux résultats de Méchain. Toutefois, en l'absence de mesures comparables pour la Fontana de Oro, qui n'existe plus, l'information obtenue en 1931 n'apporte aucune lumière sur l'écart entre les deux résultats : voir Isadore Polit, dans A. Ten, « Les expéditions de Méchain et Biot-Arago », *Figure de la Terre du XVIIIe siècle à l'ère spatiale*, Henri Lacombe et Pierre Costabel Gauthier-Villars éds (Paris, 1988, p. 245-265, et surtout p. 263).

18. Sur l'étude de Nicollet, voir Nicollet, *Mémoire*. Voir l'analyse de son travail dans Airy, « Figure ». Voir le commentaire malavisé de son travail dans « Réflexions sur un Mémoire de M.T. [*sic*] N. Nicollet », *Philosophical Magazine*, anonyme, nouvelle série, 5 (1829), p.180-188. Sur les méthodes employées au XVIIIe siècle pour déterminer la latitude d'un lieu, voir Charles Cotter, *A History of Nautical Astronomy* (New York, Elsevier, 1968, p. 123-179) ; F. Marguet, *Histoire générale de la navigation du XVe au XXe siècle* (Paris, Société d'Éditions géographiques, maritimes et coloniales, 1931).

19. À son arrivée aux États-Unis, Nicollet prit contact avec Ferdinand Rudolph Hassler. Il lui parla de ses instruments géodésiques, de ses livres et de ses compétences, et demanda à faire partie de l'expédition géodésique américaine ; NYPL Ford Collection, Nicollet à Hassler, 25 juillet 1832.

20. Comme Delambre n'a pas observé les étoiles dans leur passage inférieur, il n'est pas possible de vérifier l'exactitude de ses résultats. Il est intéressant de constater que Delambre n'ignorait pas que l'on pouvait équilibrer de cette façon les résultats entre les passages inférieurs et supérieurs, car il n'a jamais observé une seule étoile en son passage inférieur, ni manipulé les résultats de Méchain dans ce sens, en partie à cause du fait qu'il lui aurait alors fallu connaître les déclinaisons de manière bien plus précise que ne le permettaient les tables de l'époque, et en partie parce que les deux étoiles qu'il avait choisies étaient beaucoup plus faciles à repérer que celles recherchées par Méchain (voir Delambre, *Base*, vol. 2, p. 186).

21. BI, MS2042, fol. 408, Delambre, « Lui-même » ; Delambre, *Tables écliptiques des satellites de Jupiter* (Paris, Courcier, 1817). Sur le savant qui découvrit une erreur dans ces tables, voir Anonyme, « Nécrologie de Monsieur le chevalier Delambre », *Nouvelles Annales des voyages* 15 (1822), p. 425-428.

22. Pour l'opinion de Delambre sur la perfection de la nature, voir UBL, MS1872, Delambre à Moll, 21 juillet 1820 ; une notice nécrologique, parue dans *Ami de la religion* 33 (1822), p. 111-112, a qualifié Delambre d'athée respectueux de la foi, en

grande partie parce qu'il n'utilisait pas la géodésie, ni l'astronomie, pour remettre en cause ce que disait la Bible à propos de l'âge de la Terre.

23. Delambre, *Base*, vol. 3, p. 103.

24. Sur la révision de la longueur du mètre par Delambre, voir Delambre, *Base*, vol. 3, p. 135.

25. Sur les moyens mnémotechniques pour retenir la valeur du mètre, voir Delambre, *Base*, vol. 3, p. 299.

26. WL, 65667, Delambre à Lindeman, 1er mai 1811.

27. Sur la découverte de Legendre, voir A.M. Legendre, *Nouvelles Méthodes pour la détermination des orbites des comètes avec un supplément*, 6 mars 1805 (Paris, Courcier, 1806, notamment p. 72-80). Stephen M. Stigler a donné à la méthode des moindres carrés le nom de Ford Modèle T des statistiques ; voir « Gauss and the Invention of Least Squares » [1981], dans *Statistics on the Table : The History of Statistical Concepts and Methods* (Cambridge, Harvard University Press, 1999, p. 320) ; V. Parisot, « Adrien-Marie Legendre », *Biographie universelle* (éd. Michaud), vol. 23, p. 610-615 ; Élie de Beaumont, « Éloge historique de Adrien Marie Legendre », *MA* 32 (1864), p. XXXVII-XCIV.

28. Sur les méthodes préconisées par Laplace sous l'Ancien Régime, voir Laplace, « Mémoire sur la figure de la Terre » (1783, publié en 1786) dans *Œuvres*, vol. 11, p. 5-9.

29. Sur l'utilisation par Delambre des analyses de Legendre, voir Delambre, *Base*, vol. 3, p. 92.

30. Sur l'interprétation des moindres carrés, voir Ch.-Fr. Gauss, *Méthodes des moindres carrés*, traduit par J. Bertrand (Paris, Mallet-Bachelier, 1855) Comme preuve qu'il avait été le premier à définir cette méthode, Gauss affirmait en avoir discuté avec plusieurs de ses collègues, bien qu'aucun d'eux ne semblât l'avoir compris. De toute évidence, Gauss a employé très tôt une méthode similaire car il a été capable de relever une erreur de typographie dans les résultats géodésiques de Delambre et de Méchain, publiés dans l'*Allgemeine geographische Ephemeriden* de 1799-1800. Delambre, en tant que secrétaire perpétuel de l'Académie des sciences, a offert son arbitrage pour régler ce différend. Il a reconnu à Legendre la primeur de sa publication et la clarté de sa présentation, tout en concédant à Gauss une indéniable contribution ; voir Delambre, « Analyse des travaux », *MA* (1811, publié en 1814), p. III-XIII ; Churchill Eisenhart, « The Meaning of Least Squares », *Journal of the Washington Academy of Sciences* 54 (1964), p. 24-33 ; R.L. Plackett, « The Discovery of the Method of Least Squares » [1972], dans *Studies in the History of Statistics and Probability*, Maurice Kendall et R.L. Plackett éds (Londres, Griffin, 1977, vol. 2, p. 239-251) ; Stigler, « Gauss and the Invention of Least Squares », p. 320-331. Pour les travaux de Gauss sur l'application du principe des moindres carrés à la géodésie, voir O.B. Sheynin, « C.F. Gauss and the Theory of Errors » et « C.F. Gauss and Geodetic Observations », *Archive for History of the Exact Sciences* 20 (1979), p. 21-72 ; 46 (1994), p. 253-282. Voir également Laura Tilling, « The Interpretation of Observational Errors in the Eighteenth and Early Nineteenth Centuries » (thèse de doctorat, Université de Londres, Imperial College of Science and Technology, 1973) ; B. Bru, « Laplace et la critique probabilistique des mesures géodésiques », dans Lacombe et Costabel, *Figure de la Terre*, p. 223-244 ; M. Armatte, « Théorie des erreurs, moyenne et loi normale », dans *Moyenne, milieu, centre : Histoires et usages*, éd. Jacqueline Feldman, Gérard Lagneau et Benjamin Matalon éds (Paris, Éditions de l'École des hautes études en sciences sociales, 1991, p. 63-84) ; Eberhard Knobloch, « Historical Aspects of the Foundations of Error Theory », dans *The Space of Mathematics : Philosophical, Epistemological, and Historical Explora-*

tions, Javier Echeverria, Andoni Ibarra et Thomas Mormann éds (Berlin, Gruyter, 1992, p. 253-279).

31. Sur le premier débat français au sujet de ce qui devint connu plus tard sous le nom d'équation personnelle, voir Delambre et Laplace, « Rapport sur la théorie de Mars, par Lefrançois-Lalande », *ASPV* 2 (21 brumaire an X [12 novembre 1801]), p. 426-429. Le premier exemple d'équation personnelle à proprement parler fut l'écart trouvé entre les résultats de Maskelyne et ceux de son assistant en Angleterre en 1796, mais il fallut attendre encore vingt ans avant d'en avoir l'explication ; voir Stephen M. Stigler, *History of Statistics : The Measurement of Uncertainty before 1900* (Cambridge, Harvard University Press, 1986, p. 240-242). Pour mon analyse de la transformation de la discipline astronomique, je suis redevable à Simon Schaffer, « Astronomers Mark Time : Discipline and the Personal Equation », *Science in Context* 2 (1988), p. 115-145. Voir également Lorraine Daston, « Enlightenment Calculators », *Critical Inquiry* 21 (1994), p. 182-202 ; Giora Hon, « Towards a Typology of Experimental Errors : An Epistemological View », *Studies in the History and Philosophy of Science* 20 (1989), p. 469-504.

32. Sur le rôle des statistiques du XIXᵉ siècle dans les divers domaines scientifiques, voir Theodore M. Porter, *The Rise of Statistical Thinking, 1820-1900* (Princeton, Princeton University Press, 1986).

33. Jean-Paul Marat, *Les Pamphlets-1792*, C. Vellay éd. (Paris, Fasquelle, 1911, p. 295). C'était là cependant un usage précoce du terme. Le terme « scientist » fut introduit en anglais dans les années 1840 par William Whewell. Son équivalent français, « scientifique », ne fut pas vraiment usité avant le début du XXᵉ siècle, et l'on continua d'utiliser le terme « savant » tout au long du XIXᵉ siècle. Néanmoins, bien des aspects du « professionnalisme » scientifique (et du nouveau monde politique qui lui servait de support) ont commencé à émerger au début du XIXᵉ siècle.

34. Napoléon Bonaparte à Lalande, 15 frimaire an V [5 décembre 1796], dans Napoléon Bonaparte, *Correspondance*, vol. 2, p. 175-176.

35. BVCS, MS99, Lalande, « Journal », 23 novembre 1805 ; Jérôme Lalande, *Histoire céleste française* (Paris, Imprimerie de la République, an IX [1801]). Quelques années plus tard, son petit-fils Isaac, appelé ainsi en souvenir d'Isaac Newton, travaillera dur pour son atelier d'astronomie ; voir Lalande, « History of Astronomy for the Year 1805 », *Philosophical Magazine* 26 (1806-07), p. 362.

36. BNR, MS Fr 12273 fol. 73, Anonyme, « Air des fraises ». Sur Mlle Henry, voir Aulard, *Thermidorienne*, 4 (22 messidor an VI [10 juillet 1798]), p. 533.

37. *Gazette de France*, 4 ventôse an XIII [23 février 1805], cité dans François-Alphonse Aulard éd., *Paris sous le premier Empire* (Paris, Cerf, 1912-1923, vol. 1, p. 620).

38. Lalande, BN R43050, Sylvain M[aréchal], [avec Jérôme Lalande], *Dictionnaire des athées anciens et modernes* (Paris, Grabit, an VIII [1799], p. 57.) « En 1798 les Anglais disent que Buonaparte est le général des Athées (note communiquée par Lalande, v. *Le Mercure britannique*). »

39. BN, Ln27 11115, Anonyme, *Grand conseil tenu par les sylphes* (Paris, Sourds-Muets, non daté). Pour les attaques portées dans la presse contre l'athéisme de Lalande, voir Aulard, *Consulat*, 1 (12 décembre 1799 et 18 mars 1800), p. 48 et 221-222.

40. NL, FRC18618, Lalande, *Notice sur Sylvain Maréchal* (non datée), p. 48-49.

41. Delambre, « Lui-même ».

42. Jérôme Lalande, *Second Supplément au Dictionnaire des athées* (1805), p. 76. L'éditeur ne fit imprimer le dictionnaire qu'après que le ministre de la Police l'eut autorisé à le faire, pour un usage privé de Lalande. Puis, Lalande laissa traîner, « négligemment », quelques exemplaires de l'ouvrage dans l'antichambre du Sénat

où quelqu'un les aperçut. Cet épisode a été relaté en détail dans Aulard, « Napoléon et l'athée Lalande », *Révolution française*, 4ᵉ série, vol. 9 (1904), p. 303-316. Sur le point de vue de Lalande à propos de la fonction de la religion, voir NL, FC18618, Lalande, *Notice sur Sylvain Maréchal*, p. 36-37 ; voir aussi sa conversation avec le pape, p. 88, et son attaque insolente contre Napoléon, qu'il accusa d'être belliciste, dans le *Journal de l'Empire*, 13 fructidor an XIII [31 août 1805], dans Aulard, *Empire*, vol. 2, p. 147.

43. Sur la réponse de Napoléon à Lalande, voir Napoléon (à Schönbrunn) à Champagny, ministre de l'Intérieur, 23 frimaire an XIV [13 décembre 1805], dans Napoléon, *Correspondance*, vol. 11, p. 574-576. Sur les conditions imposées à Lalande et sa réaction, voir AN, AF IV 1050, Delambre au ministre de l'Intérieur, 5 nivôse an XIV [26 décembre 1805], et CUS, Président de l'Institut, « Certifie que ce qui suit... », 5 nivôse XIV [26 décembre 1805]. Delambre fit un compte rendu détaillé de cet épisode et de ses efforts pour amener Lalande à se plier aux exigences, tout en préservant la liberté intellectuelle (voir BI, MS2041, vol. 2., fol. 610, Delambre, « Lalande » [1805]. Sur la réédition du *Dictionnaire*, voir BN, 8°R13719, Jérôme Lalande, *Second Supplément au Dictionnaire des Athées* (1806).

44. Lalande, « Testament moral » [21 octobre1804], dans Amiable, *Lalande*, p. 53. Italiques ajoutés par l'auteur.

45. Delambre, « Lalande », *Biographie universelle*, p. 613, Salm-Reifferscheid-Dyck, *La Lande*, p. 34. Sur les rumeurs qui ont couru à propos du testament de Lalande, voir la *Gazette de France*, 8 avril 1807, et le *Journal de Paris*, 11 avril 1807, dans Aulard, *Empire*, vol. 3, p. 115 et 117. Delambre jugea Lalande de plus en plus sévèrement après la mort de ce dernier ; voir Delambre, « Éloge historique de M. de Lalande », 4 janvier 1808, *MA* (1807), p. 30-57, Delambre, « Lalande » *Biographie universelle*, p. 603-613, et Delambre, « Lalande », *Astronomie au XVIIIᵉ*, p. 547-621.

46. BMA, Archives 2K10, Delambre à [Louis François] Janvier, 12 août 1806.

47. Sur la maladie invalidante de Delambre en 1803, voir CUS, Delambre à Cagnoli, 6 août 1810.

48. Sur les prêts consentis à Mme Pommard en 1800-1801, avec un faible taux d'intérêt, voir BI, MS1041 fol. 29. Sa propriété était située à Courcelles-sur-Viosne ; AN, M.C. II 797, « Donation entrevis par Mme Delambre », 5 vendémiaire an XIII [27 septembre1804]. Sur leur lieu de résidence, voir CUS, Delambre à Delambre (son cousin, notaire), 7 floréal [vers 1800]. Pour un portrait de Mme Delambre, voir Charles Dupin, « Notice nécrologique sur M. Delambre », *Revue encyclopédique* 28 (décembre 1822), p. 22-23. Sur l'amitié qui les liait à Humboldt, qui peut-être les avait présentés l'un à l'autre, voir Delambre à Humboldt, 22 janvier 1801, dans Alexander von Humboldt, *Briefe aus Amerika, 1799-1804* (Berlin, Akademie, 1993, p. 121).

49. BI, MS2041, « Ah ! Love how soft and tender/Begins thy happy reign,/ But when our heart surrenders/Thou'rt bitterness and pain./ If from the daylight flying/ The shaded woods we rove/Or thro'the slow night sighing/Of breath but for my love./ Tempt not the soft illusion/Ye wand'rers free of air/T'is nothing but delusion/The voice that calls you there/Or tells the heart to languish/The youthful bloom to glow/ Then damps that heart with anguish/And fills that heart with woe » ; avec un commentaire écrit de la main de Delambre : « An Athenian Air, Translation from the Roman ». L'examinateur de Charles Pommard pour le concours d'entrée à l'École polytechnique n'était autre que Biot, l'un des élèves favoris de Delambre, qui le plaça en moyenne position dans sa future classe ; BEP, II/1, École impériale polytechnique, « Liste des élèves admis à l'École polytechnique en l'an IX » [1801]) ;

Delambre à Humboldt, 22 janvier 1801, dans Humboldt, *Briefe aus Amerika*, p. 120 ; WL, 7080/7, Humboldt à Delambre, 27 août 1807.

50. BMA, Archives 2K10, Delambre à [Louis François] Janvier, 12 août 1806. Sur le déménagement de Delambre, voir Delambre, *Grandeur,* p. 192. Voir ses différentes adresses dans l'*Almanach national*.

51. Pour l'opinion de Gauss, voir Gauss à Bessel, 13 novembre 1814, dans *Briefwechsel C.F. Gauss – F.W. Bessel* (Hildesheim, Olms, 1975, vol. 1, p. 202). Pour un point de vue plus généreux, voir Wilson, « Perturbations », p. 283-296. Les tables de Delambre furent plagiées avant même d'être publiées, par un astronome allemand, le baron von Zach, qui profita de la générosité avec laquelle Lalande faisait circuler les résultats des astronomes. Delambre en fut furieux, mais il se retint de le manifester en public ; voir Delambre, « Lui-même ».

52. Pour les travaux militaires de Delambre, voir AN, AFIV 1205, Delambre au général Duroc, 23 vendémiaire an XII [16 octobre 1803] ; voir également, Fernand Beaucour, « Un problème d'optique posé par Napoléon à l'Institut, en 1803, résolu par Delambre », *Bulletin historique de la Société de sauvegarde du château impérial de Pont-de-Briques* (1972), p. 196-206. Pour se représenter le contexte de la menace d'invasion, voir Édouard Desbrière, *Projets et tentatives de débarquement aux îles Britanniques* (Paris, Chapelot, 1902, vol. 3).

53. Delambre est intervenu pour sauver la vie de James Smithson, qui a fondé plus tard l'Institut smithsonien ; voir CUS, Delambre à Clarke [ministre de la Guerre], 16 avril 1809. Delambre a aussi obtenu de l'Empereur la libération de l'astronome anglais Edmond Pigott (voir APS, MS 76-932, « Letter book, 1802-1806 ») ; voir aussi Banks à Delambre, 30 janvier 1804 ; Delambre à Banks, 11 octobre 1806, dans Gavin de Beer, *The Sciences Were Never at War* (Londres, Nelson, 1960, p. 138 et 177, et aussi p. 154-155). Delambre expédia huit exemplaires de sa *Base* en Angleterre ; voir Delambre à Banks, 27 avril 1807, 2 mars 1808 et 8 mars 1812, dans de Beer, *Sciences*, p. 179, 181 et 192. Sur ses espoirs de paix, voir Delambre à Banks, [18 mars 1813], dans de Beer, *Sciences*, p. 193-195.

54. *ASPV*, 4 (27 août 1810), p. 375.

55. Sur la réclamation formulée par « les enfants » Méchain, voir *ASPV*, 4 (24 juin 1811), p. 490. Comme à cette époque-là Isaac se trouvait dans les Dardanelles, il s'agit probablement d'Augustin (et peut-être de sa sœur). Aucune mention n'est faite du rôle joué par Mme Méchain. Pour la réponse de la Commission, voir Arago *et al.*, « Rapport sur la réclamation de la famille Méchain », *ASPV*, 4 (8 juillet 1811), p. 496-497. La Commission n'était pas trop favorable à Delambre. Si le rapporteur en était Arago, l'un des protégés de Delambre, on y comptait aussi Guyton-Morveau, l'un des deux savants qui avait tout d'abord voté contre l'admission de Delambre à l'Académie (voir Delambre, « Lui-même »). Parmi les autres membres figuraient Charles et Vauquelin. Le rapport final fit mention d'un conflit d'intérêts en raison du fait que Delambre faisait partie du jury ; mais ce n'était pas le cas, le savant étant alors secrétaire perpétuel de l'Académie ; voir Institut de France, *Rapports et discussions de toutes les classes de l'Institut de France sur les ouvrages admis au concours pour les prix décennaux*, Paris, Baudoin, 1810, vol. 1, p. 130-137.

56. Sur l'abandon du calendrier par Lalande, qui autrefois s'en était attribué le mérite, voir Aulard, *Consulat*, 1 (21 novembre 1801), p. 618 ; 4 (27 septembre 1803), p. 400-401 ; et aussi 6 brumaire an XIII [28 octobre 1804], et 18 messidor an XIII [7 juillet 1805], dans Aulard, *Empire*, vol. 1, p. 349 ; vol. 2, p. 43. Voir également ses « Je vous l'avais bien dit » dans Jean-Étienne Montucla, *Histoire des mathématiques*, Lalande éd. (Paris, Agasse, an X [1802], vol. 4, p. 329-333). Delambre rappela également à ses confrères les imperfections du calendrier ; voir *ASPV*, 1 (26 pluviôse an V [14 février 1797]), p. 172 ; 6 vendémiaire an IX

[28 septembre 1800]), p. 233. Pour une analyse générale du rejet du calendrier, voir *PVCIP*, p. 207-213 ; Léon de Lanzac de Laborie, *Paris sous Napoléon* (Paris, Plon-Nourrit, 1905, vol. 3, p. 202-206) ; [Blagdon], *Paris As It Was*, vol. 2, p. 79-80.

57. Sur les appels lancés par le gouvernement pour inciter les Français à continuer d'utiliser les mesures métriques, voir Chaptal (Min. Int.) aux préfets, 2 frimaire an XI [23 novembre 1802], dans *Le Moniteur* 111, 112 et 113 (21, 23 et 24 nivôse an XI [11, 13 et 14 janvier 1803]), p. 446, 454-455 et 459-460 ; voir aussi « Préfecture de Police », *Le Moniteur* 17 (17 vendémiaire an XI [9 octobre 1802]), p. 63. Sur la persistance de l'utilisation des anciennes mesures, voir AN, F2I/106/31, Duplantier (préfet des Landes) au conseiller d'État, 26 thermidor an XIII [14 août 1805]. Sur les démentis opposés aux rumeurs relatives à une éventuelle abrogation de la loi, voir ADSe, VD* 430, Bureau central de Paris, *Avis : poids et mesures, 26 brumaire an VIII* [17 novembre 1799], (Paris, Lottin, an VIII [1799]).

58. BLUC, Laplace carton 10, Laplace à Napoléon, 7 mai 1811. Sur l'action en coulisses entreprise par Laplace et Delambre, voir BLUC, Laplace carton 10, Laplace au [Min. Int. Chaptal], 13 pluviôse an XII [3 février 1804] ; qui se trouve également dans Morin, « Notice historique sur le système métrique », *Annales du Conservatoire des arts et métiers* 9 (1871), p. 607. Sur la tentative faite pour associer le mètre aux conquêtes napoléoniennes, voir AN, F12 1289, Anonyme, lettre sans adresse, 2 mars 1811.

59. Sur les poids et mesures ordinaires, voir Napoléon, « Décret concernant l'universalité des poids et mesures », 12 février 1812, dans *Le Moniteur* 50 (19 février 1812), p. 199. Montalivet (Min. Int.) aux préfets, 28 mars 1812, dans *Le Moniteur* 116 (25 avril 1812), p. 454-455.

60. Benjamin Constant, *De l'esprit de conquête* (Paris, Librairie de Médicis, 1813, p. 53-54). Voir également Benjamin Constant, *Cours de politique constitutionnelle* (Paris, Guillaumin, 1872, vol. 2, p. 170-175).

61. AN, F12 1290, le préfet (des Bouches-du-Rhin) au ministre de l'Intérieur, 6 juillet 1813. Voir aussi, ministre de l'Intérieur au préfet, 20 juillet 1813 ; le préfet aux maires et aux administrateurs locaux, juin 1813 ; préfecture du dépt. des Bouches-du-Rhin, placards en français et en hollandais, 12 février 1813 (Bois-le-Duc, Lion [1813]).

62. Napoléon, *Mémoires*, vol. 4, p. 211-215. Par « quarante millions d'hommes », Napoléon entendait la population de l'Empire français. Voir aussi la triste opinion qu'il avait des savants et du système métrique dans Napoléon Bonaparte, *Sainte-Hélène, Journal inédit de 1815 à 1818*, Gaspard Gourgaud éd. (Paris, Flammarion, 1899, vol. 1, p. 95 ; vol. 2, p. 28).

63. UBL, MS1872, Delambre à Moll, 7 mai 1814.

64. Sur le déménagement de Delambre, voir CUS, Delambre à Mlle Delambre (sa sœur), 18 novembre 1815 ; Delambre, « Lui-même ». En tant que secrétaire perpétuel de l'Académie, Delambre percevait un salaire de 6 000 francs, mais il avait perdu son traitement de trésorier de l'université, qui était beaucoup plus important (12 000 francs) ; voir *ASPV* 6 (27 mars 1816), p. 43. Sur ses prises de position en faveur de la neutralité politique des savants, voir Delambre au ministre de l'Intérieur, 18 avril 1816, dans Bigourdan, « Bureau des longitudes » (1928), p. A49.

65. Sur le rapport historique, voir Jean Dhombres, « Introduction » aux *Rapports à l'Empereur sur le progrès des sciences, des lettres et des arts depuis 1789*, vol. 1, *Science mathématiques*, Jean Dhombres éd. (Paris, Belin, 1989, p. 13-37).

66. CUS, Delambre à Cagnoli, 6 août 1810.

67. Le seul ouvrage antérieur comparable consacré à l'histoire des sciences est l'histoire des mathématiques (appliquées) commencé par Montucla, et dont les volumes 3 et 4 ont été achevés par Lalande en 1802 ; voir Montucla, *Histoire des*

mathématiques. Pour le rapport entre l'*Histoire* de Delambre et son *Traité,* voir Delambre, *Astronomie moderne,* vol. 1, p. LII. Pour l'appréciation portée sur Delambre en tant qu'historien, voir I. Bernard Cohen, « Introduction », dans Delambre, *Histoire de l'astronomie moderne* (New York, Johnson Reprint, New 1969, p. IX-XX).

68. Sur la méthode utilisée pour son travail d'historien, voir Delambre, *Histoire de l'astronomie ancienne* (Paris, Courcier, 1817, vol. 1, p. XVIII-XX et XXXVI). Delambre visait tout particulièrement un historien de l'Ancien Régime, Bailly, qui fondait ses articles sur de simples suppositions (voir Delambre, *Histoire de l'astronomie du Moyen Âge* (Paris, Courcier, 1819, p. XXXIV-XXXVII). Sur l'intérêt qu'il portait à l'expédition d'Égypte, voir BI, MS 1041, Nouet à Delambre, 21 fructidor an IX [8 septembre 1801] ; 8 floréal an X [28 avril 1802]. Delambre et Méchain furent chargés d'examiner les observations astronomiques rapportées d'Égypte par Nouet et Isaac Méchain, *ASPV* 2 (1 floréal an X [21 avril 1802]), p. 493. Sur ses doutes concernant les pyramides, voir BI, MS 1042 fol. 388, Delambre, « *Recherches sur les sciences de l'Égypte* par M. Fourier », non daté. Delambre, *Astronomie ancienne,* vol. 1, p. 89-90 ; Delambre, *Astronomie du Moyen Âge,* p. VI et LXV.

69. Delambre, *Astronomie moderne,* vol. 1, p. XLI ; vol. 2, p. 235. En italique dans l'original.

70. Delambre, *Astronomie moderne,* vol. 2, p. 199-200.

71. Sur le crâne de Descartes, voir Delambre, « Crâne venu de Suède et que l'on dit être celui de Descartes », *ASPV* 7 (14 mai et 8 octobre 1821), p. 193-197 et 232-233.

72. Sur la destruction des lettres et papiers personnels de Delambre, voir Charles Dupin, « Notice nécrologique sur M. Delambre », *Revue encyclopédique* 28 (décembre 1822), p. 12-13. Pour son autobiographie et sa biographie, voir Delambre, « Lui-même » ; Mathieu, « Delambre », *Biographie universelle* (éd. Michaud), p. 304-308.

73. Pour le certificat de décès de Delambre, voir AN, Étude CVIII 987, Jean Eustache Montand, « Actes de décès : Delambre », 26 août 1822. Sur la vente des mille cinq cents livres de la bibliothèque de Delambre, voir AOP, 22569, *Catalogue des livres composant la bibliothèque de feu M. le chevalier Delambre,* 10-20 mai 1824 (Paris, Gaudfroy et Bachelier, 1824). Pour son éloge, voir Joseph Fourier, « Éloge de M. Delambre », 2 juillet 1823, *MA* 4 (1824), p. CCIV-CCXXVIII. Pour la nomination de Fourier, voir *ASPV* 7 (26 août 1822), p. 362.

74. UBL, MS1872, Delambre à Moll, 21 juillet 1820.

75. Pour la dernière biographie de Méchain, voir Delambre, « Méchain », *Histoire de l'astronomie au XVIIIe siècle,* Claude Louis Mathieu éd. (Paris, Bachelier, 1827, p. 755-767). Lalande lui-même avait rapporté dans son éloge historique de Méchain que leurs premières rencontres avaient été épistolaires ; voir Lalande, « Nécrologie », *Le Moniteur* 22 (7 nivôse an XIII [28 décembre 1804]). Dans ses manuscrits, Delambre buta plusieurs fois sur l'expression « funeste résolution d'en faire mystère » ; voir BYU, carton 32, Delambre, « Méchain » ; et aussi BI, MS2041, carton 10, Delambre, « Méchain ». Delambre écrivit également une courte biographie de Méchain qui fut publiée en 1821, et qui reste dans le même esprit ; voir Delambre, « Méchain », *Biographie universelle,* Michaud éd. (Paris, 1821, vol. 28, p. 454-458).

76. Delambre, « Méchain », *Astronomie au XVIIIe,* p. 766-767.

77. Delambre, *Grandeur,* p. 231 et 234.

78. Les lettres manuscrites furent probablement décachetées par Guillaume Bigourdan à la fin du XIXe siècle, mais il ne les utilisa pas pour la rédaction de son *Système métrique* de 1901.

Chapitre 12

1. G.K. Chesterton, « The Rolling English Road », *The Flying Inn*, trad. M. Devillers-Argouarc'h.

2. Flavius Josèphe, *Jewish Antiquities* (vol. 1, p. 61) [*Antiquités judaïques*], dans *Works*, traduction de H. St. J. Thackeray (Heinemann, Londres, 1930), vol. 4, p. 29. Caïn fut le premier homme à délimiter des propriétés et à bâtir une ville.

3. John Quincy Adams (secrétaire d'État), « Weights and Measures », Sénat américain, 22 février 1821, 16ᵉ Congrès, 2ᵉ session, n° 503, p. 656-750 ; voir p. 672. Ce rapport a été rédigé en réponse à une demande faite par le Sénat le 3 mars 1817 et réitérée par le Président Madison (voir Chambre des représentants des États-Unis, 15ᵉ Congrès, 2ᵉ session, n° 463, p. 538-542).

4. Armand Machabey, « Aspects de la métrologie au xviiᵉ siècle », *Les Conférences du palais de la Découverte*, série D, n° 33, 1955.

5. Adams, « Weights and Measures », p. 699.

6. Jefferson à J.Q. Adams, 1ᵉʳ novembre 1817, dans Jefferson, *Writings*, vol. 7, p. 87.

7. Mathieu fit remarquer qu'il ne serait pas nécessaire de mesurer une nouvelle fois le méridien si le mètre des Archives venait à être endommagé, car sa longueur était également connue par rapport au pendule [voir *AP2* 111 (10 mai 1837), p. 29]. Le fils de Laplace affirmait que cette mesure était une partie aliquote du méridien [voir *AP2* 112 (12 juin 1837), p. 496].

8. Anonyme, dans *AP2* 111 (20 mai 1837), p. 482. Il s'agissait de Joseph Louis Gay-Lussac. Sur l'historique de la loi, voir *AP2* ministre du Commerce Martin du Nord, 107 (28 février 1837), p. 627 et 690-692 ; rapport de Mathieu, 111 (10 mai 1837), p. 28-36 ; débats 111 (20 mai 1837), p. 478-84 ; ministre du Commerce Martin du Nord, 112 (27 mai 1837), p. 19-21 ; rapport de Laplace 112 (12 juin 1837), p. 495-500 ; débats 112 (16 juin 1837), p. 637-646, 779-780 ; débats 113 (22 juin 1837), p. 151-161 ; débats 112 (24 juin 1837), p. 305-306 et 347-350 ; débats 112 (27 juin 1837), p. 462-467. À la Chambre des députés, la loi passa à 224 voix contre 9 ; à la Chambre des pairs, elle obtint 65 voix contre 21.

9. Charles Gilles, « Ma Varlope » [vers 1848], dans Pierre Brochon éd., *Le Pamphlet du pauvre, du socialisme utopique à la révolution de 1848* (Paris, Éditions Sociales, 1957, p. 112.) Voir aussi la *Complainte sur les poids et mesures*, anonyme (Paris, Esculier, 1840).

10. L'émeute de Clamecy, dans le département de la Nièvre, a été déclenchée par la mise en service des « nouvelles » mesures, qui étaient en fait la version décimale des mesures « usuelles » de 1825 (voir *Le Moniteur* 109 et 116 (19 et 26 avril 1837) p. 923 et 1002] ; voir aussi *L'Écho de la Nièvre*, 9 avril 1839, dans Gustave Tallent, *Histoire du système métrique* (Paris, Soudier, 1910, p. 88-91).

11. Anonyme, « Les nouveaux poids et mesures », dans Tallent, *Système métrique*, p. 92.

12. Sur la persistance des anciennes mesures, voir Eugen Weber, *Peasants into Frenchmen : The Modernization of Rural France, 1870-1914* (Stanford, Stanford University Press, 1976, p. 36) ; Gaudefroy, *Mesures anciennes en usage à Amiens*, p. 30 ; Arthur Edwin Kennelly, *Vestiges of Pre-metric Weights and Measures Persisting in Metric-System Europe, 1926-1927* (New York, Macmillan, 1928, p. 30).

13. La loi du 21 août 1816 rendit le système métrique obligatoire dans tous les Pays-Bas (exception faite de la nomenclature) à partir du 1ᵉʳ janvier 1820 (date limite qui fut plus tard repoussée à 1821). En Belgique, la loi du 18 juin 1836 rétablit la nomenclature originale. Sur la Belgique, voir J. Mertens, « L'introduction du système métrique dans les Pays-Bas méridionaux », *Janus* 60 (1973), p. 1-12. Pour la

Hollande, voir Van Swinden à Delambre, 28 juin 1802, dans Bigourdan, *Système métrique*, p. 242-244. Pour le Luxembourg (et le reste des Pays-Bas), voir Henri Thill, « Esquisse de l'histoire du système métrique dans notre pays », *Institut grand-ducal de Luxembourg : Section des sciences naturelles, physiques et mathématiques, Archives*, nouvelle série, 20 (1951-1953), p. 95-130.

14. Sur l'Italie, voir Kula, *Measures and Men*, p. 268-275.

15. Sur le mouvement international en faveur du système métrique, voir Edward Franklin Cox, « The Metric System : A Quarter-Century of Acceptance, 1851-1876 », *Osiris* 13 (1959), p. 358-379. Sur les congrès de statistique, voir M. Engel éd., *Compte rendu général des travaux du congrès international de statistique dans ses séances tenues à Bruxelles 1865, Paris 1855, Vienne, Londres 1860* (Berlin, Imprimerie royale, 1863, p. xx, 56 et 192-193).

16. Sur l'impact de l'Exposition universelle de 1851, voir Leone Levi, *Theory and Practice of the Metric System of Weights and Measures* (Londres, Griffith, 1871, p. 2-3). Sur celle de 1867, voir Michel Chevalier éd., *Exposition universelle de 1867 à Paris : rapports du jury international* (Paris, Dupont, 1868, vol. 2), p. 485-500).

17. Pour l'évolution de la législation en Allemagne, se reporter au « No. 28, Maas und Gewichtsordnung für den Norddeutschen Bund », 27 août 1868, dans *Bundes-Gesessblatt des Norddeutschen Bundes* (1868), p. 473-480 ; 5e Congrès international de statistique, *Programm der fünften Sitzungsperiode* (Berlin, Königliche Geheime Ober-Hofbuchdruckerei, 1863, p. 79-87 et 201-206).

18. Sur les progrès réalisés en géodésie, voir L. et B. Francœur, *Géodésie, ou Traité de la figure de la Terre* (Paris, Bachelier, 1835, 189-193) ; Louis Puissant (vol. 6 et 7), et E. Peytier (vol. 9), *Nouvelle Description géométrique de la France*, partie du *Mémorial du Dépôt général de la guerre*, vol. 6 (Paris, Piquet, 1832, 42 et 126-129) ; vol. 7 (Paris, Maulde, 1840, p. 601-644 ; vol. 9 (Paris, Maulde, 1853).

19. Baeyer au ministre prussien de la Guerre, « Entwurf zu einer mitteleuropäischen Gradmessung », avril 1861, dans Levallois, *Mesurer la Terre*, p. 152.

20. Sur l'histoire de la géodésie au XIXe siècle, voir Georges Perrier, *Petite Histoire de la géodésie* (Paris, Alcan, 1939) ; Marie-Françoise Jozeau, « Mesure de la Terre au XIXe siècle », dans *La Mesure, instruments et philosophies*, Jean-Claude Beaune éd. (Paris, Callon, 1994, p. 95-106) ; Levallois, *Mesurer la Terre*, p. 141-156.

21. Le Verrier, *CR* 57 (1863), p. 36. Voir le débat entre Faye (porte-parole du Bureau des longitudes et partisan de la coopération internationale) et Le Verrier (porte-parole de l'observatoire de Paris et opposé à la coopération), dans *CR* 56 (1863), p. 28-37.

22. Sur la proposition d'une nouvelle expédition métrique, voir Pontécoulant, *CR* 69 (27 septembre 1869), p. 728-730. Pour la réponse apportée, voir Faye, « Observations sur la lettre de M. de Pontécoulant », *CR* 69 (4 octobre 1869), p. 737-743.

23. Jacobi, Struve, Wild, « Confection des étalons prototypes des poids et mesures métriques : Rapport de la Commission nommée par la Classe physico-mathématique de l'Académie des sciences de Saint-Pétersbourg », dans *CR* 69 (16 août 1869), p. 425-428. Ces savants russes étaient à Berlin et rendaient compte de l'opinion générale.

24. C. Bruhns, W. Foerster et A. Hirsch éds, *Bericht über die Verhandlungen... der Europäischen Gradmessung* (Berlin, Reimer, 1868, p. 126). Parmi les pays qui envoyèrent des représentants à Berlin, figuraient la Hollande, la Belgique, l'Italie, la Russie, la Suisse, et tous les États germaniques. Les altérations de la règle étaient liées au fait que Lenoir avait opté en 1799 pour un étalon *à bouts* (il s'agissait d'une règle à bouts munie de deux languettes extensibles aux extrémités), et non une règle *à traits* (dont la longueur est définie par deux traits transversaux) ; Steinheil, *Abhand-*

lungen der Baierischen Academie 4 (1837), p. 251 ; Morin *et al.*, « Procès-verbal de comparaison entre étalons prototypes », 5 mars 1864, dans *Annales du Conservatoire impérial des arts et métiers* 5 (1864), p. 6. Sur l'impureté du platine, voir Mcdonald, *Platinum*, p. 147-177.

25. Pour la controverse française sur le mètre de remplacement, voir Mathieu, Laugier et Faye, « Rapport de la Commission », 24 décembre1867, dans Bigourdan, *Système métrique*, p. 253-54 ; Morin *et al.*, « Rapport... sur la révision des étalons des bureaux de vérification des poids et mesures de l'Empire français en 1867 et 1868 », *Annales du Conservatoire impérial des arts et métiers* 9 (1871), p. 5-63 ; AN, F17 3715, ministère de l'Instruction publique, « Note sur la construction d'un étalon métrique », 24 juillet 1869 ; Dumas *et al.*, « Rapport sur les prototypes du système métrique », 23 août 1869, *CR* 69 (1869), p. 514-519.

26. Dépêche adressée par le ministre des Affaires étrangères aux agents diplomatiques français, le 16 novembre 1869, dans Bigourdan, *Système métrique*, p. 272-273 ; ministre du Commerce, « Rapport à S.M. l'Empereur », 1ᵉʳ septembre 1869, dans Bigourdan, *Système métrique*, p. 265-272.

27. Adolph Hirsch, dans Commission internationale du mètre, *Session de 1870, Procès-verbaux des séances* (Paris, Baudry, 1871, p. 29). Pour les préparatifs de la réunion, voir Morin, « Notice historique sur le système métrique », *Annales du Conservatoire des arts et métiers* 9 (1871), p. 573-640.

28. Pour la réunion de 1872, voir Commission internationale du mètre, *Procès-verbaux des séances du Comité des recherches préparatoires*, avril 1872 (Paris, Viéville, 1872), Commission internationale du mètre, « Procès-verbaux », septembre-octobre 1872, dans *Annales du Conservatoire des arts et métiers* 10 (1872), p. 3-229.

29. Sur la Convention de 1875, voir Charles-Edmond Guillaume, *La Création du Bureau international des poids et mesures* (Paris, Gauthier-Villars, 1927) ; département américain du Commerce, National Bureau of Standards, *The International Bureau of Weights and Measures, 1875-1975*, NBS, Bulletin spécial 420 (Washington D.C. GPO, 1975). Sur les débats internes, voir AN, F17 3715, Bureau des longitudes, « Rapport sur la proposition relative à l'adoption d'une annexe géodésique », 15 octobre 1875. Les Anglais et les Hollandais étaient également opposés à la création d'un Bureau permanent.

30. Sur la fabrication des nouveaux étalons, voir Bigourdan, *Système métrique*, p. 338-352.

31. Sur l'Inde, voir Lal C. Verman et Jainath Kaul éds, *Metric Change in India* (New Delhi, Indian Standards Institution, 1970).

32. Sur les poids et mesures anglais au XIXᵉ siècle, voir Simon Schaffer, « Metrology, Metrication, and Victorian Values », *Victorian Science in Context*, Bernard Lightman éd. (Chicago, University of Chicago Press, 1997, p. 438-474). Même après que le yard anglais eut disparu dans l'incendie du Parlement en 1834, les Anglais continuèrent à affirmer leur attachement à un étalon réel, plutôt qu'à une mesure tirée de la nature et susceptible d'être constamment modifiée ; A.D.C. Simpson, « The Pendulum as the British Length Standard : A Nineteenth-Century Legal Aberration », dans *Making Instruments Count : Essays on Historical Scientific Instruments*, R.G.W. Anderson, J.A. Bennett, et W.F. Ryan éds [Cambridge, Variorum, 1993, p. 174-190].

33. James Yates, *What is the Best Unit of Length ?* (Londres, Bell and Daldy, 1858, p. 20 et 24-46) ; John F.W. Herschel, « The Yard, the Pendulum, and the Metre » [1863], *Familiar Lectures on Scientific Subjects* (New York, Routledge, 1869, p. 419-451) ; John F.W. Herschel, « The Battle of the Standards », *The Times* (21 juin 1864), p. 7 ; (4 juillet 1864), p. 11 ; (2 mai 1864), p. 12. Voir également

Airy, « Figure of the Earth », vol. 5, p. 165-240. Le *Times* était contre le système métrique, tout en se défendant d'être antifrançais ; voir Ewart, *The Times* (16 juin 1864), p. 11.

34. William John Macquorn Rankine, « The Three-Foot Rule », *Songs and Fables* (Glasgow, Maclehose, 1874).

35. Éditorial du *Toronto Star*, cité par Grace Ellen Watkins dans « Metrication in the United States : A Social Constructivist Approach » (thèse de doctorat, Southern Illinois University, 1998), p. 305. Voir également Minister of Trade and Commerce, Government of Canada, *White Paper on Metric Conversion in Canada*, janvier 1970 ; Gerald Black, *Canada Goes Metric* (Toronto, Doubleday, 1974).

36. Sur la diversité des mesures aux États-Unis, voir Adams, « Weights and Measures », p. 741-743. Dans les années 1820, le nombre de poids de Troy contenus dans une livre variait toujours de cinq pour cent selon que l'on se trouvait au nord ou au sud de la côte atlantique, et la capacité du boisseau pouvait varier de vingt pour cent. La Louisiane avait une histoire coloniale différente et, par conséquent, des mesures différentes également.

37. Le meilleur ouvrage sur l'histoire du système métrique aux États-Unis est celui de Charles F. Treat, *A History of the Metric Controversy in the United States*, National Bureau of Standards, Publication 345-10 (Washington, GPO, 1971). Voir aussi Cox, « A History of the Metric System ». Sur l'arrivée de la règle de 1799 aux États-Unis, se reporter à APS Hassler, « Confrontation des toises faite par le Comité des poids et mesures à Paris », novembre 1806. Sur la vente des mesures, voir APS Hassler, « Livres concernant les mesures de degrés » [1808]. Hassler rendit visite à Lalande et à Delambre lors de son séjour à Paris dans les années 1790, et il en profita pour rapporter des étalons et des instruments géodésiques, comme le cercle répétiteur de Borda notamment ; Hassler, *Memoirs*, traduit par Emil Zschokke (Nice, Gauthier [1877], 1882, p. 36-38 et 53-57) ; Florian Cajori, *The Chequered Career of Ferdinand Rudolph Hassler* (Boston, Christopher, 1929, p. 20-23 et 35-36). Sur le rapport présenté par Hassler, voir « Weights and Measures », 29 juin 1832, 22e Congrès, 1re session, *Register of Debates* (Washington, Duff Green, 1832), p. 1-123. Pour des informations plus générales sur les poids et mesures de l'époque, voir *North American Review* 97 (octobre 1837), p. 269-292 ; National Academy of Sciences, *A History of the First Half-Century of the National Academy of Sciences, 1863-1913* (Washington, éditeur inconnu, 1913, p. 206-213).

38. Josh Billings, « Never did so many Kaisers, Ksars, Kings, kum kling knit together in so Klean a Kawse to work so Kommendable a Kure », cité par Aubrey Drury, *World Metric Standardization : An Urgent Issue* (San Francisco, World Metric Standardization Council, 1922, p. 157).

39. *Proceedings of the Ohio Auxiliary Society of the International Institute*, janvier 1887, dans Treat, *History of the Metric System*, p. 89 ; Charles Latimer, *The French Metric System, or, The Battle of the Standards* (Chicago, Wilson, 1880, p. 28-29) ; Edward F. Cox, « The International Institute : First Organized Opposition to the Metric System », *Ohio Historical Quarterly* 68 (1959), p. 54-83.

40. Susan Fraker Holt, revu par Gretchen Borges, *The United States and the Metric System* (Federal Reserve Bank of Minneapolis, 1976, p. 36 ; Daniel V. De Simone éd., *A Metric America : A Decision Whose Time Has Come*, National Bureau of Standards, Publication 345 (Washington, D.C., GPO, juillet 1971).

41. Bob Greene, « Man This WAM ! Puts His Foot Down », *Chicago Tribune* (11 mars 1978), p. 1.

42. Sur les États-Unis dans les années 1990, voir Gary P. Carver, *A Metric America : A Decision Whose Time Has Come for Real* (Gaithersburg, National Insti-

tute of Standards and Technology, juin 1992) ; George Gallup Jr., *The Gallup Poll* (Wilmington, Del. Scholarly Resources, 1991, p. 210).

43. Arthur G. Stephenson *et al.*, « Mars Climate Orbiter Mishap Investigation Board : Phase I Report », NASA, 10 novembre 1999 ; *Science* 286 (1999), p. 18, 207 ; *New York Times* (21, 24 septembre, 1ᵉʳ octobre 1999).

Épilogue

1. Sartre, *La Nausée* (Paris, Gallimard [1938]).

2. Sur la base de Melun au XIXᵉ siècle, voir ADSM, MDZ333, Bassot *et al.*, « Vérification faite en 1882 des travaux géodésiques des astronomes Delambre, Laplace et de Prony », 12 août 1882. Sur l'accident, voir Levallois, *Mesurer la Terre*, p. 134.

Note sur les sources

Ce livre s'appuie sur des documents d'origine dont la majeure partie est constituée de manuscrits en français, non publiés. Le plus gros des documents relatifs à l'expédition métrique de 1792-1799 se trouve dans la série E2 des archives de l'observatoire de Paris. D'autres documents importants relatifs à Delambre sont conservés à la bibliothèque de l'Institut de France, à la bibliothèque universitaire de Brigham Young University, à Provo (Utah), au musée Karpeles de Santa Barbara, en Californie, et aussi à Amiens, New York, Londres et Utrecht. On trouve également des documents complémentaires concernant Méchain à la bibliothèque de l'université de Pise et à la Kongelige Bibliotek de Copenhague, ainsi qu'à Laon, à Milan et à Madrid. D'autres écrits très utiles sur ces deux savants, sur leurs contemporains et sur le système métrique en général sont conservés aux archives de l'Académie des sciences à Paris, ainsi que dans des dizaines d'autres centres d'archives et bibliothèques plus ou moins importants de Paris, de province et du monde entier. J'ai dressé ci-dessous l'inventaire de ces institutions où j'ai trouvé les documents auxquels il est fait référence dans les notes de fin de volume, ainsi que les acronymes et autres abréviations que j'ai utilisés pour les désigner. Chaque référence à un document d'archive est suivie de la cote qui permettra à ceux qui le désirent de retrouver le document en question. Je voudrais remercier ici les archivistes et bibliothécaires qui m'ont aidé dans mes recherches, et tout particulièrement le personnel du service de prêt inter-bibliothèques de la Northwestern University.

Comme les notes de fin de volume se rapportent étroitement au contenu du texte, je voudrais m'acquitter ici de plusieurs dettes intellectuelles considérables. Le premier d'entre tous les historiens de la métrologie est le grand historien économique polonais Witold Kula, dont le livre *Les Mesures et les Hommes* (Paris, Éditions de la Maison des sciences de l'homme, 1984 ; traduction de Joanna Ritt), m'a permis de formuler mon raisonnement, même si j'arrive à des conclusions différentes. Ma réflexion sur l'économie politique a été façonnée par l'œuvre de Karl Polyani, dont *La Grande Transformation* (Paris, Gallimard, 1983 ; traduction de Catherine Malamoud et Maurice Angeno) est un classique méconnu et parfois déroutant. Au cours des dix dernières années, une nouvelle approche de l'histoire des sciences a transcendé la division simpliste entre les histoires techniques et les études contextuelles. Les ouvrages les plus utiles parus sur le point d'intersection entre les sciences exactes et les valeurs socioculturelles ont été écrits par Lorraine Daston, Simon Schaffer, Steven Shapin, M. Norton Wise et surtout Théodore Porter, dont le livre *Trust in Numbers : Objectivity in Science and Public Life* (Princeton, Princeton University Press, 1995) m'a souvent servi de source d'inspiration. Pour l'histoire du système métrique en général, on n'a pas encore trouvé mieux que deux œuvres datant du début du XXᵉ siècle : *Le Système métrique des poids et mesures*, de Guillaume Bigourdan (Paris, Gautiers-Villars, 1901), et *Les Origines du système métrique*, d'Adrien Favre (Paris, PUF, 1931). Le seul écrit solide et récent paru sur le sujet est un article teinté d'ironie, « The Measure of Enlightenment », de John L. Heilbron, dans *The Quantifying Spirit in the Eighteenth Century*, sous la direction de Tore Frängsmyr, John L. Heilbron et Robin E. Rider (Berkeley, University of California Press, 1990, p. 207-242). Mon analyse personnelle de la portée politique et économique du système métrique se trouve dans « A Revolution to Measure : The Political Economy of the Metric System », paru dans *The Values of Precision*, sous la direction de M. Norton Wise (Princeton, Princeton University Press, 1995, p. 39-71).

Liste des abréviations des noms d'archives et de bibliothèques

AAS = Archives de l'Académie des sciences, Paris
ADAu = Archives départementales de l'Aude, Carcassonne
ADC = Archives départementales du Cher, Bourges
ADPO = Archives départementales des Pyrénées-Orientales, Perpignan
ADSe = Archives départementales de la Seine, Paris
ADSM = Archives départementales de Seine-et-Marne, Melun
ADT = Archives départementales du Tarn, Albi
AHAP = Archives historiques de l'archevêché de Paris
AMAE = Archives du ministère des Affaires étrangères, Paris

AMSD = Archives municipales de Saint-Denis, Saint-Denis
AML = Archives municipales, Lagny
AMNM = Archivos del Museo Naval de Madrid, Madrid
AN = Archives nationales, Paris
AOAB = Archivio dell'Osservatorio Astronomico di Brera, Milan
AOP = Archives de l'observatoire de Paris
APS = American Philosophical Society Library, Philadelphie
BA = Bibliothèque de l'Arsenal, Paris
BEP = Bibliothèque de l'École polytechnique, Palaiseau
BI = Bibliothèque de l'Institut de France, Paris
BL = Bureau des longitudes, Paris
BLL = British Library, Londres
BLUC = Bancroft Library, University of California, Berkeley
BMA = Bibliothèque municipale d'Amiens, Amiens
BMC = Bibliothèque municipale de Carcassonne, Carcassonne
BMCF = Bibliothèque municipale de Clermont-Ferrand, Clermont-Ferrand
BML = Bibliothèque municipale de Laon, Laon
BMR = Bibliothèque municipale de Reims, Reims
BMSD = Bibliothèque municipale de Saint-Denis, Saint-Denis
BN = Bibliothèque nationale, Tolbiac, Paris
BNR = Bibliothèque nationale, Richelieu, Manuscrits, Paris
BNRC = Bibliothèque nationale, Richelieu, Cartes, Paris
BUP = Biblioteca Universitaria di Pisa, Pise
BVCS = Bibliothèque Victor-Cousin, Sorbonne, Paris
BYU = Brigham Young University, Provo, Utah
CNAM = Conservatoire national des arts et métiers, Paris
CUL = Collection Lavoisier, Cornell University, Ithaca, New York
CUS = Collection David Eugène Smith, Columbia University, New York
DLSI = Dibner Library, Smithsonian Institution, Washington DC
ENPC = École nationale des ponts et chaussées, Paris
KBD = Kongelige Bibliotek of Denmark, Copenhague
KM = Karpeles Museum, Santa Barbara, Californie
NL = Newberry Library, Chicago
NYPL = Rare Books and Manuscripts, New York Public Library, New York
SBB = Staatsbibliotek, Berlin
SHAT = Service historique des armées de terre, Vincennes
UBL = Universiteitsbibliotheek Utrecht, Utrecht
WL = Wellcome Library, Londres

Liste des abréviations des recueils et périodiques

AP = *Archives parlementaires de 1787 à 1860 ; recueil complet des débats législatifs et politiques des chambres françaises.* Première série de 1789 à 1799, Paris, Dupont.

AP_2 = *Archives parlementaires de 1787 à 1860 ; recueil complet des débats législatifs et politiques des chambres françaises.* Deuxième série de 1800 à 1860, Paris, Dupont, 1862-1913.

ASPV = Académie des sciences, *Procès-verbaux des séances de l'Académie tenues depuis la fondation de l'Institut jusqu'au mois d'août 1835*, Hendaye, Basse-Pyrénées, Imprimerie de l'observatoire d'Abbadia, 1910-1922.

CR = *Comptes rendus hebdomadaires des séances de l'Académie des sciences.* À partir de 1835, Paris, Gauthier-Villars, 1835-1965.

CT = *Connaissance des temps ou des mouvements célestes, pour le méridien de Paris, à l'usage des astronomes et des navigateurs*, Paris, 1766. Le titre exact et le nom de l'éditeur varient. Après 1795, la revue est éditée par le Bureau des longitudes.

HAS = Académie des sciences, *Histoire de l'Académie des sciences*, Paris, 1666-1792.

MAS = Académie des sciences, *Mémoires de l'Académie des sciences*, Paris, 1666-1792.

MC = éd. F.-X. von Zach, *Monatliche Correspondenz zur Beförderung der Erd- und Himmels-Kunde*, Gotha, Beckersche, 1800-1813.

MI = Académie des sciences, *Mémoires de l'Institut*, Paris, 1795-1815.

Moniteur = *Moniteur universel* (encore connu sous le nom de *Gazette nationale*), Paris, Agasse, 1789-1810.

PVCIP = éd. James Guillaume, *Procès-verbaux du Comité d'instruction publique*, Paris, Imprimerie nationale, 1891-1907.

RACSP = éd. François-Alphonse Aulard, *Recueil des actes du Comité de salut public*, Paris, Imprimerie nationale, 1889-1951.

Liste des abréviations utilisées pour les institutions

ATPM = Agence temporaire des poids et mesures
CIP = Comité d'instruction publique de la Convention nationale
CPM = Commission des poids et mesures
Dépt. = département
Min. Aff. Étr. = ministère des Affaires étrangères
Min. Int. = ministère de l'Intérieur

Bibliographie sélective

Sources primaires

Adams, John Quincy, « Weights and Measures », U.S. Senate, Sixteenth Congress, Second Session, 22 février 1821, dans *American State Papers : Documents*, n° 503, class 10, vol. 2, p. 656-750, Walter Lowrie et Walter S. Franklin, Washington DC, Gales and Seaton, 1834.

Aulard, François-Alphonse, éd., *Paris pendant la réaction thermidorienne et sous le Directoire*, Paris, Cerf, 1898-1902.

–, *Paris sous le Consulat*, Paris, Cerf, 1903.

–, *Paris sous le premier Empire*, Paris, Cerf, 1912-1923.

Bigourdan, Guillaume, éd., « La prolongation de la méridienne de Paris, de Barcelone aux Baléares, d'après les correspondances inédites de Méchain, de Biot et d'Arago », *Bulletin astronomique* 17 (1900), p. 348-68, 390-400, 467-80.

Biot, Jean-Baptiste et Dominique-François-Jean Arago, *Recueil d'observations géodésiques, astronomiques et physiques*, Paris, Courcier, 1821.

Borda, Jean-Charles, *Description et usage du cercle de réflexion*, Paris, Didot, 1787.

Bugge, Thomas, *Reise nach Paris in den Jahren 1798 und 1799*. Johann Nicolaus Tilemann, trad. Copenhague, Brummer, 1801. Version anglaise : *Travels in the French Republic*. John Jones, trad. Londres, Phillips, 1801. Réédition en anglais : *Science in France in the Revolutionary Era*, Maurice Crosland éd., Cambridge, MIT Press, 1969.

Cassini IV, Jean-Dominique, Pierre-François-André Méchain, et Adrien-Marie Legendre, *Exposé des opérations faites en France en 1787, pour la jonction des observatoires de Paris et de Greenwich*, Paris, Institution des Sourds-Muets, 1790.

Delambre, Jean-Baptiste-Joseph, éd., *Base du système métrique décimal, ou mesure de l'arc du méridien compris entre les parallèles de Dunkerque et*

Barcelone, exécutée en 1792 et années suivantes, par MM. Méchain et Delambre, Paris, Baudouin, 1806, 1807, 1810.

Delambre, Jean-Baptiste-Joseph, *Grandeur et figure de la terre*, Guillaume Bigourdan, éd., Paris, Gauthier-Villars, 1912.

–, *Histoire de l'astronomie au XVIIIᵉ siècle*, Claude-Louis Mathieu, éd. Paris, Bachelier, 1827.

–, *Histoire de l'astronomie moderne*, Paris, Courcier, 1821.

–, *Méthodes analytiques pour la détermination d'un arc du méridien*, daté du 11 germinal VII [31 mars 1799]. Comprend aussi : Adrien-Marie Legendre. *Méthode pour déterminer la longueur exacte du quart du méridien*, daté du 9 nivôse VII [29 décembre 1798], Paris, Crapelet, VII [1799].

–, *Notice historique sur M. Méchain, lue le 5 messidor XIII* [24 juin 1805], Paris, Baudouin, janvier 1806.

–, *Rapport historique sur les progrès des sciences mathématiques depuis 1789*, Paris, Imprimerie Impériale, 1810.

[Dezauche, A.-M.], « La dernière mission de l'astronome Méchain, 1804 », *Revue rétrospective* 17 (1891), p. 145-68.

Dougados, [Isidore], « Lettres de l'astronome Méchain à M. Rolland », *Mémoires de la Société des arts et des sciences de Carcassonne* 2 (1856), p. 74-130.

Gales, Joseph, éd., *Debates and Proceedings in the Congress of the United States*, Washington DC, Gales and Seaton, 1834-1856.

[Haüy, René-Just], *Instructions sur les mesures déduites de la grandeur de la terre*, 1ʳᵉ éd., Paris, Imprimerie nationale, II [1794].

Jefferson, Thomas, *The Papers of Thomas Jefferson*, Julian P. Boyd éd., Princeton, Princeton University Press, 1950.

–, *The Writings of Thomas Jefferson*, H. A. Washington éd., New York, Derby and Jackson, 1859.

Lalande, Joseph-Jérôme Le Français de, *Bibliographie astronomique, avec l'histoire de l'astronomie depuis 1781 jusqu'à 1802*, Paris, Imprimerie de la République, XI, 1803.

Laplace, Pierre-Simon, *Œuvres complètes de Laplace*, Paris, Gauthier-Villars, 1878-1912.

Lavoisier, Antoine-Laurent, *Œuvres de Lavoisier*, Paris, Imprimerie impériale, 1862-1893.

Leblond, Auguste-Savinien, *Sur la fixation d'une mesure et d'un poids, lu à l'Académie des Sciences le 12 mai 1790*, Paris, Demonville, 1791.

Legendre, Adrien-Marie, *Nouvelles méthodes pour la détermination des orbites des comètes avec un supplément*, daté du 6 mars 1805, Paris, Courcier, 1806.

Méchain, Pierre-François-André, « Recherches sur les comètes de 1532 et 1661 », *Mémoires de mathématique et de physique* 10 (1782), p. 330-396, Paris, Moutard, 1785.

Miller, John Riggs, *Speeches in the House of Commons upon the Equalization of the Weights and Measures of Great Britain*, Londres, Debrett, 1790.

Nicollet, Jean-Nicolas, *Mémoire sur un nouveau calcul des latitudes de Mont-Jouy... lu à l'Académie des sciences le 10 mars 1828*, Paris, Huzard-Courcier, [1828]. Publié également dans la *Connaissance des temps... pour 1831*, 58-77.

Paucton, Alexis-Jean-Pierre, *Métrologie, ou traité des mesures, poids et monnaies des anciens peuples et des modernes*, Paris, Veuve Desaint, 1780.

Prieur-Duvernois, Claude-Antoine, *Mémoire sur la nécessité et les moyens de rendre uniformes dans le royaume toutes les mesures*, Dijon, Causse, 1790.

Raspail, Julien, « Papiers de Lalande », *La Révolution française* 74 (1921), p. 236-254.

Young, Arthur, *Travels during the Years 1787, 1788, and 1789*, Dublin, Gross, 1793.

Sources secondaires

Alder, Ken, *Engineering the Revolution : Arms and Enlightenment in France, 1763-1815*, Princeton, Princeton University Press, 1997.

–, « La démesure du mètre », *La Recherche*, n° 13, oct.-déc. 2003, p. 16-21.

Baker, Keith Michael, « Science and Politics at the End of the Old Regime », dans *Inventing the French Revolution : Essays on French Political Culture in the Eighteenth Century*, p. 153-166, Cambridge, Cambridge University Press, 1990.

Bigourdan, Guillaume, « Le Bureau des Longitudes, son histoire et ses travaux, de l'origine (1795) à ce jour », *Annuaire du Bureau des Longitudes* (1928), A1-72 ; (1929), C1-92 ; (1930), A1-110 ; (1931), A1-151 ; (1932), A1-117.

–, *Histoire de l'astronomie d'observation et des observatoires en France, seconde partie*, Paris, Gauthier, 1930.

–, *Le Système métrique des poids et mesures*, Paris, Gauthier-Villars, 1901.

Bouchard, Georges, *Un organisateur de la victoire : Prieur de la Côte-d'Or*, Paris, Clavreuil, 1946.

Cox, Edward Franklin, « A History of the Metric System of Weights and Measures, with Emphasis on Campaigns for its Adoption in Great Britain and in the United States Prior to 1914 », Thèse de doctorat, Indiana University, 1956.

–, « The Metric System : A Quarter-Century of Acceptance, 1851-1876 », *Osiris* 13 (1959), 358-379.

Crosland, Maurice, « "Nature" and Measurement in Eighteenth-Century France », *Studies on Voltaire and the Eighteenth Century* 87 (1972), p. 277-309.

–, « The Congress on Definitive Metric Standards, 1798-1799 : The First International Scientific Conference ? », *Isis* 60 (1969), p. 226-231.

Débarbat, Suzanne, « Coopération géodésique », *Échanges d'influences scientifiques et techniques entre pays européens de 1780 à 1830*, p. 47-76, Actes du 114ᵉ Congrès national des sociétés savantes, Paris, 1989, Paris, Comité des Travaux historiques et scientifiques, 1990.

Desrosières, Alain, *La Politique des grands nombres : histoire de la raison statistique*, Paris, La Découverte, 1993.

Devic, J.-F.-S., *Histoire de la vie et des travaux scientifiques et littéraires de J.-D. Cassini IV*, Clermont, Daix, 1851.

Favre, Adrien, *Les Origines du système métrique*, Paris, PUF, 1931.

Fischer, Joachim, *Napoleon und die Naturwissenschaften*. Stuttgart, Steiner, 1988.

Garnier, Bernard, et Jean-Claude Hocquet, éd. *Genèse et diffusion du système métrique*, Caen, Éditions du Lys, 1990.

Gillispie, Charles Coulson, *Pierre-Simon Laplace, 1749-1827 : A Life in Exact Science*, Princeton, Princeton University Press, 1997.

Greenberg, John L., *The Problem of the Earth's Shape from Newton to Clairaut : The Rise of Mathematical Science in Eighteenth-Century Paris and the Fall of « Normal » Science*, Cambridge, Cambridge University Press, 1995.

Guedj, Denis, *Le Mètre du monde*. Paris, Seuil, 2000.

Hahn, Roger, *The Anatomy of a Scientific Institution : The Paris Academy of Sciences, 1666-1803*. Berkeley, University of California Press, 1971.

Heilbron, John L., « The Measure of Enlightenment », dans *The Quantifying Spirit in the Eighteenth Century*, p. 207-242, Tore Frängsmyr, John L. Heilbron, et Robin E. Rider, éd., Berkeley, University of California Press, 1990.

–, *Weighing Imponderables and Other Quantitative Science around 1800*, Berkeley, University of California Press, 1993.

Kula, Witold, *Les Mesures et les Hommes*, trad. J. Ritt, Éditions de la Maison des sciences de l'homme, Paris, 1984.

Lacombe, Henri et Pierre Costabel, éd., *La Figure de la Terre du XVIIIᵉ siècle à l'ère spatiale*, Paris, Gauthier-Villars, 1988.

Laissus, Joseph, « Un astronome français en Espagne : Pierre-François-André Méchain (1744-1804) », dans *Comptes rendus du 94ᵉ Congrès national des sociétés savantes*, p. 36-59, Paris, Bibliothèque nationale, 1970.

Levallois, Jean-Jacques, *Mesurer la terre : 300 ans de géodésie française*, Paris, Presses de l'École nationale des ponts et chaussées, 1988.

Mascart, Jean, *La Vie et les travaux du chevalier Jean-Charles de Borda, 1733-1799*, Lyon, Rey, 1919.

Miller, Judith, *Mastering the Market : The State and the Grain Trade in Northern France, 1700-1860*, Cambridge, Cambridge University Press, 1999.

Moreu-Rey, Enric, *El naixement del metre*, Palma de Mallorca, Moll, 1956.

Morin, [Arthur-Jules]. « Notice historique sur le système métrique », *Annales du Conservatoire des arts et métiers* 9 (1871), p. 573-640.

Noël, Yves, et René Taton, « La réforme des poids et mesures, origines et premières étapes (1789-91) », dans *Œuvres de Lavoisier, Correspondance*, vol. 6, p. 339-65, Patrice Bret éd., Paris, Académie des Sciences, 1997.

Porter, Theodore M., *Trust in Numbers : Objectivity in Science and Public Life*, Princeton, Princeton University Press, 1995.

Roncin, Désiré, « Mise en application du système métrique (7 avril 1795-4 juillet 1837) », *Cahiers de métrologie* 2 (1984), p. 3-86 ; 3 (1985), p. 19-130.

Rothschild, Emma, *Economic Sentiments : Adam Smith, Condorcet, and the Enlightenment*. Cambridge, Harvard University Press, 2001.

Sahlins, Peter, *Frontières et identités nationales : la France et l'Espagne dans les Pyrénées depuis le XVIIe siècle*, trad. G. de Laforcade, Paris, Belin, 1996.

Schaffer, Simon, « Astronomers Mark Time : Discipline and the Personal Equation », *Science in Context* 2 (1988), p. 115-45.

–, « Metrology, Metrication, and Victorian Values », dans *Victorian Science in Context*, p. 438-474. Bernard Lightman éd., Chicago, University of Chicago Press, 1997.

Stigler, Stephen M. *History of Statistics : The Measurement of Uncertainty before 1900*, Cambridge, Harvard University Press, 1986.

Ten, Antonio E., *Médir el metro : La historia de la prolongatión del arco de meridiano Dunkerque-Barcelona, base del Sistemo Métrico Decimal*, Valencia, Universitat de Valencia, 1996.

Treat, Charles F., *A History of the Metric Controversy in the United States*, National Bureau of Standards Pub., 345-410, Washington DC, GPO, 1971.

Turner, Anthony John, *From Pleasure and Profit to Science and Security : Étienne Lenoir and the Transformation of Precision Instrument-Making in France, 1760-1830*, Cambridge, Whipple Museum, 1989.

Wolf, Charles, « Recherches historiques sur les étalons de l'Observatoire », *Annales de chimie et de physique*, 5e série, 25 (1882), p. 5-112.

Zupko, Ronald, *French Weights and Measures before the Revolution : A Dictionary of Provincial and Local Units*, Bloomington, Indiana University Press, 1978.

–, *Revolution in Measurement : Western European Weights and Measures since the Age of Science*, Philadelphie, American Philosophical Society, 1990.

Remerciements

La convention littéraire qui veut que l'épouse de l'auteur soit la dernière à recevoir l'expression de sa gratitude a certainement été influencée par la formule « le dernier, mais non des moindres ». Aussi, dans un ouvrage qui attache une si grande importance à la notion de priorité, il me faut d'abord citer celle qui fut « la première et la plus grande », Bronwyn Rae. Ma fille Madeleine est mon autre étoile, à la valeur inappréciable, mais dont nul ne sait encore mesurer la hauteur. Je dois aussi des remerciements à mes parents, pour m'avoir ouvert aux matières scientifiques et au français, bien qu'ils ne puissent être tenus pour entièrement responsables de la concaténation qui en résulte. Ma sœur, scientifique de l'intégrité, et mon frère, moraliste du raisonnement, m'ont tous deux appris que de tels enchaînements sont toujours possibles et que l'époque des savants n'est pas tout à fait révolue.

Je suis également reconnaissant envers mon éditeur, Bruce Nichols, pour le soin et l'attention qu'il a apportés à la parution de cet ouvrage, et aussi envers les autres membres du personnel de The Free Press, à New York, qui m'ont prêté souvent assistance. J'ai beaucoup apprécié l'optimisme et l'énergie de Christy Fletcher et de ses collègues Michelle Lapautre et Corinne Marotte. Pour les photographies, je suis particulièrement redevable à Roman Stansberry, Gilbert Coudon, Jim Lane et Aron Vinegar. Les superbes reproductions des cartes de France et des îles Baléares, je les dois à Chris Robinson. Et ma reconnaissance va aussi à tous ceux qui m'ont aidé dans mes recherches, bibliographiques et autres, notamment Dario Gaggio, Sander Gliboff, Arne Hessenbruch, Stanislav Rosenberg et Dana Simmons. Pour la traduction française, je remercie grandement Martine Devillers-Argouarc'h pour son exactitude et son style tout en finesse. Pour terminer, je remercie les éditions Flammarion pour leur collaboration enthousiaste.

Mes amis et collègues de la Northwestern University et de l'invisible collège des érudits m'ont appris que l'écriture de l'histoire, comme la recherche en science, est une activité sociale. Le manuscrit du présent ouvrage s'est trouvé considérablement enrichi par les lectures critiques de Guy Boistel, Peter Gaffney, John Heilbron, Susan Herbst, Sarah Maza, Joel Mokyr, Ted Porter, Jessica Riskin, Dana Simmons, Mary Terrall et Mike Tobin. Au bout du compte, et puisque cet ouvrage traite de l'erreur – et de sa transformation, qui la fait passer d'une défaillance morale à un problème social –, je tiens à ajouter que toutes les erreurs qui subsistent sont bien les miennes, et que j'en assume personnellement l'entière responsabilité.

Index

(Les numéros de page en italiques renvoient aux illustrations.)

Table

Achevé d'imprimer en mai 2005
dans les ateliers de Normandie Roto Impression s.a.s.
61250 Lonrai
N° d'imprimeur : 05-1409
N° d'éditeur : FU032802
Dépôt légal : janvier 2005

Imprimé en France